GOLF CLUB
Guinness World Record
Largest Skateboard
36 feet 7 inches long
WINE HUB

Le plus grand pogo-stick fonctionnel

S'agissant de pogo-sticks, un nom vient immédiatement à l'esprit. Le prodigieux Fred Grzybowski (USA) a présenté un bâton sauteur de 2,91 m de haut au Toronto International Busker Festival (Canada), le 7 août 2011. L'année suivante, le 19 août, à St Catharines (Ontario, Canada), il a présenté le **plus petit pogo-stick fonctionnel** – 64 cm de haut. Les deux extrêmes !

Édition française © 2013 Hachette Livre (Hachette Pratique)
www.hachette-pratique.com
Cette édition du *Guinness World Records* est publiée avec l'autorisation de Guinness World Records Ltd.

ISBN : 978-1-897553-29-9

Dépôt légal : septembre 2013

Crédits iconographiques et remerciements p. 268.

Les records sont faits pour être battus ; en effet, c'est l'un des critères clés pour entrer dans une catégorie de record. Aussi, si vous pensez pouvoir battre un record, informez-nous en et présentez votre candidature. Toutes les informations sur les démarches à effectuer p. 10. Contactez-nous toujours avant de vous lancer dans une tentative de record.

Retrouvez régulièrement sur le site **www.guinnessworldrecords.com** des informations sur les records et des vidéos des tentatives de record. Rejoignez la communauté en ligne GWR.

Développement durable
Le bois utilisé pour la fabrication du papier du *Guinness World Records* provient de forêts gérées selon les principes du développement durable. Le papier de cette édition a été fabriqué par Stora Enso, Kabel, en Allemagne. Le site de production assure une traçabilité du bois et bénéficie de la certification ISO 14001.

Polices
Cette édition du *Guinness World Records* est composée en Myriad Pro, une typographie sans serif magnifiquement proportionnée et très lisible, conçue au début des années 1990 par Robert Slimbach et Carol Twombly (tous deux USA).

Les titres sont composés en **FLYER** noire (dans le style de la « heavy ») condensée, typographie également conçue dans les années 1990, cette fois par Linotype.

Pour l'édition française
Édition : Anne Le Meur
Réalisation : Dédicace / Nord Compo (Villeneuve-d'Ascq)
Traduction : Stéphanie Alglave, Olivier Cechman, Karine Descamps, Cécile Giroldi, Laurent Laget, Jean-Pierre Massias, Anne-Marie Naboudet-Martin, Céline Petit
Relecture : Dorica Lucaci
L'éditeur tient à remercier Michel Marcelin, directeur de recherche au CNRS, laboratoire d'Astrophysique de Marseille, pour sa relecture des pages liées à l'astronomie, et Patrice Leraut, du Muséum nationale d'Histoire naturelle de Paris, pour sa relecture des pages « Animaux ».

OFFICIALLY AMAZING

Directeur de la publication
Craig Glenday

Directeur éditorial
Stephen Fall

Mise en page
Rob Dimery, Jo Maggs, Lucian Randall

Éditeur assistant
Roxanne Mackey

Équipe éditoriale
Theresa Bebbington (américanisation), Chris Bernstein (indexation), Matthew White (relecture)

Responsable éditorial iconographie
Michael Whitty

Iconographes
Fran Morales, Laura Nieberg

Recherches iconographiques et artistiques
Jenny Langridge

Directeur général de l'édition
Frank Chambers

Directeur des acquisitions
Patricia Magill

Responsable de production éditoriale
Jane Boatfield

Assistant de production éditoriale
Charlie Peacock

Consultants techniques
Roger Hawkins, Dennis Thon, Julian Townsend

Impression et façonnage
MOHN Media Mohndruck GmbH, Gütersloh, Allemagne

Production de la couverture
Spectratek Technologies, Inc., Bernd Salewski (Günter Thomas)

Réalité augmentée
Red Frog

Conception graphique
Paul Wylie-Deacon, Richard Page de 55design.co.uk

Photographies originales
Richard Bradbury, Sam Christmas, James Ellerker, Paul Michael Hughes, Ranald Mackechnie, David Ovenden, Javier Pierini, Kevin Scott Ramos, Ryan Schude

Consultants éditoriaux
Dr Mark Aston, Iain Borden, Dick Fiddy, David Fischer, Mike Flynn, Marshall Gerometta, Ben Hagger, David Hawksett, Alan Howard, Dominique Jando, Eberhard Jurgalski, Justin Lewis, Christian Marais, Ralph Oates, Ocean Rowing Society, Glen O'Hara, Paul Parsons, Dr Karl Shuker, Samppa von Cyborg, Matthew White, Adrian Willis, Stephen Wrigley, Robert Young

Président-directeur général : Alistair Richards
Vice-président Développement global des affaires : Frank Foley
Vice-président Amériques : Peter Harper
Président (Chine et Taïwan) : Rowan Simons
Responsable pays (Japon) : Erika Ogawa
Responsable pays (ÉAU) : Talal Omar

SERVICES PROFESSIONNELS
Directeur financier, juridique, RH et DSI : Alison Ozanne
Responsables financiers : Neelish Dawett, Scott Paterson
Responsable des comptes créditeurs : Kimberley Dennis
Responsable des comptes débiteurs : Lisa Gibbs
Directeur des affaires juridiques : Raymond Marshall
Responsable des affaires juridiques : Michael Goulbourn
Directeur informatique DSI : Rob Howe
Développeurs d'applications Web : Imran Javed, Anurag Jha
Support informatique : Ainul Ahmed
Responsable des RH : Jane Atkins
Responsable administrative (RU) : Jacqueline Angus
Responsable administrative et RH (USA) : Morgan Wilber
Responsable administrative et RH (Japon) : Michiyo Uehara
Responsable administrative et RH (Chine et Taïwan) : Tina Shi

TÉLÉVISION
Directeur de la programmation et des ventes de programmes : Christopher Skala
Directeur des droits audiovisuels : Rob Molloy
Directeur de la distribution audiovisuelle : Denise Carter Steel
Responsable des contenus audiovisuels : Jonny Sanders

GESTION DES RECORDS
Directeur général des records : Marco Frigatti
Direction commerciale de la gestion des records : Paul O'Neill
Directeur des opérations : Turath Alsaraf
Responsable des opérations de gestion des records (USA) : Kimberly Partrick
Responsable des opérations de gestion des records (Japon) : Carlos Martínez
Directeur commercial (Chine et Taïwan) : Blythe Fitzwiliam
Responsable du développement (RU) : Hayley Nolan
Responsable du développement (USA) : Amanda Mochan
Responsable du développement (Japon) : Kaoru Ishikawa
Responsable Base de données : Carim Valerio
Opérations : Alex Angert (USA), Anatole Baboukhian (France), Benjamin Backhouse (RU), Kirsty Bennett (Australie), Jack Brockbank (RU), Fortuna Burke (RU), Shantha Chinniah (RU), Michael Empric (USA), Jacqueline Fitt (RU), Manu Gautam (RU), Jess Hall (RU), Johanna Hessling (USA), Tom Ibison (RU), Sam Mason (RU), Aya McMillan (Japon), Annie Nguyen (USA), Eva Norroy (RU), Anna Orford (France), Pravin Patel (RU), Philip Robertson (USA), Chris Sheedy (Australie), Athena Simpson (USA), Elizabeth Smith (RU), Louise Toms (RU), Gulnaz Ukassova (Kazakhstan), Lorenzo Veltri (Italie), Charles Wharton (RU)
Commercial : Dong Cheng (Chine), Asumi Funatsu (Japon), Ralph Hannah (RU/Paraguay), Annabel Lawday (RU), Takuro Maruyama (Japon), Nicole Pando (USA), Gail Patterson (RU), Terje Purga (Estonie), Lucia Sinigagliesi (Italie), Şeyda Subaşı-Gemici (Turquie), Charlie Weisman (USA)

MARKETING GLOBAL
Directeur général du marketing : Samantha Fay
Directeur du marketing (USA) : Stuart Claxton
Directeur du marketing (Chine et Taïwan) : Sharon Yang
Responsable Presse (USA) : Jamie Panas
Assistante Relations presse et marketing (USA) : Sara Wilcox
Directeur de marque (Allemagne) : Olaf Kuchenbecker
Responsable marketing : Justine Bourdariat
Assistante marketing : Christelle BeTrong
Directeurs Relations presse (RU) : Jaime Strang, Amarilis Whitty
Responsable Relations Presse et marketing (RU) : Claire Burgess
Responsable Relations Presse et marketing (Japon) : Kazami Kamioka
Attaché de presse : Damian Field
Responsable de la communication avec la presse au Royaume-Uni et à l'international : Anne-Lise Rouse
Directeur du développement numérique : Katie Forde
Responsable des contenus vidéo : Adam Moore
Responsable de la communauté Web : Dan Barrett
Éditeur de contenu en ligne : Kevin Lynch
Concepteur graphique : Neil Fitter
Maquettiste : Jon Addison
Chef de produit (Japon) : Momoko Cunneen
Responsable de contenu (USA) : Mike Janela
Responsable de contenu (Japon) : Takafumi Suzuki

DROITS DE LICENCE ET d'ÉDITION
Directeur général des ventes de droits de licence et d'édition (RU et international) : Nadine Causey
Directeur Édition, ventes et produits (USA) : Jennifer Gilmour
Directeur de contenu (Chine et Taïwan) : Angela Wu
Directeur des comptes (RU et international) : John Pilley
Assistant ventes et distribution (RU et international) : Richard Stenning
Responsable licence de marque : Samantha Prosser

DE LA 3D INÉDITE

RÉALITÉ AUGMENTÉE – COMMENT ÇA MARCHE ?

Cette année, les lecteurs peuvent rencontrer « virtuellement » plus de détenteurs de records que jamais ! Téléchargez l'appli GRATUITE et regardez les records prendre vie !

Sur la couverture et dans les pages spécifiquement repérées dans le livre, vous découvrirez des détenteurs de records en 3D ; des éléments interactifs apparaîtront simplement en plaçant votre appareil sur les pages du livre. Si vous avez un smartphone ou une tablette, rien de plus simple ! Suivez ces étapes et laissez-vous surprendre.

1 Téléchargez l'appli GRATUITE "SEE IT 3D".

guinnessworldrecords.com/seeit3d

2 Cherchez les logos "À VOIR EN 3D" ou "À VOIR EN VIDÉO". Avec l'appli, le livre et les records prennent vie !

À VOIR EN 3D AVEC L'APPLI GRATUITE

3 Prenez une photo avec votre recordman préféré et partagez-la en ligne avec vos amis et votre famille.

ASTUCES

- Avec votre appareil, scannez l'image du détenteur de record, déplacez-le et voyez comme il vous suit du regard.
- Rapprochez votre appareil de la photo de l'Everest. Vous allez entrer dans le mode "réalité virtuelle" et accéderez à une vue panoramique du sommet !
- Lorsque vous y êtes invité, interagissez grâce à votre écran avec les détenteurs de record !

ATTENTION RÉALITÉ AUGMENTÉE ! PAGE EN 3D

Ce logo indique qu'il y a de la 3D sur la page.

Les records prennent vie :

COMPATIBILITÉ AVEC LES APPAREILS DE RÉALITÉ AUGMENTÉE

Apple	
Système d'exploitation : Apple iOS 4.3 au minimum jusqu'à iOS 6.1.3 inclus	
Les appareils compatibles sont les iPhones 4, 4S et 5, iPad 2, iPad mini (3e et 4e générations) et iPod touch (4e et 5e générations)	
Liste des appareils Android les plus adaptés	
Tablette Samsung Galaxy 2 (7 pouces et 10,1 pouces)	Samsung Galaxy S2 et versions ultérieures
Série HTC One, c.-à-d. S, X, V	Gamme HTC Desire
Tablette Asus Google Nexus	Appareils Motorola Razr des 18 derniers mois
Pour tout autre appareil, les spécifications minimales requises sont :	
ARMv7 Chipset	Open GL 2.0 Graphics
Version Android 2.2 jusqu'à 4.2.2 inclus	Caméra arrière

Plus d'informations sur la compatibilité des appareils sur www.guinnessworldrecords.com/seeit3d

SOMMAIRE

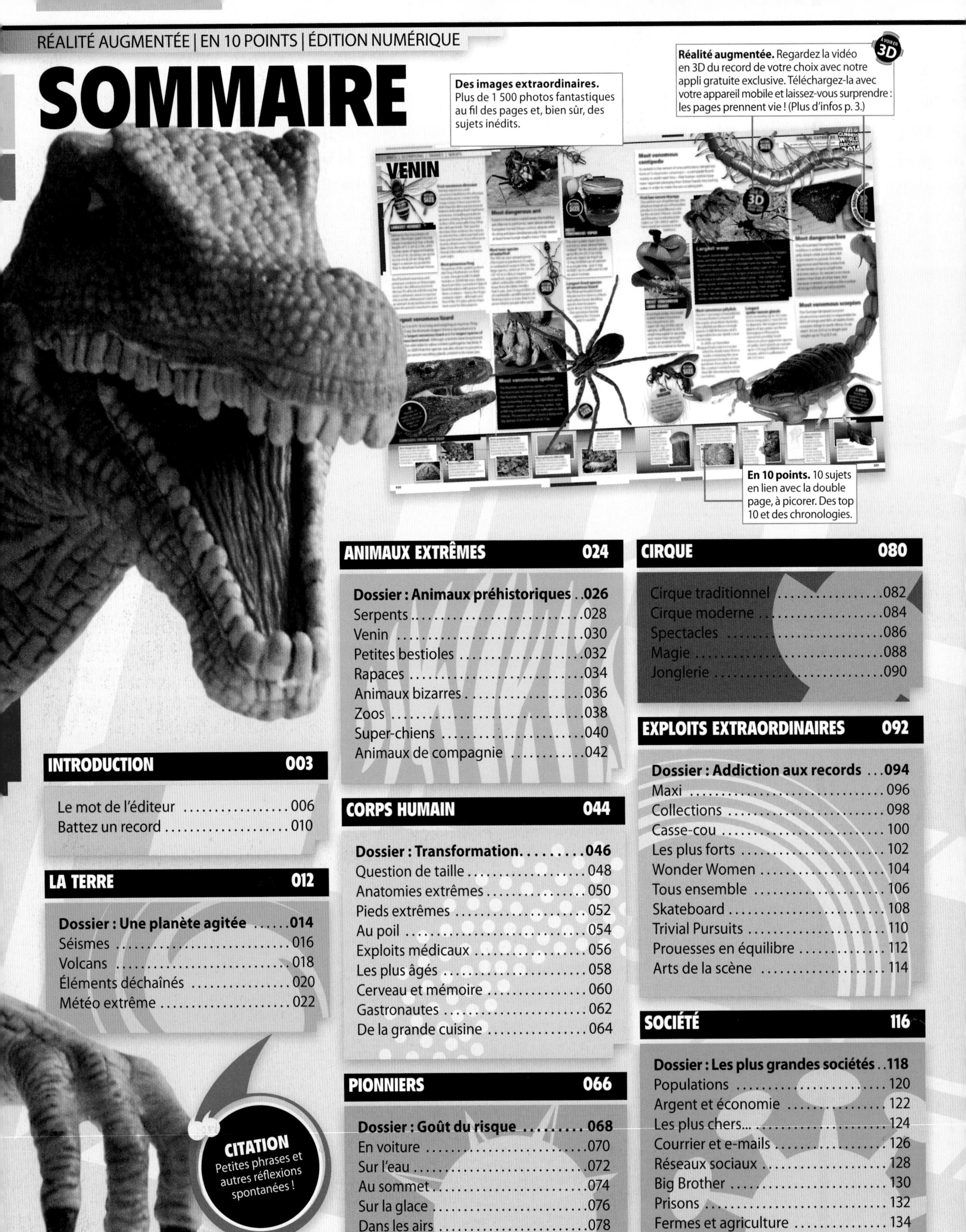

Des images extraordinaires. Plus de 1 500 photos fantastiques au fil des pages et, bien sûr, des sujets inédits.

Réalité augmentée. Regardez la vidéo en 3D du record de votre choix avec notre appli gratuite exclusive. Téléchargez-la avec votre appareil mobile et laissez-vous surprendre : les pages prennent vie ! (Plus d'infos p. 3.)

En 10 points. 10 sujets en lien avec la double page, à picorer. Des top 10 et des chronologies.

CITATION Petites phrases et autres réflexions spontanées !

SUIVEZ LES RENVOIS DE PAGES VERS DES SUJETS CONNEXES

En bref. Un résumé des grands événements qui ont marqué chaque sport.

Des rubriques en couleurs. Il est encore plus facile de trouver vos records préférés.

Tableaux. Tous les chiffres et records sont repérables d'un coup d'œil. Une richesse d'infos incroyable.

Chiffres. Des chiffres surprenants liés aux détenteurs de record et à leurs exploits.

4 000 entrées totalement révisées, dont plus de 3 000 records tout nouveaux ou mis à jour.

Anecdotes. Des détails étonnants et des petites histoires associées aux records de la double page.

Chapitre bonus gratuit

Emportez le *Guinness World Records* partout avec vous grâce au livre numérique gratuit que nous vous proposons de télécharger sur votre appareil numérique. Avec ce livre riche d'informations bonus sur vos records favoris et d'anecdotes sur les coulisses de Guinness World Records, vous apprendrez, en outre, comment, vous aussi, vous pouvez établir un record ! Découvrez comment cette incroyable réalité augmentée a été réalisée et n'oubliez pas de tester vos connaissances en participant à notre concours. Pour obtenir ce livre numérique gratuit, rendez-vous sur **www.guinnessworldrecords.com/freebook** ou scannez le QR code ci-dessus.

VIE URBAINE 138

INGÉNIERIE 156

SCIENCE ET TECHNOLOGIE 178

DIVERTISSEMENTS 196

SPORTS 218

JOURNÉE GWZ

Chaque année, à la mi-novembre, des centaines de personnes dans le monde tentent d'établir ou de battre des records pour la journée Guinness World Records. Le logo **Journée GWR** vous signale les records établis lors de la journée 2012.

INFO

Grâce aux encadrés « Info » vous en saurez encore plus sur les détenteurs de record et leur domaine d'excellence. Vous verrez ainsi les records clés de cette année sous un autre angle et replacerez tous ces chiffres étonnants dans leur contexte.

Taille réelle : Des photos grandeur nature ! Et quel est le record de ce cafard ? *Allez p. 32 pour le savoir.*

LE MOT DE L'ÉDITEUR

Bienvenue dans cette édition du *Guinness World Records 2014* ! Au cours des 12 derniers mois, comme toujours, nous avons été submergés de milliers de demandes venant du monde entier et nous avons rassemblé ici le meilleur des records validés. Vous découvrirez un chien funambule, une femme à barbe, une moto géante et même un orchestre de légumes. C'est aussi l'année des premières, du saut épique de Félix Baumgartner aux confins de l'espace au milliard de vues du clip de PSY en passant par le 1er tour du monde en solitaire à la seule force humaine…

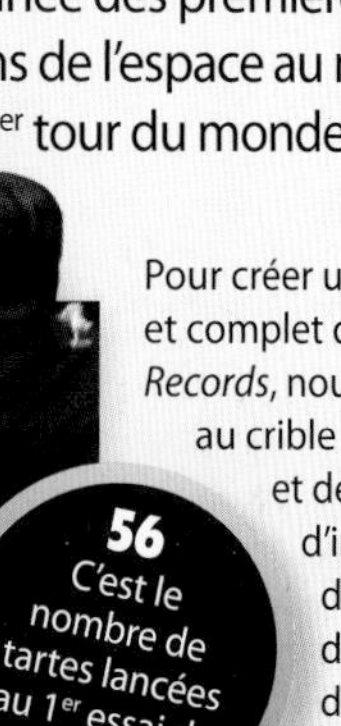

56 C'est le nombre de tartes lancées au 1er essai de Michaël.

Le plus de tartes à la mousse à raser lancées en 1 min en duo

Michaël Levillain a lancé 62 tartes dans les studios de NRJ pendant l'émission *C'Cauet*, à Paris, le 15 novembre 2012, en l'honneur du Guinness World Records Day. Michaël est représenté avec son certificat et Sébastien Cauet, à gauche.

Pour créer un livre aussi dense et complet que le *Guinness World Records*, nous avons dû passer au crible 50 000 candidatures et demandes, regarder d'innombrables heures de vidéos, juger en direct des centaines d'événements dans des lieux aussi variés que la Sibérie ou l'île Maurice et organiser une centaine de séances photo dans le monde.

La France est la patrie de détenteurs de records parmi les plus enthousiastes au monde et cette année ne fait pas exception. Lors des jeux Paralympiques de Londres (RU) en 2012, qui ont réuni un large public, Marie-Amélie Le Fur a réalisé le **plus long saut (T44)**, soit 5,43 m, le 22 juin 2012 (la catégorie T44 concerne les athlètes amputés des membres inférieurs). Loïck Peyron a dirigé le trimaran qui a bouclé le **tour du monde le plus rapide en équipage**, le 6 janvier 2012, en 45 jours, 13 h, 42 min et 53 s. Pendant ce temps, l'intrépide Yoni Roch a effectué le plus **haut saut à l'élastique dans l'eau tout en étant enflammé**, à 65,09 m, le 14 septembre 2012. La **femme la plus riche au monde** est bel et bien l'héritière de L'Oréal, Liliane Bettencourt, avec une fortune de 30 milliards $ en avril 2013.

En France, il n'y a pas que les hommes et les femmes qui battent des records. L'âne du Poitou, de la région éponyme, fait son entrée dans le livre cette année, car il possède le **plus long pelage pour un âne**. Ce dernier est plus visible chez les jeunes animaux dont les poils mesurent au moins 15 cm de long. Ils s'emmêlent souvent en longues boucles frisées caractéristiques appelées « cadenettes ». Au Moyen Âge, posséder cette race était un symbole de statut de noblesse.

Le plus de joueurs de volley en intérieur dans un match d'exhibition

L'association sportive de Saint-Genis-les-Ollières et la ville du même nom ont réuni 294 joueurs à l'occasion du Téléthon 2011, le 3 décembre 2011. Justine Bourdariat, de Guinness World Records, leur a remis un certificat.

Le tour le plus rapide en essai aux 24 H du Mans

Stéphane Sarrazin conduisait une Peugeot 908 HDi FAP lorsqu'il a réalisé un tour en essai aux 24 H du Mans en 3 min et 18,513 s, le 11 juin 2008. Rendez-vous p. 248-249 pour plus de sports motorisés.

CITATION
« [Le Mans, c'est] de la folie, il y a de plus en plus de monde chaque année et la ferveur pour le Team Peugeot est impressionnante ! »

Le tour du monde en solitaire en monocoque le plus rapide

François Gabart a remporté l'édition 2012-2013 du Vendée Globe en 78 jours, 2 h et 16 min à bord de *MACIF*, du 10 novembre 2012 au 27 janvier 2013. Découvrez d'autres aventuriers sur l'eau p. 72-73.

La France s'enorgueillit également d'avoir le **plus grand skatepark couvert de graffiti** (sur l'avenue Pierre-Mendès-France à Marseille). Presque toute la surface du parc est recouverte de graffitis et d'œuvres d'art de rue. Conçu par l'architecte Jean-Pierre Collinet, le skatepark de Marseille a ouvert le 13 juillet 1991.

STARS DU SPORT

Dès qu'une édition du *Guinness World Records* est terminée, nous entamons la suivante. Ainsi, la préparation de ce livre a débuté à l'été 2012, alors que le monde était pris d'une fièvre olympique. L'été promettait d'être passionnant. Ainsi, ces Jeux ont eu lieu à Londres pour la 3e fois (un record !) et ils s'y tenaient pour la 1re fois depuis la création de Guinness World Records en 1954. Cet événement spectaculaire et riche en records nous a permis de réunir des centaines de superlatifs. Ce fut un véritable honneur de rencontrer une partie des athlètes et de leur remettre leur certificat Guinness World Records en personne. Merci à tous ceux qui ont pris le temps d'y participer. Vous retrouverez les temps forts des JO (et autres événements sportifs) dans le chapitre « Sports » de cette année, qui commence en p. 218.

Un autre temps fort de l'été au Royaume-Uni a été le Wonderground de Londres, une représentation d'artistes de spectacle et de cirque les plus extrêmes, sur le site temporaire de South Bank. Détenteur de multiples records, le Space Cowboy, alias Chayne Hultgren (Australie), nous a conviés à différentes performances, où nous nous sommes faits de nouveaux amis dont les plus talentueux ont vu leur nom entrer dans notre base. En conséquence, nous avons consacré un chapitre au cirque : p. 80-91. Le Wonderground a fourni à notre équipe de photographes, dirigée par Michael Whitty, une large palette de talents à saisir sur le vif. Une fois de plus, l'équipe n'a pas économisé ses efforts pour nous offrir les images les plus incroyables, en parcourant le monde pour vous rapporter des

9 C'est la hauteur en mètres que les flyboarders entraînés peuvent atteindre avec le modèle 2011.

Le plus de backflips en jet pack aquatique en 1 min

Stéphane Prayas a réalisé 10 backflips, à Sanya (Hainan, Chine), le 29 novembre 2012, pour l'émission *CCTV – Guinness World Records Special*. Le jetpack, ou flyboard, est attaché à un jet ski et le flyboarder se sert d'un tuyau pour projeter de l'eau à haute pression et contrôler son vol.

La plus grande purée de pommes de terre

Le Futuroscope et le chef étoilé Joël Robuchon ont servi une purée de pommes de terre de 1 042 kg, à Poitiers, le 29 septembre 2012. Cette année, les records alimentaires commencent p. 62. Vous trouverez des fruits et des légumes démesurés p. 136-137.

LE TABLEAU DE CÉZANNE LE PLUS CHER

Les Joueurs de cartes, de Paul Cézanne, a été vendu à la famille royale du Qatar pour 250 millions $ en 2011. Datant du début des années 1890, le tableau représente deux ouvriers agricoles d'Aix-en-Provence jouant aux cartes.

Le plus grand journal sportif

Le 26 juillet 2012, *L'Équipe* a imprimé une édition spéciale de 80 x 56 cm, à Mitry-Mory. Cette publication de 16 pages a été tirée à 556 000 exemplaires. Frank Chambers, de Guinness World Records, était là pour valider la tentative.

LE MOT DE L'ÉDITEUR

Le plus de titres en coupe du monde de snowboard

Mathieu Bozzetto a remporté 6 titres en snowboard, vainqueur au classement général en 1999 et 2000 et en slalom/slalom parallèle de 1999 à 2002. Les records sur glace vous intéressent ? Rendez-vous p. 260-261 pour une sélection de sports d'hiver.

photos telles que le **plus grand robot capable de marcher**, d'Allemagne (p. 178-179), le **plus gros chat**, des États-Unis (p. 24-25), Ozzy, le chien funambule de Grande-Bretagne (p. 41), ainsi que Vivian Wheeler des États-Unis, qui est la **femme à la plus longue barbe** (p. 55).

Au cours de l'année écoulée, la nouvelle émission télévisée a constitué une aventure passionnante pour Guinness Word Records. Outre *Guinness World Records Gone Wild !*, *Officially Amazing*, présentée par Ben Shires sur la CBBC (RU), met en avant des records incroyables, ainsi que des participants plus que courageux ! Vous en saurez plus sur ces émissions en p. 11. Elles ont été l'occasion de délivrer l'un des précieux certificats Guinness Word Records et il en va de même pour notre site Internet à la popularité croissante. Rendez-vous p. 10-11 pour en savoir plus et découvrir la marche à suivre afin que votre nom figure dans le **livre sous copyright le plus vendu** au monde.

CONSEILLERS EXPERTS

Nous accueillons parmi nos consultants Iain Borden, professeur d'architecture et de culture urbaine à la Bartlett School of Architecture de l'UCL à Londres (RU). L'enthousiasme d'Iain pour son sujet nous a incités à ajouter un chapitre « Vie urbaine », qui commence p. 138 ; il a eu l'occasion de satisfaire sa passion pour le skateboard (p. 108-109).

Parmi nos nouveaux consultants, le chroniqueur et aventurier Eberhard Jurgalski, dont l'aide a été précieuse pour notre chapitre « Pionniers » (p. 66-79), Samppa von Cyborg (Finlande), adepte des modifications corporelles extrêmes (p. 46-47), ainsi que l'historien et économiste universitaire Glen O'Hara, qui a nous a fait bénéficier de son expertise pour les records « Argent et économie » (p. 122-123).

L'aide des consultants est indispensable. L'équipe s'occupe seule de plus de 3 000 nouveaux records et records mis à jour ; nous adressons donc nos remerciements à tous nos conseillers et à nos sources, anciennes et nouvelles, qui nous ont aidés à réunir et à valider les records de ce livre.

APPLI GRATUITE

Les fans de l'application de réalité augmentée que nous avons mise en place l'année dernière seront ravis de voir qu'elle est de retour dans cette édition, en version développée et améliorée. Nous nous sommes associés avec Red Frog (RU) pour vous offrir des graphiques en 3D entièrement

Le plus de Rubik's cubes résolus en 1 h

Thomas Watiotienne a résolu 210 cubes au festival international des jeux 2013, à Cannes, le 2 mars 2013. Retrouvez 10 autres spécialistes étonnants des cubes p. 60-61.

Le plus long trajet en béquille

Le 21 mars 2011, Guy Almafitano est parti de Salies-de-Béarn (Pyrénées-Atlantiques) et a parcouru 4 004 km avant d'arriver au centre hospitalier d'Orthez, le 27 juillet 2011. Lors de son voyage, Guy a marché 129 jours, parcourant 30 km en moyenne chaque jour.

La plus grande collection de cognac

Au 18 décembre 2012, le Rotary club de Cognac avait réuni une collection de 1 008 bouteilles, présentée au musée de la ville et constituée de bouteilles données par des maisons, des producteurs et des amateurs de cognac.

COGNAC
Cette eau-de-vie d'appellation d'origine est produite en Charente-Maritime, en Charente et dans quelques communes de la Dordogne et des Deux-Sèvres.

Le plus grand événement équestre

Un événement organisé par Serge Lecomte, président de la Fédération française d'équitation, a rassemblé 18 838 cavaliers, à Lamotte-Beuvron (Loir-et-Cher), entre les 7 et 29 juillet 2012. Les amis des animaux trouveront d'autres histoires animalières dans cette édition. Chez les animaux de compagnie p. 42-43, vous retrouverez le **plus vieux perroquet** et la **plus grande race de canaris**.

animés, des photographies et des vidéos interactives disponibles sur tablette ou Smartphone. Il vous suffit de télécharger l'application gratuite et de pointer votre lecteur sur l'une des pages affichant le logo À VOIR EN 3D. C'est l'occasion d'être photographié avec Jyoti Amge (la **plus petite femme du monde**, p. 44-45), d'admirer une vue panoramique à 360° du sommet de l'Everest (le **plus haut sommet du monde**, p. 74) sans vous lever de votre fauteuil ou de vous approcher dangereusement du **plus grand dinosaure carnivore** (p. 26).

En parlant de dinosaures, le bonus des pages 26 à 27 est l'œuvre de notre équipe de 55 Design. Nous voulions montrer l'énormité des dinosaures. Pour relever ce défi, les artistes Paul et Rich se sont inspirés des jouets réalistes du fabricant allemand Schleich, et ont recréé une scène fantastique dans laquelle ces créatures préhistoriques envahissent Trafalgar Square à Londres. Merci à 55 Design et à Schleich de nous avoir aidés à redonner vie à cette espèce éteinte.

Si vous souhaitez tenter de battre un record et peut-être même en profiter pour réunir des fonds en faveur d'une œuvre caritative, tournez la page et vous saurez comment vous inscrire. Vous n'avez pas besoin de vous jeter d'un ballon dans l'espace ou de réunir 1 milliard de vues sur YouTube pour que votre nom figure dans le livre : battre un record est gratuit et ouvert à tous ceux qui souhaitent s'y essayer. Quelle que soit votre thématique, bonne chance ! En attendant, profitez pleinement de cette nouvelle édition.

Craig Glenday
Directeur éditorial
Suivez-moi sur Twitter : @craigglenday

Le plus long saut sur une rampe en rollers

Chris Haffey (USA) a réalisé un saut de 30 m au palais omnisports Marseille Grand Est, le 9 novembre 2011. Il s'est servi d'une corde de wakeboard pour atteindre la vitesse nécessaire à son saut, une approche inédite puisque la plupart des tentatives utilisent une pente descendante.

Le plus long attelage d'ânes

Sur une route de campagne à Grossouvre (Cher), 65 ânes ont été alignés pour tirer une charrette sur 1 000 m.

1994
C'est l'année où s'est tenue la 1re coupe du monde de snowboard FIS. La 1re compétition a eu lieu à Kaprun (Autriche), le 26 novembre 1994.

Le plus de titres en coupe du monde de snowboard (femmes)

Karine Ruby a remporté 20 titres en coupe du monde de snowboard entre 1995 et 2004. Elle détenait 6 titres en catégorie générale, 5 en slaloms géants, 4 en slaloms/slalom parallèle, 4 en boardercross et 1 titre en big air.

CITATION
« Dans le monde du snowboard, c'était une icône. »
Joël Franitch, directeur sportif du snowboard de la Fédération française de ski, 2009

BATTEZ UN RECORD

Êtes-vous exceptionnel ? Montrez-le à nos juges…

Entre les livres, les émissions, les sites Internet, les publications numériques et les événements en direct Guinness World Records, il n'a jamais été aussi facile de démontrer vos talents extraordinaires ! Battre un record est gratuit. Vous pouvez présenter votre candidature où que vous soyez. Rendez-vous sur www.guinnessworldrecords.com et soumettez-nous votre idée. Si elle aboutit, votre record sera retenu et vous verrez peut-être votre nom dans la prochaine édition du **livre sous copyright le plus vendu au monde** !

Prétendants en ligne

Vous êtes prêt à battre un record immédiatement ? Qu'attendez-vous ? Rendez-vous sur **www.guinnessworldrecords.com/challengers** et sélectionnez un défi, ou proposez-en un nouveau. Il ne vous reste plus qu'à filmer votre tentative de record et à la télécharger. Vous pouvez ainsi tenter d'**empiler le plus de dés en 1 min** (Eric Richey, *en haut à droite*, en a superposé 40, le 17 septembre 2012) ou être **le plus rapide à boire 50 cl d'eau** (Tom Maryniak, *à droite*, l'a fait en 2,6 s, le 15 novembre 2011).

1 : Votre première mission consiste à parcourir toutes les catégories de Guinness World Records pour trouver un record à établir. Si vous avez une idée, le livre et les émissions vous donneront un aperçu de ce qui se fait.

2 : Le moyen le plus simple de nous contacter est d'utiliser le formulaire sur **www.guinnessworldrecords.com** : soyez le plus précis possible et prenez-vous-y quelques semaines avant votre tentative pour que nous ayons le temps de l'étudier.

3 : Si votre idée nous séduit (ou si elle appartient à une catégorie existante), nous vous enverrons les instructions que vous (et ceux qui souhaitent relever le défi) devrez respecter ; si votre proposition n'est pas retenue, nous vous expliquerons pourquoi.

4 : Réunissez les preuves et envoyez-les-nous. Nous aurons besoin de témoignages, de photos, de vidéos… Reportez-vous aux instructions pour connaître les conditions requises pour votre record.

Nous en jugerons…

À l'été 2012, nous avons officiellement présenté les nouveaux uniformes des juges Guinness World Records, portés ici par quelques membres de l'équipe. La présence d'un juge n'est pas indispensable lors de votre tentative : il vous suffit de nous envoyer des preuves nous permettant de valider votre record à distance. Voici comment présenter votre candidature en 5 étapes.

Le Guinness World Records se déchaîne !

Nous avons effectué un retour apprécié sur les écrans de télévision américaine avec *Guinness World Records Gone Wild !* présentée par Dan Cortese, en photo ci-dessus avec le juge Stuart Claxton et les recordmen Sweet Pepper Klopek et Burnaby Q Orbax (voir p. 86). Comme son nom l'indique, *Gone Wild ! (Déchaînés !)* met en avant les records les plus extravagants, comme celui de Mike O'Hearn (USA), qui a brisé le **plus de vitres en verre trempé** : 18 !

À VOIR EN VIDÉO AVEC L'APPLI GRATUITE

OFFICIALLY AMAZING

GUINNESS WORLD RECORDS 2014

Officially Amazing

Les fans britanniques du *Guinness World Records* ont eu la chance de voir nos juges en action sur le plateau d'*Officially Amazing*. Cette émission de la BBC s'accompagne de deux mascottes (à gauche). L'équipe a parcouru le monde à la recherche des records les plus étonnants, notamment lorsqu'il s'agit de se garer en créneau sur la **place de parking la plus étroite**. John Moffatt (RU) disposait d'à peine 13,1 cm pour garer son ancienne Mini Mayfair entre deux autres voitures sur le site de l'émission à Hereford (RU), le 10 décembre 2012. Jugez-en plutôt avec l'appli gratuite de réalité augmentée (*voir p. 3*).

TOUJOURS PLUS DE RECORDS

Certains prétendants ont fait des records un mode de vie. Retrouvez les accros qui ne peuvent plus s'arrêter pages 94 et 95.

ATTENTION, RÉALITÉ AUGMENTÉE ! PAGE EN 3D

28 C'est le nombre de *buckets* empilés en pyramide à 7 étages lors d'une tentative de record.

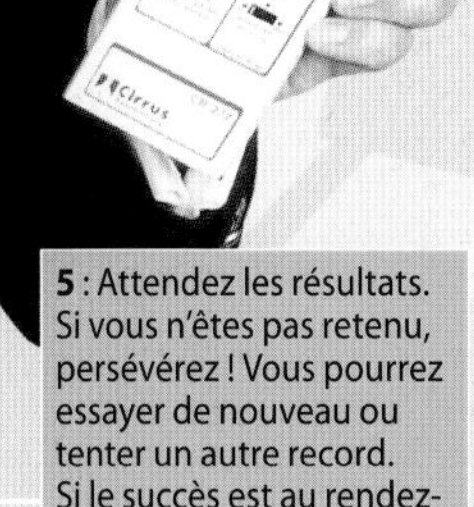

5 : Attendez les résultats. Si vous n'êtes pas retenu, persévérez ! Vous pourrez essayer de nouveau ou tenter un autre record. Si le succès est au rendez-vous, vous recevrez votre certificat !

Événements Guinness World Records en direct

Trouvez des records à battre lors d'un de nos événements Guinness World Records en direct. Il en existe dans le monde entier et c'est l'occasion idéale de se lancer. Pourquoi ne pas tenter d'être le **plus rapide à construire une pyramide de 7 étages avec des seaux en carton** ? Vous devrez être meilleur que John Ric G. Villanueva (Philippines, *non représenté*) qui a construit sa pyramide de 7 étages en 35,72 s, lors d'un événement au Marina Mall de Salmiya (Koweit), le 16 mars 2013.

INFO

Le présentateur de *OMG !* Oli White (*ci-dessous*) a été le **plus rapide à manger un beignet à la confiture sans les mains** et sans se lécher les lèvres en 30,53 s, lors du lancement en direct de *OMG !*, le 26 octobre 2012. Bravo, Oli !

Services Premium

Il faut de 4 à 6 semaines à nos services pour traiter une candidature. Tout le processus s'effectue gratuitement, de la première candidature à la délivrance d'un certificat officiel Guinness World Records si votre tentative est validée. Si vous souhaitez une réponse plus rapide, vous pouvez prétendre à un service accéléré qui vous alloue immédiatement un gestionnaire de record et vous garantit une réponse sous 3 jours. D'autres services premium sont disponibles, comme des événements d'entreprise, des options marketing... Pour en savoir plus, rendez-vous sur www.guinnessworldrecords.com.

OMG !

Cette année a vu le lancement de notre nouvelle chaîne YouTube *Guinness World Records, OMG ! :* www.youtube.com/GWRomg. Animée par une équipe de personnalités sur YouTube, *OMG !* propose différentes catégories telles que « Do Try This at Home » et « Slo-Mo Test Lab ». Depuis son lancement en 2012, la chaîne a été vue plus de 8 millions de fois. En bas à droite, les membres de l'équipe présentant le lancement en direct de la chaîne pendant 2 h en compagnie de Dan Barrett, community manager du *Guinness World Records*.

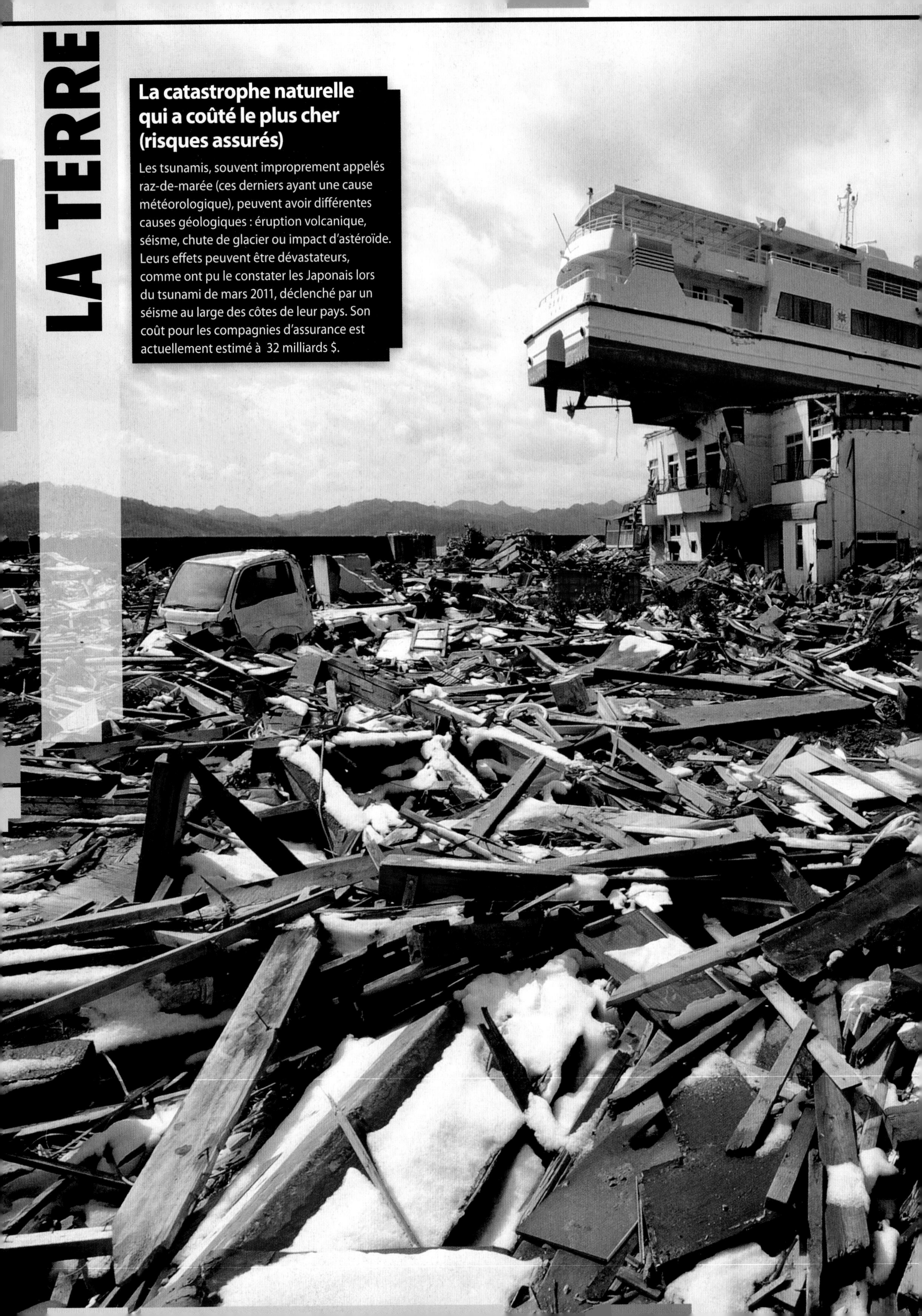

La catastrophe naturelle qui a coûté le plus cher (risques assurés)

Les tsunamis, souvent improprement appelés raz-de-marée (ces derniers ayant une cause météorologique), peuvent avoir différentes causes géologiques : éruption volcanique, séisme, chute de glacier ou impact d'astéroïde. Leurs effets peuvent être dévastateurs, comme ont pu le constater les Japonais lors du tsunami de mars 2011, déclenché par un séisme au large des côtes de leur pays. Son coût pour les compagnies d'assurance est actuellement estimé à 32 milliards $.

Dossier :

VAGUE DESTRUCTRICE
Cette photo prise à Ōtsuchi (préfecture d'Iwate) montre un yacht échoué sur un immeuble de deux étages après le tsunami, le 24 mars 2011.

UNE PLANÈTE AGITÉE

Cartographie des plus grandes catastrophes naturelles

Sous la croûte terrestre sur laquelle nous vivons bouillonne un océan de roche en fusion, et nos systèmes climatique et environnemental – uniques dans le système solaire – sont en perpétuel mouvement. Les forces qui l'animent – volcans, séismes, tornades, tsunamis et températures extrêmes – façonnent le globe et la vie de milliards d'êtres vivants.

Chaque jour, 8 000 séismes d'intensité variable secouent la Terre, et nous vivons sous la menace de 1 500 volcans actifs. La météo a parfois des conséquences catastrophiques et peut rayer de la carte des communautés entières. Malgré les horreurs que les journaux nous montrent, de tels événements ne sont responsables en moyenne chaque année que de 0,06 % des décès.

Sur cette carte figurent les catastrophes naturelles qui ont fait de la Terre ce qu'elle est. Selon la NASA, « le changement est sans doute la seule constante que l'on puisse observer dans l'histoire de notre planète ».

Le plus grand volcan actif
Le Mauna Loa, à Hawaï (USA), a la forme d'un large dôme de 120 km de long et 50 km de large dans sa partie émergée. Son volume total est de 42 500 km³. Sa dernière éruption remonte à 1984.

Il y a 105 000 ans
Le plus haut tsunami consécutif à un glissement de terrain sous-marin
Des sédiments ont été déposés à 375 m par un tsunami sur Lanai (USA), suite à un glissement de terrain sous-marin.

18 mai 1980
Le plus grand glissement de terrain (époque moderne)
2 800 millions de m³ de roche ont dévalé le Mont St Helens (USA) avant une éruption ; c'est l'**avalanche la plus rapide** (402,3 km/h).

18 avril 1906
Les pires dégâts d'un incendie
Un incendie consécutif au séisme de San Francisco (USA) a causé 350 millions $ (8,97 milliards $ actuels) de dégâts.

13-19 février 1959
La plus grosse tempête de neige
4 800 mm de neige sont tombés au cours d'une tempête de neige sur la Ski Bowl (Californie, USA).

– 89,2
C'est la température en degrés enregistrée à Vostok (Antarctique), le 21 juillet 1983.

31 mai 1970
Le glissement de terrain le plus meurtrier
Un glissement de terrain sur le mont Huascarán (Pérou) a fait plus de 18 000 morts.

22 mai 1960
Le séisme le plus puissant jamais enregistré
Magnitude 9,5. Près de Lumaco (Chili) ; plus de 2 000 morts, 3 000 blessés et environ 2 millions de sans-abri.

10 avril 1996
Le vent le plus rapide
Le vent de la tornade qui s'est produite près de Bridge Creek (Oklahoma, USA) tournait à 486 km/h.

À VOIR EN 3D AVEC L'APPLI GRATUITE

3 mai 1999
La plus grande tornade
La tornade qui s'est produite près de Mulhall (Oklahoma, USA) mesurait 1 600 m de diamètre.

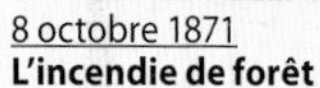

8 octobre 1871
L'incendie de forêt le plus meurtrier
Les incendies qui ont ravagé le nord-est du Wisconsin et le nord du Michigan (USA) ont fait entre 1 200 et 2 500 morts ; plus de 3 800 km² de forêts et de terres agricoles ont été détruits.

12 janvier 2010
Le séisme le plus meurtrier (époque moderne)
A 2 km à l'ouest de Port-au-Prince (Haïti) ; il aurait fait de 100 000 à 316 000 morts.

DE LA 3 D À LA 2 D : LA PROJECTION DE FULLER

La projection cartographique représentée ci-dessus s'inspire de celle de Richard Buckminster "Bucky" Fuller (1895-1983), écrivain et designer américain. En principe, quand on représente un globe en 3 D sur une surface en 2 D, les continents se déforment. Pour limiter cet effet, Fuller a imaginé de projeter les continents sur un icosaèdre – polyhèdre régulier composé de 20 faces triangulaires et 30 arêtes – que l'on pourrait ensuite déplier de différentes façons pour créer des cartes. La projection de Fuller permet de représenter la planète d'un point de vue neutre, sans a priori culturel.

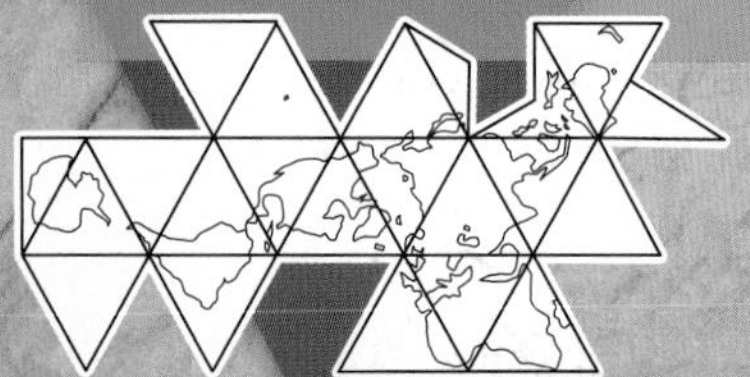
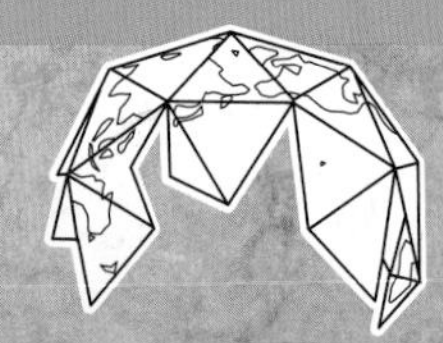

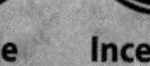
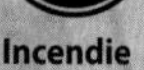

Tsunami | Volcan | Tornade | Incendie | Blizzard | Inondation | Séisme | Canicule | Glissement de terrain

130 apr. J.-C.
L'éruption la plus violente
30 000 millions t de roches volcaniques ont été éjectées lors de l'éruption du Taupo (Nouvelle-Zélande), aplatissant le relief sur 16 000 km².

5-10 avril 1815
L'éruption la plus massive
De 150 à 180 km³ de matières ont été éjectées par le Tambora, sur l'île de Sunbawa (Indonésie) ; c'est le **plus gros impact climatique** jamais enregistré pour une éruption volcanique ; les températures du globe ont chuté de 3 °C. C'est aussi l'**éruption volcanique la plus meurtrière** (92 000 morts) ; *ci-dessus : vue d'artiste.*

1er septembre 1923
Le séisme le plus destructeur
Les plus gros dégâts matériels consécutifs à un séisme ; 575 000 habitations détruites dans la plaine de Kantō (Japon) ; nombre de morts estimé à 142 807.

11 mars 2011
La catastrophe naturelle la plus chère
Le tsunami consécutif au séisme qui s'est produit au large du Japon a coûté 32 milliards $ aux assurances.

23 janvier 1556
Le séisme le plus meurtrier
Dans les provinces de Shaanxi, Shanxi et Henan (Chine) ; aurait fait 830 000 morts.

10 avril 1996
Le vent le plus rapide (hors tornade)
Vitesse de 408 km/h enregistrée sur l'île de Barrow (Australie).

9 juillet 1958
La vague la plus haute
Une vague de 524 m a déferlé sur la baie de Lituya (Alaska, USA), après un glissement de terrain.

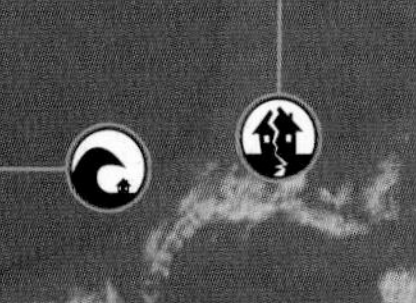

Il y a 18 000 ans
La plus grande inondation
Un ancien lac de Sibérie d'environ 120 km de long s'est brusquement vidé, déversant de l'eau douce sur 490 m de haut, à 160 km/h.

Octobre 1887
L'inondation la plus meurtrière
900 000 morts quand le fleuve Jaune est sorti de son lit à Huayan Kou (Chine).

26 décembre 2004
Le plus long séisme
Le séisme des îles de Sumatra et Andaman (Indonésie) a duré de 500 à 600 s.

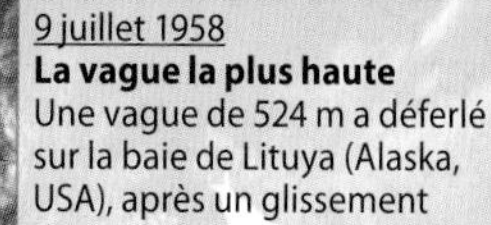
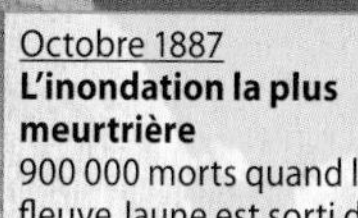

26 avril 1989
La tornade la plus meurtrière
1 300 morts à Shaturia (Bangladesh) ; 50 000 sans-abri.

11 avril 2012
Le séisme le plus puissant sur une faille coulissante
Un séisme d'une magnitude de 8,6 a eu lieu au large du nord de Sumatra (Indonésie).

16 décembre 1920
Le glissement de terrain le plus meurtrier
Un glissement de terrain consécutif au séisme de Gansu (Chine) a causé la majorité des 180 000 morts lors de l'événement.

26 décembre 2004
La plus grave catastrophe ferroviaire
Entre 800 et 1 500 personnes auraient été tuées lors du déraillement du *Queen of the Sea*, provoqué par le tsunami qui a déferlé sur Telwatta (Sri Lanka).

10 juillet 1949
Le glissement de terrain ayant causé le plus de dégâts
Provoqué par un séisme dans le district de Khait (Tadjikistan), il a enfoui 33 villages et tué environ 28 000 personnes.

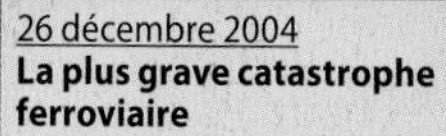

3-9 février 1972
Le blizzard le plus meurtrier
4 000 personnes seraient mortes, une couche de neige de 3 m ayant recouvert plusieurs régions d'Iran, après 4 ans de sécheresse.

Été 2010
La vague de chaleur la plus meurtrière
Canicule, sécheresse, incendies et smog ont fait 56 000 morts en Russie.

La plus forte densité de tornades
Les Pays-Bas subissent une tornade par zone de 1 991 km² ; aux États-Unis, on enregistre une tornade par zone de 8 187 km².

34
C'est la température moyenne annuelle la plus élevée en degrés (de 1960 à 1966), à Dallol (Éthiopie).

10 janvier 1977
Le flot de lave le plus rapide
Lors de l'éruption du Nyiragongo (République démocratique du Congo), la lave s'est écoulée à 60 km/h, formant le **plus grand cratère de lave** (250 m de diamètre).

SÉISMES

Le séisme le plus puissant

Les scientifiques s'accordent à dire que le séisme le plus puissant jamais enregistré a eu lieu le 22 mai 1960 au Chili. Il a atteint une magnitude de moment de 9,5 et de 8,3 sur l'échelle de Richter (voir *Info* ci-contre). Au Chili, il a fait plus de 2 000 morts, 3 000 blessés et environ 2 millions de sans-abri. Le tsunami (vague géante) qu'il a provoqué a fait des dégâts considérables et environ 200 morts à des milliers de kilomètres de là, à Hawaï, au Japon et sur la côte ouest des États-Unis.

Le séisme le plus meurtrier de l'histoire

Le tremblement de terre (*dizhen* en chinois) qui a frappé les provinces chinoises du Shaanxi, du Shanxi et du Henan, le 23 janvier 1556, aurait fait environ 830 000 morts.

L'année qui a connu le plus de grands séismes

D'après les chiffres de l'Institut américain de géophysique, la Terre connaît en moyenne 16 grands séismes (magnitude d'au moins 7) chaque année. Depuis les premiers enregistrements, qui ont débuté vers 1900, 2010 est l'année qui en a connu le plus, avec 24 tremblements de terre d'une magnitude supérieure ou égale à 7.

Les pires dégâts provoqués par un séisme

Le gigantesque séisme (*dai-shinsai*) qui a frappé la plaine de Kanto (Japon), le 1er septembre 1923, a atteint une magnitude de 7,9. À Tokyo et Yokohama, 575 000 habitations ont été détruites. Ce séisme et les incendies qui ont suivi ont fait officiellement 142 000 morts et disparus.

Le séisme le plus puissant sur une faille coulissante

Le 11 avril 2012, à 8 h 30, un séisme de magnitude 8,6 a frappé durant 3 min l'est de l'océan Indien. Les craintes de le voir déclencher un gigantesque tsunami étaient infondées, car le séisme était dû à un phénomène de coulissage : au lieu de se déformer verticalement, la croûte terrestre se déplace horizontalement de chaque côté de la faille.

Le séisme le plus long (distance)

Le séisme qui a touché la région des îles de Sumatra et Andaman, dans l'océan Indien, le 26 décembre 2004, a duré entre 500 et 600 s. Le choc principal a atteint une magnitude de moment de 9,1. Ces chiffres ont été publiés par *Science* en mai 2005.

Ce séisme a aussi provoqué la **plus longue**

LE 1ER SISMOGRAPHE

Le premier sismographe moderne a été mis au point en 1848, mais le tout premier appareil permettant de détecter les tremblements de terre a été inventé en Chine en 132 apr. J.-C. par l'astronome officiel de la cour, Zhang Heng. Il s'agissait d'un récipient en bronze de 15 cm de haut contenant un pendule et orné de dragons tenant une boule. Lorsque la terre tremblait, le pendule faisait tomber l'une de ces boules dans la bouche d'une sculpture représentant un crapaud.

Le séisme le plus meurtrier des temps modernes

Le 12 janvier 2010, à 21 h 53 (UTC*), un séisme d'une magnitude de 7 a frappé Haïti. L'épicentre se trouvait à environ 25 km à l'ouest de la capitale, Port-au-Prince. Un an après la catastrophe, les autorités haïtiennes estimaient que le séisme avait fait 316 000 morts, un chiffre revu à la baisse par d'autres sources, pour lesquelles il en aurait fait 100 000. 1,3 million de personnes ont été déplacées et 97 294 maisons détruites. Port-au-Prince a été en grande partie dévastée (photo) et de nombreux Haïtiens sont aujourd'hui encore sans abri.

** Coordinated Universal Time, ou Temps universel coordonné (temps de référence adopté par l'Union internationale des télécommunications)*

LES SÉISMES LES PLUS MEURTRIERS DES 100 DERNIÈRES ANNÉES

1920 — 1923 — 1948 — 1970 — 1976

16 déc. 1920 : Haiyuan (Chine)
Nbre de morts : 200 000
Magnitude : 7,8

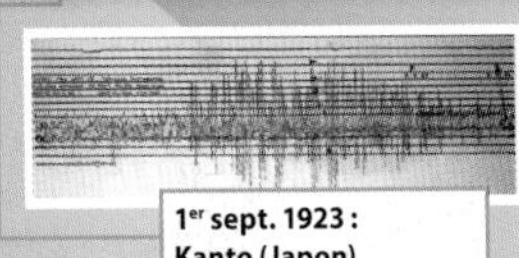

1er sept. 1923 : Kanto (Japon)
Nbre de morts : 142 800
Magnitude : 7,9

5 oct. 1948 : Achgabat (Turkménistan)
Nbre de morts : 110 000
Magnitude : 7,3

31 mai 1970 : Chimbote (Pérou)
Nbre de morts : 70 000
Magnitude : 7,9

27 juill. 1976 : Tangshan (Chine)
Nbre de morts : 242 769
Magnitude : 7,5

Source : Institut américain de géophysique (US Geological Survey)

3 000
C'est la distance en miles (4 830 km) parcourue par le tsunami de 2004. Il a atteint l'Afrique.

Le tsunami le plus meurtrier

Le 26 décembre 2004, un séisme de magnitude 9,1 s'est produit dans l'océan Indien, au large des côtes de l'Indonésie. Le tsunami qu'il a déclenché a envahi les côtes de neuf pays bordant l'océan Indien. On ne saura jamais combien de morts cette vague gigantesque a provoqué au total mais on pense que plus de 226 000 personnes ont péri.

rupture de faille jamais mesurée. La rupture s'est produite sur 1 200-1 300 km, à la limite entre la plaque indo-australienne et la partie sud-est de la plaque eurasienne. Par endroits, le déplacement du plancher océanique a atteint 15 m.

À la suite à l'événement, le site Internet du DEC (qui regroupe plusieurs associations caritatives britanniques) a lancé un appel en faveur des victimes du tsunami et récolté 10 676 836 £, entre 18 h 16, le 30 décembre, et 18 h 16, le 31 décembre 2004, soit les **dons les plus importants jamais récoltés en ligne en 24 h**.

Le plus grave accident nucléaire dû à un tsunami

Le 11 mars 2011, un mégaséisme de magnitude 9,03 a frappé la côte du Japon. Le tsunami qu'il a déclenché a provoqué une série de fusions, de défaillances et de fuites radioactives dans le réacteur 1 de la centrale nucléaire de Fukushima (Japon). L'Agence internationale de l'énergie atomique a classé l'événement au niveau 7, ce niveau ayant été atteint une seule fois auparavant.

Le plus grand exercice d'entraînement

Le 18 octobre 2012, 9,4 millions d'habitants de la Californie (où l'activité sismique est importante) ont participé au 5e grand exercice d'entraînement annuel.

La plus longue peine de prison pour défaut de précision dans la prévision d'un séisme

Le 22 octobre 2012, un tribunal régional italien a condamné six scientifiques et un représentant du gouvernement à six ans de prison pour la mort de 309 personnes lors du séisme de magnitude 6,3 qui a frappé L'Aquila (Italie), à 1 h 30, le 6 avril 2009. Les juges ont considéré qu'ils avaient sous-estimé les risques de ce séisme majeur dans les jours qui l'ont précédé.

Le plus gros incendie (dégâts matériels)

Le montant des dégâts matériels provoqué par l'incendie qui a suivi le séisme du 18 avril 1906 à San Francisco (USA) est estimé à 350 millions $ de l'époque, soit 8,97 milliards $ de 2012. Ce séisme a détruit la ville à environ 80 %.

Les séismes les plus puissants de l'histoire (enregistrés)

Date	Lieu	Magnitude	Rang
8 juill. 1730	Valparaíso (Chili)	8,7	10
1er nov. 1755	Lisbonne (Portugal)	8,7	10
4 févr. 1965	Rat Islands (Alaska, USA)	8,7	10
31 janv. 1906	Au large d'Esmeraldas (Équateur)	8,8	08
27 févr. 2010	Au large de Bío-Bío (Chili)	8,8	08
26 janv. 1700	De la Colombie-Britannique actuelle (Canada) à la Californie (USA)	9,0	04
13 août 1868	Arica (Pérou) (aujourd'hui Chili)	9,0	04
4 nov. 1952	Kamchatka (URSS) (aujourd'hui Russie)	9,0	04
11 mars 2011	Est d'Honshu (Japon)	9,0	04
26 déc. 2004	Îles de Sumatra et d'Andaman (Indonésie)	9,1	03
28 mars 1964	Détroit du Prince-William (Alaska, USA)	9,2	02
22 mai 1960	Lumaco (Chili)	9,5	01

STATISTIQUES
Le nombre de séismes détectables chaque année est estimé à 500 000, dont 100 000 ressentis et 100 provoquant des dégâts.

INFO

Autrefois, la puissance des séismes était généralement évaluée sur l'échelle de magnitude de Richter, inventée en 1935 par le **Dr Charles Richter** (USA, ci-contre). Aujourd'hui, l'échelle de magnitude de moment, utilisée depuis 1979, est considérée comme plus précise.

SI LE TEMPS SE GÂTE VRAIMENT... RENDEZ-VOUS P. 22

1990 — 2004 — 2005 — 2008 — 2010

20 juin 1990 : Nord de l'Iran
Nbre de morts : 50 000
Magnitude : 7,4

26 déc. 2004 : Sumatra (Indonésie)
Nbre de morts : 226 000
Magnitude : 9,1

8 oct. 2005 : Pakistan
Nbre de morts : 86 000
Magnitude : 7,6

12 mai 2008 : Est du Sichuan (Chine)
Nbre de morts : 87 587
Magnitude : 7,9

12 janv. 2010 : Haïti
Nbre de morts : 316 000
Magnitude : 7

VOLCANS

Le volcan le plus actif

Le Kilauea est un volcan bouclier qui fait partie des cinq volcans qui constituent l'île d'Hawaï (USA). L'épisode d'activité qu'il connaît actuellement a débuté le 3 janvier 1983. Le 3 janvier 2013, les flots de lave avaient recouvert 125,5 km^2, créant 202 ha de terre nouvelle, et 4 km^3 de lave s'étaient écoulés.

RÉPUTATION EXPLOSIVE
Le Kilauea a connu 61 éruptions depuis 1823. Rien d'étonnant à ce que son nom signifie « qui crache ».

La plus ancienne description d'une éruption volcanique

Pline le Jeune et son père Pline l'Ancien ont été témoins de l'éruption du Vésuve (Italie), en 79 av. J.-C. Celle-ci a enseveli Pompéi et Herculanum, faisant environ 16 000 morts – y compris Pline l'Ancien. Vingt-cinq ans plus tard, Pline le Jeune envoya deux lettres à son ami, l'historien Tacite, lui racontant l'éruption.

L'éruption volcanique la plus meurtrière

L'éruption du Tambora, à Sumbawa (Indonésie ; à l'époque Indes orientales néerlandaises), qui a eu lieu du 5 au 10 avril 1815, a fait 92 000 morts.

Le point le plus proche de l'extinction de l'espèce humaine

L'éruption du Toba, un supervolcan d'Indonésie, il y a environ 75 000 ans, a rejeté 800 km^3 de cendres dans l'atmosphère et créé le **plus grand cratère volcanique** : 1 775 km^2. La population mondiale aurait été réduite à 10 000 hommes par les tsunamis et l'hiver volcanique qui ont suivi cette éruption.

La plus grande éruption basaltique de l'histoire

Vers 924 av. J.-C., le système de fissures islandais Eldgjá a connu une période d'activité qui a duré entre quatre et sept ans. L'éruption a eu lieu à partir de plusieurs cratères le long d'un système qui s'étire de façon discontinue sur 75 km de long et a produit environ 19,6 km^3 de lave.

L'éruption de niveau 8 sur l'échelle VEI la plus récente

L'échelle VEI (Volcanic Explosivity Index) qui mesure l'explosivité relative des volcans va de 0 à 8. Le niveau 8 correspond à une éruption provoquant le rejet de plus de 1 000 km^3 de matières volcaniques. Le dernier événement de ce type a été l'éruption dite Oruanui du Taupo (Nouvelle-Zélande), il y a 26 500 ans. Elle a rejeté environ 1 170 km^3 de matières volcaniques et créé une gigantesque caldera (cratère), où se trouve aujourd'hui le lac Taupo, le plus grand du pays.

Les plus hautes colonnes volcaniques

La tour du Diable (Devils Tower) dans le Wyoming (USA) s'est formée il y a plus de 50 millions d'années avec l'intrusion de magma dans les roches existantes. Au fil du temps, la roche sédimentaire qui l'entourait s'est érodée, et le monolithe se dresse désormais seul dans le paysage. Il est constitué de colonnes apparues au moment où le magma s'est refroidi puis contracté, certaines atteignant 180 m de haut.

HISTOIRE DE GÉANTS
La Chaussée des Géants (Irlande) est un autre exemple célèbre de colonnes volcaniques – comme la tour du Diable.

Les lahars les plus meurtriers

Le Nevado del Ruiz (Colombie) est entré en éruption le 13 novembre 1985. Des roches brûlantes et des flots de cendres se sont mêlés à la glace et à la neige fondues et quatre coulées de boue, ou lahars, se sont formées. Elles ont dévalé les pentes du volcan à 60 km/h en se chargeant de l'argile et de la terre des vallées traversées. En 4 h, les lahars vont parcourir 100 km et tuer 23 000 personnes.

La plus grande île sur un lac sur une île sur un lac sur une île

À l'intérieur du lac Taal, sur l'île de Luzon (Philippines) se trouve un volcan, le Taal, dont le cratère central est aujourd'hui un lac, Crater Lake. À l'intérieur de ce lac se dresse une île minuscule de 40 m de diamètre, Vulcan Point.

LES ÉRUPTIONS LES PLUS MEURTRIÈRES

1919

1. Kelud (Java, Indonésie) : a débuté le 19 mai 1919 ; 5 115 morts (coulées de boue).

1951

2. Lamington (Papouasie-Nouvelle-Guinée) : a débuté le 18 janvier 1951 ; 2 942 morts (nuées ardentes).

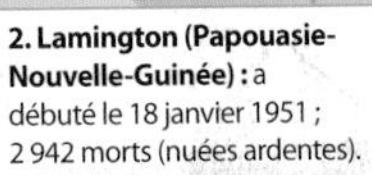

1951

3. Hibok-Hibok (île Camiguin, Philippines) : a débuté le 4 décembre 1951 ; 500 morts (nuées ardentes).

1963

4. Agung (Bali, Indonésie) : a débuté le 18 février 1963 ; 1 184 morts (nuées ardentes).

1980

5. Mont St-Helens (Washington, USA) : a débuté le 18 mai 1980 ; 57 morts (nuées ardentes).

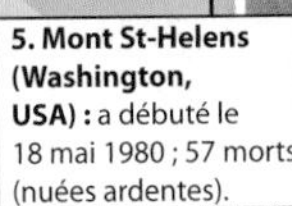

400
C'est la largeur en km du panache de cendre et de gaz lors de l'éruption du Pinatubo en 1991.

Les plus petits volcans

Les volcans de sable se forment lors de séismes, quand l'eau est expulsée des premières couches du sol et que les sédiments qu'elle emporte sont éjectés vers la surface. Les plus grands ne mesurent que quelques mètres de diamètre et quelques dizaines de centimètres de hauteur.

LES PLUS GRANDS...

Volcan actif

Le Mauna Loa, à Hawaï (USA), a la forme d'un dôme de 120 km de long et 50 km de large (partie émergée), les flots de lave qu'il déverse occupant l'île sur plus de 5 125 km^2. Le volume de ce volcan atteint 42 500 km^3, dont 84,2 % sont sous le niveau de la mer.

Explosion historique

Cette explosion a eu lieu le 27 août 1883 au moment de l'éruption du Krakatoa, dans le détroit de la Sonde (Indonésie). Le nuage de cendres s'est élevé à environ 48-80 km d'altitude et l'explosion a été entendue à 4 776 km à la ronde.

Île née d'éruptions volcaniques

Issue d'éruptions qui se sont produites le long de la dorsale médio-atlantique sur laquelle elle se trouve, l'Islande est la plus grande île volcanique. Ses 103 000 km^2 sont pour l'essentiel une émergence du plancher océanique.

Éruption basaltique

Une période éruptive d'un million d'années a débuté il y a 248,3 millions d'années en Sibérie. Plusieurs millions de km^3 de lave ont jailli de fissures de la croûte terrestre et recouvert 2 millions de km^2. La formation de ces plateaux de basalte, ou trapps, serait à l'origine de l'extinction du permien-trias.

Maar

Un maar est un large cratère volcanique peu profond creusé par une éruption phréatomagmatique (explosion de la nappe phréatique transformée en vapeur au contact du magma). Le maar des lacs de Devil Mountain, dans le parc naturel de Bering Land Bridge, sur la péninsule de Seward en Alaska (USA), est un ensemble de deux cratères couvrant 30 km^2 et mesurant jusqu'à 200 m de profondeur ; il s'est formé il y a 17 500 ans. Sa taille est due au fait que le magma a rencontré le permafrost et non de l'eau.

Coulée de boue

La coulée de boue d'Osceola, qui s'est produite il y a 5 600 ans, est partie du sommet du mont Rainier (partie américaine de la chaîne des Cascades). Elle faisait suite à une éruption au cours de laquelle 3 km^3 de débris se sont écoulés du volcan. Lorsque la coulée de boue a atteint le Puget Sound, à plus de 100 km de là, elle mesurait encore 30 m d'épaisseur.

Le plus grand nuage stratosphérique de SO_2 vu de l'espace

Le Pinatubo, un stratovolcan de l'île de Luzon (Philippines), est entré en éruption le 15 juin 1991. Le panache produit a atteint 34 km d'altitude. Entre 15 et 30 millions de tonnes de dioxyde soufre (SO_2) ont été rejetés, comme ont pu le constater certains satellites.

Le plus grand lac de lave en fusion

Le cratère du Nyiragongo, un volcan-bouclier situé en République démocratique du Congo, contient un lac de lave en fusion de 250 m de diamètre. Le volcan est entré en éruption au moins 34 fois depuis 1882.

Le volcan qui connaît depuis le plus longtemps des éruptions continues

Le Stromboli, en mer Tyrrhénienne, connaît en permanence des éruptions depuis le VIIe siècle av. J.-C., époque à laquelle son activité a été rapportée par des colons grecs. Ses épanchements réguliers (plusieurs par heure) de gaz et de lave, sans gravité, lui ont valu le surnom de « phare de la Méditerranée ».

1982

6. El Chichón (Mexique) : a débuté le 28 mars 1982 ; 2 000 morts (nuées ardentes).

1985

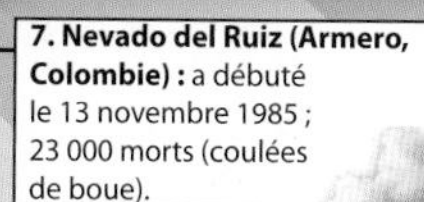

7. Nevado del Ruiz (Armero, Colombie) : a débuté le 13 novembre 1985 ; 23 000 morts (coulées de boue).

1991

8. Pinatubo (Luzon, Philippines) : a débuté le 2 avril 1991 ; 800 morts (maladies).

2002

9. Nyiragongo (République démocratique du Congo) : a débuté le 17 janvier 2002 ; 147 morts (coulée de lave).

2010

10. Merapi (Java, Indonésie) : a débuté le 25 octobre 2010 ; 353 morts (nuage de gaz).

ÉLÉMENTS DÉCHAÎNÉS

Le rescapé ayant parcouru la plus longue distance dans une tornade

Le 12 mars 2006, Matt Suter (USA), 19 ans, a été pris dans une tornade alors qu'il se trouvait dans un mobile-home près de Fordland (Missouri, USA). Il a perdu conscience sous le choc et s'est réveillé dans un champ, 398 m plus loin.

Le vent le plus fort

Le 10 avril 1996, une pointe à 408 km/h a été enregistrée sur l'île de Barrow (Australie) lors du passage du cyclone tropical Olivia : c'est le vent le plus fort jamais enregistré en dehors d'une tornade.

Le derecho le plus rapide jamais enregistré

Un derecho est une tempête de longue durée avançant en ligne droite, avec un front d'averses et d'orages se déplaçant rapidement. Le 31 mai 1998, au petit matin, un derecho a parcouru le Wisconsin et le sud du Michigan (USA). Dans l'est du Wisconsin, une rafale à 206 km/h a été enregistrée ; le sud du Michigan a été touché par des rafales dont la vitesse a été estimée à 209 km/h.

La plus forte rafale descendante

Il s'agit de phénomènes météorologiques rares qui se caractérisent par un courant descendant bref et localisé d'une très forte puissance. Ils représentent souvent une menace pour les avions au décollage ou à l'atterrissage. La plus forte rafale descendante jamais enregistrée a eu lieu le 1er août 1983 sur la base aérienne militaire d'Andrews Field (Maryland, USA), avec un vent de 240,5 km/h.

Le plus large couloir de dégâts dus à une tornade

Le 22 mai 2004, le Midwest américain a été touché par environ 56 tornades. L'une d'elles, baptisée Hallam Nebraska tornado, a causé des destructions sur une zone atteignant par endroits 4 km de large.

La plus forte marée de tempête

Le 4 mars 1899, le cyclone tropical Mahina a frappé Bathurst Bay (Queensland, Australie). La marée de tempête (augmentation du niveau de la mer due à la combinaison de vents forts et de basses pressions) qu'il a provoquée aurait atteint 13 m de haut. On a retrouvé des poissons et des dauphins sur des falaises de 15 m. Cette marée de tempête a tué plus de 400 personnes.

La zone qui connaît le plus de tempêtes de poussière

La dépression du Bodélé est une région aride au nord-est du lac Tchad, à la lisière sud du Sahara, dans un corridor étroit séparant deux zones montagneuses. Les vents s'y engouffrent et traversent la dépression en dispersant les sédiments déposés en surface et que l'évolution géologique a rendus extrêmement friables. Une centaine de tempêtes de poussière balayent en moyenne chaque année la dépression du Bodélé, soulevant quotidiennement 700 000 t de poussière dans l'atmosphère.

CYCLONES

La plus longue distance couverte par un cyclone tropical

L'ouragan/typhon John qui s'est formé le 11 août 1994 dans l'est du Pacifique a parcouru 13 280 km. Sa durée – 31 jours – en fait le **cyclone tropical le plus long**. John a traversé le Pacifique d'est en ouest ; l'appellation des cyclones tropicaux étant différente de part et d'autre de cet océan (*voir ci-dessous*), il porte à la fois le nom d'ouragan et de typhon.

Le plus gros œil de cyclone tropical

L'œil de Kerry, qui a touché la mer de Corail au large des côtes australiennes entre le 13 février et le 6 mars 1979, mesurait environ 180 km de diamètre. Il a été mesuré le 21 février par un avion de reconnaissance.

QUELQUES DÉFINITIONS

Blizzard : forte tempête de neige s'accompagnant de vents violents – plus de 56 km/h – et réduisant considérablement la visibilité.

Ouragan* : grave perturbation atmosphérique des régions tropicales avec des vents supérieurs à 119 km/h, dans l'Atlantique ou l'est du Pacifique.

Orage : perturbation atmosphérique se manifestant par du tonnerre et des éclairs. S'accompagne d'averses de pluie ou de grêle.

Tempête de glace : elle se caractérise par des températures très basses, faisant geler la neige et la pluie au contact des objets.

Cyclone/cyclone tropical* : orage violent qui se crée au-dessus des eaux tropicales ou subtropicales.

Le plus de tornades en 24 h

Entre les 25 et 28 avril 2011, une série de violentes tornades a ravagé le nord-est, le sud et le Midwest des États-Unis, tuant 354 personnes. Entre 8 heures du matin (heure de l'Est) le 27 avril et 8 heures le lendemain matin, 312 tornades ont été déclenchées par l'activité orageuse.

Le cyclone tropical qui s'est formé le plus près de l'équateur

La rotation de la Terre provoque une déviation des corps qui se déplacent librement (avions, vent ou missiles) vers la droite dans l'hémisphère Nord et vers la gauche dans l'hémisphère Sud. On parle de force de Coriolis. On pensait que les régions situées dans une zone de 300 km au nord et au sud de l'équateur ne pouvaient pas provoquer de cyclone tropical, car c'est là que la force de Coriolis est la plus faible. Or, le 26 décembre 2001, le typhon Vamei s'est formé en mer de Chine, à 150 km au nord de l'équateur.

OURAGANS

La saison qui a connu le plus d'ouragans

Depuis le début des relevés en 1851, deux années ont connu 12 ouragans pendant la saison des ouragans (1er juin-30 novembre) : 1961 et 2005.

Le dernier ouragan de la saison 2005, Wilma, de catégorie 5, est le **plus fort jamais enregistré**. L'avion d'un chasseur d'ouragan a enregistré une pression atmosphérique dans l'œil de 882 millibars, la **plus basse pression jamais enregistrée** lors d'un ouragan. Au niveau du mur de l'œil, le vent a atteint 270 km/h.

L'ouragan Epsilon, qui a touché les États-Unis le 2 décembre 2005 (deux jours après la fin officielle de la saison des ouragans) a été le 14e à toucher le pays en 12 mois ; c'est le **plus grand nombre d'ouragans en 1 an**.

TORNADES

La plus grande tornade mesurée

Le 3 mai 1999, une tornade de 1 600 m de diamètre s'est produite près de Mulhall (Oklahoma, USA).

La plus longue tornade discontinue

Le 26 mai 1917, une tornade a parcouru 471,5 km à travers l'Illinois et l'Indiana (USA), mais elle n'a pas touché le sol de façon continue.

Les plus gros dégâts assurés consécutifs à des inondations

L'ouragan Katrina, qui a dévasté la côte de la Louisiane (USA) et les États voisins le 29 août 2005, a provoqué des dégâts estimés à 71 milliards $ – c'est le montant le plus élevé jamais atteint pour des dégâts consécutifs à un ouragan. Au moins 1 833 personnes ont péri dans la catastrophe et les inondations que celle-ci a entraînées.

Les plus gros orages

Les supercellules sont des orages puissants qui se forment autour d'un mésocyclone (zone orageuse présentant une rotation marquée). Elles peuvent mesurer plusieurs kilomètres de diamètre et durer de longues heures. Ce sont donc les **orages à la durée de vie et à l'envergure les plus importantes**. Assez fréquents dans les Grandes Plaines (USA), ils engendrent parfois des tornades.

Le plus grand cyclone tropical

Le typhon Tip avait atteint un diamètre de 2 200 km quand il a été étudié par l'US Air Force dans le Pacifique, le 12 octobre 1979. L'US Air Force a lancé 60 missions de recherche vers Tip.

TYPHON GIGANTESQUE
Tip n'a jamais touché le continent américain. S'il l'avait fait, il aurait couvert une zone allant de New York à Dallas (Texas) !

La tornade ayant parcouru le trajet le plus long

Le 18 mars 1925, une tornade a parcouru au moins 352 km à travers le Missouri, l'Illinois et l'Indiana (USA). Elle a provoqué la mort de 695 personnes – un record historique pour les États-Unis.

La plus forte concentration de tornades dans une région

Curieusement, les Pays-Bas affichent la plus forte concentration de tornades, avec une tornade pour 1 991 km², contre un ouragan pour 8 187 km² aux États-Unis.

RECORDS EXTRA-TERRESTRES VOIR P. 180

Tempête de neige : elle se caractérise par des chutes de neige importantes et persistantes, et des vents moins violents que le blizzard.

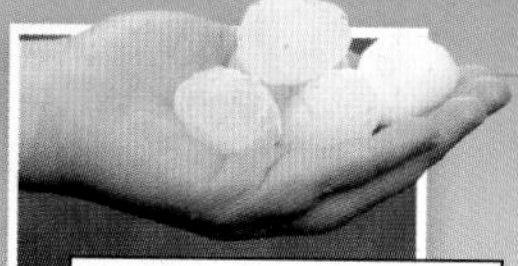

Orage de grêle : orage provoquant des chutes de grêlons (grosses billes de glace).

Typhon* : cyclone tropical se produisant dans l'océan Indien ou dans la partie ouest du Pacifique.

Tornade : tourbillon de vents violents en forme d'entonnoir, qui touche le sol du côté le plus étroit et un nuage dans sa partie supérieure. Peut atteindre plusieurs centaines de mètres de diamètre.

Tempête : vent fort ou violentes rafales de vent, avec peu ou pas de précipitations.

** Le phénomène est le même mais le nom qu'on lui donne change suivant la région où il se produit.*

MÉTÉO EXTRÊME

Les pires effets de la météo en temps de guerre

Le temps a des conséquences imprévisibles sur les conflits et peut changer le cours de l'histoire. L'exemple le plus marquant est celui de l'Oscillation Nord-Atlantique (NAO), qui résulte des mouvements d'air entre la zone de basses pressions qui recouvre l'Islande et celle de hautes pressions qui coiffe les Açores. Quand la NAO est importante, elle pousse les vents doux et humides de l'Atlantique au-dessus de la Grande-Bretagne et de l'Europe de l'Ouest. Quand elle est faible, elle laisse entrer de l'air froid en provenance d'Europe. Au cours du terrible hiver 1941-1942, lors de l'invasion allemande en Russie, les températures chutèrent jusqu'à -40 °C, ce qui influa sur le nombre de morts de cette campagne. Début 1943, on dénombrait environ 250 000 victimes parmi les soldats.

Le plus d'orages de grêle en 1 an

Les collines de Kericho (Kenya) subissent des orages de grêle en moyenne 132 jours par an. C'est l'une des principales régions productrices de thé, et il est possible que les particules de poussière qui se retrouvent en suspension dans l'atmosphère lors de la cueillette constituent le noyau à partir duquel les grêlons se forment.

L'orage de grêle le plus meurtrier

En 1942, un garde forestier de l'État himalayen d'Uttarakhand (Inde) a découvert plusieurs centaines de squelettes dans le lac gelé de Roopkund. En 2004, une équipe de scientifiques envoyée sur place par National Geographic a sorti 600 corps du lac. Un certain nombre avaient le haut du crâne brisé. Le groupe aurait subi un violent orage de grêle qui en aurait tué certains sur le coup, les autres étant morts d'hypothermie après avoir été blessés ou assommés.

14 MILLIONS C'est le nombre d'années depuis lesquelles le lac Vostok est isolé en profondeur sous la base scientifique.

La température la plus basse sur Terre

La station russe de recherche de Vostok n'est pas à conseiller comme destination de vacances. Non seulement on y a enregistré – 89,2 °C, le 21 juillet 1983, mais l'oxygène y est également rare puisqu'elle est située à 3 420 m d'altitude. Par ailleurs, le vent peut y souffler à 97 km/h et la nuit polaire durer plusieurs mois.

NEIGE ET GLACE

Les pires dégâts matériels après une tempête de neige

Une super-tempête a traversé toute la côte est des États-Unis, les 12 et 13 mars 1993. Elle a fait 500 morts et occasionné des dégâts de 1,2 milliard $. On a pu dire de cette tempête qu'elle avait « l'âme d'un ouragan ».

Les plus fortes chutes de neige en 1 an

Pas moins de 31 102 mm de neige sont tombés sur la région de Paradise, dans le parc national du Mont Rainier (Washington, USA), entre le 19 février 1971 et le 18 février 1972. Le sommet du Mont Rainier, qui culmine à 4 392 m, est en permanence couvert de neige.

Le plus gros flocon de neige

Le 28 janvier 1887, à Fort Keogh (Montana, USA), Matt Coleman, propriétaire d'un ranch, a vu un flocon de neige de 30 cm de diamètre et 20 cm d'épaisseur, qu'il a lui-même comparé à une « grosse casserole ». Un coursier a affirmé avoir vu tomber ces flocons géants sur plusieurs kilomètres.

Le plus gros morceau de glace tombé du ciel

Le 13 août 1849, des témoins ont vu un morceau de glace de 6 m tomber du ciel dans le Ross-shire (Écosse, RU). La glace était limpide et composée de grêlons. Aujourd'hui, ce type d'objet est appelé « méga-cryo-météorite ».

PLUIE

Le plus de jours de pluie

Le mont Wai`ale`ale (1 569 m) sur l'île de Kaua`i (Hawaï, USA) subit jusqu'à 350 jours de pluie par an. En 1982, le cumul des pluies diluviennes tombées sur cette montagne a atteint 16 916 mm.

LES CAPRICES DU THERMOMÈTRE

Le désert le plus froid : les vallées sèches de McMurdo (Antarctique) reçoivent moins de 100 mm de précipitations par an. La température moyenne annuelle y est de – 20 °C.

L'endroit le plus froid habité en permanence : il a fait presque – 68 °C à Oymyakon (Sibérie) en 1933 – c'est la température la plus basse en dehors de l'Antarctique.

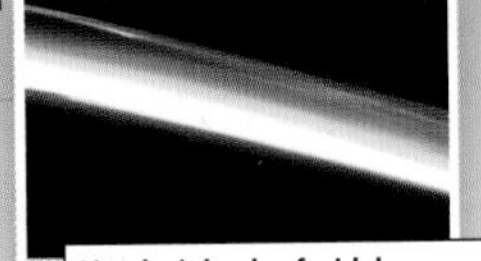

L'endroit le plus froid de l'atmosphère : la température qui règne dans la mésosphère, entre 50 et 80 km au-dessus de la Terre, diminue avec l'altitude et finit par atteindre – 100 °C.

L'écart de températures le plus important : à Verkhoyansk, dans l'est de la Russie, les températures sont passées de – 68 °C à 37 °C, soit une amplitude de 105 °C.

La route la plus froide : l'autoroute de Kolyma (Russie) traverse certains des endroits habités les plus froids du globe, comme Oymyakon (*ci-contre*), où le thermomètre peut atteindre – 68 °C.

Les plus fortes chutes de pluie en 1 an

Mawsynram (Meghalaya, Inde) reçoit en moyenne 11 873 mm de pluie par an. Cette pluie tombe pour l'essentiel lors de la mousson, de juin à septembre. Meghalaya signifie « demeure des nuages ».

Le plus de pluie en 24 h

Entre les 15 et 16 mars 1952, 1 870 mm de pluie sont tombés en 24 h sur Cilaos, à La Réunion, dans l'océan Indien.

Le plus de pluie en 1 mois

9 300 mm de pluie sont tombés en 1 mois, à Cherrapunji (Meghalaya, Inde), en juillet 1861.

Les plus grosses gouttes de pluie

Le Pr Peter V. Hobbs (RU) et Arthur Rangno (USA), de l'université de Washington (USA), ont obtenu des clichés de gouttes de pluie grâce à un appareil à rayons laser. Ils ont détecté des gouttes d'au moins 8,6 mm de diamètre à deux reprises : en septembre 1995 (Brésil) et en juillet 1999 (sur les îles Marshall, au milieu du Pacifique).

L'arc-en-ciel le plus long

L'arc-en-ciel est un phénomène produit par la réfraction de la lumière quand elle passe à travers une goutte d'eau. L'observateur qui se trouve devant le soleil et derrière une averse peut alors distinguer tout le spectre lumineux. Un arc-en-ciel dure rarement 1 h, mais celui observé le 14 mars 1994 à Wetherby (Yorkshire, RU) a duré 6 h sans interruption, de 9 h à 15 h.

ÉCLAIRS

Le plus de décharges dans un éclair

Un éclair est constitué de plusieurs décharges de courant généralement trop rapides pour être perceptibles à l'œil nu. Le plus de décharges pour un seul éclair est de 26, enregistrés par Marx Brook (USA) lors d'un coup de foudre au Nouveau-Mexique (USA) en 1962.

Le plus de vaches tuées

Le 31 octobre 2005, un coup de foudre a tué 68 vaches de race jersiaise abritées sous un arbre, sur l'exploitation de Warwick Mark, près de Dorrigo (Nouvelle-Galles du Sud, Australie). Trois autres sont restées paralysées quelques heures.

L'endroit le plus chaud sur Terre

L'air entourant un éclair atteint une température proche de 30 000 °C en une fraction de seconde. Cette température est environ cinq fois supérieure à celle qui règne à la surface visible du Soleil. Les éclairs les plus puissants sont ceux chargés positivement – transfert de charge entre le nuage et le sol positif. Ce type d'éclairs représente moins de 5 % des éclairs. Ils durent plus longtemps que les éclairs chargés négativement et induisent un champ électrique plus puissant, provoquant des décharges d'une intensité pouvant atteindre 1 milliard de volts et un courant électrique de 30 000 ampères.

Les pires dégâts consécutifs à une tempête de glace

Du 5 au 9 janvier 1988, les intempéries qui ont frappé l'est du Canada et les régions frontalières des États-Unis ont privé 3 millions de personnes d'électricité. Des pluies verglaçantes ont entouré les lignes électriques de 10 cm de glace, entraînant la chute de milliers de poteaux. La facture a été estimée à 3 milliards CAN$.

La tornade de poussière la plus meurtrière

Les tornades de poussière se forment à partir du sol par temps ensoleillé. Le 19 mai 2003, l'une d'elles a provoqué l'effondrement d'une maison à Lebanon (Maine, USA), tuant un homme. Une autre a eu lieu le 18 juin 2008 et provoqué l'effondrement d'un abri près de Casper (Wyoming, USA), tuant une femme.

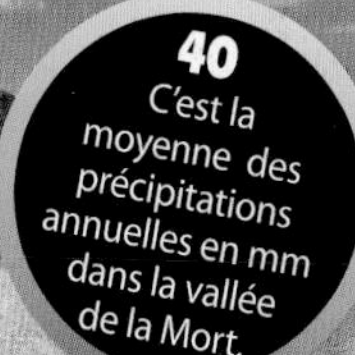

40 C'est la moyenne des précipitations annuelles en mm dans la vallée de la Mort.

La température la plus élevée jamais enregistrée

Le 10 juillet 1913, une température de 56,7 °C a été enregistrée à Greenland Ranch, dans la vallée de la Mort (Californie, USA). Un record prétendument battu à El Azizia (Lybie) en 1922 avec 58 °C. Le 13 septembre 2012, l'Organisation météorologique mondiale a jugé cette température non valide et réattribué le record à la vallée de la Mort.

L'endroit le plus chaud de l'atmosphère : la thermosphère est une zone située entre 80 km et 500 km d'altitude environ au-dessus de la Terre, où la température peut atteindre 2 000 °C quand le Soleil est particulièrement intense.

La plus forte chute de température en 1 jour : les 23-24 janvier 1916, à Browning (Montana, USA), la température a chuté de 56 °C. La température est passé de 7 à – 49 °C après le passage d'un front froid arctique.

L'océan le plus chaud : l'océan Indien se trouve pour l'essentiel sous les tropiques. La température est de l'ordre de 22 °C en surface, mais elle peut monter jusqu'à 28 °C dans sa partie est.

Chutes de pluie les plus importantes en 1 min : 38,1 mm de pluie sont tombés en 1 min, à Basse-Terre (Guadeloupe, Caraïbes), le 26 novembre 1970.

L'endroit le plus aride : entre 1964 et 2001, la station météorologique de Quilagua, dans le désert d'Atacama (Chili), a enregistré des pluies annuelles moyennes de 0,5 mm.

APPÉTIT D'OISEAU ?
Hercules engloutit chaque jour environ 12 kg de viande – à peu près le poids d'un enfant de 2 ans – et plusieurs litres d'eau.

Le plus grand félin du monde

Hercules est un ligre (croisement entre un lion et une tigresse) adulte mâle qui vit au Myrtle Beach Safari, réserve d'animaux sauvages située en Caroline du Sud (USA). Il mesure 333 cm de long, 125 cm au garrot, et pèse 418,2 kg. Il est photographié ici avec Moksha Bybee, l'un des soigneurs de la réserve. Les ligres sont généralement plus grands que les deux espèces dont ils sont issus. En revanche, les tigrons (croisement d'un tigre et d'une lionne) sont souvent plus petits que leurs parents.

ANIMAUX PRÉHISTORIQUES

Les plus grands animaux que la Terre ait jamais connus

On a parfois du mal à se faire une véritable idée de la taille des dinosaures et autres animaux préhistoriques. Les fragments d'os et les fossiles découverts par les paléontologues ne donnent qu'une image partielle de ce qu'ils furent, et il est difficile d'imaginer à partir d'un squelette l'allure de ces monstrueux « lézards » qu'étaient les dinosaures.

Pour vous aider à vous représenter leur taille, nous avons demandé aux créateurs de 55 Design (RU) de réaliser une image composite à partir des modèles du fabricant de jouets allemand Schleich, qui sont ceux qui nous semblent les plus proches de la réalité. Voici donc à quoi aurait ressemblé Trafalgar Square, à Londres, s'il avait été envahi par les dinosaures…

3. *Brachiosaurus*
Le sous-ordre des sauropodes regroupe des dinosaures terrestres herbivores apparus au trias supérieur, il y a 200 millions d'années. On trouve parmi eux les célèbres *Diplodocus* et *Brachiosaurus*, mais le **plus long des dinosaures** fut *Amphicoelias*, qui mesurait vraisemblablement environ 60 m – soit à peu près la longueur d'un jumbo-jet et deux fois la taille d'une baleine bleue (*Balaenoptera musculus*), le **plus grand des mammifères**.

4,5
C'est le poids (en tonnes) du plus grand des stégosaures, *S. armatus*.

1. *Spinosaurus*
Spinosaurus a été le **plus grand dinosaure carnivore** et sans doute le **plus grand prédateur terrestre de tous les temps**. Il a vécu dans l'actuel Sahara, il y a 100 millions d'années. Des chercheurs du Muséum d'histoire naturelle de Milan (Italie) ont récemment calculé à partir de fragments de crâne que *Spinosaurus* mesurait 17 m de long – soit 4 m de plus que le fameux théropode *Tyrannosaurus rex* – et pesait de 7 à 9 t.

2. *Ankylosaurus*
Ankylosaurus, un animal de 4 t ayant vécu au crétacé supérieur (il y a environ de -70 à -65 millions d'années), fut le **plus grand dinosaure à armure**. Il était recouvert de plaques épaisses et son dos était hérissé de piquants de la nuque au bout de la queue qui était en forme de massue. Il mesurait jusqu'à 10,7 m de long et 1,2 m de haut. Il mesurait 1,8 m de large ; c'est donc le **dinosaure le plus large jamais découvert** (relativement à sa longueur).

4. *Stegosaurus*
Stegosaurus est le **dinosaure au cerveau le plus petit**. Il mesurait 9 m de long, mais son cerveau de la taille d'une noix ne pesait que 70 g, soit 0,002 % des 3,3 t que pesait en moyenne son corps (par comparaison, ce chiffre est de 0,06 % chez l'éléphant et de 1,88 % chez l'homme). Celui représenté ici est *Stegosaurus armatus*, le **plus grand stégosaure**, que l'on reconnaît à la double rangée de plaques en forme de cerf-volant qui orne son dos de haut en bas.

MÉGAFAUNE
Ce terme désigne les animaux gigantesques. Les plus grands représentants de la mégafaune terrestre ont vécu il y a 200 millions d'années.

6. *Quetzalcoatlus*
Le **plus grand animal volant de tous les temps** est un ptérosaure appelé *Quetzalcoatlus northropi* (« serpent à plumes »). Il y a environ 70 millions d'années, il occupait une grande partie des États-Unis actuels. Les fragments de squelettes découverts au Texas en 1971 laissent supposer que son envergure atteignait de 10 à 11 m et qu'il pesait de 86 à 113 kg.

5. *Tricératops*
Les cératopsidés avaient le **plus gros crâne** de tous les dinosaures herbivores, reconnaissables à leur collerette et à leurs cornes. Ces cornes servaient sans doute à se défendre ou pour les parades nuptiales. Parmi les cératopsidés, on trouve *Triceratops* (illustration), qui possédait les **plus longues cornes de dinosaure** (jusqu'à 1 m), et *Pentaceratops*, qui avait le **plus gros crâne de tous les animaux terrestre** (3,2 m de haut).

7. *Allosaurus*
Allosaurus faisait partie du sous-ordre des théropodes (« aux pieds de bête ») dont font partie les **plus grands dinosaures carnivores**, comme *T. rex* et *Spinosaurus* (ci-contre, à gauche). Les théropodes ont été le groupe de dinosaures le plus important en terme de longévité et de diversité ; ils ont dominé la Terre il y a 200 millions d'années, et ce jusqu'à l'extinction des dinosaures il y a environ 65 millions d'années.

SERPENTS

Le serpent terrestre le plus rapide
Le mamba noir (*Dendroaspis polylepis*) doit son nom à la couleur de l'intérieur de sa bouche. Ce serpent peut atteindre sur de courtes distances des vitesses de pointe de 16 à 19 km/h. Heureusement pour les hommes, le mamba préfère utiliser sa rapidité pour s'enfuir plutôt que pour attaquer.

Le serpent le plus lourd
Le grand anaconda (*Eunectes murinus*), originaire de Trinité et des régions tropicales de l'Amérique du Sud, mesure normalement de 5,5 à 6,1 m de long. Le spécimen le plus long jamais vu est une femelle abattue au Brésil vers 1960. Elle mesurait 8,45 m de long et 111 cm de circonférence. Son poids a été estimé à 227 kg.

Le serpent venimeux le plus lourd
Le crotale diamantin (*Crotalus adamanteus*) vit dans le sud-est des États-Unis. Son venin peut être mortel, même s'il n'est pas aussi agressif qu'on le dit. Il pèse de 5,5 à 6,8 kg et mesure de 1,52 à 1,83 m de long. Le spécimen le plus lourd que l'on ait jamais vu pesait 15 kg et mesurait 2,36 m de long.

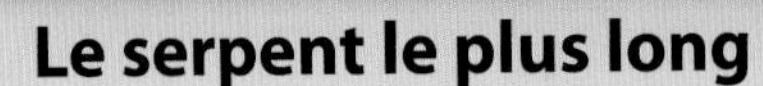

Le serpent le plus long

Le python réticulé (*Python reticulatus, ci-contre*), qui vit en Asie du Sud-Est, en Indonésie et aux Philippines, dépasse souvent 6,25 m. Un spécimen abattu en 1912 à Sulawesi (Indonésie) mesurait 10 m de long. Le **plus long serpent captif du monde** – qui est aussi le **plus long serpent captif de l'histoire** – est Medusa (ci-dessus), avec ses 7,67 m. Il a été mesuré le 12 octobre 2011, à Kansas City (Missouri, USA).

Le plus long serpent de mer
Hydrophis spiralis peut atteindre 2,75 m. On le trouve dans une grande partie de l'océan Indien, notamment le nord. C'est une espèce venimeuse, mais il mord rarement des hommes.

Le plus long vipéridé
Le nom scientifique du maître de la brousse, *Lachesis muta*, signifie « tueur silencieux », ce qui en dit long sur la réputation qu'il a dans sa région d'origine, les forêts équatoriales de l'est des Andes, l'Amérique du Sud, et l'île de Trinité. Ce serpent mesure 2 m environ, mais il peut atteindre 3 m de long. Le plus long spécimen jamais recensé mesurait 3,65 m.

Le serpent à sonnette le plus venimeux
Le crotale tigré (*Crotalus tigris*) est un serpent assez petit (moins de 1 m) qui sécrète peu de venin – 11 mg en moyenne –, mais sa DL_{50} – dose léthale de venin mesurée en milligrammes par kilogramme de l'animal (*voir ci-dessous*) – n'est que de 0,6 mg/kg, ce qui en fait le serpent à sonnette le

INFO
Aucune espèce actuelle ne peut rivaliser avec le **plus gros serpent de l'histoire**, un cousin préhistorique du boa. Comme son nom l'indique, *Titanoboa cerrejonensis* était un titan de 12 à 15 m. Il mesurait environ 1 m dans sa partie la plus large et pesait approximativement 1 135 kg. D'après les fossiles retrouvés, il aurait vécu il y a 58 à 60 millions d'années.

Le serpent aux crochets les plus longs

La vipère du Gabon (*Bitis gabonica*) est le serpent qui produit le plus de venin. Ses crochets lui permettent de l'injecter profondément, puisqu'ils mesurent 50 mm chez un spécimen de 1,83 m. Un mâle adulte peut produire une dose capable de tuer 30 hommes. Le venin déclenche divers symptômes : hypotension, hémorragie, arrêt cardiaque et saignements spontanés. De nature plutôt docile et paresseuse, elle peut aussi être imprévisible et particulièrement rapide.

Le plus grand serpent albinos captif

Twinky est une star. Ce python réticulé albinos femelle mesure en effet 7 m de long et pèse environ 168 kg. Il vit en captivité au reptilarium de Fountain Valley (Californie, USA). Sa célébrité lui a même valu quelques apparitions à la télévision américaine.

LES 10 PLUS VENIMEUX

1. Taïpan du désert
Oxyuranus microlepidotus
Australie
DL_{50} = 0,025 mg/kg

2. Serpent brun
Pseudonaja textilis
Australie, Nouvelle-Guinée, Indonésie
DL_{50} = 0,037 mg/kg

3. Taïpan commun
Oxyuranus scutellatus
Australie et Nouvelle-Guinée
DL_{50} = 0,106 mg/kg

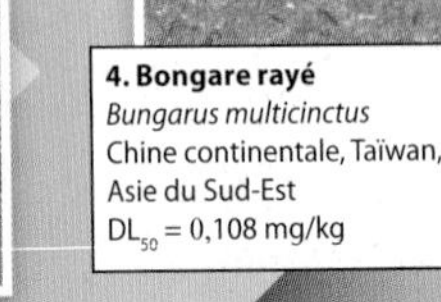

4. Bongare rayé
Bungarus multicinctus
Chine continentale, Taïwan, Asie du Sud-Est
DL_{50} = 0,108 mg/kg

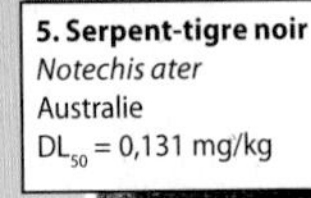

5. Serpent-tigre noir
Notechis ater
Australie
DL_{50} = 0,131 mg/kg

DL_{50} mesure la toxicité : c'est la dose nécessaire pour tuer 50 % des sujets testés en un temps donné, mesurée en mg de produit par kilo de l'animal. Les poisons les plus mortels sont fatals à très faible dose.

Le serpent le plus aérien

Les serpents volants, originaires d'Asie du Sud-Est, appartiennent au genre *Chrysopelea*. En fait, ce nom ne correspond pas à la réalité puisqu'ils planent. Ils redressent l'avant du corps pour s'élancer des branches, rentrent le ventre et aplatissent les côtes de façon à prendre la forme d'une aile, et ondulent ensuite comme tous les serpents.

LA VIE EN ALTITUDE

Gloydius himalayanus est un serpent venimeux que l'on peut rencontrer jusqu'à 4 900 m d'altitude. Les espèces du genre *Gloydius* ont une fossette sensorielle entre les yeux, qui leur permet de détecter la chaleur. Elles l'utilisent lors des attaques pour fondre avec précision sur les proies à sang chaud.

Le pays qui compte le plus d'espèces venimeuses
L'Australie compte non seulement plus d'espèces venimeuses que tout autre pays, mais elle abrite aussi cinq des serpents classés parmi les dix espèces les plus venimeuses (*voir ci-dessous*), notamment le taïpan du désert (*Oxyuranus microlepidotus*), n° 1, le serpent brun (*Pseudonaja textilis*), n° 2, le taïpan commun (*Oxyuranus scutellatus*), n° 3, le serpent-tigre noir (*Notechis ater*), n° 5, et le serpent-tigre continental (*Notechis scutatus occidentalis*), n° 8.

LE SERPENT LE PLUS COURT

Leptotyphlops carlae est un serpent-fil de 10 cm de long. Enroulé, il fait à peine le tour d'une pièce de 2 € et est aussi fin qu'un spaghetti.

TAILLE RÉELLE

20
C'est le nombre d'hommes que le venin du cobra royal peut tuer (il pourrait tuer un éléphant).

plus venimeux et l'espèce la plus venimeuse de *tous* les serpents d'Amérique.

Le serpent opisthoglyphe le plus venimeux
Les crochets des serpents venimeux sont généralement placés à l'avant de la mâchoire supérieure. Chez certaines espèces de colubridés, ils sont orientés vers l'arrière et placés au fond de la mâchoire supérieure. On dit qu'ils sont opisthoglyphes. Le plus venimeux est le boomslang (*Dispholidus typus*). On le trouve en Afrique sub-saharienne. Sa DL_{50} est de 0,06 à 0,72 mg/kg. Dans *Harry Potter*, il est question d'une potion magique contenant de la peau de boomslang.

LE SERPENT AQUATIQUE LE PLUS RAPIDE

Le serpent marin noir et jaune (*Pelamis platurus*) a été chronométré à 1 m/s sur de courtes distances, sortant de temps en temps la tête de l'eau. Il est tellement adapté à une vie exclusivement aquatique qu'il ne sait plus rien faire s'il se retrouve à terre.

Le plus grand cobra cracheur

Le cobra cracheur géant (*Naja ashei*) vit dans la région côtière du Kenya. Le plus long spécimen recensé mesurait 2,7 m. Il avait suffisamment de venin pour tuer au moins 15 personnes. C'est le deuxième plus long serpent venimeux après le cobra royal (*ci-contre*).

Le serpent venimeux le plus répandu
La vipère d'Égypte, ou échide carénée – en raison de la forme carénée de ses écailles – (*voir n° 6 ci-dessous*), a la réputation inégalée d'être l'espèce qui mord et tue le plus d'hommes dans le monde. Elle doit sa notoriété à sa vaste aire de distribution et au fait qu'on la trouve en grand nombre. Elle est très agressive si on la provoque et émet une stridulation caractéristique en frottant ses écailles les unes contre les autres. Sa morsure provoque une hémorragie.

Le plus long serpent venimeux

Le cobra royal, ou hamadryad (*Ophiophagus hannah*), mesure en moyenne de 3 à 4 m. On le trouve en Inde et en Asie du Sud-Est. Le plus long jamais recensé a été capturé en 1937 en Malaisie, puis emmené au zoo de Londres (RU). Il mesurait 5,71 m de long, à l'automne 1939. Il a été euthanasié, comme tous les serpents venimeux du zoo, au début de la Seconde Guerre mondiale, pour éviter qu'ils ne s'échappent si le zoo était bombardé.

6. Vipère d'Égypte
Echis carinatus
Moyen-Orient et Asie centrale
DL_{50} = 0,151 mg/kg

7. Mamba noir
Dendroaspis polylepis
Afrique sub-saharienne
DL_{50} = 0,185 mg/kg

8. Serpent-tigre continental
Notechis scutatus occidentalis
Australie
DL_{50} = 0,194 mg/kg

9. Serpent corail texan
Micrurus fulvius
Mexique et États-Unis
DL_{50} = 0,196 mg/kg

10. Cobra cracheur
Naja philippinensis
Philippines
DL_{50} = 0,2 mg/kg

VENIN

LE PLUS GROS FRELON

Le corps du frelon géant asiatique (*Vespa mandarinia*), originaire des montagnes du Japon, d'Inde et de Chine mesure 5,5 cm, pour une envergure d'environ 7,6 cm. Son dard peut atteindre 0,6 cm et injecter un venin si puissant qu'il peut dissoudre les tissus humains.

Quelle différence y a-t-il entre animal venimeux et animal toxique ? Le mode d'administration de la toxine : dans le premier cas, le venin est inoculé dans la victime ; dans le second, le poison est présent dans l'organisme de l'animal mais ne devient toxique que quand on touche ou mange ce dernier.

Le premier dinosaure venimeux

Une équipe dirigée par Empu Gong (Chine) a pu examiner un crâne bien conservé de *Sinornithosaurus* et annoncer en 2009 que ce dinosaure possédait les caractéristiques d'un animal venimeux, notamment des sillons proéminents sur toute la longueur des grandes dents en forme de crochet qu'il avait au milieu de la mâchoire. C'est la première fois qu'on avait la preuve qu'un dinosaure a pu produire du venin. *Sinornithosaurus* a vécu au début du Crétacé (–24,6 à –22 mA) dans ce qui est aujourd'hui la Chine.

La grenouille la plus toxique

Le poison du kokoï de Colombie, ou phyllobate terrible (*Phyllobates terribilis*), est assez puissant pour tuer 10 hommes ou 20 000 souris de laboratoire. Les tribus amérindiennes trempaient parfois la pointe de leurs flèches dans le poison sécrété par cet animal. Il appartient à la famille des dendrobates (grenouilles venimeuses).

La fourmi la plus dangereuse

Myrmecia pyriformis – ci-dessus en train de dévorer un frelon européen (*Vespa crabro*) – est une fourmi des régions côtières d'Australie. Elle attaque simultanément avec son dard et ses mandibules. Elle a tué trois personnes depuis 1936.

L'anatidé le plus toxique

L'oie-armée de Gambie (*Plectropterus gambensis*) est originaire des régions humides d'Afrique de l'Ouest. La chair de ce grand oiseau de 75 à 111 cm de haut – c'est le plus grand anatidé africain – contient de la cantharidine, une toxine provenant des coléoptères méloïdés dont il se nourrit. Sachant que 10 mg de cantharidine suffisent pour tuer un homme, sa consommation peut être mortelle.

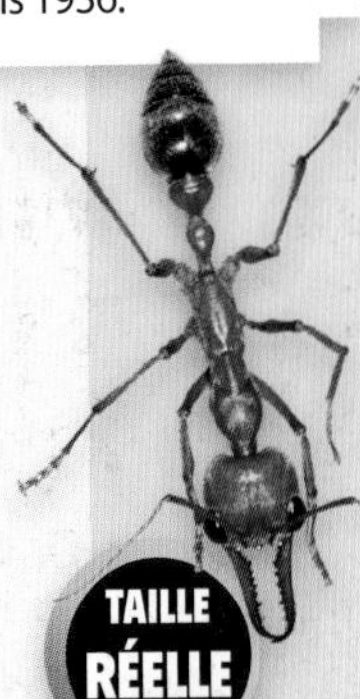

TAILLE RÉELLE

LA VIPÈRE LA PLUS VENIMEUSE

La vipère d'Égypte (*Echis carinatus*) – photographiée ci-dessus au cours d'une opération d'extraction de venin – peut atteindre 80 cm de long et injecter jusqu'à 12 mg de venin en une seule morsure. 5 mg suffisent pour tuer un homme.

Le lézard venimeux ayant vécu le plus longtemps

Le lézard perlé (*Heloderma horridum*) vit dans les forêts mexicaines. Cet animal noir et jaune mesure jusqu'à 90 cm. Un spécimen a vécu en captivité jusqu'à l'âge de 33 ans et 11 mois.

Le plus gros lézard venimeux

Le dragon de Komodo (*Varanus komodoensis*), qui peut atteindre 3 m de long et peser 70 kg, est à la fois le **plus gros lézard venimeux** et le **plus gros animal terrestre venimeux**. Les scientifiques savent depuis longtemps que la salive des spécimens sauvages contient des bactéries pathogènes, mais ils n'ont découvert qu'en 2009 que cette espèce possédait aussi deux vraies glandes à venin sur la mâchoire inférieure.

12 C'est le nombre de repas par an permettant à un dragon de Komodo de survivre.

L'araignée la plus venimeuse

Les araignées nomades du Brésil appartenant au genre *Phoneutria* sont les araignées les plus venimeuses. *Phoneutria fera* – que l'on voit ici en train de manger une grenouille – est l'araignée qui possède le venin neurotoxique le plus actif au monde. Il suffit de 0,006 mg pour tuer une souris. Les araignées du genre *Phoneutria* ont une envergure d'environ 17 cm.

DANGERS VENUS DES PROFONDEURS

L'oursin le plus dangereux : l'oursin fleur (*Toxopneustes pileolus*) ; la toxine de ses piquants et de ses pédicellaires (appendices en forme de pince) peut causer douleurs, problèmes respiratoires et paralysie.

Le mollusque le plus venimeux : deux espèces de pieuvres à anneaux bleus (*Hapalochlaena maculosa* et *H. lunulata*) ; piqûre peu douloureuse mais pouvant tuer en quelques minutes.

Le serpent marin le plus venimeux : *Hydrophis belcheri* (ci-dessous) ; son venin myotoxique est beaucoup plus puissant que celui de tout autre serpent terrestre. *Enhydrina schistosa* est probablement aussi venimeux.

Le poisson comestible le plus toxique : le poisson boule (*Tetraodon*) ; contient une toxine mortelle appelée tétrodotoxine, dont 0,1 g seulement peu tuer un homme en 20 min.

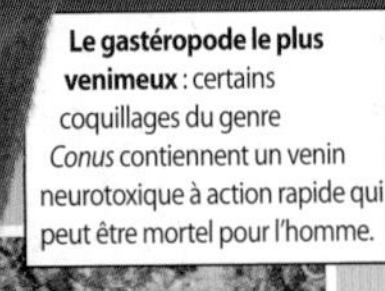

Le gastéropode le plus venimeux : certains coquillages du genre *Conus* contiennent un venin neurotoxique à action rapide qui peut être mortel pour l'homme.

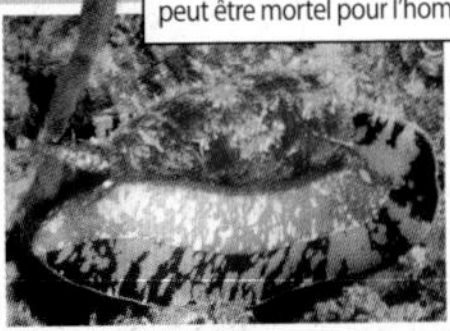

Le mille-pattes le plus venimeux

Le venin d'une sous-espèce particulièrement dangereuse de *Scolopendra subspinipes* – un mille-pattes qui vit surtout en Asie du Sud-Est – est tellement puissant qu'on a vu des victimes plonger leur main dans l'eau bouillante pour ne plus sentir la douleur atroce que sa morsure provoque.

Le premier traitement à base de venin d'abeille

Les Chinois, les Grecs et les Romains utilisaient déjà l'apithérapie (usage pharmaceutique des produits de la ruche) dans l'Antiquité. Le médecin grec Galien de Pergame (129-200) l'aurait utilisée pour soigner la calvitie.

À VOIR EN 3D AVEC L'APPLI GRATUITE

ATTENTION, RÉALITÉ AUGMENTÉE ! PAGE EN 3D

La plus grosse guêpe

Pepsis heros est à la fois la plus grosse guêpe et le plus gros insecte de l'ordre des hyménoptères. Le spécimen le plus gros recensé à ce jour est une femelle du parc national de Yanachaga-Chemillén (Pérou). Son corps bombé mesure environ 62 mm de long, pour une envergure de 121,5 mm. Cette guêpe est le prédateur de plusieurs espèces de mygales, notamment *Teraphosa leblondi*. Elle les saisit entre ses mâchoires, les paralyse avec une piqûre, les traîne jusqu'à son nid, pond un œuf sur leur corps et referme le nid. Lorsque l'œuf éclot, la larve de la guêpe se nourrit en mangeant l'araignée encore vivante.

L'abeille la plus dangereuse

L'abeille africaine, ou abeille tueuse (*Apis mellifera scutellata*), n'attaque que quand on la provoque, mais elle poursuit sa victime. Elle est très agressive et défend âprement son territoire, qui peut atteindre 800 m de rayon. Son venin n'est pas plus puissant que celui des autres abeilles, mais comme elle attaque par nuées, les multiples piqûres peuvent entraîner la mort.

LE SERPENT TERRESTRE LE PLUS VENIMEUX

Le taïpan du désert (*Oxyuranus microlepidotus*), un serpent australien, peut injecter 60 mg de venin en une seule fois – une dose suffisante pour tuer un petit marsupial en quelques secondes, et plus que suffisante pour tuer plusieurs hommes.

La cuboméduse la plus venimeuse

La cuboméduse d'Australie, ou guêpe de mer (*Chironex fleckeri*), vit au large de la côte nord de l'Australie. Elle produit assez de venin pour tuer 60 personnes. Elle fait en moyenne un mort par an.

En 2000, un garde-côte australien a failli mourir en buvant l'eau d'une bouteille dans laquelle flottaient les tentacules presque transparents d'un spécimen. Ces derniers conservent en effet leur toxicité même après la mort de l'animal (*voir ci-dessous*).

Les plus longues glandes à venin chez une araignée

L'araignée banane (*Phoneutria nigriventer*), qui est sans doute l'araignée la plus agressive d'Amérique du Sud, possède les glandes à venin les plus longues du monde, jusqu'à 10,2 mm de long et 2,7 mm de diamètre. Chacune peut contenir jusqu'à 1,35 mg de venin, une quantité suffisante pour tuer 225 souris.

Le scorpion le plus venimeux

Le scorpion du Sahara (*Androctonus australis*) est responsable de 80 % des piqûres et de 90 % des décès par piqûre de scorpion se produisant en Afrique du Nord. Il peut atteindre 10 cm et peser 15 g.

LA PLUS GROSSE FOUISSEUSE
Megalara garuda, découverte en 2012 sur l'île de Sulawesi, mesure jusqu'à 34 mm de long.

2 000 C'est le nombre d'espèces de scorpions. 30 ont une piqûre mortelle pour l'homme.

La plus grosse méduse : la méduse à crinière de lion (*Cyanea capillata arctica*) ; énorme prédateur marin – jusqu'à 2,28 m de large et 36,5 m de long – dont la piqûre est mortelle pour l'homme.

L'anémone de mer la plus toxique : *Rhodactis howesii* ; sa chair toxique contient un poison paralysant unique qui peut être mortel pour l'homme si elle est consommée crue.

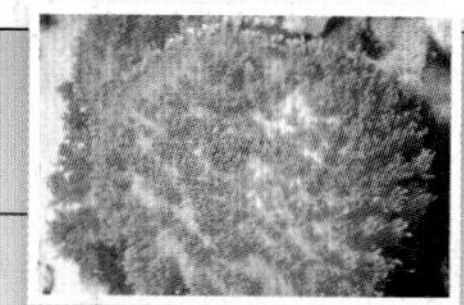

Le poisson le plus venimeux : les scorpions de mer (famille des Synanceiidae), surtout *Synanceia horrida* ; poisson aux plus grosses glandes à venin ; le contact avec ses épines peut être mortel.

La méduse la plus venimeuse : la cuboméduse d'Australie, ou guêpe de mer (*Chironex fleckeri*) ; symptômes avant la mort : vomissements, nausées, diarrhée, frissons et sueurs.

Le requin le plus toxique : le requin du Groenland (*Somniosus microcephalus*) ; sa chair contient une neurotoxine qui ne peut être éliminée que par la cuisson dans plusieurs eaux.

PETITES BESTIOLES

Le phasme le plus lourd

La nymphe femelle du phasme dilaté (*Heteropteryx dilatata*) est plus grosse que le mâle. L'une d'elles, mesurée au zoo de Londres en 1977, pesait 51,2 g. L'espèce vit dans les forêts tropicales humides d'Asie du Sud-Est – Malaisie occidentale, Sarawak (Bornéo), Sumatra, Singapour et Thaïlande.

Invertébré

Les solifuges du genre *Solpuga* sont capables d'atteindre une vitesse de pointe de 16 km/h. On les trouve en Afrique du Nord et au Moyen-Orient, où on les appelle araignées-chameau et araignées du soleil, des noms trompeurs puisque, contrairement aux vraies araignées, ils possèdent une tête, un thorax et un abdomen distincts.

La blatte la plus lourde

La blatte rhinocéros (*Macropanesthia rhinoceros*), originaire de l'est du Queensland (Australie), n'a pas d'ailes et vit dans un terrier. Le spécimen le plus lourd jamais pesé était une femelle de 33,45 g – soit deux fois plus que la normale pour cette espèce.

La plus grande famille d'araignées

Les *Salticidae*, ou araignées sauteuses, forment la famille d'araignées la plus nombreuse. Avec environ 5 000 espèces réparties en plus de 500 genres dans la nomenclature biologique, elles représentent environ 13 % des espèces d'araignées connues.

LES PLUS RAPIDES...

Insecte volant

Austrophlebia costalis, une libellule australienne, peut atteindre une vitesse de pointe de 58 km/h. En 1917, un spécimen a atteint une vitesse au sol de 98,6 km/h sur une courte distance (73-82 m).

Araignée

La tégénaire géante (*Tegenaria gigantea*) est originaire d'Amérique du Nord. En 1970, une femelle adulte a atteint la vitesse de pointe de 0,53 m/s sur une courte distance.

Battement d'ailes

Une minuscule mouche du genre *Forcipomyia* effectue 62,76 battements d'ailes par minute. Le cycle contraction-expansion de ses muscles dure 0,00045 s. C'est le **mouvement musculaire le plus rapide** jamais enregistré.

Le temps de réaction le plus rapide

Odontomachus bauri ferme ses mandibules à la vitesse de 35 à 64 m/s. Le temps de réaction de cette fourmi est en moyenne de 0,13 m/s, soit 2 300 fois moins qu'un clignement d'œil chez l'homme.

SUPER CORNES

Pour se battre, le dynaste Hercule mâle se sert de ses cornes, capables de soulever une charge de 2 kg.

LES PLUS GRANDS...

Papillon

La femelle de la Reine Alexandra (*Ornithoptera alexandrae*), un papillon de Papouasie-Nouvelle-Guinée, peut atteindre plus de 28 cm d'envergure et peser plus de 25 g ce qui équivaut à la taille d'un moineau (*Passer domesticus*).

Le plus grand coléoptère

Le dynaste Hercule (*Dynastes hercules*), qui vit en Amérique du Sud, mesure 17 cm avec ses cornes. Si l'on s'en tient au corps, le record est détenu par le titan (*Titanus giganteus*), également originaire d'Amérique du Sud. Il dépasse rarement 15 cm, même si on a trouvé un spécimen de 16,7 cm.

TAILLE RÉELLE

MINUSCULES BESTIOLES*

Le plus petit insecte : coléoptères aux ailes velues de la famille des Ptiliidés 0,25 mm ; monde entier

Le plus petit papillon de nuit : *Stigmella ridiculosa* 2 mm ; îles Canaries

La plus petite abeille : *Perdita minima* 2 mm ; sud-ouest des États-Unis

Le plus petit scorpion : *Microbuthus pusillus* 13 mm ; rivages de la mer Rouge

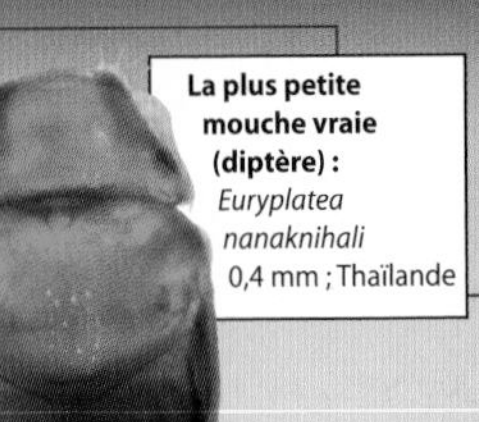

La plus petite mouche vraie (diptère) : *Euryplatea nanaknihali* 0,4 mm ; Thaïlande

* Les photos ne correspondent pas à leur taille réelle.

Le plus grand vinaigrier

Mastigoproctus giganteus est un uropyge originaire du sud des États-Unis et du Mexique, qui peut atteindre 85 mm de long. Le plus lourd jamais découvert pesait 12,4 g. Les uropyges sont des arachnides ressemblant à des scorpions. Ils projettent sur leurs prédateurs une substance secrétée par leurs glandes anales. Celle-ci contient essentiellement de l'acide acétique (vinaigre).

Le coléoptère le plus lourd

En 2009, un spécimen de larve âgée du scarabée éléphant (*Megasoma actaeon*), originaire du nord de l'Amérique du Sud, pesant 228 g – soit quasiment le poids d'une ratte adulte – a été découvert. Cela en fait l'arthropode non marin le plus lourd (exception faite des crustacés). Autrement dit, ce n'est pas seulement le coléoptère le plus lourd du monde, mais aussi l'**insecte le plus lourd**.

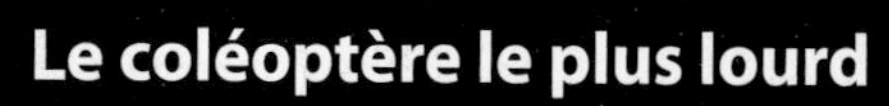

La plus grosse termite

Une reine de *Macrotermes bellicosus* peut atteindre 14 cm et 3,5 cm de diamètre. Sa taille lui permet de pondre 30 000 œufs par jour. Le couple qu'elle forme avec le mâle peut vivre 20 ans au sein d'immenses colonies comptant des millions de termites. La **plus haute termitière** a été découverte en République démocratique du Congo ; elle mesurait 12,8 m de haut.

Le plus long phasme

Le Muséum d'histoire naturelle de Londres détient un spécimen de « super-canne de Chan » (*Phobaeticus chani*) de 35,5 cm. Pattes tendues, il mesure 56,7 cm. Cette espèce rare a été découverte sur l'île de Bornéo (Malaisie).

Mille-pattes

Scolopendra gigantea est un scolopendre géant de 40 cm de long. On le trouve en Amérique centrale et du Sud. Il se nourrit de souris, de lézards et de grenouilles – voire de chauves-souris pour certaines populations vivant dans des grottes du Venezuela. *Voir aussi p. 31.*

Toiles d'araignées

L'araignée Darwin (*Caerostris darwini*), que l'on trouve à Madagascar, tisse les **plus longues toiles d'araignée** du monde. Leur superficie peut atteindre 2,8 m^2. Elle tend ses fils d'une rive à l'autre des fleuves sur 25 m par un mécanisme encore inconnu.

Les **plus grandes étendues continues de toiles d'araignées** tissées par des espèces indiennes du genre *Stegodyphus* ne sont pas planes mais s'entremêlent pour former des structures en trois dimensions pouvant couvrir la végétation sur plusieurs kilomètres.

Insecte préhistorique

Meganeura monyi est une libellule qui a vécu il y a environ 280 millions d'années. D'après les fossiles retrouvés à Commentry (Allier, France), elle pouvait atteindre 70 cm d'envergure.

Le parasite le plus dangereux

Les anophèles (moustiques du genre *Anopheles*, qui comprend de nombreuses espèces) pourraient être responsables de la moitié des décès chez l'homme depuis l'âge de pierre, après les guerres et les accidents.

Les papillons les plus bruyants

Les craqueurs (*Hamadryas*), d'Amérique centrale et du Sud, méritent leur nom : lors de la parade nuptiale, ils tapent leurs ailes antérieures l'une contre l'autre, provoquant un son audible à 30 m à la ronde.

La plus petite guêpe : *Dicopomorpha echmepterygis* 0,139 mm ; Costa Rica

Le plus petit mille-pattes : *Nannarrup hoffmani* 10,3 mm ; New York (USA)

La plus petite blatte : *Attaphila fungicola* 3 mm ; États-Unis

La plus petite araignée : *Patu marplesi* 0,43 mm ; Samoa

Le plus petit papillon de jour : *Oraidium barberae* 14 mm ; Afrique du Sud

RAPACES

Le plus grand falconidé

Avec une envergure de 1,24 à 1,6 m, un poids de 1,2 à 2,1 kg et une longueur de 51 à 56 cm, la femelle du faucon gerfaut (*Falco rusticolus*), qui vit essentiellement sur les côtes arctiques et les îles d'Europe, d'Asie et d'Amérique du Nord, est le plus grand falconidé.

Le plus petit rapace

Deux oiseaux détiennent ce record : le fauconnet moineau (*Microhierax fringillarius*), qui vit en Asie du Sud-Est, et le fauconnet de Bornéo (*Microhierax latifrons*), qui vit au nord-ouest de Bornéo. Tous deux mesurent en moyenne de 14 à 15 cm – y compris la queue de 5 cm – et pèsent environ 35 g.

Le plus grand strigidé de l'histoire

Ornimegalonyx, un strigidé géant aujourd'hui éteint et dont on pense qu'il ne volait pas, mesurait 1,1 m de haut, avec des pattes proportionnées à sa taille. Il pesait vraisemblablement au moins 9 kg. Cet animal colossal a été découvert par des scientifiques alors qu'ils étudiaient quatre espèces proches ayant vécu au pléistocène, il y a 10 000 ans.

Les espèces de strigidés les plus récentes

La ninoxe de Cébu (*Ninox rumseyi*) et la ninoxe de Caminguin (*N. leventisi*), deux espèces endémiques des Philippines, ont été décrites en 2012 dans un article publié par Pr Pam Rasmussen, de l'université du Michigan (East Lansing, Michigan, USA), dans la revue scientifique *Forktail*, consacrée exclusivement aux oiseaux d'Asie.

Le vautour de l'Ancien Monde à la plus grande envergure

Le gypaète barbu (*Gypaetus barbatus*), espèce atypique à la queue cunéiforme et au bec entouré d'une « barbiche » originaire du sud de l'Europe, d'Afrique, du sous-continent indien et du Tibet, peut atteindre 2,83 m – à peine plus que le vautour fauve (*Gyps fulvus*), originaire du sud de l'Europe, du nord de l'Afrique et d'Asie, qui peut atteindre 2,80 m d'envergure.

INFO

Du point de vue génétique, les vautours de l'Ancien et du Nouveau Monde ne sont pas parents ; leurs similitudes s'expliquent par la « convergence évolutive », qui fait que les animaux vivant dans des environnements similaires développent les mêmes caractères.

Le plus grand rapace

Le mâle du condor des Andes (*Vultur gryphus*), un vautour du Nouveau Monde qui vit sur la côte Pacifique d'Amérique du Sud, est le plus grand rapace en termes de poids (de 9 à 12 kg) et d'envergure (3,2 m).

Un condor de Californie (*Gymnogyps californianus*) conservé à l'académie des Sciences de Californie, à Los Angeles (USA) pèserait 14,1 kg, mais cette espèce est souvent plus petite que le condor des Andes et son poids dépasse rarement 10,4 kg.

Le plus petit vautour de l'Ancien Monde

Le vautour charognard (*Necrosyrtes monachus*), originaire de l'Afrique sub-saharienne, mesure de 62 à 72 cm de long et ne pèse que 1,5 à 2,6 kg, pour une envergure très modeste de seulement 1,6 à 2,6 m.

TAILLE RÉELLE

Le plus petit falconidé

Le fauconnet moineau (*Microhierax fringillarius*) est une espèce minuscule qui vit en forêt. Il mesure en principe de 14 à 16 cm de long et ne pèse que 35 g, pour une envergure de 27 à 32 cm, ce qui correspond plus ou moins à celle d'un moineau.

L'espèce de buse la plus récente

La buse de Socotra (*Buteo socotraensis*), officiellement décrite et nommée en 2010, est aujourd'hui élevée au rang de nouvelle espèce. Elle est originaire de Socotra, une île perdue de l'océan Indien qui abrite de nombreuses autres espèces endémiques.

Les oiseaux qui volent le plus haut

La plus haute altitude à laquelle on ait vu un oiseau voler est de 11 300 m. Il s'agissait d'un vautour de Rüppell (*Gyps rueppellii*), qui a percuté un avion de ligne au-dessus d'Abidjan (Côte d'Ivoire), le 29 novembre 1973. On a pu récupérer assez de plumes pour permettre au Muséum d'histoire naturelle de New York d'identifier cet

ESPÈCES AGRESSIVES

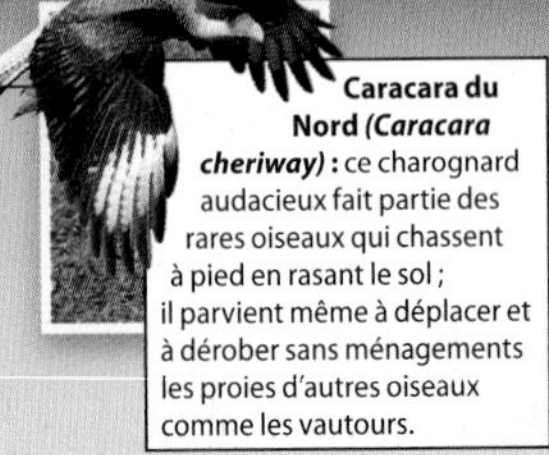

Caracara du Nord (*Caracara cheriway*) : ce charognard audacieux fait partie des rares oiseaux qui chassent à pied en rasant le sol ; il parvient même à déplacer et à dérober sans ménagements les proies d'autres oiseaux comme les vautours.

Grand-duc d'Europe (*Bubo bubo*) : c'est l'un des strigidés actuels les plus grands et les plus puissants ; il s'attaque parfois aux renards et même aux cervidés !

Casoar à casque (*Casuarius casuarius*) : ce grand oiseau inapte au vol, qui a la terrible réputation d'attaquer les humains quand ils le dérangent, peut porter des coups fatals avec ses griffes acérées.

Buse à queue rousse (*Buteo jamaicensis*) : ce carnivore bruyant émet des cris perçants terrifiants pour repousser ses rivaux quand il chasse, et défend avec agressivité son territoire.

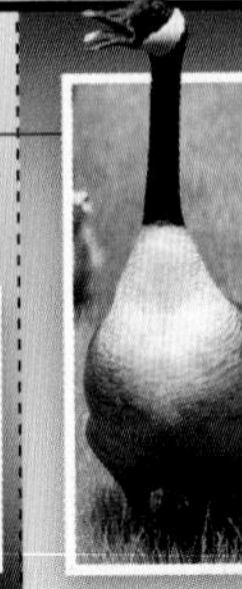

Bernache du Canada (*Branta canadensis*) : cet anatidé d'Amérique du Nord, que l'on voit dans les parcs urbains au Canada, peut devenir très agressif quand il niche, et attaquer et mordre tout ce qui s'approche de trop près.

La plus petite famille de rapaces

Les sagittariidés compte une seule espèce, le messager serpentaire (*Sagittarius serpentarius*). Sa huppe de plumes noires et ses longues pattes rappelant celles des grues le distinguent des autres rapaces. Il était autrefois classé dans une famille proche des grues, les cariamas ; une famille de rapaces a été créée pour lui en 1935.

Le régime le plus restreint
Le milan des marais (*Rostrhamus sociabilis*) se nourrit uniquement d'ampullaires, gros mollusques gastéropodes d'eau douce qui vivent dans les Everglades (Floride, USA). En période de sécheresse, quand les ampullaires sont rares, il consomme des écrevisses pour survivre, mais reprend son régime dès que les conditions reviennent à la normale.

La plus grande espèce de pygargue

Le pygargue de Steller (*Haliaeetus pelagicus*), particulièrement grand, puissant et agressif, est encore plus impressionnant que ses cousins à queue blanche et à tête blanche. On le trouve le long des côtes du nord-est asiatique. La femelle peut peser de 6,8 à 9 kg, pour une envergure de 1,95 à 2,5 m.

oiseau que l'on rencontre rarement au-dessus de 6 000 m.

Le vol piqué le plus rapide
En vol piqué, le faucon pèlerin (*Falco peregrinus*) peut atteindre 300 km/h, ce qui laisse peu de chances à sa proie. Le record attesté a été enregistré lors d'une série d'essais menés par des Allemands, où un faucon pèlerin a atteint 270 km/h à un angle de 30°, et 350 km/h à un angle de 45°.

50
C'est la pression en kilo que la harpie peut exercer pour broyer les os de ses proies entre ses serres.

Le rapace le plus fort

La femelle de la harpie féroce (*Harpia harpyja*), qui pèse 9 kg, peut tuer et transporter des animaux aussi grands qu'elle. Ce superprédateur (qui se trouve au sommet de sa chaîne alimentaire) consomme régulièrement des mammifères arboricoles – paresseux et singes par exemple.

La plus grande effraie

Les effraies, que l'on reconnaît à leur masque en forme de cœur, constituent avec les phodiles la famille des tytonidés, à ne pas confondre avec les strigidés (chouettes, hiboux, etc). La plus grande d'entre elles est l'effraie masquée (*Tyto novaehollandiae*), qui vit dans les régions non désertiques de l'Australie et dans le sud de la Nouvelle-Guinée. La femelle a une envergure impressionnante (jusqu'à 1,28 m) ; elle pèse de 0,55 à 1,26 kg, et mesure de 0,4 à 0,5 m de haut.

Le cathartidé le plus répandu

La population d'urubus à tête rouge (*Cathartes aura*) est estimée à 4 500 000 individus, ce qui en fait le vautour du Nouveau Monde (ou cathartidé) le plus répandu.

Le plus grand nid
Près de St Petersburg (Floride, USA), un couple de pygargues à tête blanche (*Haliaeetus leucocephalus*) – peut-être avec ses descendants – a construit un nid de 2,9 m de diamètre et 6 m de profondeur. Le 1er janvier 1963, jour où il a été mesuré, son poids était estimé à plus de 2 t.

Quant aux matériaux utilisés par le léipoa ocellé (*Leipoa ocellata*) pour construire son nid à même le sol, ils peuvent peser jusqu'à 300 t.

SOLIDAIRES
Les femelles gardent souvent le même partenaire toute leur vie. Ils défendent ensemble leur territoire et les mâles les nourrissent même pendant 30 à 32 jours d'affilée quand elles couvent.

Aigle blanchard (*Stephanoaetus coronatus*) : considéré comme l'aigle le plus féroce d'Afrique à cause de son goût pour le grand gibier comme l'antilope, cet oiseau majestueux est surnommé « léopard du ciel » en Afrique.

Faucon des prairies (*Falco mexicanus*) : chasseur rapide et véritable casse-cou en vol, ce faucon de taille moyenne est d'une telle nervosité que ses attaques sont imprévisibles.

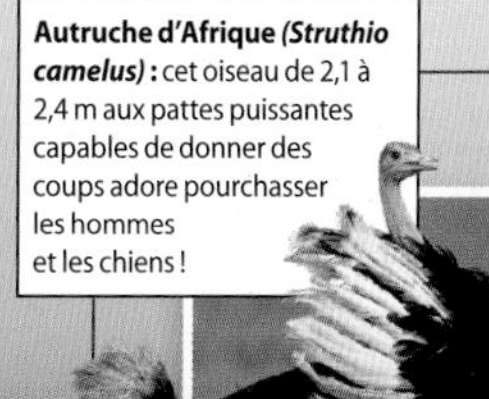

Autruche d'Afrique (*Struthio camelus*) : cet oiseau de 2,1 à 2,4 m aux pattes puissantes capables de donner des coups adore pourchasser les hommes et les chiens !

Aigle martial (*Polemaetus bellicosus*) : ce super-prédateur peut tuer des oiseaux en plein vol – on l'a même vu chasser des babouins et des lionceaux.

Labbe (*Stercorarius spp*) : ce pirate du ciel harcèle des prédateurs plus gros que lui et leur vole leur nourriture ; il fond sur tous les animaux qui s'approchent de son nid.

ANIMAUX BIZARRES

Le 1er requin hybride

En janvier 2012, des scientifiques ont révélé avoir découvert les premiers requins hybrides connus au large des côtes du Queensland (Australie). Ils sont issus d'un croisement entre deux espèces proches, *Carcharhinus tilstoni* et le requin bordé (*C. limbatus*). Le premier ne se rencontre que dans les eaux tropicales, mais ses descendants hybrides vivent dans les eaux tempérées, moins chaudes.

Le plus long animal marin

Les siphonophores ressemblent à des pieuvres mais n'en sont pas. Chacun est en fait une colonie appelée super-organisme, ce qui signifie que chaque partie de son corps est un organisme distinct, très spécialisé et adapté d'un point de vue anatomique pour assumer une certaine fonction (flotter, piquer, manger ou se reproduire). *Praya dubia*, un siphonophore mesurant de 30 à 50 m de long, est considéré comme étant le plus long animal marin.

La plus grande longueur d'ondes lumineuses perçue par un poisson

En octobre 2012, des biologistes de l'université de Bonn (Allemagne) ont annoncé qu'ils avaient démontré que *Pelvicachromis taeniatus* – un cichlidé africain vivant en eau douce, dans les rivières sombres et ombragées – pouvait percevoir des longueurs d'ondes inférieures à 780 nanomètres, ce qui correspond à la limite de la zone infrarouge du spectre électromagnétique.

2
C'est la longueur en mètre de la corne de cet animal.

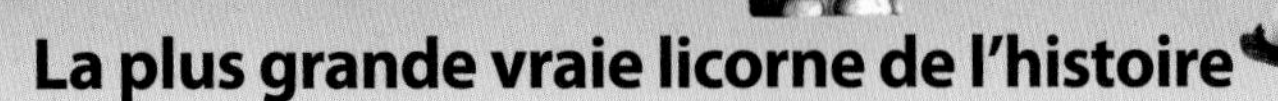

La plus grande vraie licorne de l'histoire

Le plus grand mammifère doté d'une seule corne au milieu de la tête ayant jamais vécu sur Terre est un rhinocéros préhistorique baptisé *Elasmotherium*, ou « licorne géante ». Il avait la taille d'un mammouth et mesurait plus de 2,5 m de haut pour une longueur pouvant dépasser 5 m. Son poids est estimé à 5 t.

Le dernier crabe yéti découvert

Les crabes yéti, qui constituent le genre *Kiwa*, sont des crustacés ressemblant à des crabes. Ils doivent leur nom aux nombreux filaments qui ornent leurs pattes antérieures. En janvier 2012, des scientifiques ont annoncé la découverte d'une nouvelle espèce à environ 2 500 m de profondeur, tout au fond de l'océan Antarctique. Elle compte de nombreux filaments sur les pattes, les pinces et sous le thorax. L'espèce a été surnommée « Hasselhof », du nom de l'acteur David Hasselhof (USA), qui exhibait son torse velu dans *Alerte à Malibu*.

50
C'est le nombre de baudets du Poitou naissant chaque année. Il est plus rare que le rhinocéros blanc et le panda géant.

La race d'ânes possédant les plus longs poils

Le baudet du Poitou, une race d'ânes française, possède des poils mesurant en moyenne 15 cm de long. On les laisse souvent volontairement se feutrer et former une fourrure dite « à cadenettes », que l'animal conserve toute sa vie, celle-ci se réduisant de plus en plus en lambeaux au fil du temps.

INFO

Zoe Pollock et sa mère Annie (*à l'extrémité gauche*) vivent dans la ferme de Norley, près de Lympington (Hampshire, RU), avec sept baudets du Poitou. En mai 2012, elles les ont tondus – la 1re tonte depuis 17 ans pour certains !

CRÉATURES DES PROFONDEURS...

Scorpion : *Alacran tartarus* vit dans des grottes situées à plus de 800 m sous terre.

Chauves-souris : des chauves-souris brunes (*Myotis lucifugus*) hibernent à 1 160 m de profondeur dans une mine de zinc de l'État de New York (USA).

Insecte : des larves de *Sergentia koschowi*, un « moucheron non-piqueur », vivent à 1 360 m de profondeur dans le lac Baïkal (Sibérie), **le lac le plus profond.**

Poulpe : le poulpe Dumbo (*Grimpoteuthis*) vit à 1 500 m de profondeur, tout près du fond de l'océan. Son corps mesure environ 20 cm.

Étoile de mer : un spécimen de *Porcellanaster ivanovi* a été trouvé à 7 584 m de profondeur dans la fosse des Mariannes, dans la partie ouest du Pacifique.

Le rapport œil-corps le plus élevé

Vampyroteuthis infernalis peut atteindre 28 cm, alors que le diamètre de ses yeux peut mesurer 2,5 cm – soit un rapport d'environ 12/1. Malgré son nom effrayant (« calmar vampire venu de l'enfer »), il est inoffensif. C'est le calmar géant de l'Atlantique (*Architeuthis dux*) qui a l'**œil le plus grand** : 40 cm de diamètre.

Le mammifère qui mange le plus vite

Une étude du Dr Kenneth Catania de l'université Vanderbilt (Tennessee, USA) de février 2005 a enregistré un temps moyen de manipulation des aliments de 230 millisecondes chez le condylure à nez étoilé (*Condylura cristata*). Le museau de cette taupe, recouvert de 25 000 mécanorécepteurs, ou organes d'Eimer, est l'**organe animal le plus sensible**. Ultra-sensible au toucher, il est 5 à 6 fois plus sensible que la main de l'homme.

La plus grande tortue d'eau douce

Carbonemys cofrinii (« tortue du charbon ») a vécu il y a 60 millions d'années, au paléocène. Les premiers vestiges de cette tortue géante ont été découverts en 2005 dans une mine colombienne, mais elle n'a été officiellement baptisée et décrite qu'en 2012. Sa carapace mesurait 1,72 m de long. La longueur totale de l'animal atteignait presque 2,5 m, soit celle d'une Smart.

L'animal terrestre actuel ayant le plus de dents

Le gecko à queue feuillue (*Uroplatus fimbriatus*), qui vit à Madagascar, compte 169 dents sur sa mâchoire supérieure et 148 sur sa mâchoire inférieure. Les seuls animaux non aquatiques à en avoir possédé plus sont des ptérosaures (reptiles volants préhistoriques).

Les plus anciens fossiles de parasites

En janvier 2013, des scientifiques ont retrouvé 93 œufs de ténia dans des excréments fossiles de requin vieux de 270 millions d'années, découverts au Brésil. L'un des œufs contenait même ce qui semble être une larve en développement. Ces œufs de ténia fossilisés ont 140 millions d'années de plus que ceux retrouvés jusqu'à présent.

Le plus grand paresseux

Le paresseux terrestre de Floride (*Eremotherium eomigrans*), apparu il y a 4,9 millions d'années, a vécu jusqu'au pléistocène, il y a 300 000 ans. Il pesait plus de 5 t et mesurait 6 m de long. Dressé sur ses pattes arrière, il pouvait atteindre 5,2 m de haut. Il possédait cinq doigts, dont quatre étaient dotés de griffes géantes de près de 30 cm de long.

LE MONDE EN GRAND-ANGLE SE TROUVE P. 32

Le requin vierge le plus fécond

Zebedee est un requin-zèbre femelle (*Stegostoma fasciatum*) que l'on peut voir dans l'aquarium du restaurant de l'hôtel Burj Al Arab, à Dubaï (EAU). Depuis 2007, elle a pondu plusieurs fois des œufs ayant donné naissance à des bébés requins alors qu'elle n'a jamais été en contact avec un mâle. Certains requins femelles se reproduisent en effet par parthénogénèse – c'est-à-dire par reproduction asexuée. Zebedee en fait partie et est la plus prolifique de celles vivant en captivité.

Crustacé : en novembre 1980, des amphipodes vivants ont été découverts à 10 500 m de profondeur dans Challenger Deep (la fosse des Mariannes) dans l'ouest du Pacifique par un navire océanographique américain.

Poisson : *Abyssobrotula galatheae*, une donzelle de 20 cm de long, a été pêchée dans la fosse de Porto Rico, à 8 370 m de profondeur.

Éponge : des spécimens de la famille des Cladorhizidae ont été découverts à 8 840 m de profondeur.

Organisme multicellulaire : *Halicephalobus mephisto*, une espèce de nématode de 5 mm de long, vit à 3,6 km sous terre.

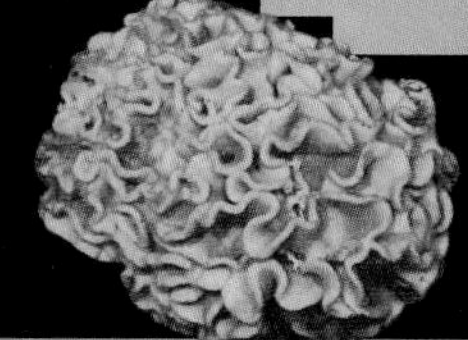

Xénophyophore : en juillet 2011, des scientifiques de l'Institut d'océanographie Scripps ont découvert des spécimens de ces organismes unicellulaires à 10,6 km de profondeur, dans la fosse des Mariannes.

ZOOS

Le plus grand aquarium couvert

L'aquarium octogonal de Shedd, de 5,6 millions de litres, au bord du lac Michigan à Chicago (Illinois, USA) abrite une collection de plus de 32 500 animaux, soit 1 500 espèces animales provenant du monde entier. Il reçoit 2 millions de visiteurs par an.

Le premier zoo

En 2009, lors de fouilles sur le site de l'ancienne cité de Hiérakonpolis, au sud de Louxor (Égypte), des archéologues ont découvert les vestiges d'une ménagerie de plus de 112 animaux – éléphants, chats sauvages, babouins, bubales (antilopes) et hippopotames. Ce zoo antique remonterait à 3 500 av. J.-C.

Le **plus ancien zoo n'ayant jamais fermé ses portes** est celui de Schönbrunn, au château du même nom, à Vienne (Autriche). Créée en 1752 sur ordre de François 1er, empereur du Saint-Empire romain germanique, la ménagerie royale a été ouverte au public en 1779.

Le premier insectarium

L'insectarium du zoo de Londres (RU) a ouvert en 1881. On peut y voir entre autres des vers à soie et les papillons européens les plus rares. Le zoo de Londres a également abrité le **premier zoo pour enfants**, ouvert en 1938 par Teddy (Edward) Kennedy, 6 ans, qui deviendrait plus tard sénateur des États-Unis.

Le plus vieux gorille en captivité

Colo (né le 22 décembre 1956) vit au zoo et aquarium de Columbus, à Powell (Ohio, USA). À la date du 4 avril 2013, à 56 ans et 103 jours, il était le plus vieux gorille du monde en captivité. Baptisé Colo du nom de son lieu de naissance (Columbus), c'est aussi le **premier gorille né en captivité**.

Le premier aquarium public

Le 18 février 1852, le Conseil de la Société zoologique de Londres (RU) vota la construction d'un vivarium aquatique (terme d'origine pour désigner un bassin à poissons) au zoo de Londres. Ouvert en mai 1853, il fut bientôt connu sous le nom de « Fish House » (maison des poissons). En 1894, le naturaliste anglais Philip Henry Gosse proposa le mot « aquarium », mais il eut du mal à s'imposer car pour les érudits de l'époque le terme désignait un abreuvoir à bétail !

Le plus vaste marais couvert

Le plus vaste marais couvert du monde occupe 10 ha à l'intérieur du zoo et aquarium Henry Doorly, à Omaha (Nebraska, USA).

DÔME PROTECTEUR
Le Desert Dome contient des plantes et des animaux provenant de 3 grands déserts : le Namib (Afrique australe), le Sonora (Amérique du Nord) et le Red Centre (Australie)

Le plus grand désert couvert

Le Desert Dome se trouve sous le **plus grand dôme géodésique vitré** (en coque sphérique) du monde, à l'intérieur du zoo et aquarium Henry Doorly, à Omaha (Nebraska, USA). Il comprend 7 840 m² d'espace d'exposition sur deux niveaux.

Le plus grand nombre d'okapis nés en captivité

L'okapi, inconnu des scientifiques jusqu'en 1901, supporte mal la captivité. Pourtant, en janvier 2013, le zoo d'Anvers (Belgique) en avait déjà vu naître 47. En 1954, ce fut le premier zoo hors Congo belge à être témoin d'une naissance chez cette espèce rare, cousine de la girafe.

45
C'est la longueur en cm atteinte par la langue de l'okapi – pour manger mais aussi pour nettoyer ses yeux et ses oreilles !

LES 10 PLUS GRANDS ZOOS (NOMBRE D'ESPÈCES)

1. Zoo de Berlin (Allemagne) : le plus ancien zoo d'Allemagne a ouvert en 1844 et abrite aujourd'hui près de 1 500 espèces.

2. Wilhelma (Allemagne) : le plus grand jardin zoologique et botanique d'Europe abrite 1 000 espèces.

3. Zoo Henry Doorly (USA) : il abrite le plus grand complexe de félins d'Amérique du Nord, le plus vaste marais couvert et le plus grand dôme des déserts dans un zoo ; 962 espèces y sont représentées.

4. Zoo d'Anvers (Belgique) : 950 espèces sont rassemblées dans le plus ancien parc animalier de Belgique, fondé en 1843.

5. Zoo de Moscou (Russie) : le plus grand zoo de Russie abrite 927 espèces sur une superficie de 21,5 ha.

La plus vaste exposition nocturne

Kingdoms of the Night (royaumes de la nuit), une des attractions du zoo Henry Doorly d'Omaha (Nebraska, USA), couvre une superficie de plus de 3 900 m². Elle a été inaugurée en avril 2003, et son installation a coûté $31,5 millions. Les cycles jour/nuit sont inversés, ce qui permet aux visiteurs d'observer la vie naturelle des animaux nocturnes – notamment oryctéropes du Cap, cryptoproctes féroces (*encart*), roussettes et, plus rare, salamandres géantes du Japon.

Il contient presque 730 000 litres d'eau. On y trouve une hutte de castors, des cyprès, ainsi que 38 espèces animales vivant dans les marais, comme un spécimen rare d'alligator américain blanc.

21 C'est l'âge qu'avait le comte Brockelsby quand il ouvrit les Jardins des reptiles en 1937.

Le régime alimentaire le plus bizarre

L'examen des intestins d'une autruche morte ayant vécu au zoo de Londres (RU) a révélé qu'elle avait avalé au cours de sa vie un réveil, un franc belge, deux pièces d'un penny, un rouleau de pellicule, un crayon, trois gants et un mouchoir !

Le manchot le plus haut gradé

Sir Nils Olav, un manchot royal mâle, est colonel dans la Garde royale norvégienne. Il vit au zoo d'Édimbourg (Écosse, RU) où il a été élevé à ce rang le 18 août 2005, alors qu'il n'était auparavant que sergent-major du régiment.

Le plus grand reptilarium

À l'origine, les Jardins des reptiles, tout près de Rapid City (Dakota, USA), furent modestement créés en 1937 par un seul homme, le comte Brockelsby (USA), passionné d'herpétologie. Aujourd'hui, ils abritent au moins 225 espèces et sous-espèces de reptiles.

La plus grande réserve animalière

La plus grande réserve animalière du monde est la Selous Game Reserve, en Tanzanie, d'une superficie totale de plus de 55 000 km², soit plus que la Suisse. Aucun homme n'y vit. Elle doit son nom à l'explorateur et naturaliste anglais Frederick Selous.

La plus grande exposition d'animaux à deux têtes vivants

Du 22 août au 5 septembre 2006, les visiteurs du World Aquarium de Saint-Louis (Missouri, USA) ont pu voir 11 animaux bicéphales (à deux têtes), notamment un serpent ratier albinos baptisé Golden Girls.

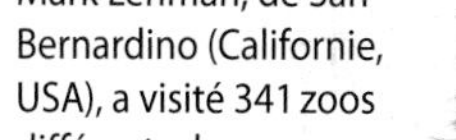

Le plus de zoos visités

Mark Lehman, de San Bernardino (Californie, USA), a visité 341 zoos différents dans le monde entier entre juillet 1993 et octobre 2000.

Le zoo abritant le plus d'espèces différentes

Le jardin zoologique de Berlin – premier zoo d'Allemagne – a ouvert le 1er août 1844. En 2012, ses 35 ha abritaient 19 484 animaux de 1 474 espèces différentes, dont des fourmiliers, des ours polaires et des hippopotames (*photos*). C'est l'un des zoos les plus populaires du monde – et le plus populaire d'Europe. En 2011, il a attiré environ 2,9 millions de visiteurs.

ADORABLE KNUT
La photo ci-dessus représente Knut (5 décembre 2006-9 mars 2011), un ours blanc né en captivité au zoo de Berlin. Il fut le premier ourson polaire à atteindre l'âge adulte au zoo en plus de 30 ans.

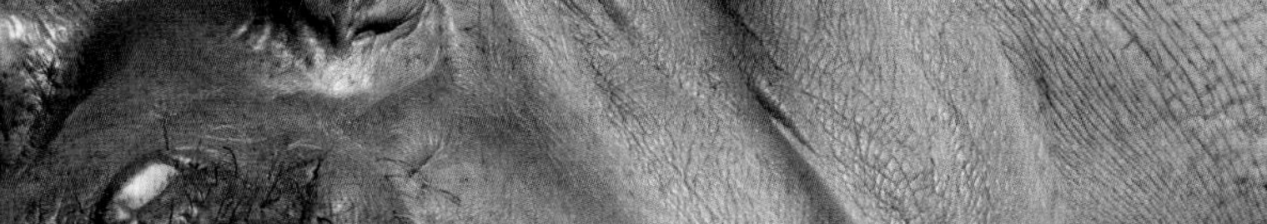

6. Zoo de Houston (USA) : avec 1,84 millions de visiteurs par an, il abrite 900 espèces.

7. Zoo de San Diego (USA) : avec plus de 800 espèces, le San Diego Zoo Global représente aussi la **plus grande association zoologique** du monde, avec plus de 250 000 foyers membres.

8. Zoo de Cologne (Allemagne) : créé en 1860, ce zoo se trouve au cœur de l'habitat de Cologne. Il compte plus de 9000 animaux de 783 espèces.

9. Zoo de Londres (ZSL) (RU) : installée en 1826, la ZSL est **le plus ancien zoo scientifique**. Ouvert au public en 1847, il abrite aujourd'hui environ 767 espèces.

ZSL LONDON ZOO

10. Zoo de San Antonio (USA) : un million de visiteurs se pressent chaque année pour voir les 750 espèces qu'il abrite.

SUPER-CHIENS

PARADE
La Pet Parade, organisée chaque année depuis 1994, à Saint Louis, est un défilé d'animaux déguisés.

Le plus de chiens déguisés

La marque de produits pour animaux Nestlé Purina Pet Care (USA) a organisé un défilé d'animaux domestiques à Saint Louis (Missouri, USA), le 12 février 2012. Les chiens se sont fait remarquer par leur nombre (1 326) et leurs costumes colorés.

Le plus petit chien d'aide

Cupcake est un chihuahua femelle à poils longs, qui mesurait 15,87 cm de haut et 36,19 cm de long (du museau à la queue), le 8 septembre 2012. Elle appartient à Angela Bain, de Moorestown (New Jersey, USA). Les chiens d'aide sont éduqués pour aider les personnes handicapées.

La race de chiens ayant le plus de dents

Les chow-chows comptent 44 dents, contre 42 au maximum pour toutes les autres races chiens.

La queue de chien la plus longue

Le 12 avril 2012, la queue de Bentley mesurait 66,04 cm. Ce dogue allemand de Colorado Springs (Colorado, EU), appartenant à Patrick Malcom, est le neveu de Gibson, l'ancien plus grand chien du monde.

Les plus longues oreilles d'un chien vivant

Harbor, qui appartient à Jennifer Wert (Colorado, EU), est un coonhound noir et feu dont l'oreille droite mesure 31,1 cm et la gauche 34,3 cm.

IMMENSE !
La taille moyenne d'un dogue allemand adulte est de 76 à 86 cm pour un mâle et de 71 à 81 cm pour une femelle.

3
C'est le nombre de jours durant lesquels Rob et Davy se sont entraînés en août 2012. Ils ont atteint 111,55 m au meilleur essai.

Le plus long lancer de frisbee stoppé par un chien

Un whippet baptisé Davy a attrapé un frisbee lancé à 122,5 m par Robert McLeod (Canada), à Thorhild (Alberta, Canada), le 14 octobre 2012. Joueur professionnel d'ultimate (frisbee), Rob détient aussi le record du **plus de cannettes touchées par des frisbees en 1 min** : 28.

La plus grande chienne

Bella, le dogue allemand d'Andrew et Suzanne Barbee de Chandler (Arizona, USA), mesurait 94,93 cm au garrot le 27 juin 2012. Elle a remporté 4 titres en concours d'obéissance. Zeus, un autre dogue allemand, détient le titre du **plus grand chien** (et du **plus grand chien de l'histoire**). Il mesurait 111 cm de haut le 4 octobre 2011. Ses maîtres, Denise Doorlag et sa famille, vivent à Otsego (Michigan, USA).

La race de chiens ayant le plus de doigts

Le Lundehund (ou chien de macareux) a 6 doigts à chaque patte, ce qui l'aide à escalader les falaises de Norvège où il chasse le macareux.

Les plus longues oreilles de chien de l'histoire

Les oreilles de Tigger, un bloodhound de St Joseph (Illinois, USA), mesuraient au total 69,1 cm de long en 2004.

UN BOULOT DE CHIEN

Le plus de chiens-guides formés : en 2011, la Guide Dogs for the Blind Association (RU), qui dresse des chiens-guides d'aveugles, avait formé plus de 29 000 chiens.

Le ratier le plus rapide : au début du XIXe siècle, un "bull and terrier" du nom de Billy a tué 4 000 rats en 17 h.

Le 1er animal ayant apporté une preuve devant un tribunal : les bloodhounds sont utilisés pour détecter les traces biologiques. Cette preuve est recevable devant certains tribunaux américains.

La plus forte prime sur un chien : la prime placée par les trafiquants colombiens sur Agata, un labrador qui avait détecté plus de 300 kg de cocaïne, s'élevait à 10 000 $ en 2004.

Le 1er chien star de cinéma : Rollie Rover connut une telle popularité dans *Rescued by Rover* (RU, 1905) que le négatif finit par s'user et que le film dut être refait.

120 C'est l'intensité en décibels du réacteur d'un avion au décollage – l'exposition prolongée est dangereuse.

L'aboiement le plus sonore

L'aboiement de Charlie, plus redoutable que sa morsure, a atteint 113,1 dB le 20 octobre 2012 pendant le Purina Bark, un événement organisé au Rymill Park d'Adélaïde (Australie). Ce golden retriever aux poumons très développés appartient à Belinda Freebairn. L'**aboiement le plus sonore produit par un groupe de chiens**, d'une intensité de 124 dB, a été émis par 76 chiens lors d'un événement organisé à Washington Park (Colorado, USA), le 7 novembre 2009.

Le plus petit chien

Milly – le chihuahua de Vanesa Semler de Dorado (Puerto Rico) – mesurait 9,65 cm de haut le 21 février 2013.

Heaven Sent Brandy, le chihuahua de Paulette Keller de Largo (Floride, USA), est le **chien le plus court** ; il ne mesurait que 15,2 cm du museau à la queue, le 31 janvier 2005.

Tous deux sont malgré tout plus grands que le **plus petit chien de l'histoire**, un terrier du Yorkshire nain qui appartenait à Arthur Marples de Blackburn (RU). Ce chien minuscule, mort en 1945, mesurait 7,11 cm au garrot et 9,5 cm du museau à la queue.

TAILLE RÉELLE

La race de chien la plus lourde

Les mastiffs (ou dogues anglais) et les saint-bernard mâles pèsent de 77 à 91 kg.

ONLINE Une vidéo d'Ozzy sur YouTube en équilibre sur les pattes arrière sur une chaîne a été vue plus de 80 000 fois en 1 jour !

Le plus long saut en dock-jumping

Le dock-jumping consiste à faire courir un chien sur un plongeoir – de 12,19 m de long – et à le faire sauter le plus loin possible dans l'eau pour attraper un jouet. Le 17 juin 2012, Taz, le labrador de Mike Chiasson (Canada), a réussi un saut de 9,44 m, à Clayton (New York, USA). Le record a également été atteint le 4 août 2012, à Ridgefield (Washington, USA) par Cochiti, le whippet de Diane Salts.

Le plus de balles de tennis tenues dans la gueule

Augie, le golden retriever des Miller de Dallas (Texas, USA), a tenu 5 balles dans la gueule, le 6 juillet 2003.

La boule de poils la plus lourde

Le 7 avril 2012, à Austin (Texas, USA), Texas Hearing and Service Dogs (association éduquant des chiens d'aide) a formé une boule de 91,17 kg avec les poils de 8 126 chiens.

La race de chien la plus intelligente

D'après une étude publiée en 2009 par Stanley Coren (USA), professeur de psychologie à l'université de Colombie-Britannique (Canada) – aidé par 200 juges de concours d'obéissance –, la race de chien la plus intelligente est le border collie, suivi par le caniche et le berger allemand. Les chiens les plus intelligents comprennent 250 mots, soit le vocabulaire d'un enfant de 2 ans !

Le chien funambule le plus rapide

Ozzy, croisement de border collie et de kelpie, a mis 18,22 s à franchir une corde de 3,5 m, au refuge pour animaux FAITH de Norfolk (RU), le 1er février 2013. Ozzy – de son vrai nom Osbert Humperdinck Pumpernickle – vit à Norwich (RU) avec son maître Nick Johnson.

La race de chien la moins poilue

Le Xoloitzcuintli (ou chien nu mexicain) n'a pas de poils sur le corps ; il en a parfois (même s'ils sont courts) sur la tête, les doigts et le bout de la queue. Cette caractéristique est due à un gène mutant dominant sans doute apparu il y a plusieurs milliers d'années (la race est très ancienne) et destiné à l'aider à supporter les fortes chaleurs quand il chasse.

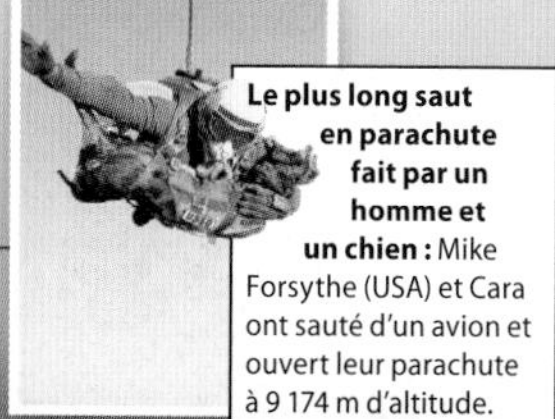

Le plus long saut en parachute fait par un homme et un chien : Mike Forsythe (USA) et Cara ont sauté d'un avion et ouvert leur parachute à 9 174 m d'altitude.

Le 1er chien utilisé pour détecter des téléphones mobiles : Murphy (RU) travaille depuis 2006 à la prison de Norwich (RU) ; il détecte les mobiles de contrebande.

Le chien renifleur le plus doué : en 2003, Snag, un chien travaillant pour les douanes américaines, avait permis 118 saisies de drogue pour une valeur de 810 millions $.

Le 1er chien dans l'espace : Laika a été envoyée dans l'espace en novembre 1957 à bord de *Spoutnik 2* (ex-URSS).

Le plus jeune vainqueur d'un concours de chiens de chasse : le 6 décembre 1971, Surprise of Triple Crown, un labrador noir de 246 jours, a gagné le field-trial du club de chiens de chasse d'Irlande du Sud, à Offaly.

ANIMAUX DE COMPAGNIE

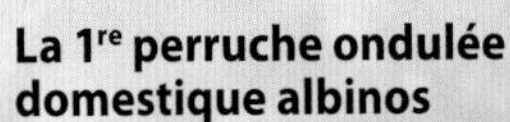

PONCHOLLYWOOD
Poncho a joué un de ses plus grands rôles aux côtés de Jim Carrrey dans *Ace Ventura, détective chiens et chats* (USA, 1994) !

À VOIR EN 3D AVEC L'APPLI GRATUITE

ATTENTION, PAGE EN 3D RÉALITÉ AUGMENTÉE !

La 1re perruche ondulée domestique albinos

C'est dans la volière d'E. Böhm von Bawerk, à Vienne (Autriche), qu'est née en 1931 la 1re perruche ondulée (*Melopsittacus undulatus*) présentant la mutation albinos. C'était une femelle, dernière d'une portée de neuf perruches nées de parents cobalt/blancs.

L'oiseau au vocabulaire le plus étendu

Puck, la perruche ondulée de Camille Jordan (Californie, USA), connaissait environ 1 728 mots au moment de sa mort, en 1994. Le chiffre a été avancé par des ornithologues après plusieurs mois d'observations.

L'oiseau qui possède actuellement le vocabulaire le plus étendu est Oskar, la perruche ondulée de Gabriela Danisch, de Bad Oeynhausen (Allemagne), avec 140 mots. Le record a été attesté le 8 septembre 2010.

La **1re perruche ondulée apprivoisée à avoir parlé** appartenait à un bagnard, Thomas Watling (RU), qui fut déporté en Australie en 1788. Il apprit à sa perruche – 1er animal de compagnie à parler – à dire « Comment allez-vous, Docteur White ? » (ce dernier était le médecin de la colonie). L'histoire n'a pas retenu le nom de l'oiseau.

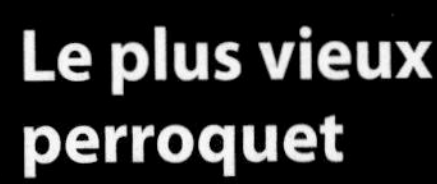

Le plus vieux perroquet

Le plus vieux perroquet, Poncho, a 87 ans. Après avoir fait carrière comme acteur à Hollywood, il a pris sa retraite à Telford (Shropshire, RU). Il est arrivé en Grande-Bretagne en 2000 pour jouer dans *102 Dalmatiens* (USA/RU, 2000). Trop fragile pour rentrer chez lui, il a été adopté par Rebecca Taylor et Sophie Williams (RU), propriétaires d'une animalerie.

Le saut le plus long par un cochon d'Inde

Le 6 avril 2012, Truffles (RU) a réalisé un saut en longueur de 48 cm, à Rosyth (Fife, RU), battant ainsi son propre record, établi le 30 mars 2012, avec un saut de 40 cm.

SUR DES ROULETTES !
Happie aurait pu aller plus loin si elle n'avait pas heurté une barrière de parking !

La plus longue distance parcourue sur un skateboard par une chèvre

Happie, née d'un croisement avec une chèvre naine du Nigeria, vit avec Melody Cooke et sa famille à Fort Myers (Floride, USA). Elle y a mis en pratique ses aptitudes au skateboard. Le 4 mars 2012, elle a sauté sur une planche et parcouru 36 m en 25 s.

Le plus grand chat domestique de l'histoire

Guinness World Records a eu la tristesse d'apprendre la mort de Trouble le 15 août 2012. Ce chat de race savannah de 48,3 cm de haut, qui appartenait à Debby Maraspini (USA), restera le plus grand chat domestique de l'histoire. Il avait été mesuré à Reno (Nevada, USA), le 30 octobre 2011.

Le ronronnement le plus sonore

Smokey, le chat de Ruth Adams (RU), a émis un ronronnement de 67,7 dB, le 25 mars 2011.

La race de canari la plus grande

Un frisé parisien adulte mâle mesure entre 19 et 22 cm de long.

BÊTES DE TRAVAIL

Le chimpanzé le plus doué de Wall Street : en 1999, Raven a été le 22e meilleur gestionnaire de fortune des États-Unis : il choisissait des valeurs Internet sur une liste de 133 sociétés en lançant des fléchettes dessus.

Le 1er concerto de piano par un chat : la première de *Catcerto*, un concerto pour orchestre et chat composé par Mindaugas Piečaitis (Lituanie) et joué par le chat Nora (USA), a eu lieu le 5 juin 2009.

Le chameau le plus haut gradé : Bert est réserviste de la police de Los Angeles (USA), en tant que shérif adjoint. Il patrouille avec son chamelier, Nance Fite (USA).

Le chat qui a reçu le plus de courrier de fans : Socks a vécu à la Maison Blanche pendant le mandat de Bill Clinton de 1992 à 2000. Il aurait reçu 75 000 lettres et colis par semaine.

L'âne le plus brave : en 1997, Murphy, un âne de l'armée australienne, a été décoré de la croix violette de la RSPCA (société protectrice des animaux) pour récompenser la bravoure des ânes ayant participé à la campagne de Gallipoli (1915-1916). Murphy transportait les blessés vers les hôpitaux de campagne.

LA PLUS GRANDE LONGÉVITÉ...

Chat
Creme Puff, né le 3 août 1967, a vécu jusqu'au 6 août 2005, soit 38 ans et 3 jours, aux côtés de Jake Perry, à Austin (Texas, USA).

Perruche calopsitte
Pretty Boy est mort en 2004 à 28 ans et 47 jours. Il était né en 1975 et appartenait à Catherine Masarin, d'Hinckley (Ohio, USA).

Gerbille (en cage)
Sahara, une gerbille de Mongolie (*Meriones unguiculatus*), qui appartenait à Aaron Milstone (Michigan, USA), est née en mai 1973 et morte le 4 octobre 1981, à 8 ans et 4 mois.

Poisson rouge
Tish, un poisson rouge (*Carassius auratus*), a vécu 43 ans dans la famille Hand (RU) après avoir été gagné à une fête foraine en 1956.

Hamster
Le hamster de Karen Smeaton (RU) a vécu 4 ans et 6 mois.

Perroquet (empaillé)
En 1702, peu après la mort de Frances Stuart, duchesse de Richmond and Lennox et maîtresse du roi d'Angleterre Charles II, le gris du Gabon (*Psittacus erithacus*) de celle-ci mourut à son tour, sans doute de chagrin. On peut le voir aujourd'hui perché (empaillé) à côté de la statue en cire de la duchesse au musée de Westminster Abbey, à Londres (RU).

Les races de lapins les plus prolifiques

En période de reproduction, le Californien (*ci-dessus*) et le Néo-zélandais peuvent produire 5 ou 6 portées, chacune pouvant compter jusqu'à 12 lapereaux. À titre de comparaison, le lapin sauvage produit en moyenne 5 portées de 3 à 7 petits.

Les plus vieux lapins

Le **plus vieux lapin du monde**, Do (ci-dessus), est mort en janvier 2013. Il a vécu jusqu'à l'âge de 17 ans et 14 jours. Il appartenait à Jenna Antol (New Jersey, USA). Il lui aurait encore fallu un an pour devenir le **plus vieux lapin de l'histoire**. Ce record est détenu par Flopsy (1964-1983), qui appartenait à L. B. Walker (Tasmanie, Australie).

42 C'est le nombre de races reconnues par la Cat Fanciers'Association, dont 40 races de concours.

Les poils les plus longs sur un chat

Colonel Meow, un persan colourpoint (ou himalayen) de 2 ans détenu par Anne Marie Avey, de Seattle (Washington, USA), s'est fait une réputation sur Internet grâce à sa drôle de moue quand il est en colère. Toutefois, c'est à sa fourrure qu'il doit sa place dans cet ouvrage. Le 20 novembre 2012, ses mèches les plus longues (comptant en moyenne 10 poils) mesuraient 22,87 cm.

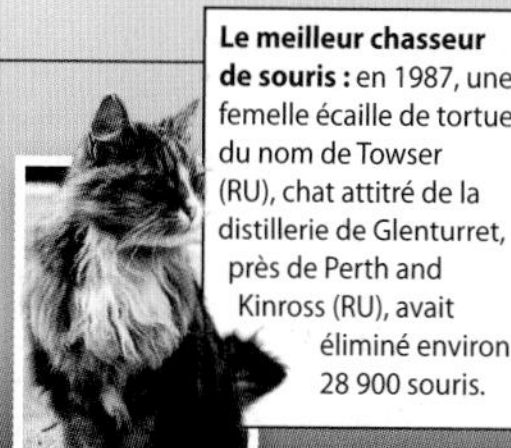

Le meilleur chasseur de souris : en 1987, une femelle écaille de tortue du nom de Towser (RU), chat attitré de la distillerie de Glenturret, près de Perth and Kinross (RU), avait éliminé environ 28 900 souris.

Le chien écouteur ayant travaillé le plus longtemps : le 6 mai 1995, Donna, chien pour malentendants appartenant à John Hogan (Nouvelle-Galles du Sud, Australie) avait 18 ans de service.

Le plus grand orchestre d'animaux : l'orchestre du Thai Elephant Conservation Centre de Lampang (Thaïlande) compte 12 éléphants,

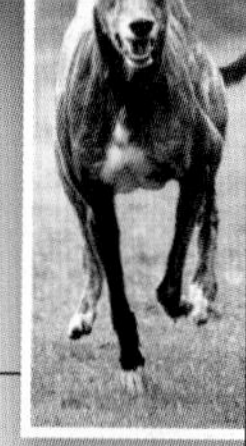

Le plus de courses consécutives gagnées par un lévrier : entre le 15 avril 1985 et le 9 décembre 1986, Ballyregan Bob (RU) a gagné 32 courses de lévriers consécutives.

Le plus petit chien policier : Midge est un croisement de chihuahua et rat-terrier qui mesure 28 cm de haut et 58 cm de long. Elle travaille avec son maître, le shérif Dan McClelland (USA) dans les services de la police, à Chardon (Ohio, USA).

TAILLE RÉELLE
À VOIR EN 3D AVEC L'APPLI GRATUITE

CORPS HUMAIN

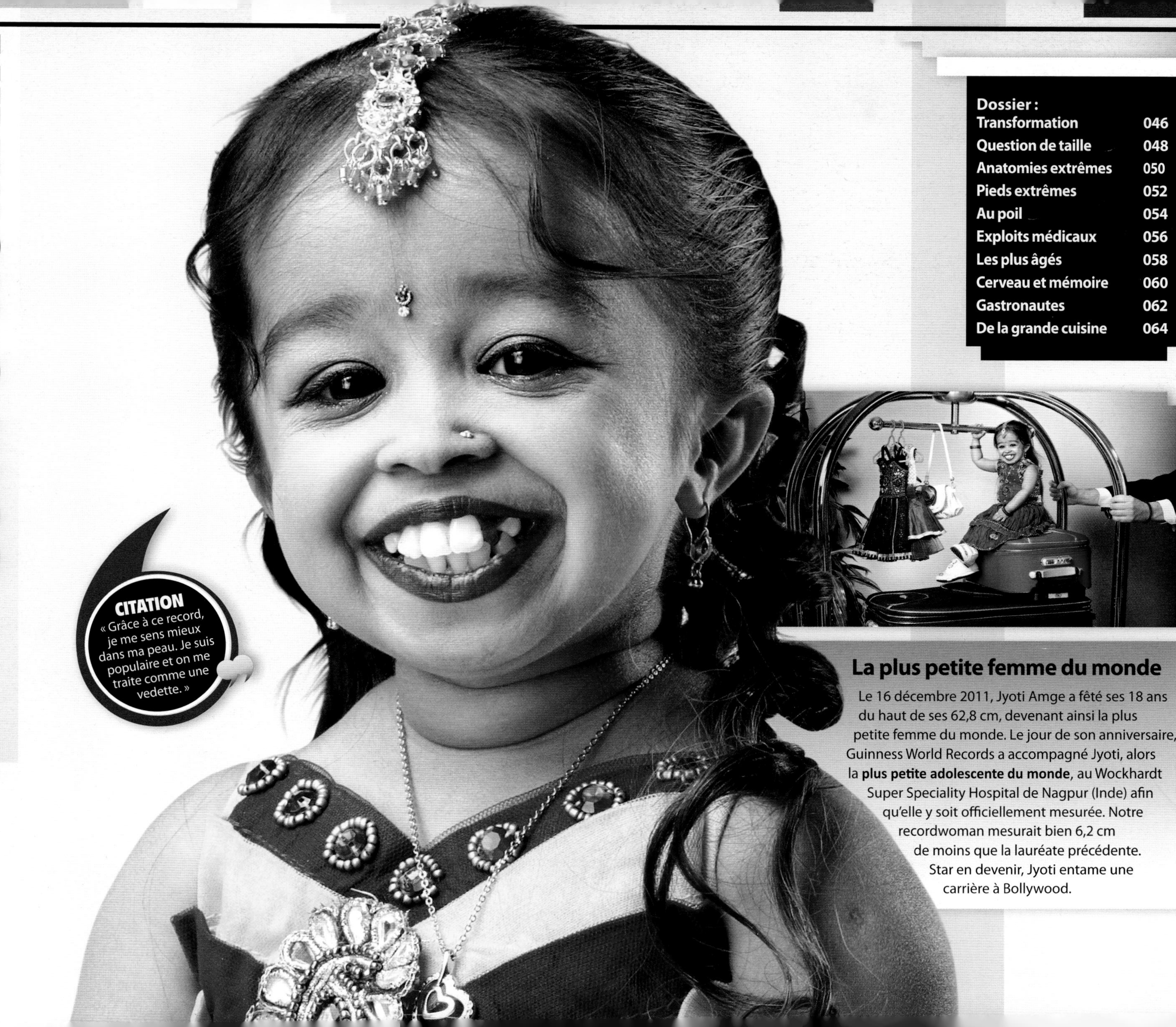

La plus petite femme du monde

Le 16 décembre 2011, Jyoti Amge a fêté ses 18 ans du haut de ses 62,8 cm, devenant ainsi la plus petite femme du monde. Le jour de son anniversaire, Guinness World Records a accompagné Jyoti, alors la **plus petite adolescente du monde**, au Wockhardt Super Speciality Hospital de Nagpur (Inde) afin qu'elle y soit officiellement mesurée. Notre recordwoman mesurait bien 6,2 cm de moins que la lauréate précédente. Star en devenir, Jyoti entame une carrière à Bollywood.

TRANSFORMATION

Voici les modifications corporelles les plus extrêmes.

Piercing, tatouage, implant, corset, élongation, scarification, limage dentaire… il n'y a quasiment aucune limite aux modifications corporelles réalisées à des fins esthétiques. Nous vous présentons ici des personnages uniques en leur genre qui poussent à son paroxysme cette forme d'expression corporelle, époustouflante mais aussi sujette à controverse.

Les tatouages frontaux de Gabriela sont mis en valeur et rehaussés par des implants sous-cutanés

INFO

Un implant est une structure – en métal, en silicone ou en corail – que l'on pose sous la peau. Il en existe deux types : sous-cutané (ci-dessus), placé sous la peau, et transcutané, qui traverse la peau. Les Peralta possèdent des implants des deux types ! *Voir tableau de la page opposée.*

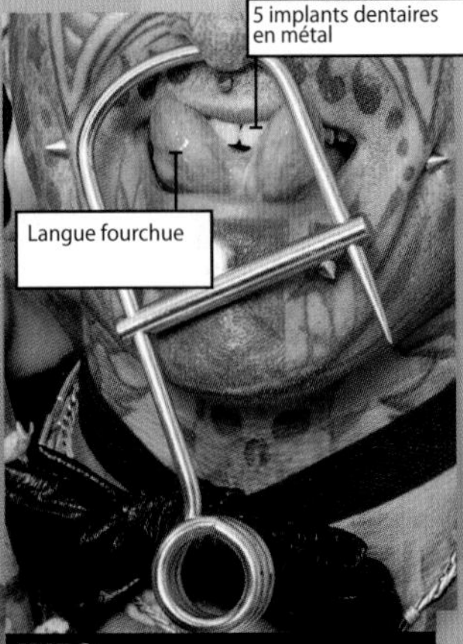

2 implants frontaux

4 implants en forme d'étoile dans le front et les tempes

10
Pourcentage de Britanniques adultes possédant un piercing logé ailleurs que dans un lobe d'oreille !

Scarifications sur le crâne, un bras et les mollets

Boulon dans le cartilage auriculaire

1 développeur auriculaire dans chaque lobe

2 développeurs auriculaires, un dans chaque lobe

3 micro-implants sur le visage et la poitrine. Le micro-implant donne l'effet d'un implant transcutané ; il est maintenu par une « ancre » sous la peau

30 piercings, principalement sur le visage et autour des sourcils

1 micro-implant sur le visage

1 anneau de nez

5 implants dentaires en métal

Langue fourchue

INFO

La langue de Victor est en forme de fourche. Pour cette modification corporelle controversée – et souvent interdite –, le bout de la langue est coupé en deux. On obtient deux demi-langues, que l'on peut mouvoir indépendamment (avec de l'entraînement).

60 % du corps tatoué

1 implant sous-cutané en forme de losange sur la main droite

90 % du corps tatoué

4 implants sous-cutanés : une étoile et un trident sur les bras droit et gauche

20 piercings sur le reste du corps ; le nombre évolue sans cesse car de nouveaux piercings apparaissent tandis que d'autres tombent

Le couple marié le plus modifié

Certains se marient en blanc, en grandes pompes, ou dans l'intimité, et d'autres, en tatouages ! Victor Hugo Peralta (Uruguay) et son épouse Gabriela (Argentine) ont été unis par leur amour des modifications corporelles. En novembre 2012, notre couple tatoué – marié le 21 février 2008 – comptait 50 piercings, 11 implants corporels, 5 implants dentaires, 4 micro-implants, 4 développeurs auriculaires, 2 boulons auriculaires, 1 langue fourchue, sans parler des scarifications ornementales et des tatouages qui recouvrent 75 % de leurs corps.

CITATION
« Les couples échangent des vœux et des anneaux – nous, on se perce et on se tatoue mutuellement ! »

RECORDS DE MÉDECINE P. 56-57

La femme la plus percée

Question piercings, personne n'arrive à la cheville de la pétillante Elaine Davidson (Brésil/RU). Leur nombre évolue sans cesse car dès que l'un de ses anneaux ou de ses clous tombe, elle le remplace. Elaine a été percée au total au moins 4 225 fois depuis 2000.

Les records enregistrés pour l'homme, la femme, et le couple les plus modifiés s'appuient sur un système de graduation incluant un vaste panel de modifications corporelles, dont :

MODIFICATION	QU'EST-CE QUE C'EST ?
Tatouages	De l'encre indélébile est injectée dans le derme situé entre l'épiderme et le tissu sous-cutané.
Piercings	Perforation de la peau pour ajouter des bijoux – généralement des anneaux, des clous ou des barrettes – de façon temporaire ou définitive.
Implants sous-cutanés	Bijoux ou structures (souvent en silicone ou Téflon®) posés sous l'épiderme ; une incision est pratiquée dans la peau et une poche est ainsi créée. On y implante la structure, puis l'incision est refermée avec des points de suture.
Implants transcutanés	Implant posé sous la peau mais qui forme aussi une protubérance à travers l'épiderme.
Micro-implants	Implant semblable à un implant transcutané (qui traverse la peau) mais ancré sous l'épiderme ; moins invasif que les implants transcutanés.
Implants dentaires	Implant dentaire classique (ancrage d'une dent dans la mâchoire), mais ici, on pose une dent en métal (en principe, du titane ou de l'acier).
Sculpture dentaire	Limage d'une dent pour sculpter des formes extrêmes (dents de vampire).
Scarification	Marquage superficiel de la peau avec un objet tranchant (ou récemment au laser) pour dessiner un motif scarifié.
Étirement épidermique	Souvent effectué sur des lobes percés ; la peau est étirée grâce à des objets lourds, tels des bijoux ou des développeurs auriculaires.
Division linguale	La langue est divisée en deux à partir de son extrémité et sur quelques centimètres, créant un effet fourchu.

L'homme le plus tatoué

Lucky Rich (Australie/NZ) a passé plus de 1 000 h chez un tatoueur. De nouveaux tatouages étant pratiqués sur les anciens, son corps est donc recouvert à près de 200 %.

La femme la plus modifiée

Maria Jose Cristerna (Mexique) arbore 49 modifications corporelles, dont de nombreux tatouages, plusieurs implants sous-cutanés sur le front, la poitrine et les bras, ainsi que divers piercings aux sourcils, lèvres, nez, langue, oreilles et nombril.

Langue fourchue ; 2 piercings linguaux

2 implants « cornes » sous-cutanés sur le front

10 scarifications sur les tempes

CITATION

« Je ne sais pas si mes piercings ont changé ma façon de parler, mais je vis parfaitement bien avec ! »

37 piercings à barrettes sur les sourcils

8 piercings de nez

18 piercings auriculaires

111 piercings buccaux et labiaux

Non photographiés : 285 piercings et 7 implants sur le reste du corps

5 piercings au menton

9 implants sous-cutanés aux avant-bras (6 sur le droit, 3 sur le gauche)

4 développeurs auriculaires

6 implants sous-cutanés au poignet

L'homme le plus modifié

Vous reconnaissez peut-être Rolf Buchholz (Allemagne) – il était dans l'édition 2012 en tant qu'**homme le plus percé du monde**, avec 453 piercings. Depuis lors, il a subi une batterie de modifications, avec au programme, de nouveaux piercings, des implants sous-cutanés et transcutanés (notamment une paire de cornes) et des tatouages – soit 510 modifications au 1er janvier 2013.

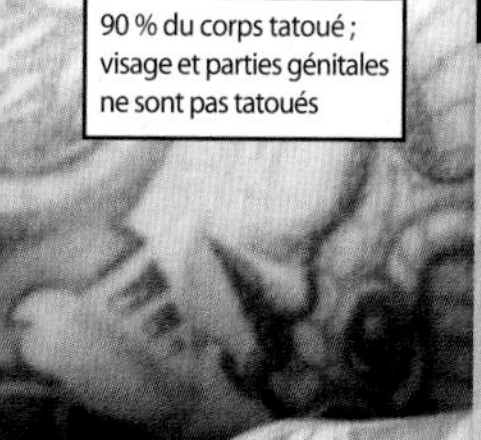

90 % du corps tatoué ; visage et parties génitales ne sont pas tatoués

INFO

Rolf, consultant informatique, modifie son corps depuis 13 ans. Il a fait son premier piercing et son premier tatouage le même jour, à 40 ans. On le voit ici sur une photo prise avant son odyssée dans la modification corporelle.

5 implants magnétiques au bout des doigts de la main droite

QUESTION DE TAILLE

L'homme le plus grand de tous les temps

L'homme le plus grand de tous les temps (chiffres officiels à l'appui) s'appelle Robert Pershing Wadlow (USA, 22 février 1918-15 juillet 1940). Le 27 juin 1940, il mesurait 272 cm. Son poids record était de 222,71 kg (à 21 ans), et il pesait 199 kg au moment de son décès. Robert a été enterré à Alton (Illinois, USA) dans un cercueil de 3,28 m de long. *Plus de détails p. 50.*

La femme la plus grande de tous les temps

Zeng Jinlian (Chine, 26 juin 1964-13 février 1982) vivait dans le village de Yujiang (commune de la Lune lumineuse, dans la province du Hunan, Chine) et mesurait 248 cm à sa mort. Ce chiffre s'entend avec une courbure vertébrale normale – Zeng souffrait d'une forte scoliose (déviation de la colonne vertébrale) et ne pouvait se tenir droite. Sa croissance excessive a débuté à l'âge de 4 mois. Elle mesurait déjà 156 cm avant son 4e anniversaire et 217 cm à son 13e.

La femme la plus petite de tous les temps

Pauline Musters, alias Princess Pauline (Pays-Bas), qui a vu le jour à Ossendrecht (Pays-Bas), le 26 février 1876, mesurait 30 cm à sa naissance. À 9 ans, elle mesurait 55 cm pour 1,5 kg. Pauline est décédée des suites d'une pneumonie et d'une méningite le 1er mars 1895 à New York (USA) à 19 ans. Un examen post-mortem a confirmé sa taille : 61 cm.

La femme la plus petite du monde

Jyoti Kisanji Amge (Inde) mesurait 62,8 cm, à Nagpur (Inde), le 16 décembre 2011. *Plus de détails p. 44.*

La stature la plus variable

Adam Rainer (Autriche, 1899-1950) est la seule personne à avoir été naine et géante. S'il ne mesurait que 118 cm à 21 ans, sa croissance s'est emballée et, en 1931, Adam faisait 218 cm ! Il est devenu si faible qu'il est resté alité jusqu'à sa mort : il mesurait alors 234 cm.

CITATION
« Les gamins se moquaient de moi et j'en ai souffert. Mais aujourd'hui, je suis très fier de ma taille. »

Le plus grand homme du monde

Sultan Kösen (Turquie) conserve son titre d'homme le plus grand du monde – et même de la personne la plus grande. Il mesurait 251 cm lors de son dernier examen médical à Ankara (Turquie), le 8 février 2011. Sultan, né le 10 décembre 1982, a par ailleurs les **mains les plus longues du monde** – 28,5 cm du poignet à l'extrémité du majeur – et la **plus grande envergure de main** avec 30,48 cm.

CROISSANCE REMARQUABLE
À 4 ans, Brenden était aussi grand qu'un garçon de 8 ans, et à 8 ans, il l'était autant qu'un adolescent de 15 ans !

L'adolescent le plus grand du monde

Du haut de ses 225,1 cm, Brenden Adams (né le 20 septembre 1995) d'Ellensburg (Washington, USA) est l'adolescent le plus grand du monde. Brenden souffre d'une pathologie génétique extrêmement rare – on ne connaît pas d'autre cas. À certaines périodes de son enfance, il dépassait Robert Wadlow (l'**homme le plus grand de tous les temps**, *voir ci-dessus*) à âge égal.

INFO

Un Finlandais du nom de Daniel Cajanus (1724-1749) prétendait mesurer 283,2 cm – du jamais vu. En réalité, à sa mort, on a découvert sa vraie taille : 222,2 cm…

ENCORE PLUS DE PHÉNOMÈNES PAGE SUIVANTE !

NOS PROPRES RECORDS ANATOMIQUES

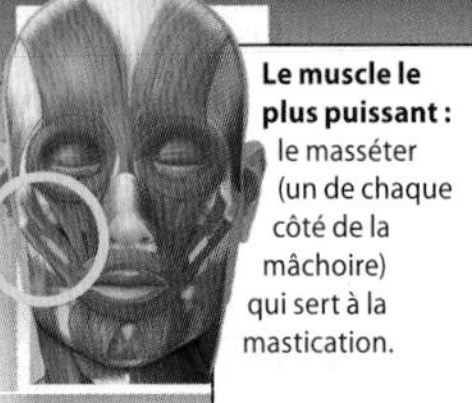

Le muscle le plus puissant : le masséter (un de chaque côté de la mâchoire) qui sert à la mastication.

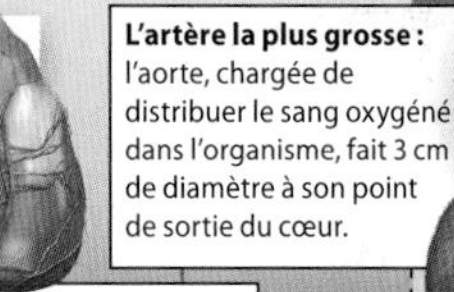

La veine la plus grosse : la veine cave inférieure qui véhicule le sang du bas du corps vers le cœur.

L'artère la plus grosse : l'aorte, chargée de distribuer le sang oxygéné dans l'organisme, fait 3 cm de diamètre à son point de sortie du cœur.

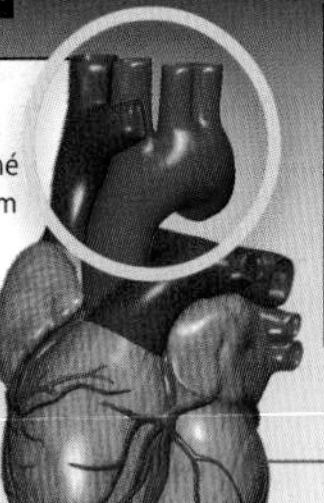

L'articulation la plus mobile : l'épaule est l'articulation la plus mobile et, par conséquent, la plus facile à démettre.

Le plus petit couple marié

Douglas Maistre Breger da Silva et Claudia Pereira Rocha (tous deux Brésil) mesuraient respectivement 90 cm et 93 cm – soit à eux deux 183 cm – lors de leur union, le 27 octobre 1998, à Curitiba (Brésil).

La plus grande femme du monde

L'équipe du Guinness World Records a été triste d'apprendre le décès, fin 2012, de Yao Defen (Chine) qui, du haut de ses 233,3 cm, était la femme la plus grande du monde. En décembre, un commissaire GWR et une équipe médicale se sont rendus chez Siddiqa Parveen du Dakshin Dinajpur (Bengale-Occidental, Inde) (*photo*). Un premier rapport médical indiquait une taille de 249 cm pour Mme Parveen. Malheureusement, en raison de sa santé précaire et de son incapacité à se tenir droite, il a été impossible de déterminer précisément sa stature. Le docteur Debashis Saha, en charge des examens, avance une taille de 233,6 cm au minimum.

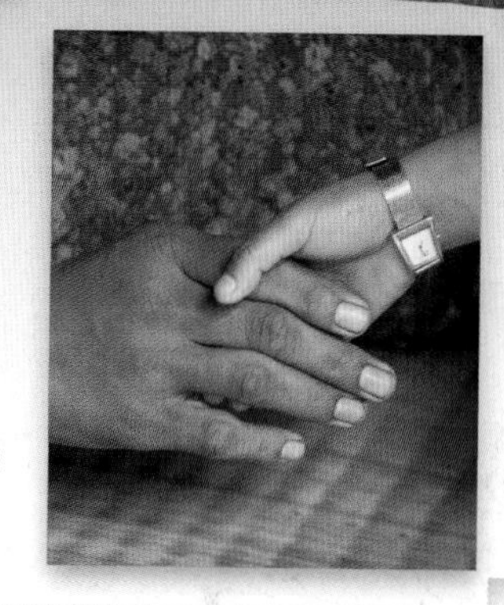

INFO

Dangi a été mesuré pour la première fois en février 2012, à 72 ans – ce qui fait de lui la personne la plus âgée à décrocher le titre de l'homme le plus petit du monde.

Le plus grand couple marié du monde

Les anciens joueurs de basket Yao Ming et Ye Li (tous deux Chine) mesurent respectivement 228,6 cm et 190,5 cm, soit une taille combinée de 419,1 cm. Nos deux athlètes se sont dit oui à Shanghai (Chine), le 6 août 2007.

Le plus grand couple marié de tous les temps

Anna Haining Swan (Canada, 1846-1888) aurait mesuré 246 cm, même si sa taille réellement constatée à 17 ans était de 241 cm – elle fut incontestablement la **plus grande adolescente de tous les temps**. Le 17 juin 1871, Anna a épousé Martin van Buren Bates (USA, 1837-1919), qui mesurait 236 cm. Ils forment ainsi couple marié le plus grand de l'histoire.

Le plus petit homme du monde

Du haut de ses 54,6 cm, Chandra Bahadur Dangi (Népal) est le plus petit homme du monde – et même le **plus petit homme de tous les temps**. Il a été mesuré au centre médical CIWEC de Lainchaur (Katmandou, Népal), le 26 février 2012. Depuis la reconnaissance de ce record, M. Dangi a pris l'avion pour la première fois, direction l'Australie, le Japon et l'Italie. On le voit ici lors de son voyage à Rome (Italie).

LE CLUB DES PLUS DE 245 CM : LES 13 GÉANTS DE L'HISTOIRE

La taille réelle des géants humains est bien souvent surestimée. Les 13 personnes listées ici sont les seules dont la taille officielle égale ou dépasse 245 cm.

NOM	LIEU	TAILLE
Robert Wadlow (1918-1940)	Alton (Illinois, USA)	272 cm
John William Rogan (1871-1905)	Gallatin (Tennessee, USA)	264 cm – atteint d'ankylose (raideur articulaire due à la formation d'adhérences) et donc incapable de se tenir debout ; mesure faite en position assise.
John F Carroll (1932-1969)	Buffalo (New York, USA)	263,5 cm – atteint d'une sévère cyphose (déformation de la colonne vertébrale) ; chiffre indiqué pour une courbure vertébrale normale et calcul basé sur une mesure effectuée debout (245 cm)
Väinö Myllyrinne (1909-1963)	Helsinki (Finlande)	251,4 cm
Sultan Kösen (né en 1982)	Mardin (Turquie)	251,0 cm
Don Koehler (1925-1981)	Denton (Montana, USA)	248,9 cm
Bernard Coyne (1897-1921)	Anthon (Iowa, USA)	248,9 cm – atteint de gigantisme eunuchoïdal (syndrome du faucheux)
Zeng Jinlian (1964-1982)	Yujiang (Hunan, Chine)	248 cm – atteint d'une scoliose sévère ; taille estimée avec une courbure vertébrale normale
Patrick Cotter (O'Brien) (1760-1806)	Kinsale (Cork, Irlande)	246,4 cm – taille prise sur le squelette, exhumé le 19 décembre 1972
Brahim Takioullah (né en 1982)	Guelmim (Maroc)	246,3 cm
"Constantine", alias Julius Koch (1872-1902)	Reutlingen (Allemagne de l'Ouest)	245,8 cm – atteint de gigantisme eunuchoïdal ; taille estimée, car les jambes ont été amputées à la suite d'une gangrène ; prétendait mesurer 259 cm
Gabriel Estêvão Monjane (1944-1989)	Manjacaze (Mozambique)	245,7 cm
Suleiman Ali Nashnush (1943-1968)	Tripoli (Lybie)	245 cm

Le muscle le plus long : le couturier – muscle en forme de ruban étroit qui relie le bassin au haut du tibia, derrière le genou – permet de croiser les jambes.

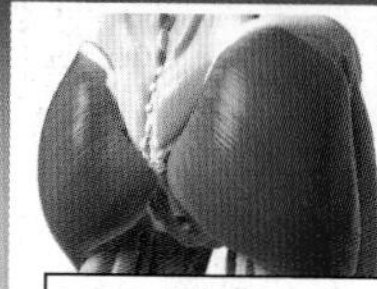

Le muscle le plus gros : le *gluteus maximus*, ou grand fessier, permet d'étendre la cuisse. C'est le plus gros des 639 muscles du corps humain.

L'os le plus petit : l'étrier, ou os étrier, est l'un des trois osselets de l'oreille moyenne. Il mesure de 2,6 à 3,4 mm de long et pèse de 2 à 4,3 mg.

Le muscle le plus petit : le muscle strapédien, qui contrôle l'étrier de l'oreille, mesure moins de 0,127 cm de long.

L'os le plus long : le fémur constitue 27,5 % de la stature d'une personne – soit 50 cm de long pour un homme de 180 cm.

L'organe le plus grand : la peau étant considérée comme un organe, c'est le plus grand puisqu'elle recouvre de 1,5 à 2 m².

ANATOMIES EXTRÊMES

cardiaque. L'épouse de Minnoch, Jeanette (USA), pesait elle tout juste 50 kg. Avec un delta d'environ 585 kg, les deux époux ont décroché le record de la **plus grosse différence de poids pour un couple marié.**

L'homme le plus lourd du monde

Manuel Uribe (Mexique) pesait 444,6 kg en mars 2012. Il avait atteint son poids le plus élevé (560 kg) en janvier 2006. Depuis – et sous surveillance médicale – il maigrit graduellement. Alité depuis 2002, Manuel a tout de même convolé en secondes noces avec Claudia Solis en 2008.

La sportive la plus lourde

Actuellement, l'athlète féminine la plus lourde du monde est la lutteuse sumo Sharran Alexander (Londres, RU) qui pesait 203,21 kg le 15 décembre 2011. Sharran est reconnue par la Fédération de sumo britannique et a même remporté quatre médailles d'or lors de compétitions internationales.

5 000 Calories consommées par jour par Sharran avant un match de sumo.

La femme la plus lourde de tous les temps

Rosalie Bradford (USA, 1943-2006) culminait à 544 kg en janvier 1987. À la suite d'un souci de santé, elle a réduit sa consommation à 1 200 calories par jour, perdant en cinq ans l'équivalent en kilos de sept femmes de corpulence moyenne.

La femme la plus lourde du monde

Pauline Potter de Californie (USA) pesait 293,6 kg en juillet 2012, soit la femme la plus lourde du monde – poids confirmé médicalement. Si d'autres femmes prétendent être plus lourdes encore, aucune n'a pu en apporter la preuve officielle.

L'homme le plus lourd de tous les temps

En mars 1978, Jon Brower Minnoch (USA) a été admis à l'University Hospital de Seattle (Washington, USA), où l'endocrinologue Robert Schwartz a estimé son poids à plus de 635 kg – principalement de la rétention d'eau due à une insuffisance

INFO

L'objectif d'un sumo est de sortir son adversaire (*rikishi*) hors du ring (*dohyo*), ou de lui faire toucher le sol avec une autre partie de son corps que ses plantes de pieds. Tout un rituel entoure ce sport, dont les origines puisent dans le shintoïsme, la religion du Japon.

Le sportif le plus lourd

Emmanuel "Manny" Yarborough de Rahway (New Jersey, USA) mesure 203 cm pour 319,3 kg. Fan d'arts martiaux, Manny a été initié au sumo par son professeur de judo ; sept ans plus tard, il prenait la première place dans la catégorie des sumos amateurs.

La personne la plus lourde à terminer un marathon

Le 20 mars 2011, le lutteur sumo Kelly Gneiting (USA) a terminé l'édition 2011 du marathon de Los Angeles (Californie, USA) en 9 h, 48 min et 52 s. Il pesait 181,44 kg une demi-heure avant le début de l'épreuve ; à l'arrivée, son poids était descendu à 179,7 kg.

MEMBRES DU CORPS

Les plus grandes mains

Sans grande surprise, les mains de Robert Wadlow (USA) – l'**homme le**

DES MEMBRES HORS DU COMMUN

Langue la plus longue (homme) : 9,8 cm de l'extrémité au centre de la lèvre supérieure fermée ; Stephen Taylor (RU), 11 février 2009.

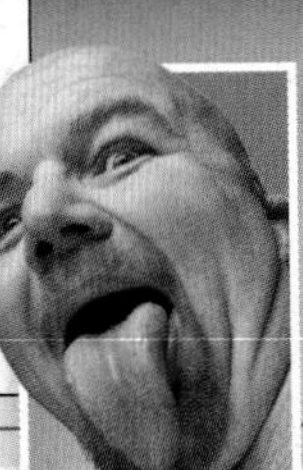

Ongles les plus longs de tous les temps (femme) : 865 cm ; Lee Redmond (USA), 23 février 2008.

Nez le plus long : 8,8 cm de l'arête à l'extrémité ; Mehmet Ozyurek (Turquie), 18 mars 2010.

Taille la plus fine : 38,1 cm corsetée, 53,34 cm au naturel ; Cathie Jung (USA), 19 décembre 1999.

Mains les plus grandes : 28,5 cm du poignet jusqu'à l'extrémité du majeur ; Sultan Kösen (Turquie), 8 février 2011.

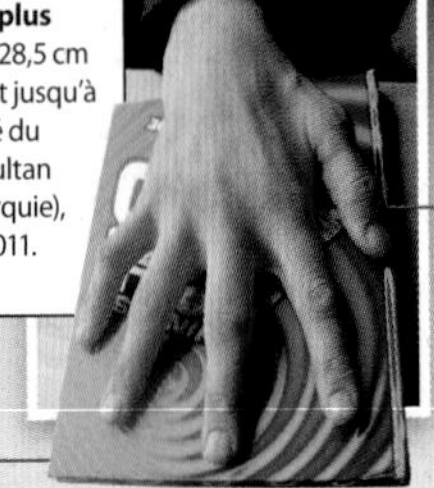

LES PLUS LOURDS DE L'HISTOIRE (PLUS DE 454 KG)		
Les poids record des individus listés ici proviennent de dossiers médicaux authentifiés ou d'estimations effectuées par le corps médical.		
NOM	**LIEU**	**POIDS RECORD**
Jon Brower Minnoch (1941-1983)	Washington (USA)	635 kg – extrapolation médicale basée sur l'alimentation du sujet et son taux d'élimination
Manuel Uribe (né en 1965)	Monterrey (Mexique)	560 kg
Walter Hudson (1944-1991)	Brooklyn (New York, USA)	544 kg
Carol Ann Yager (1960-1994)	Flint (Michigan, USA)	544 kg – poids au décès ; poids record estimé par son conjoint à plus de 725 kg mais non confirmé médicalement
Rosalie Bradford (1943-2006)	Sellersville (Pennsylvanie, USA)	544 kg – poids record estimé en 1987 ; poids confirmé de 477,6 kg en 1989
Michael Walker, alias Francis Lang (né en 1934)	Gibsonton (Floride, USA)	538 kg – poids record atteint en 1971
Robert Earl Hughes (1926-1958)	Baylis (Illinois, USA)	484 kg – également recordman du tour de **poitrine la plus large** avec 315 cm de circonférence
Carol Haffner (1936-1995)	Hollywood (Floride, USA)	464 kg
Mike Parteleno (1958-2001)	Struthers (Ohio, USA)	463 kg – poids rapporté par une marque de diététique en 1988 ; avant ce chiffre, Parteleno disait peser 292,5 kg
Mills Darden (1799-1857)	Caroline du Nord (USA)	462 kg – atteint d'acromégalie (gigantisme)
Michael Edelman (1964-1992)	Pomona (New York, USA)	457 kg – poids record non confirmé de 544,3 kg ; s'est littéralement laissé mourir de faim suite à une phobie alimentaire morbide

plus grand de tous les temps (*voir p. 48*) – étaient exceptionnelles. Elles mesuraient en effet 32,3 cm du poignet à l'extrémité de son majeur ! Il portait un anneau taille 25.

Les **plus grandes mains du monde** appartiennent à l'alter ego contemporain de Wadlow, Sultan Kösen (*voir ci-dessous à gauche*). Sultan a aussi détenu brièvement le record des plus grands pieds du monde – mais il a perdu son titre. Pour découvrir le nouveau recordman, il suffit de tourner la page !

Le plus de doigts et d'orteils

Pranamya Menaria et Devendra Harne (tous deux Inde) possèdent chacun 25 phalanges au total (12 doigts et 13 orteils), conséquence d'une polydactylie.

Le **plus de doigts et d'orteils à la naissance** – Akshat Saxena (Inde) possède 14 doigts (7 à chaque main) et 20 orteils (10 à chaque pied). Ce record a été confirmé par des médecins indiens le 20 mars 2010. Akshat a depuis subi une intervention grâce à laquelle il a retrouvé un nombre de phalanges normal.

Le plus de dents en bouche

Kanchan Rajawat (Inde) et Luca Meriano (Italie) avaient tous deux 35 dents adultes au 17 octobre 2008.

Sean Keaney (RU) de Newbury (Berkshire, RU) est né le 10 avril 1990 avec 12 dents – le **plus de dents à la naissance**. Elles lui ont été arrachées pour éviter de potentiels problèmes d'allaitement. Sean a ensuite retrouvé une dentition complète à l'âge de 18 mois.

CITATION

"Enfant, je savais que ma peau était hors du commun – mes oncles adoraient me montrer à leurs amis."

La peau la plus élastique

Garry Turner (RU) peut étirer sa peau sur 15,8 cm, conséquence du syndrome d'Ehlers-Danlos (pathologie des tissus conjonctifs) dont il est atteint. Il détient également un autre record Guinness World Records qui n'a rien à voir – le **plus de pinces à linge sur le visage**. Garry peut en effet pincer 159 pinces en bois sur son visage !

Les ongles les plus longs

Femme : Chris "The Dutchess" Walton (USA, *photo ci-contre*) possède des ongles mesurant au total 601,9 cm.

Femme (de tous les temps) : Les ongles de Lee Redmond (USA) mesuraient 865 cm avant qu'elle ne les perde après un accident en 2009 (*voir ci-dessous à gauche*).

Homme (sur une seule main) : Lors de sa dernière mesure, en février 2004, Shridhar Chillal (Inde) arborait des ongles d'une longueur totale de 705 cm.

Homme (de tous les temps) : Melvin Boothe (USA, mort en 2009) avait au total 985 cm d'ongles sur les deux mains (*voir ci-dessous à droite*).

DES SERRES D'AIGLE

Main gauche : 309,8 cm

Main droite : 292,1 cm

ATTENTION, RÉALITÉ AUGMENTÉE ! PAGE EN 3D

À VOIR EN 3D AVEC L'APPLI GRATUITE

ENVIE D'UN CORPS DE SUPER-HÉROS ? VOYEZ P. 208

Jambes les plus longues (femme) : 132 cm ; Svetlana Pankratova (Russie), 8 juillet 2003.

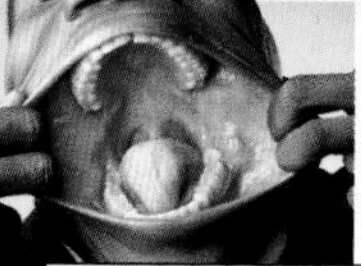

Bouche la plus large : 17 cm ; Francisco Domingo Joaquim "Chiquinho" (Angola), 18 mars 2010.

Étirement de globe oculaire le plus long : 12 mm ; Kim Goodman (USA), 2 novembre 2007.

Ongles les plus longs de tous les temps (homme) : 985 cm ; Melvin Boothe (USA), 30 mai 2009.

Langue la plus longue (femme) : 9,75 cm de l'extrémité au centre de la langue ; Chanel Tapper (USA), 29 septembre 2010.

PIEDS EXTRÊMES

LE PLUS DE PIEDS ET D'AISSELLES RENIFLÉS

Madeline Albrecht (USA) a testé des produits de soins pour les pieds et de chaussures de la marque Dr Scholl pendant 15 ans aux laboratoires de recherche de Hill Top à Cincinnati (Ohio, USA). Dans le cadre de son travail, elle a ainsi reniflé quelque 5 600 pieds ainsi qu'un nombre indéterminé d'aisselles.

Les plus grands pieds de tous les temps

Robert Wadlow (USA), l'**homme le plus grand de l'histoire** (*voir p. 48*), avait également des pieds hors du commun : 47 cm de long pour des chaussures taille 75.

Les orteils les plus longs

Il n'existe pas d'évaluation officielle des orteils de Robert Wadlow, mais ceux de Matthew McGrory (USA, 1973-2005) ont eux été mesurés dans les années 1990. Pourvu à l'époque des plus grands pieds du monde – son pied droit faisait 44,45 cm de long, soit l'équivalent d'une pointure 63 –, Matthew possédait des hallux (gros orteils) de 12,7 cm. Ses petits orteils mesuraient 3,81 cm.

La plus grande paire de chaussettes

Ni Wadlow ni McGrory ne pourraient cependant remplir les plus grandes chaussettes, un modèle en nylon de 13,72 m de haut et 3,05 m de large créé par Michael Roy Layne (USA) en octobre 1986 pour célébrer la victoire des Red Sox de Boston (équipe de baseball) aux championnats de l'American League et leur entrée dans les World Series.

Les ongles de pieds les plus longs

Louise Hollis (USA) ne se coupe plus les ongles de pieds depuis 1982. Mesurés à leur apogée en 1991, les 10 ongles combinaient une longueur totale de 220,98 cm !

Les plus grands pieds du monde

Cas d'éléphantiasis exceptés, les plus grands pieds actuellement connus sont ceux de Brahim Takioullah (Maroc, né en 1982). Son pied gauche mesure 38,1 cm et son pied droit 37,5 cm. Les mesures ont été prises à Paris (France), le 24 mai 2011.

Brahim est photographié aux côtés de Jyoti Amge (Inde), la **plus petite femme du monde.** Plus d'informations sur Jyoti p. 44.

DANS LES NUAGES

Pas étonnant que les pieds de Brahim soient si grands. Du haut de ses 246,3 cm, il est le 2e plus grand homme après Sultan Kösen (Turquie).

Les plus grands sabots

Peter de Koning (Pays-Bas) a confectionné une paire de sabots en bois de 3,04 m de long, 1,08 m de large et 1,10 m de haut. Taillés dans un seul bloc de bois de peuplier, ces sabots ont été mesurés à Halsteren (Pays-Bas), le 20 octobre 2012.

LA PLUS IMPORTANTE ROTATION DE PIEDS

Moses Lanham (USA) a tourné ses pieds à 120° sur le plateau du *Lo Show dei Record* à Milan (Italie), le 10 mars 2011. Il détient aussi le **meilleur temps de marche sur 20 m avec les pieds dirigés vers l'arrière** : 19,59 s !

CHAUSSES PHÉNOMÉNALES

La plus grande mosaïque de lacets : 6,03 m^2. Créée par ECCO Shoes HK à Hong-Kong (Chine), le 20 avril 2013.

La plus longue chaîne de chaussettes : 3,184 m. Confectionnée par The Sir Peter Blake Trust à Wellington (Nouvelle-Zélande), le 30 juin 2011.

La plus grande chaussure de randonnée : 7,14 m de long, 2,5 m de large et 4,2 m de haut, par Schuh Marke (Allemagne). Présentée à Hauenstein (Allemagne), le 30 septembre 2006.

La plus longue chaîne de chaussures : 24 962, par le Shoeman Water Projects de Stankowski Field, à l'université du Missouri (USA), le 7 mai 2011.

La plus grande collection de chaussures tribales et ethniques : 2 322 paires de chaussures venues de 155 pays, par William (Boy) Habraken (Pays-Bas).

La 1re femme à piloter un avion avec les pieds

Jessica Cox (USA) a obtenu sa licence de pilote le 10 octobre 2008, et pourtant elle est née sans bras. Elle accède aux commandes avec un pied et manie délicatement le manche de pilotage avec l'autre.

Le plus haut escarpin
Edmund Kryza (Pologne) a fabriqué un escarpin de 1,84 m de long et 1,12 m de haut en skaï, le 8 mai 1996.

La plus grande peinture d'empreinte de pied
Le 3 juin 2012, IN56 et Loving Power (tous deux Hong Kong) ont créé une toile de 1 684,75 m^2 en forme de pied à Hong Kong (Chine). L'image représentait un parent et son enfant traversant un pont.

La plus longue chaîne en empreintes de pieds
Une chaîne de 15 200 empreintes de pieds de 4 484 m a été imaginée lors d'un événement organisé par WA Newspapers à Perth (Australie), le 10 décembre 2005.

La plus forte concentration d'empreintes de dinosaures
La carrière de Cal Orck'o, près de Sucre (Bolivie), abrite plus de 5 000 empreintes de dinosaures, la **plus forte concentration d'empreintes de dinosaures en un seul lieu.** Plus de 250 empreintes identifiées ont été laissées par un thérapode il y a 68 millions d'années.

LE PLUS DE...

Bouteilles de bière ouvertes avec les pieds en 1 min
Zlata, alias Julia Günthel (Allemagne), a ouvert 7 bouteilles de bière en 1 min, à Pékin (Chine), le 16 août 2011. Comme les contorsionnistes, elle avait pris appui sur ses coudes pour relever le reste du corps.

PIEDS POLYVALENTS
Rob a sorti deux tranches de pain d'un paquet, retiré la peau de rondelles de saucisson, et ôté l'emballage d'un fromage avec ses pieds !

Le plus rapide pour préparer un sandwich avec les pieds

Rob Williams (USA) a réalisé un sandwich au saucisson, au fromage et à la salade – avec des olives sur des piques à cocktail – avec ses pieds en 1 min et 57 s, le 10 novembre 2000, à Los Angeles (USA).

Sauts sur un pied en 30 s
Le 2 juillet 2012, Stefano Vargiu (Italie) a sautillé 113 fois sur un pied en 30 s, à Quartu Sant'Elena (Italie).

Chaussettes enfilées sur un pied
Fiona Nolan (Irlande) a enfilé 152 chaussettes sur un pied à Shannon (Irlande), le 25 mars 2011.
Le **plus de chaussettes enfilées sur un pied en 1 min** est de 35. Shaun Cotton (RU) a remporté le titre à Paignton (RU), le 13 novembre 2012.

Le plus de victoires aux championnats du monde de lutte d'orteils
Homme : 6, pour Alan "Nasty" Nash (RU) en 1994, 1996-1997, 2000, 2002 et 2009.
Femme : 4, pour Karen Davies (RU) en 1999-2002.

La plus longue distance pour tirer une flèche dans une cible avec les pieds

En se tenant sur les mains et rien qu'avec les pieds, Claudia Gomez (Argentine) a tiré avec un arc à flèches sur une cible éloignée de 5,5 m, sur le plateau de *El Show de los Récords* à Madrid (Espagne), le 15 novembre 2001.

La plus grande collection de chausse-pieds : 1 594 chausse-pieds, par Martien Tuithof (Pays-Bas). Conservée au Zijper Museum (Schagerbrug, Pays-Bas).

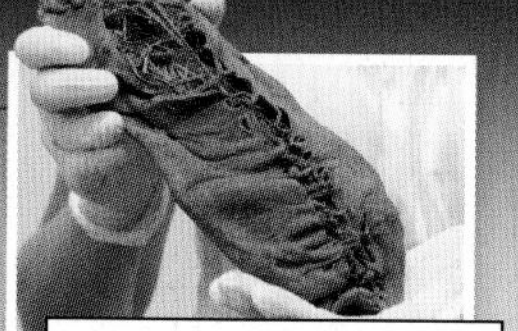

La 1re chaussure en cuir : elle a 5 500 ans. Découverte dans la grotte Areni-1, dans la province de Vayots Dzor (Arménie), en 2008.

La plus grande collection d'articles dédiés à la chaussure : 15 665 articles différents au 20 mars 2012, par Darlene Flynn (USA).

La chaussure de marche la plus lourde : 146,5 kg, portée par Ashrita Furman (USA) au Potters Fields (Londres, RU), pour le Guinness World Records Day, le 18 novembre 2010.

Le plus de chaussettes triées en 30 s : 18 paires, par Silvio Sabba (Italie), à Pioltello (Milan, Italie), le 5 mai 2012.

AU POIL

La charge la plus lourde soulevée avec les cheveux

Suthakaran Sivagnanathurai (Sri Lanka) a soulevé avec ses cheveux une charge de 65 kg à l'école primaire St Mark de Brisbane (Queensland, Australie), le 8 décembre 2012. La charge a été soulevée plus de 1 min. Il détient aussi le record de la **plus longue suspension capillaire** puisqu'il a passé 23 min et 19 s suspendu dans la salle paroissiale de la Uniting Church de Brisbane, le 18 décembre 2011.

La charge la plus lourde tractée avec les cheveux

Ajit Kumar Singh (Inde) a utilisé sa chevelure pour remorquer un camion de 9,38 t à Nawada (Bihar, Inde), le 21 septembre 2010. Singh a tracté l'engin sur 55 m.

La perruque la plus large

Annie Woon (Chine) a confectionné une perruque de 1,65 m de large et 39 cm de haut à Hong Kong (Chine), le 7 janvier 2013.

La **perruque la plus haute** est l'œuvre d'Emilio Minnicelli de Bologne (Italie). Réalisée avec de vrais cheveux, la perruque mesurait 14,3 m de haut le 15 mai 2004.

La chevelure la plus longue

Homme : Swami Pandarasannadhi (Inde) affichait une chevelure longue de 7,93 m à Madras (Inde), en 1948. D'après les photographies, il souffrait de *Plica neuropathica*, pathologie entraînant un enchevêtrement capillaire.

Femme : Les cheveux de Xie Qiuping (Chine) mesuraient 5,627 m, le 8 mai 2004. Elle a cessé de se couper les cheveux en 1973.

Les plus longs poils du corps

Torse : 22,8 cm, Richard Condo (USA)
Jambe : 19,01 cm, Guido Arturo (Italie)
Bras : 18,90 cm, Kenzo Tsuji (Japon)
Oreille : 18,1 cm, Anthony Victor (Inde)
Sourcil : 18,1 cm, Sumito Matsumura (Japon)
Téton : 15,16 cm, Timothy McCubbin (Australie)
Dos : 13 cm, Craig Bedford (RU)
Cil : 6,99 cm, Stuart Muller (USA)

Le plus de victoires aux championnats mondiaux « Barbe & Moustache »

Karl-Heinz Hille (Allemagne) a remporté le concours 8 fois, entre 1999 et 2011. Il a concouru pour la « semi-barbe impériale », une coupe en hommage à l'empereur Guillaume Ier (1797-1888). La barbe doit recouvrir les joues. La moustache, elle, tapisse la lèvre supérieure, et ses extrémités pointent vers le haut, sans se recourber.

CITATION
« J'aime bien aller dans les écoles, surtout celles où l'on croise des enfants différents. C'est bien d'être différent. »
Jesús Manuel Fajardo Aceves

La famille poilue la plus nombreuse

Sur la photo se trouvent (*de gauche à droite*) Luisa Lilia De Lira Aceves, Karla Michelle Aceves Díaz, Luis Abran Aceves et Jesús Manuel Fajardo Aceves (tous Mexique), quatre représentants d'une famille de 19 membres atteints d'une pathologie rare appelée hypertrichose congénitale généralisée, et caractérisée par une pilosité faciale et corporelle excessive. Les femmes sont recouvertes d'une pellicule de poils légère à moyenne, tandis que le corps des hommes est recouvert à 98 % de poils drus.

CHEVEUX COURTS ET RASAGE DE PRÈS

Le plus de têtes rasées en 1 h (individuel) : John McGuire (Irlande) a testé sa tondeuse sur 60 personnes à radio Today FM de Dublin (Irlande), le 18 février 2010.

Le plus de têtes rasées en 1 h (équipe) : 10 coiffeurs ont tondu 318 têtes au Style Club de Dublin (Irlande), le 18 février 2011.

Le plus de têtes rasées en 1 h (lieux multiples) : dans le cadre du "funrazor" au profit de la Child Cancer Foundation, 722 têtes ont été tondues dans 9 lieux de la Nouvelle-Zélande, le 7 décembre 2006.

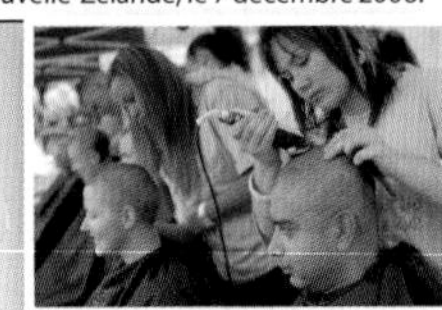

Le plus de coupes de cheveux de suite en 24 h (individuel) : Nabi Salehi a coupé les cheveux de 526 personnes au A & N Style de Londres (RU), le 4 juin 2011.

Le plus de coupes de cheveux de suite en 12 h (équipe) : les coiffeurs de Great Clips à Springfield (Ohio, USA) ont fait 392 coupes, le 14 mai 2011.

La plus grosse balle de cheveux humains
Henry Coffer (USA), un coiffeur de Charleston (Missouri, USA), a gardé les cheveux qu'il coupait pendant 50 ans. Il a confectionné une balle de cheveux de 75,7 kg – poids relevé en décembre 2008.

L'objet le plus lourd retiré d'un estomac
Un trichobézoar est une boule de cheveux formée dans l'estomac à la suite de trichophagie – consommation de ses propres cheveux. Une boule de cheveux de 4,5 kg a ainsi été retirée de l'estomac d'une jeune fille de 18 ans au centre médical de la Rush University de Chicago (Illinois, USA), en novembre 2007.

La plus grande collection de mèches de personnalités
John Reznikoff du Connecticut (USA) a une collection de cheveux appartenant à 115 célébrités. Ses boucles de légende comprennent celles d'Abraham Lincoln, Albert Einstein et Elvis Presley.

La plus grosse coiffure afro

L'« afro » – diminutif d'afro-américain – est une coiffure popularisée par la communauté afro-américaine dans les années 1960.
Le record de la plus grosse coiffure « afro » revient à Aevin Dugas (USA) qui arborait une coupe de 16 cm de haut et 1,39 m de circonférence, le 31 mars 2012.

Le don de cheveux le plus important
Les pèlerins du temple Tirupati d'Andhra Pradesh (Inde) offrent leur chevelure (crâne tondu et à blanc). Chaque année, 6,5 millions de personnes font ainsi don de leurs cheveux, avec le concours de 600 coiffeurs. Le temple les met aux enchères à l'intention de perruquiers, d'entreprises chimiques ou de fabrication d'engrais. Tirupati est le **temple hindou le plus visité**, attirant 30 000-40 000 visiteurs par jour.

La crête la plus haute

Kazuhiro Watanabe (Japon) arborait une crête iroquoise de 113,5 cm de haut au salon de coiffure Bloc de l'art hair salon de Shibuya (Tokyo, Japon), le 28 octobre 2011. Le **plus grand rassemblement de personnes coiffées à l'iroquoise** comptait 257 participants et a été organisé par *The Ray D'Arcy Show* de la radio Today FM à Dublin (Irlande), le 22 février 2013.

CITATION
« Sans ma barbe, je ne suis plus moi-même. Je fais semblant d'être quelqu'un d'autre. »

La plus longue barbe de femme (du monde)

Vivian Wheeler (USA) avait une barbe de 25,5 cm de long – du follicule à l'extrémité du poil –, le 8 avril 2011. Vivian a commencé à se raser le visage à l'âge de 7 ans, et ce n'est qu'après ses quatre mariages et le décès de sa mère en 1993 qu'elle a finalement cessé son rituel et laissé pousser sa barbe. Elle préfère attacher sa barbe pour vaquer à ses occupations quotidiennes.

La **plus longue barbe d'homme (du monde)** est celle de Sarwan Singh (Canada). Elle mesurait 2,495 m en Colombie-Britannique (Canada), le 8 septembre 2011.

Le plus de paires de ciseaux pour une coupe : Zedong Wang (Chine) a fait une coupe avec 10 paires de ciseaux dans une main, contrôlant chacune, à Pékin, le 31 octobre 2007.

La coupe de cheveux la plus chère : Stuart Phillips (RU), au salon Stuart Phillips de Covent Garden (Londres, RU), a fait une coupe à 8 000 £, le 29 octobre 2007.

La coupe la plus rapide : Ivan Zoot (USA) a réalisé une coupe de cheveux en 55 s, au Roosters Men's Grooming Center d'Austin (Texas, USA), le 22 août 2008.

Le plus ancien salon de coiffure : Truefitt & Hill, "Gentlemen's Perfumers and Hairdressers", a ouvert en 1805 au 2 Cross Lane, Long Acre (Londres, RU).

La coupe de cheveux la plus haute : une tour en cheveux véritables et synthétiques de 2,66 m a été confectionnée lors d'un événement organisé par KLIPP unser Frisör, à Wels (Autriche), le 21 juin 2009.

EXPLOITS MÉDICAUX

Les cellules humaines les plus pérennes

Le 4 octobre 1951, Henrietta Lacks (USA, née le 1er août 1920) est décédée d'un cancer cervical à l'hôpital Johns Hopkins de Baltimore (Maryland, USA). Plusieurs cellules cancéreuses ont été prélevées avant et après son décès, devenant les 1res cellules humaines à survivre et se diviser hors d'un organisme humain. Baptisées HeLa cells (*ci-dessus à droite*), les descendantes de ces cellules survivent toujours et sont utilisées à travers le monde par des chercheurs qui travaillent sur différents sujets – recherche sur le cancer, vaccin contre la polio, fécondation *in vitro*... Plus de 60 000 articles scientifiques ont mentionné les cellules d'Henrietta.

Le 1er succès pour une greffe de visage totale

Menée par une équipe médicale de l'hôpital universitaire de Vall d'Hebron (Barcelone, Espagne), le 20 mars 2010, la 1re greffe totale du visage réussie a demandé 24 h d'opération. Le patient, un homme de 31 ans, simplement connu sous le nom d'« Oscar», avait été victime d'un accident de tir. Ses muscles, nez, lèvres, maxillaire, palais, dents, pommettes, et mandibule ont été greffés grâce à des techniques empruntées à la chirurgie plastique et micro-neurovasculaire reconstructrice.

La greffe de visage la plus étendue

Le 20 mars 2012, les chirurgiens du centre médical de l'université du Maryland à Baltimore (Maryland, USA) ont opéré pendant 36 h Richard Lee Norris (USA). L'intervention a offert à Norris un visage neuf, du cuir chevelu à la base du cou – mâchoires, dents, une partie de la langue comprises.

La 1re greffe de cellules cérébrales

Les médecins du centre médical de l'université de Pittsburgh (Pennsylvanie, USA) cherchaient à réparer les séquelles dues à un AVC subi par Alma Cerasini (USA), une femme de 62 ans – avec perte de la parole et hémiplégie droite. Objectif atteint pour cette 1re greffe réussie de cellules cérébrales le 23 juin 1998.

La plus longue chaîne de greffes de reins

Une chaîne de greffes de reins relie des personnes qui souhaitent donner un rein à un ami ou un proche, mais ne le peuvent pas car ils ne sont pas cliniquement compatibles. Le donneur va alors offrir son rein à un étranger en attente de greffe et la personne initiale à qui ce donneur comptait offrir son rein va en recevoir un d'un autre donneur qui sera, lui, compatible.

Entre le 15 août et le 20 décembre 2011, 30 greffes de reins ont été menées grâce à une chaîne formée entre les côtes Ouest et Est des États-Unis. La « Chain 124 » a ainsi débuté avec un patient de 44 ans, Rick Ruzzamenti (USA), et s'est achevée au centre médical de l'université de Loyola (Illinois, USA) avec Don Terry (USA), un homme de 46 ans.

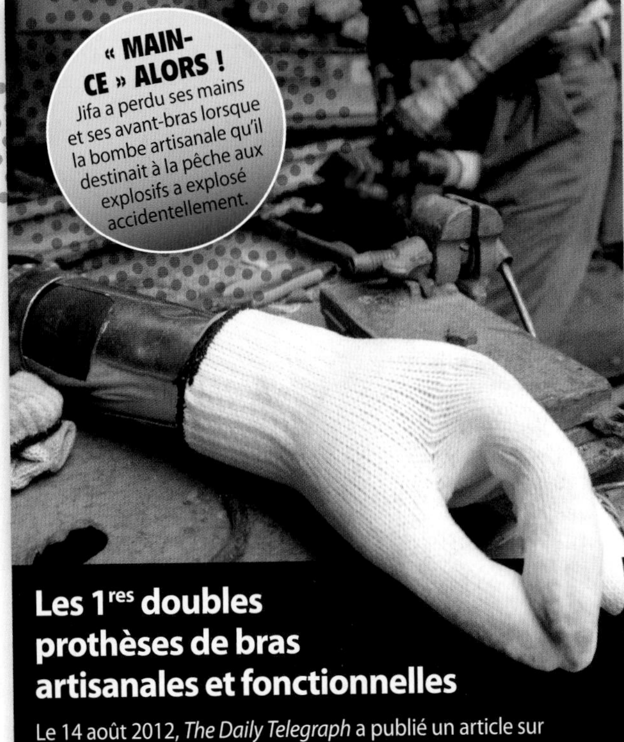

« MAIN-CE » ALORS ! Jifa a perdu ses mains et ses avant-bras lorsque la bombe artisanale qu'il destinait à la pêche aux explosifs a explosé accidentellement.

Les 1res doubles prothèses de bras artisanales et fonctionnelles

Le 14 août 2012, *The Daily Telegraph* a publié un article sur Sun Jifa (Chine), un homme de 51 ans qui avait perdu ses deux mains et avant-bras lors d'un accident de pêche huit années plus tôt. Jifa a passé toutes ces années à construire différents prototypes de prothèses. Sa paire actuelle, en ferraille, comprend des poulies et des fils internes qu'il peut contrôler avec ses coudes. Ce stratagème lui permet de saisir et tenir des objets, et ainsi de continuer à travailler dans sa ferme.

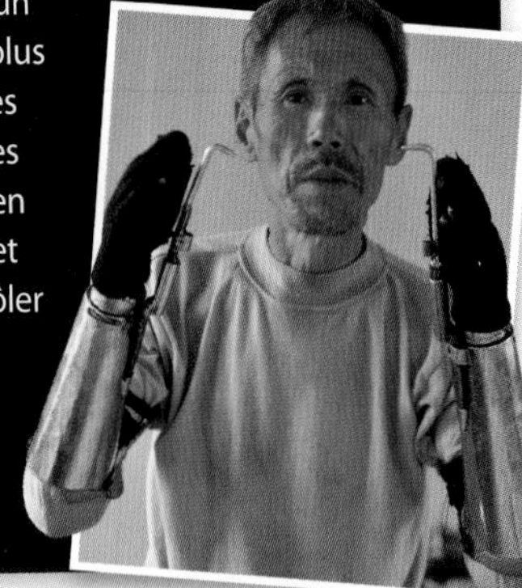

Les triplés les plus lourds (actuellement)

Michelle Lee Wilson (USA) a donné naissance à des triplés d'un poids combiné de 10,33 kg, le 29 juillet 2003. Les triplés – Evan Patrick (3,89 kg), Aiden Cole (3,32 kg) et Lilly Kathryn (3,11 kg) – ont vu le jour à 2 min d'intervalle, à Englewood (Colorado, USA). La grossesse de Michelle aura duré 36 semaines et 5 jours.

Le greffé du cœur le plus pérenne

Tony Huesman (USA, 1957-2009) a vécu avec une seule greffe du cœur pendant 30 ans, 11 mois et 10 jours. Atteint de cardiomyopathie virale depuis l'âge de 16 ans, Huesman a reçu une greffe du cœur le 30 août 1978, 11 ans après la **1re greffe du cœur** effectuée en Afrique du Sud. Il est décédé d'un cancer le 9 août 2009 chez lui, à Washington Township (Ohio, USA).

RESCAPÉS DE MÉGA-RECORDS

La chute en ski la plus vertigineuse : Bridget Mead (N.-Zélande) a fait une chute de 400 m aux championnats du monde de ski 1997, à Valdez (Alaska, USA).

Le plus de coups de foudre : l'ancien garde forestier Roy C. Sullivan (USA) est la seule personne à avoir survécu à sept coups de foudre !

Le crash automobile le plus rapide : en 1960, Donald Campbell (RU) a crashé sa *Bluebird CN7* à 579 km/h, à Bonneville Salt Flats (Utah, USA).

La plus haute chute dans un ascenseur : en 1998, Stuart Jones est tombé de 70 m dans une cage d'ascenseur au Midland Park Building de Wellington (N.-Zélande).

Le corps le plus brûlé : Tony Yarijanian (USA) a survécu aux brûlures qui recouvraient 90 % de son corps à la suite d'une explosion en Californie (USA), le 15 février 2004.

La 1re greffe de mandibule intégrale avec impression en 3D

En juin 2011, on a implanté une mâchoire inférieure créée avec une impression en 3D à une patiente de 83 ans, à l'Orbis Medisch Centrum de Sittard-Geleen (Pays-Bas). L'implant était en poudre de titane agglomérée par un laser. Cette invention est le fruit d'une collaboration entre LayerWise et des chercheurs de la Hasselt University (tous deux Belgique).

La 1re personne à guérir du VIH

Le 24 juillet 2012, Timothy Ray Brown (USA, *à gauche*), atteint du VIH en 1995, a été déclaré « sain ». Brown suivait une thérapie antirétrovirale depuis 11 ans lorsqu'il a rencontré Gero Hütter (*à droite*), un hématologue allemand, en 2007. Hütter lui a transfusé plusieurs cellules souches d'un donneur possédant des cellules mutantes CCR5, capables d'immuniser les cellules contre le VIH. Brown a ensuite interrompu son traitement médical, et il est à présent guéri.

La plus grosse tumeur retirée

En 1905, le Dr Arthur Spohn a retiré un kyste ovarien de 148,7 kg. La tumeur avait été drainée avant l'intervention, durant laquelle l'enveloppe du kyste a été retirée. La patiente s'est très bien remise de l'opération au Texas (USA).

La **plus grosse tumeur prélevée entière** est une masse multikystique de l'ovaire droit de 138,7 kg. L'intervention a été pratiquée par le professeur Katherine O'Hanlan et le Dr Douglas J. Ramos, du centre médical de l'université de Stanford (Californie, USA) en octobre 1991.

La plus grosse tumeur faciale

Une tumeur bénigne sur la partie latérale du visage de John Burley (RU) a été retirée par le chirurgien John Hunter (RU, 1728-1793), sans anesthésie. La tumeur de 4,53 kg est exposée au Hunterian Museum du Royal College of Surgeons de Londres (RU).

La plus grosse tumeur de naissance

Un hygroma kystique bénin de 1,2 kg a été extrait du cou d'un petit garçon né en Inde le 5 mars 2003. La tumeur – qui constituait 40 % du poids total du bébé de 3 kg – a été excisée par une équipe médicale conduite par le Dr Palin Khundongbam (Inde) à Imphal (Manipur, Inde), le 17 mars 2003.

La 1re personne à manœuvrer une main robotique contrôlée par le cerveau

Matthew Nagle (USA, 1979-2007) était paralysé du cou aux pieds suite à une attaque à l'arme blanche en 2001. Le 22 juin 2004, à l'hôpital Sinaï de Nouvelle-Angleterre (Massachusetts, USA), une interface neuronale directe baptisée BrainGate a été placée à la surface du cortex moteur – la région du cerveau qui contrôle le bras gauche. L'implant attaché à un capteur positionné sur le crâne du patient était relié à un ordinateur. Nagle a appris à utiliser le BrainGate, qui traduisait les ondes cervicales et lui permettait de déplacer un curseur sur un écran et d'utiliser une main robotique.

Le plus important don de lait maternel

Entre le 9 juin 2011 et le 28 mars 2012, Alicia Richman (USA) a offert 315,1 kg de lait maternel à la Mothers'Milk Bank of North Texas de Fort Worth (Texas, USA). Le lait a été pompé, conservé, puis pasteurisé. Il a servi à nourrir les bébés prématurés d'unités de soins intensifs locales.

16 C'est le nombre de jours nécessaires à Lomas pour terminer le marathon.

La 1re personne à terminer un marathon avec un appareil de marche robotique

Claire Lomas (RU), paralysée de la taille aux pieds à la suite d'un accident d'équitation en 2007, a parcouru le Virgin London Marathon 2012 grâce à un exosquelette robotique ReWalk créé par Argo Medical Technologies (Israël).

La 1re intervention chirurgicale en microgravité

Le 27 septembre 2006, cinq médecins encadrés par Dominique Martin a retiré une tumeur bénigne du bras d'un volontaire, Philippe Sanchot (tous deux France), lors d'une opération de 10 min. L'intervention a été menée à bord d'un Airbus A300 modifié, qui volait en décrivant des paraboles pour reproduire la microgravité de l'espace. Cette expérience devait évaluer la viabilité d'interventions chirurgicales sur des astronautes lors de longs vols spatiaux.

Le plus long jeûne : Angus Barbieri (RU) a survécu 382 jours, de juin 1965 à juillet 1966, sans aliment solide, au Maryfield Hospital de Dundee (RU).

Le plus de pendaisons : en 1803, Joseph Samuel (Australie) a survécu à 3 pendaisons en raison d'un équipement défectueux, comme John Lee (RU) en 1885.

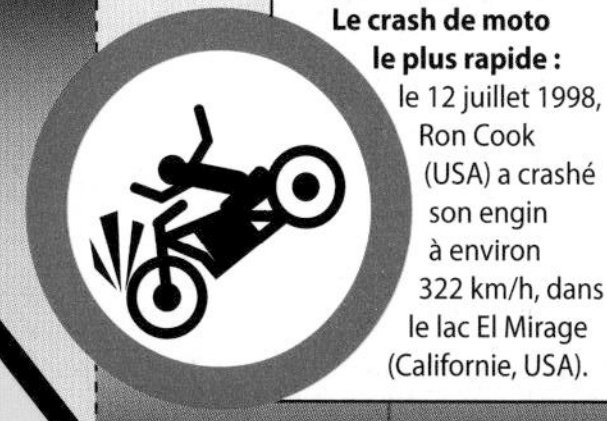

Le crash de moto le plus rapide : le 12 juillet 1998, Ron Cook (USA) a crashé son engin à environ 322 km/h, dans le lac El Mirage (Californie, USA).

Le plus de dards d'abeilles retirés : 2 443 dards ont été retirés du corps de Johannes Relleke (Zimbabwe), à la mine d'étain de Kamativi, près de la rivière Gwaii (Wankie, Zimbabwe puis Rhodésie), le 28 janvier 1962.

La glycémie la plus élevée : la glycémie de Michael Patrick Buonocore (USA) est montée jusqu'à 147,6 mmol/L, à East Stroudsburg (Pennsylvanie, USA), le 23 mars 2008. Le taux normal oscille de 4,4 à 6,6 mmol/L.

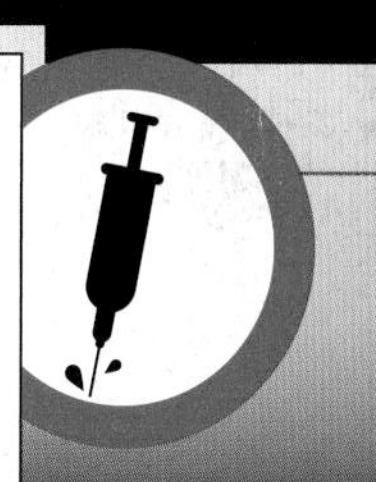

LES PLUS ÂGÉS

L'âge combiné le plus élevé pour 9 frères et sœurs (vivants)

Les 9 enfants Melis – Consolata, Claudina, Maria, Antonino, Concetta, Adolfo, Vitalio, Fida Vitalia et Mafalda – nés de Francesco Melis (1880-1967) et son épouse Eleonora (1889-1952) de Perdasdefogu (Italie) totalisaient 818 ans et 205 jours, au 1er juin 2012.

La personne la plus âgée de tous les temps

Jeanne Louise Calment (France) a vécu 122 ans et 164 jours. Née le 21 février 1875 de Nicolas et Marguerite (née Gilles), Jeanne s'est éteinte dans une maison de retraite d'Arles, le 4 août 1997. Elle est aussi devenue l'**actrice la plus âgée** en tenant son propre rôle à 114 ans dans *Vincent et moi* (Canada, 1990) – elle aurait été la dernière personne vivante à avoir connu Van Gogh – et la **patiente chirurgicale la plus âgée**, après une intervention à la hanche en janvier 1990, à 114 ans et 11 mois.

Les jumeaux les plus âgés (du monde)

Edith Ritchie et Evelyn Middleton (née Rennie, RU) sont les jumelles les plus âgées. Elles ont vu le jour le 15 novembre 1909 à Aberdeenshire (Écosse). D'après leur acte de naissance, Evelyn est née à 16 h et Edith à 17 h 30.

Kin Narita et Gin Kanie (née Yano, le 1er août 1892, Japon), dont les noms signifient « or » et « argent », étaient les **jumelles les plus âgées de tous les temps**. Kin est décédée d'une insuffisance cardiaque le 23 janvier 2000 à 107 ans, suivie par Gin le 28 février 2001, à 108 ans. Les **jumeaux les plus âgés** de tous les temps s'appelaient Glen et Dale Moyer (nés le 20 juin 1895, USA), et ont décroché le titre à 105 ans, le 23 janvier 2000.

La personne la plus âgée à descendre en rappel

Doris Cicely Long MBE (RU, née le 18 mai 1914) a fait une descente en rappel de 35 m sur le flanc de la Mercantile House à Portsmouth (RU), le 18 mai 2013, à 99 ans – sa 5e descente en rappel réussie en 5 ans.

Le plus gros rassemblement de centenaires

28 personnes ayant au moins 100 ans ont assisté à la tea-party organisée par David Amess (RU) à l'Iveagh Hall de Leigh-on-Sea (Essex, RU), le 25 septembre 2009.

61
C'est le nombre de premiers ministres japonais qui se sont succédé du vivant de Kimura !

Le plus de centenaires

D'après le recensement le plus récent, les États-Unis comptaient 53 364 personnes âgées d'au moins 100 ans au 1er avril 2010. Cela représentait 17,3 centenaires pour 100 000 habitants sur une population de 308 745 538 âmes.

L'homme le plus âgé du monde

Jiroemon Kimura (Japon) a vu le jour le 19 avril 1897 et, au 14 avril 2011, il était l'homme le plus âgé du monde, titre décroché à 113 ans et 360 jours. Et le 28 décembre 2012, à 115 ans et 253 jours, il est devenu l'**homme le plus âgé de tous les temps**, éclipsant le record établi par Christian Mortensen (Danemark/USA, 1882-1998). Au moment de la mise sous presse (15 mai 2013), Kimura est également la **personne la plus âgée** au monde, puisqu'il vient de souffler sa 116e bougie. Il s'est emparé du titre détenu par Dina Manfredini (USA, 1897-2012), le 17 décembre 2012.

GUINNESS WORLD RECORDS
CERTIFICATE
The oldest person (male) living is Jiroemon Kimura (Japan) aged 115years and 179days as of 15 October 2012 in Kyotango, Kyoto, Japan
GUINNESS WORLD RECORDS

INFO

J. Kimura attribue sa longévité à une vie de modération. Il se réveille tous les jours à 6 h 30 et, jusque récemment, lisait quotidiennement le journal et regardait des matchs de sumo à la télévision. Il met aussi sa bonne santé sur le compte de repas frugaux, de siestes régulières et d'un petit peu de chance – il vient d'une famille qui vit longtemps, quatre de ses frères et sœurs étant nonagénaires et un centenaire.

LES PLUS ÂGÉS DE TOUS...

Joueur de football : âgé de 88 ans, Tércio Mariano de Rezende (Brésil, né le 31 décembre 1921) a joué ailier droit pour le Goiandira Esporte Clube de Goiás (Brésil).

Danseuse de Kuchipudi : Anuradha Subramanian (USA, née le 26 octobre 1946) s'est produite au Stafford Civic Center de Houston (Texas, USA) à 59 ans.

Danseuse de ballet : Grete Brunvoll (Norvège, née le 27 juillet 1930) danse régulièrement sur scène.

Funambule sur ailes d'avion : le 30 mai 2012, Thomas Lackey (RU, né le 21 mai 1920) a marché sur les ailes d'un avion survolant l'aéroport Staverton (RU), à 92 ans et 9 jours.

Wake-boarder : Linda Brown (USA, née le 10 décembre 1945) avait 63 ans et 227 jours lorsqu'elle a disputé le tournoi de wake-board Battle of Bull Run de Smith Mountain Lake (Virginie, USA), le 25 juillet 2009.

LES PERSONNES LES PLUS ÂGÉES DU MONDE

Voici les 10 personnes encore vivantes les plus âgées et dont l'âge a été authentifié, notamment par un certificat de naissance. On notera qu'à l'exception de J. Kimura en 1re place, tous les centenaires sont des femmes. Cette liste est gérée par le Gerontology Research Group (USA), un groupe de « médecins, chercheurs et ingénieurs qui visent à ralentir voire à interrompre le vieillissement humain au cours des 20 prochaines années ».

Nom	Nationalité	Date de naissance	Age
♂ Jiroemon Kimura	Japon	19 avril 1897	116
♀ Misao Okawa	Japon	5 mars 1898	115
♀ Jeralean Talley	USA	23 mai 1899	114
♀ Susannah Jones	USA	6 juillet 1899	113
♀ Bernice Madigan	USA	24 juillet 1899	113
♀ Soledad Mexia	Mexique/USA	13 août 1899	113
♀ Evelyn Kozak	USA	14 août 1899	113
♀ Naomi Conner	USA	30 août 1899	113
♀ Mitsue Nagasaki	Japon	18 septembre 1899	113
♀ Emma Morano	Italie	29 septembre 1899	113

Chiffres vérifiés au 23 mai 2013

Les supercentenaires – âgés d'au moins 110 ans – constituaient 0,6 % de la population des centenaires.

La nation ayant le **plus de centenaires par habitant** reste le Japon, avec 40,29 personnes âgées d'au moins 100 ans pour 100 000 habitants.

La plus forte concentration d'hommes centenaires

Villagrande, en Sardaigne (Italie), était en 2012 le village ayant le taux le plus élevé d'hommes centenaires par habitant (parmi les villages d'au moins 1 000 habitants). Les hommes de Villagrande nés entre 1876 et 1911 ont la plus forte probabilité de devenir centenaires. Cette probabilité est connue sous le nom d'indice de longévité extrême (ELI) et ne dépasse pas en général 0,5 % dans les pays développés ; l'ELI de Villagrande est de 1,267 %.

La personne la plus âgée à avoir fait le tour du monde en transports en commun

Saburo Shochi (Japon, né le 16 août 1906) a fêté son 106e anniversaire en faisant un tour du monde complet rien qu'en transports en commun. Il a entamé son périple le 16 juillet 2012 et a visité six pays, parcourant 56 700 km.

La bénévole la plus âgée

En février 2013, Violet "Vi" Robbins (Australie, née le 28 février 1902) travaillait encore comme bénévole au Prince of Wales Hospital de Randwick (Sydney, Australie), à 111 ans. Vi offre son temps à diverses associations caritatives australiennes depuis les années 1960.

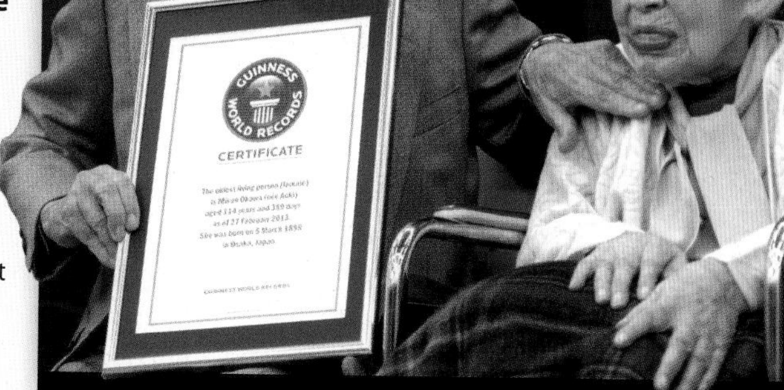

La femme la plus âgée du monde

La femme officiellement la plus âgée du monde est Misao Okawa (*ci-dessus*, née Aoki, le 5 mars 1898, Japon), âgée de 115 ans et 71 jours au 15 mai 2013. Mme Okawa a vu le jour à Osaka et s'est mariée avec Yukio en 1919, avec lequel elle a eu trois enfants. Elle a aujourd'hui quatre petits-enfants et six arrière- petits-enfants. Son mari étant décédé le 20 juin 1931, elle est veuve depuis plus de 80 ans et réside dans une maison de retraite d'Higashisumiyoshi-ku, à Osaka.

Mme Okawa a décroché le titre de femme la plus âgée du monde après le décès, à 115 ans, de Koto Okubo (née le 24 décembre 1897) de Tokyo, le 12 janvier 2013. Okubo-san s'est éteinte à Kawasaki (Kanagawa, Japon), où elle vivait avec son fils.

100 C'est l'âge de Margaret lors de son 1er record de parapente en tandem, en octobre 2007.

La personne la plus âgée en parapente (tandem)

Margaret McKenzie McAlpine (RU, née le 30 octobre 1907) avait 104 ans et 168 jours lors de son vol en parapente (en tandem), à Karaoğlanoğlu (Chypre), le 14 avril 2012.

L'enseignant le plus âgé

Né le 23 décembre 1912, le père Geoffrey Schneider (Australie) enseigne toujours au St Aloysius' College de Milsons Point (Nouvelle-Galles du Sud, Australie). Au 17 mai 2013, le père Schneider avait 100 ans et 145 jours.

GIRL POWER ! Les secrets de longévité d'Ida ? Bien manger, jardiner, boire un verre de xérès après le déjeuner et flirter !

LE PLUS DE SŒURS CENTENAIRES

Les quatre premières sœurs centenaires ont été recensées le 2 avril 1984 à l'occasion du 100e anniversaire de Lily Beatrice Parsons (née Andrews), emboîtant ainsi le pas à ses trois sœurs : Florence Eliza White (née en 1874), Maud Annie Spencer (née en 1876) et Eleanor Newton Webber (née en 1880). La famille est originaire du Devon (RU).

Le prof de yoga le plus âgé

Ida Herbert (née le 21 août 1916, Canada) est le professeur de yoga le plus âgé. Elle exerçait encore à 95 ans et 270 jours (au 16 mai 2012). Après 20 années d'enseignement à plein temps au YMCA d'Orillia (Ontario, Canada), Ida a pris sa retraite mais continue de donner des cours hebdomadaires au Bayshore Village, dans la région de l'Ontario.

Plongeur : Saul Moss (Australie, né le 27 juillet 1924) a plongé sans assistance à Bare Island (Sydney, Australie), le 1er août 2009, à 85 ans et 14 jours.

Bodybuilder (femme) : E. Wilma Conner (USA, née le 5 septembre 1935) a participé aux NPC Armbrust Pro Gym Warrior Classic Championships 2011 de Loveland (Colorado, USA), à 75 ans et 349 jours.

Pilote de guerre en activité : le chef d'escadron Philip Frawley (Australie, né le 8 mars 1952) est pilote d'avion de guerre en activité ainsi qu'instructeur de vol pour le N° 76 Squadron de la Royal Australian Air Force, à 60 ans et 137 jours.

Sauteur en parachute en tandem : Estrid Geertsen (Danemark, née le 1er août 1904) a sauté en parachute (en tandem) le 30 septembre 2004, à 4 000 m d'altitude, à 100 ans et 60 jours.

Personne à escalader l'Éverest : Min Bahadur Sherchan (Népal, né le 20 juin 1931) a conquis l'Éverest le 25 mai 2008, à 76 ans et 340 jours.

CERVEAU ET MÉMOIRE

Le plus rapide à additionner 10 nombres à 10 chiffres

Le 24 novembre 2012, Naofumi Ogasawara (Japon) a additionné 10 nombres à 10 chiffres choisis au hasard. Il a mené sa mission à bien 10 fois en 2 min et 51,1 s. Ogasawara participait au Memoriad 2012, un concours dédié au cerveau et à la mémoire qui coïncide avec les JO. L'édition 2012 s'est tenue au Belconti Resort Hotel d'Antalya (Turquie), les 24-25 novembre 2012.

Le problème mathématique le plus difficile

Les mathématiciens considèrent la validité de l'hypothèse de Riemann comme la plus importante question non résolue de la théorie mathématique. En 1859, Bernhard Riemann (Allemagne) a avancé une hypothèse impliquant une fonction analytique complexe baptisée fonction zêta de Riemann. Les zéros seraient liés aux positions des nombres primaires (divisibles par eux-mêmes et le chiffre 1). Selon Riemann, les zéros se trouveraient sur une ligne droite définie. Il a vérifié sa théorie pour de petits nombres mais n'a pu en faire une règle universelle. Si l'hypothèse était vérifiée, notre compréhension des nombres s'en trouverait améliorée.

Le plus de cartes à jouer mémorisées en 30 min

Ben Pridmore (RU) a mémorisé 884 cartes (17 jeux) aux Derby Memory Championships de Derbyshire (RU), en 2008. Il disposait de 30 min pour mémoriser les cartes tirées au hasard d'une pile de cartes battues et de 1 h pour les énoncer dans l'ordre séquentiel.

La plus longue séquence de nombres binaires mémorisée en 1 min

Jayasimha Ravirala (Inde) a mémorisé 264 nombres en 1 min, au Holy Mary Institute of Technology de Hyderabad (Inde), le 8 mars 2011. Il lui a fallu ensuite 9 min pour les retranscrire correctement.

Le même jour, Jayasimha a décroché le record de la **plus longue séquence chromatique mémorisée**, avec 152. Quatre couleurs ont été utilisées et la séquence a été rappelée en 5 min et 4 s. Le 22 juin 2012, il a également établi le record de la **plus longue séquence d'objets mémorisés en 1 min**, soit 40.

La plus forte dotation pour un prix de mathématique

Le Clay Mathematics Institute (USA) a offert 1 million $ pour chaque « défi mathématique réputé insurmontable ». Ces défis sont : le problème P = NP ; la conjecture de Hodge ; la conjecture de Poincaré ; l'hypothèse de Riemann (*voir ci-dessus, à droite*) ; l'équation de Yang-Mills ; les équations de Navier-Stokes ; et la conjecture de Birch et Swinnerton-Dyer.

LES PLUS RAPIDES...

« Calculatrice humaine »

Scott Flansburg (USA) a correctement additionné 36 fois à lui-même un nombre à deux chiffres choisi aléatoirement (38) en 15 s sans calculatrice. Il a établi ce record mental le 27 avril 2000 sur le plateau du *Guinness World Records*, à Wembley (RU).

À factoriser mentalement 20 nombres à 5 chiffres

Le 22 décembre 2010, Willem Bouman (Pays-Bas) a factorisé 20 nombres de 5 chiffres choisis aléatoirement en 13 min et 39 s. La factorisation consiste à décomposer un nombre en « facteurs » (nombres qui, multipliés entre eux, donnent comme somme le nombre de départ). Bouman a décomposé ses nombres à 5 chiffres en facteurs premiers – divisibles par eux-mêmes et par le chiffre 1. Par exemple, 3 et 10 sont des facteurs de 30 ; ses facteurs primaires sont 2, 3 et 5.

À mémoriser un jeu de cartes à jouer

Simon Reinhard (*voir ci-dessous, à gauche*) a mémorisé

La division la plus rapide d'un nombre à 10 chiffres par un à 5 chiffres

Le 15 mars 2012, le Dr Amit Garg (USA) a divisé un nombre à 10 chiffres par un à 5 chiffres en 34,5 s. Ce temps moyen a été calculé sur 10 essais en 5 min et 45 s.

Le plus de nombres décimaux mémorisés en 30 min

Simon Reinhard (Allemagne) a mémorisé 1 400 chiffres à l'Open allemand des 16-17 septembre 2011. Il disposait de 30 min pour mémoriser des chiffres aléatoires présentés en rangées de 40, puis de 1 h pour les réciter. Simon est photographié ci-dessus en compagnie du fondateur de Memoriad, Melik Duyar.

LA FOLIE DU RUBIK'S CUBE

Le plus de résolutions lors d'un marathon : Uli Kilian (Allemagne) a résolu 100 cubes en courant le marathon de Londres 2011 en 4 h, 45 min et 43 s, le 17 avril 2011.

Meilleur temps moyen 3 x 3 en compétition : Feliks Zemdegs (Australie) a établi un temps de 7,53 s, à Melbourne (Australie), les 1er et 2 septembre 2012.

Le plus rapide les yeux bandés : Gabriel Alejandro Orozco Casillas (Mexique) a résolu un cube en 30,9 s, à l'Open Tulancingo 2010 de Tulancingo (Hidalgo, Mexique), le 11 décembre 2010.

Le plus rapide à résoudre 5 cubes d'une main : Yumu Tabuchi (Japon) a décroché le record en 1 min et 52,46 s, à Tokyo (Japon), le 15 mars 2010.

Le plus rapide en 7 x 7 : Michał Halczuk (Pologne) a fait un temps de 3 min et 25,91 s, à Pabianice (Pologne), les 18-19 septembre 2010.

Le calcul le plus rapide d'une racine carrée à 6 chiffres

Le 3 janvier 2012, Priyanshi Somani (Inde) a fait un temps moyen de 16,3 s par calcul lors de 10 essais étalés sur 2 min et 43 s, à la Lourdes Covent School de Surat (Inde). L'adolescente de 13 ans participe aux compétitions internationales de sports cérébraux depuis l'âge de 10 ans et a donné la réponse à 8 chiffres significatifs.

et annoncé l'ordre d'un jeu de cartes en 21,19 s, à l'Open allemand de Heilbronn (Allemagne), les 16-17 septembre 2011.

À épeler à l'envers 50 mots
Shishir Hathwar (Inde) a correctement épelé à l'envers 20 mots de 6 lettres, 15 mots de 7 lettres, et 15 mots de 8 lettres en 1 min et 22,53 s. Il se trouvait au Press Club de Bangalore, à Bangalore (Inde), le 13 novembre 2010.

Le total est légèrement inférieur à celui du **record de mots prononcés à l'envers en 1 min**, soit 71. Celui-ci a été établi par Nada Bojkovic (Suède), au centre commercial Nordstan de Göteborg (Suède), le 24 novembre 2007.

LE PLUS DE...

Mots croisés compilés
Au 30 juin 2013, Roger F. Squires (RU) avait compilé 74 634 mots croisés, soit l'équivalent de plus de 2,25 millions de définitions. Notre cruciverbiste a eu 81 ans le 22 février 2013, année de son 50e anniversaire en tant que rédacteur professionnel de mots croisés. Roger a publié sa 2 000 000e définition dans le *Daily Telegraph* (RU) en mai 2007 : « Deux filles, une sur chaque genou (7). » (*Réponse en bas de page à droite.*)

Les mots croisés de Roger ont été publiés dans 115 publications de 32 pays, dont plusieurs quotidiens britanniques.

Récitation de pi (π) dans le plus d'endroits
Chao Lu (Chine) a récité de mémoire les 67 890 décimales de pi à la Northwest A & F University (Chine), le 20 novembre 2005. L'étudiant en chimie s'était entraîné 4 ans avant son record établi en 24 h et 4 min et enregistré sur 26 cassettes vidéo.

Objets divers mémorisés
Prijesh Merlin (Inde) avait les yeux bandés lorsqu'il a répété dans l'ordre les 470 noms d'objets qui lui avaient été lus à Kannur (Inde), le 23 juin 2012.

Le plus de dates historiques mémorisées en 5 min

Lors des championnats suédois de l'Open Memory en 2011, Johannes Mallow (Allemagne) a mémorisé 132 des 140 dates historiques fictives proposées. Les candidats devaient mémoriser une série d'événements historiques inventés. Ils recevaient ensuite la liste des événements dans un ordre différent et avaient 15 min pour indiquer les dates correspondantes.

Calculs mentaux en 1 min
Chen Ranran (Chine) a effectué 8 opérations mentales le 2 novembre 2007 sur le plateau de *Zheng Da Zong Yi – Guinness World Records Special* à Pékin (Chine). Chaque opération était une addition de 11 nombres fournis par la World Abacus and Mental Arithmetic Association.

Le plus de noms et de visages mémorisés en 15 min

Boris Nikolai Konrad (Allemagne) a mémorisé 201 noms et visages aux championnats allemands de la mémoire qui se sont tenus à Heilbronn en novembre 2010. Konrad, grand maître de la mémoire, 10e au rang mondial, travaille comme neuroscientifique à l'institut de psychiatrie Max Planck de Munich (Allemagne). Il détient aussi le record du **plus de dates de naissances mémorisées**, avec 21 dates en 2 min, au bar Purist de Augsburg (Allemagne), le 14 février 2011.

Victoires simultanées aux échecs, les yeux bandés
En 1947, Miguel Najdorf (Argentine) s'est mesuré à 45 joueurs, opérant chaque partie simultanément dans sa tête. Après 23 h et 25 min, il comptait 39 victoires, 4 matchs nuls et 2 défaites. Najdorf avait été dû abandonner sa famille en Pologne au début de la Seconde Guerre. Les siens ont péri en camps de concentration, mais Najdorf espérait que la notoriété de son record lui permettrait de retrouver des survivants. Personne ne l'a contacté.

Jours de la semaine identifiés en 1 min à partir de dates calendaires
Si l'on vous donne une date entre le 1er janvier 1600 et le 31 décembre 2100, pouvez-vous estimer le jour de la semaine correspondant ? Yusnier Viera Romero (Cuba) a identifié 93 jours à partir de dates générées au hasard, le 4 décembre 2010, à Miami (Floride, USA). Les dates lui ont été communiquées sous la forme jour-mois-année. Dès la première erreur, la tentative de record s'arrêtait.

Le plus rapide à multiplier 10 paires de 2 nombres à 8 chiffres

Freddis Reyes Hernández (Cuba) a multiplié 10 paires de nombres à 8 chiffres, le 24 novembre 2012, à Antalya (Turquie) en 3 min et 54,12 s. Le mois précédent, il avait remporté le trophée Memoriad à la Coupe du monde du calcul mental 2012.

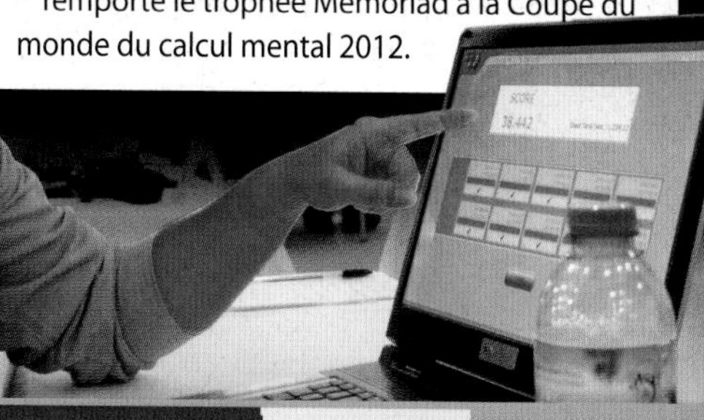

Le plus de résolutions en 24 h : Milán Baticz (Hongrie) a résolu 4 786 cubes en 24 h, à Budapest (Hongrie), les 15-16 novembre 2008, soit en moyenne 3,32 cubes par minute.

Le plus de résolutions les yeux bandés : Marcin Kowalczyk (Pologne) a résolu 26 des 29 cubes en 53 min et 1 s, à Starogard Gdańsk (Pologne), les 4 et 5 août 2012.

Le plus de résolutions sur monocycle : Adrian Leonard (Irlande), pilote, a résolu 28 cubes en pédalant sur la piste Mary Peters de Belfast (Irlande du Nord, RU), le 6 octobre 2010.

Le plus rapide à résoudre 2 cubes simultanément sous l'eau : David Calvo (Espagne) a réussi ce tour de force en 1 min et 24 s, le 1er avril 2010.

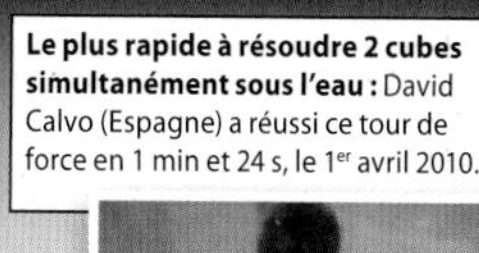

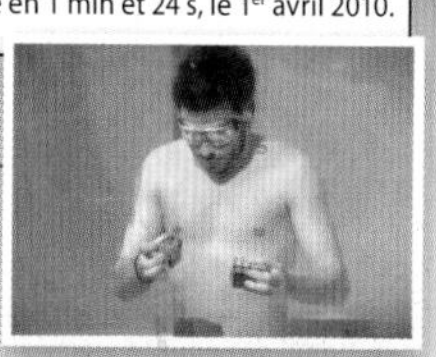

Le plus rapide avec les pieds : Fakhri Raihaan (Indonésie) a juste mis 27,93 s pour résoudre un rubik 3 x 3 avec les pieds à Makassar (Indonésie), les 14 et 15 juillet 2012.

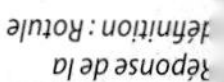
Réponse de la définition : Rotule

GASTRONAUTES

LE PLUS RAPIDE POUR MANGER...

Trois crackers
Le 9 mai 2005, Ambrose Mendy (RU) a englouti trois crackers secs, sans boire d'eau, en 34,78 s, à Londres (RU).

Un oignon cru
Peter Czerwinski (Canada) a retenu ses larmes pour avaler un oignon cru en 43,53 s, à Mississauga (Ontario, Canada), le 2 novembre 2011.

Un beignet à la confiture (sans les mains)
Il a fallu à Oli White (RU) 33,17 s pour dévorer un beignet fourré à la confiture – sans les mains et sans se lécher les lèvres, conformément au règlement –, sur la chaîne Guinness World Records, OMG ! diffusée sur YouTube à Londres (RU), le 25 octobre 2012.

Trois éclairs
Le 6 avril 2012, pour célébrer son départ en tant que présentatrice de *Live with Gabby* sur Channel 5 (RU), Gabby Logan a lancé un défi à ses invités, Keith Chegwin et Sean Hughes (tous deux RU) : manger trois éclairs au chocolat en un minimum de temps. Chegwin (RU), le plus rapide, a mis 1 min et 5 s !

Un rocher Ferrero® (sans les mains)
Russell Jones (USA) a déballé et engouffré un rocher au chocolat Ferrero® – sans les mains – en 11,75 s, le 30 avril 2012, au Sheraton de Chicago (Illinois, USA).

Un muffin (sans les mains)
Mohamed Hossam (Égypte), visiteur du show "In a Minute" organisé par le Guinness World Records au Marina Mall de Koweït City (Koweït), le 2 mars 2012, a avalé un muffin de 60 g en 38,6 s.

Une pizza de 30,5 cm
Peter Czerwinski (Canada) a dévoré une pizza de 30,5 cm de diamètre avec une fourchette et un couteau en 41,31 s, sur la chaîne Guinness World Records diffusée sur YouTube, OMG ! L'exploit a eu lieu à la pizzeria *Mama's and Papa's* de Los Angeles (USA), le 30 janvier 2013.

UN RECORD ŒUF-POUSTOUFLANT
Suresh compte 17 records mondiaux à son actif !

Record de pastèques écrasées avec la tête en 1 min
Ahmed Tafzi (Allemagne) a utilisé sa tête pour établir son record au Rose Festival de Saxe-Anhalt (Allemagne), le 27 mai 2011 : il a éclaté 43 pastèques en 60 s ! Ouille !

Le plus d'œufs tenus dans une main en 30 s
Suresh Joachim (Canada) a tenu en main 24 œufs, le 17 août 2012, à Mississauga (Ontario, Canada). Il a égalé le record établi par Zachery George (USA) au restaurant Subway de Parsons (Virginie-Occidentale, USA), le 21 mars 2009. On est loin du premier record décroché par Suresh : la **plus longue distance parcourue à pied pendant 1 000 heures consécutives.** Toutes les heures entre les 19 août et 29 septembre 1996, il avait couru 3, 49 km, à Colombo (Sri Lanka).

Une orange en chocolat
Le 24 février 2013, Marc-Étienne Parent (Canada) a déballé et englouti une orange en chocolat de la marque Terry en 1 min et 38 s, à Campbellton (Nouveau-Brunswick, Canada).

Trois piments bhut jolokia
Birgit Tack (Allemagne) a mangé trois piments bhut jolokia en 1 min et 11 s, sur le plateau de *Guinness World Records – Wir holen den Rekord nach Deutschland*, à Berlin (Allemagne), le 2 avril 2011. Sur l'échelle de Scoville, le piment bhut jolokia atteint 300 000-1 000 000, et compte parmi les piments les plus forts du monde.

Un verre de table
Il a fallu 1 min et 27 s à Patesh Talukdar (Inde) pour avaler un verre de table ordinaire – d'un poids minimum de 100 g –, sur le plateau de *Guinness World Records – Ab India Todega*, à Bombay (Inde), le 10 mars 2011. Ce n'est pas un record à reproduire chez soi !

LES MANGEURS LES PLUS RAPIDES

Hot-dogs : 6 hot-dogs ont été engouffrés en 3 min par Takeru Kobayashi (Japon), le 25 août 2009, à Kashiwa (Japon).

Ail : 1 min a suffi à Patrick Bertoletti (USA) pour avaler 26 gousses d'ail, à East Dundee (Illinois, USA), le 14 janvier 2012.

Mince pies : David Cole (RU) a englouti 3 *mince pies* (tartelettes de Noël) en 1 min et 26 s, dans *The Paul O'Grady Show*, sur ITV, à Londres (RU), le 20 décembre 2005.

Haricots blancs en boîte : en 5 min, Gary Eccles (RU) a avalé 258 haricots blancs avec une pique à cocktail, pour le Comic Relief qui s'est tenu à Coventry (RU), le 18 mars 2011.

Rocher Ferrero® : Michael Saleeba (Australie) s'est délecté de 15 rochers en 3 min et 59 s, à Seminyak (Bali, Indonésie), le 6 mars 2012.

Le plus rapide pour avaler une bouteille de ketchup

Le journaliste télé Benedikt Weber (Allemagne) raffole de la purée de tomates : il a ainsi avalé avec une paille 396 g de ketchup de la marque Aro en 32,37 s, lors de l'émission *Galileo*, à Nuremberg (Allemagne), le 17 février 2012.

INFO

Source d'inspiration pour les aspirants aux records, Ashrita compte de nombreux exploits alimentaires : il est le **plus rapide pour peler et manger un kiwi** (5,35 s, le 10 décembre 2008) et **un citron** (8,25 s, le 3 mai 2010). *Retrouvez les détails des fabuleux records de M. Furman p. 94-95.*

Le plus rapide pour avaler 20 cl de moutarde

Ashrita Furman (USA) a décroché un nouveau record en avalant 20 cl de moutarde en 20,8 s, au New York Sri Chinmoy Center de New York (New York, USA), le 15 décembre 2011. Le record a été effectué avec une bouteille de moutarde en plastique de la marque Plochman.

LE PLUS DE...

Big Mac mangés dans une vie entière
En octobre 2012, le super-fan de fast-food Donald Gorske (USA) a fêté un véritable exploit : il a consommé son 26 000e Big Mac de chez McDonald's. Autrement dit, Gorske mange au moins 1 Big Mac par jour depuis 40 ans.

Nuggets de poulet avalés en 3 min
Christian Williams (USA) a englouti 494,9 g de nuggets de poulet en 3 min, à San Leandro (Californie, USA), le 25 août 2012. Conformément au règlement, il n'a pu se servir que d'une main.

Jambons tranchés en 1 h
Diego Hernández Palacios (Espagne) s'est préparé trois mois en vue de son record. À partir de trois jambons *jamón de Guijelo*, d'un poids individuel de 6 kg, Palacios a découpé 2 160 tranches – soit 10,04 kg –, à Madrid (Espagne), le 12 avril 2011.

Truffes au chocolat confectionnées en 2 min
Gino D'Acampo (Italie) a préparé 47 truffes enrobées de cacao, de noix de coco et de sucre glace sur le plateau de *Let's Do Christmas with Gino & Mel*, sur la chaîne ITV (RU), le 21 décembre 2012.

Parfums de glace présentés simultanément
Michael et Matthew Casarez (tous deux USA) ont créé 985 parfums de glace, de la vanille à la mangue habanero, au restaurant Crook's Palace de Black Hawk (Colorado, USA), le 17 juillet 2011.

Huîtres ouvertes en 1 min
Patrick McMurray (Canada) a ouvert 38 huîtres lors du tournage de *Zheng Da Zong Yi*, à Pékin (Chine), le 21 mai 2010.

Bananes pelées et mangées en 1 min
Patrick Bertoletti (USA) a pelé et avalé 8 bananes sans le moindre hoquet, aux studios Sierra d'East Dundee (Illinois, USA), le 14 janvier 2012.

TRANCHE DE VIE

Ryan est professeur. En plus de ses talents en arts martiaux, il exerce comme maître de conférences.

Le plus de concombres tenus dans la bouche et tranchés avec une épée en 1 min

Hayashi le Samouraï, alias Ryan Lam (Canada), n'a pas eu froid aux yeux pour trancher en deux 22 concombres en 1 min. Les concombres étaient tenus dans la bouche de ses téméraires assistants au sang-froid stupéfiant ! La redoutable prestation a eu lieu à Rome (Italie), le 28 mars 2012.

CITATION

« [Hayashi est] très dangereux, mais on ne peut détacher son regard... » Piers Morgan, *Britain's Got Talent*, 2010.

Smarties/M & M'S avec des baguettes : le 18 août 2011, Kathryn Ratcliffe (RU) a picoré 65 M & M'S en 1 min avec des baguettes, à Pékin (Chine), sur le plateau de *Guinness World Records Special* sur la chaîne CCTV.

Grains de raisin : Ashrita Furman (USA) a gobé 213 grains de raisin en 3 min, à New York (USA), le 16 août 2010.

Choux de Bruxelles : Linus Urbanec (Suède) a mangé 31 choux de Bruxelles en 1 min, à Rottne (Suède), le 26 novembre 2008.

Petits pois : en 3 min, Mat Hand (RU) a avalé 211 petits pois en boîte avec une pique à cocktail, à Nottingham (RU), le 8 novembre 2001.

Beignets à la confiture : Patrick Bertoletti (USA) en a englouti 3 en 1 min – sans léchage de lèvres –, à East Dundee (Illinois, USA), le 14 janvier 2012.

DE LA GRANDE CUISINE

Le plus gros bol de porridge

Un bol géant de porridge pesant 1 380 kg – soit l'équivalent de 5 500 portions classiques – a été préparé par Flahavan's et le Waterford Harvest Festival (tous deux Irlande) à Waterford (Irlande), le 16 septembre 2012.

Pièce en chocolat

Le 15 novembre 2012, une pièce en chocolat de 658 kg a été dévoilée lors d'un événement organisé par BF Servizi SRL (Italie) à Bologne (Italie). Cette confiserie géante en forme de pièce de 1 euro faisait 1,96 m de diamètre – taille plus grande qu'un adulte moyen – pour 17 cm d'épaisseur.

Part de flan

Le 3 juin 2012, Flinders Fish and Chips (Australie) a utilisé 61 seaux de crème à la vanille pour confectionner un flan de 508,11 kg à Flinders (Victoria, Australie).

10 000 C'est le nombre de portions distribuées grâce à ce gigantesque plat de lasagnes !

Les plus grandes lasagnes

En l'honneur de l'équipe de football italienne pour l'Euro 2012, il a fallu neuf heures pour faire cuire ces lasagnes, les plus longues du monde. Ce plat de pâtes et de viande pesait 4 865 kg et avait été préparé par le restaurant Magillo et le supermarché Makro (tous deux Pologne) à Wieliczka (Pologne), le 20 juin 2012.

LES PLUS GRANDS...

Morceau de fromage

Halayeb Katilo Co (Égypte) a proposé un méga morceau de roumy, spécialité fromagère égyptienne, le 13 juillet 2012. Il a fallu 18 mois pour préparer ce fromage de 135,5 kg au Caire (Égypte).

La plus grande mosaïque de biscuits

Trois cents étudiants de Bright School associés à MoonPie (tous deux USA) ont créé une mosaïque de biscuits de 126,21 m² à Chattanooga (Tennessee, USA), le 29 septembre 2012, pour les 100 ans de l'école. 16 390 biscuits MoonPie vanille, chocolat et banane, ont été nécessaires à sa confection.

Ragoût de poisson

Le service de restauration de l'université du Massachusetts (USA) a cuisiné pour ses étudiants un ragoût de poisson de 3 020 kg – le poids d'une orque – à Amherst (Massachusetts, USA) le 3 septembre 2011. 453 kg de poisson et crustacés (moules, homard, palourdes, aiglefin, saumon notamment) et 515 kg de pommes de terre ont été nécessaires.

Cake aux fruits

Just Bake (Inde) a confectionné un cake aux fruits anglais de 3 825 kg à la Food & Kitchen EXPO 2011 de Tripura Vasini Palace Grounds à Bangalore (Karnataka, Inde), en décembre 2011. Le gâteau mesurait 9 m long et 6 m de large – de quoi remplir une salle à manger de belle taille !

Le plus long dessert glacé

Un sundae au chocolat de 204,26 m a vu le jour grâce à 160 gourmands du Light Youth Group (USA) à Cavalier (Dakota du Nord, USA), le 9 juin 2012. L'artère principale de la ville a dû être fermée pour concocter ce succulent dessert réalisé à partir de 338,83 kg de glace à la vanille et de 34 kg de sirop au chocolat.

Enchilada

Il a fallu une machine spéciale pour préparer la tortilla (galette de maïs) de 70 m nécessaire à la plus grande enchilada du monde. Ce plat mexicain – qui signifie « assaisonné au piment » – contenait poulet, avocat, tomate et oignon, le tout roulé dans une tortilla, pour un poids total de 1 416 kg. Il a été dégusté à l'Explanda d'Iztapalapa à Mexico (Mexique), le 20 octobre 2010.

Salade de fruits

McGill Food and Dining Services (Canada) a fait appel à 250 volontaires pour préparer un dessert de 5 078,88 kg à l'université McGill de Montréal (Québec, Canada), le 28 août 2012.

Hot cross bun

Un hot cross bun de 168 kg a été élaboré par RSPB et Greenhalghs Bakery (tous deux RU) à Bolton (RU)

LES ALIMENTS LES PLUS CHERS DU MONDE

Pizza : en 2005, le menu du restaurant *Gordon Ramsay's Maze* (Londres, RU) proposait une pizza à la truffe blanche *(voir article page de droite)* pour 100 £.

Sandwich : 100 £ pour le Von Essen Platinum Club Sandwich, créé en 2007 par Daniel Galmiche (RU) pour l'hôtel *Cliveden* de Buckinghamshire (RU).

Cerises : Nick Moraitis (Australie) a déboursé 31 771 $ pour une cagette de cerises lors d'une vente aux enchères organisée par Sydney Markets (Australie), le 24 octobre 2007.

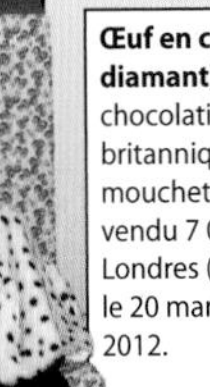

Œuf en chocolat (sans diamant) : créé par des chocolatiers japonais et britanniques, cet œuf moucheté d'or s'est vendu 7 000 £ à Londres (RU), le 20 mars 2012.

Hot-dog : depuis le 31 mai 2012, le *Capitol Dawg* de Sacramento (California, USA) propose un California Capitol City Dawg à 145,49 $.

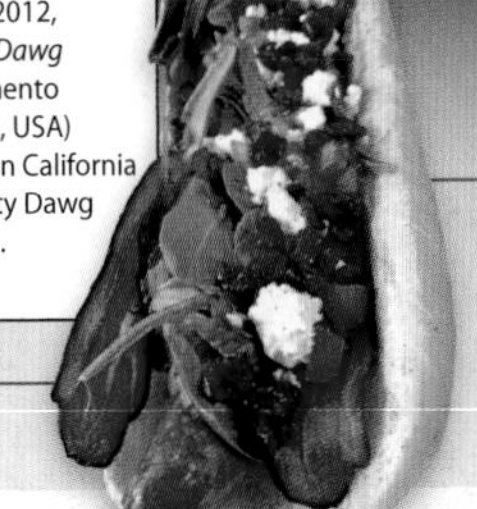

Dossier :

La 1re personne ayant franchi les chutes du Niagara sur un fil

Le 15 juin 2012, le funambule Nik Wallenda (USA), artiste de cirque légendaire, est devenu le 1er à franchir sur un fil les chutes du Niagara, en passant directement au-dessus d'elles à la différence des précédents funambules qui avaient traversé la gorge. Il a parcouru les 550 m séparant Goat Island (USA) de Table Rock (Canada).

Le **1er funambule à avoir traversé la gorge du Niagara sur une corde** est Charles Blondin, alias Jean-François Gravelet (France, 1824-1897). Il avait franchi les 335 m de la gorge près de l'endroit où se trouve aujourd'hui le Rainbow Bridge, à environ 2 km des chutes.

GOÛT DU RISQUE

Une chute libre à très haute altitude

Le 14 octobre 2012, après sept ans de préparation, le projet Red Bull Stratos s'est concrétisé. À 9 h 28 heure locale (15 h 28 GMT), Felix Baumgartner (Autriche) a décollé de Roswell (Nouveau-Mexique, USA) en direction de la limite de l'espace. Trois heures plus tard, il était revenu sur Terre après avoir effectué le **saut à la plus haute altitude** (38 969,4 m*), ainsi que la **chute libre la plus longue** (36 402,6 m) et **la plus rapide** (1 357,6 km/h). Il est aussi devenu le **1er parachutiste à avoir franchi le mur du son en chute libre.**

Visière Chauffée

Équipement ventral (GPS, capteurs de vitesse et d'orientation)

Tube d'oxygène

Parachute principal

Poignée du parachute de secours

Altimètre

Contrôle de la pression

Bouton déclenchant l'ouverture d'un petit parachute (stabilisateur)

Miroir

Caméras HD sur les jambes

Quatre couches :
- Doublure
- Membrane perméable au gaz
- Tissu de contention
- Couche extérieure ignifuge/isolante

La combinaison de Felix

Felix disposait d'un matériel très spécial. Sa combinaison confectionnée par la David Clark Company (USA) et son équipement comprenaient une bouteille d'oxygène, trois parachutes (et des miroirs sur les gants pour vérifier leur ouverture), un indicateur d'altitude et quatre GPS. Son casque était doté d'un micro et d'oreillettes.

INFO

Étant moins une tenue qu'un équipement de secours, cette combinaison a procuré de l'oxygène à Felix, et l'a protégé du froid, puisque la température est descendue jusqu'à -70,9 °C. Elle était pressurisée.

À cette altitude, la pression atmosphérique est si faible que le sang de Felix aurait littéralement bouilli dans ses veines !

« Inciter les autres à aller au bout de leurs rêves... »

Guinness World Records était fier de présenter à Felix le certificat officiel homologuant son record de pionnier. Voici ce qu'il nous a dit :

« Après des années de préparation pour que cette aventure soit un succès, *une fois* cet exploit réalisé, je me suis demandé s'il avait eu lieu. Nous avions toujours eu pour objectif d'améliorer la sécurité dans l'espace, mais la remise de ce certificat par le Guinness World Records a été pour moi la preuve que mon rêve d'un saut supersonique était devenu une réalité.

« Il était important de savoir que des millions de personnes suivaient mon saut en direct via Internet. Le projet Red Bull Stratos incite aujourd'hui d'autres personnes à aller au bout de leurs rêves partout dans le monde. Être considéré comme le détenteur d'un record est en outre un grand honneur. »

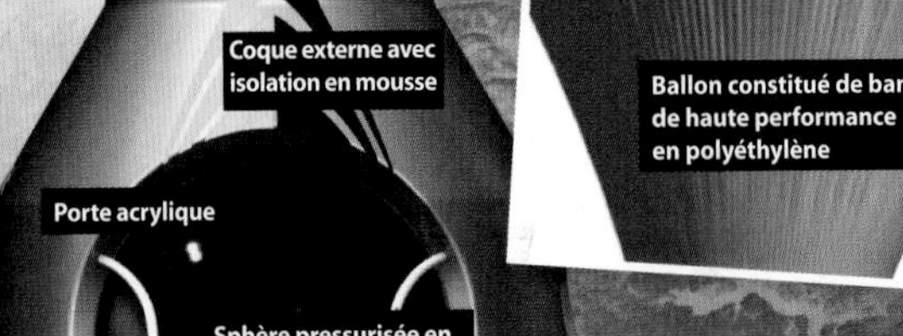

Coque externe avec isolation en mousse

Porte acrylique

Sphère pressurisée en fibre de verre et époxy

FELIX BAUMGARTNER

Zone déformable (panneaux en nid d'abeilles résistant à un impact supérieur à 8 Gs)

1. LE LANCEMENT

Felix s'est élevé à une altitude jamais atteinte par un avion. Sa capsule a été soulevée par un ballon gonflé à l'hélium qui lors du décollage mesurait 167,6 m, soit presque la hauteur d'un édifice de 55 étages. Il a fallu presque 1 h pour le remplir d'hélium. Une fois l'altitude souhaitée atteinte, l'hélium s'est dilaté pour occuper presque complètement les 850 000 m³ de capacité du ballon.

1

0,02 C'est l'épaisseur en millimètres du ballon à l'hélium qui a soulevé la capsule de Felix.

INFO

Au cours de son ascension, Felix était en contact avec Joe W. Kittinger (USA, *ci-dessus à droite*) au centre de contrôle. Le 16 août 1960, celui-ci avait établi un record en chute libre, atteignant la vitesse maximale de 988,1 km/h. Sa descente avait duré près de 14 min.

2

2. L'ASCENSION

L'ascension de la capsule (*ci-dessus*) a duré plus de 2 h. Au cours de celle-ci, Felix a remarqué que sa visière s'embuait à chaque expiration, ce qui n'était pas prévu. Il aurait pu abandonner à ce moment-là, mais il a choisi de ne pas le faire. Quand le ballon (détail *encart*) a atteint les limites de l'espace, Felix a dépressurisé la capsule et s'est préparé à sauter...

*Homologuée par la Fédération aéronautique internationale comme « altitude la plus haute d'un saut »

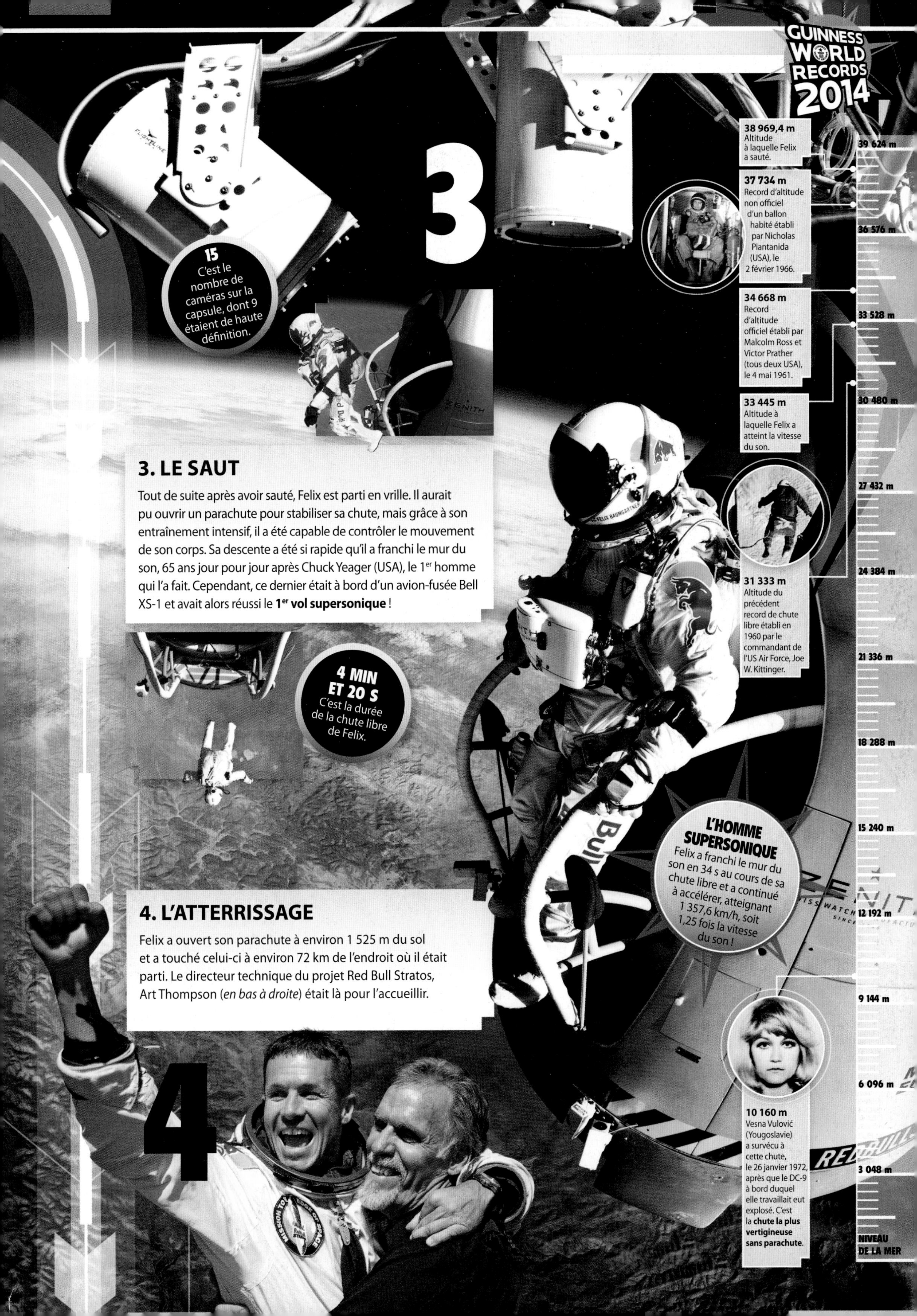

3. LE SAUT

Tout de suite après avoir sauté, Felix est parti en vrille. Il aurait pu ouvrir un parachute pour stabiliser sa chute, mais grâce à son entraînement intensif, il a été capable de contrôler le mouvement de son corps. Sa descente a été si rapide qu'il a franchi le mur du son, 65 ans jour pour jour après Chuck Yeager (USA), le 1er homme qui l'a fait. Cependant, ce dernier était à bord d'un avion-fusée Bell XS-1 et avait alors réussi le **1er vol supersonique** !

4. L'ATTERRISSAGE

Felix a ouvert son parachute à environ 1 525 m du sol et a touché celui-ci à environ 72 km de l'endroit où il était parti. Le directeur technique du projet Red Bull Stratos, Art Thompson (*en bas à droite*) était là pour l'accueillir.

EN VOITURE

Record de vitesse avec un véhicule à propulsion humaine (VPH)

Sam Whittingham (Canada) a atteint 133,284 km/h sur son vélo couché aérodynamique *Varna Tempest* à l'occasion du World Human Powered Speed Challenge, près de Battle Mountain (Nevada, USA), le 9 septembre 2009. Le record a été établi sur 200 m avec un départ lancé.

INFO

Sam a établi ce record sur la Highway 305 qui, chaque année, attire les conducteurs de VPH. Pourquoi ? C'est la route nord-américaine la plus droite et la plus plate, à 1 370 m d'altitude. L'air permet ainsi aux coureurs d'aller plus vite.

Le plus long trajet avec une voiture éolienne

De janvier à février 2011, Dirk Gion et Stefan Simmerer (tous deux Allemagne) ont parcouru 5 000 km pour aller de Perth à Melbourne (Australie), à bord de leur voiture à éolienne *Wind Explorer*. Celle-ci était propulsée par une turbine éolienne alimentant une batterie lithium-ion. Quand le vent était assez puissant, un cerf-volant était utilisé pour exploiter son énergie.

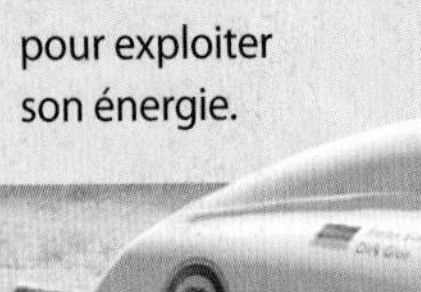

TOUR DU MONDE

Le 1er en voiture

La pilote de course Clärenore Stinnes (Allemagne) se lança en compagnie du réalisateur Carl-Axel Söderström (Suède) dans ce qui est considéré comme le premier tour du monde en voiture. Partis de Francfort (Allemagne) le 25 mai 1927, ils arrivèrent à Berlin le 24 juin 1929, après avoir parcouru 46 063 km. Ils conduisaient une automobile Adler Standard 6 de 50 ch qui n'avait pas été modifiée. Seuls deux sièges inclinables avaient été ajoutés pour plus de confort. Ils voyagèrent durant 2 ans et 1 mois en traversant 23 pays. L'année qui suivit cet exploit, Stinnes et Söderström, qui s'étaient rencontrés deux jours avant leur départ en 1927, se marièrent.

Le 1er en voiture à hydrogène

Mercedes-Benz a été le 1er constructeur automobile à faire le tour du monde avec une voiture à hydrogène. Trois voitures identiques (sur le modèle de la voiture Classe B à hayon) ont effectué un périple de 125 jours en traversant 14 pays, pour fêter le 125e anniversaire du constructeur. L'aventure a débuté et s'est terminée à Stuttgart (Allemagne).

Le plus long voyage avec un carburant de substitution

De 15 novembre 2009 au 4 mai 2010, Tyson Jerry (Canada, *à gauche sur la photo*) du Driven to Sustain project – programme éducatif visant à sensibiliser le public à l'environnement – a parcouru 48 535,5 km à travers l'Amérique du Nord au volant d'une Mitsubishi Delica fonctionnant au biogazole et à l'huile végétale. Chloe Whittaker (*à droite*) a effectué une partie du trajet avec lui.

Le 1er en voiture amphibie

Frederick Benjamin "Ben" Carlin (Australie) et sa femme Elinore (USA) sont partis de Montréal (Canada) dans une jeep amphibie Ford GPA modifiée, *Half-Safe*, le 24 juillet 1950 afin d'effectuer un tour du monde sur terre et sur mer. Le voyage se révéla mouvementé car Elinore quitta son mari en Inde et demanda le divorce. Ben parvint à Montréal le 8 mai 1958, après avoir parcouru 62 765 km sur la terre ferme et 15 450 km sur l'eau. Carlin traversa le Pacifique de Tokyo (Japon) à Anchorage (Alaska, USA) en compagnie du journaliste Boyé Lafayette De Mente de *The Japan Times*.

Les plus rapides

Le record du premier et du plus rapide tour du monde par un homme et une femme sur les six continents, selon les règles en vigueur de 1989 à 1991 pour un trajet dépassant la longueur de l'équateur (40 075 km), est détenu par Saloo Choudhury et son épouse Neena Choudhury (tous deux Inde). Le voyage a duré 69 jours, 19 h et 5 min, du 9 septembre au 17 novembre 1989. Avec Delhi pour point de départ et d'arrivée, le couple conduisait une Hindustan « Contessa Classic » de 1989.

LA PLUS LONGUE DISTANCE PARCOURUE...

En 24 h par une voiture de série

Une équipe de 13 journalistes et de pilotes d'essai ont parcouru 5 459,92 km en 24 h, à bord d'une Saab Turbo 900, au Talladega Superspeedway (Alabama, USA), le 19 octobre 1996. Les conducteurs ont conservé une vitesse moyenne constante de 227,49 km/h. En conformité avec les règles de la FIA, l'association internationale des sports automobiles, le véhicule était une Saab de série sélectionnée au hasard sur la chaîne de production.

Sur deux roues latérales

Michele Pilia (Italie) a parcouru 371,06 km sur les deux roues latérales d'une BMW 316 mod.

RECORDS DE VITESSE SUR TERRE

Véhicule lunaire :
- 17 km/h
- rover *Apollo 17*
- Eugene Cernan (USA)
- 12 décembre 1972

Voiture comestible :
- 17,2 km/h
- Voiture-gâteau (réplique 1:2 d'une Indycar de 1933)
- Carey Iennaccaro (USA)
- 4 mars 2012

Char :
- 82,23 km/h
- S 2 000 Scorpion Peacekeeper LC (RU)
- 26 mars 2002

Véhicule à énergie solaire :
- 88,738 km/h
- *Sunswift IV*
- Barton Mawer (Australie)
- 7 janvier 2011

Char à voile :
- 202,9 km/h
- *Greenbird*
- Richard Jenkins (RU)
- 26 mars 2009

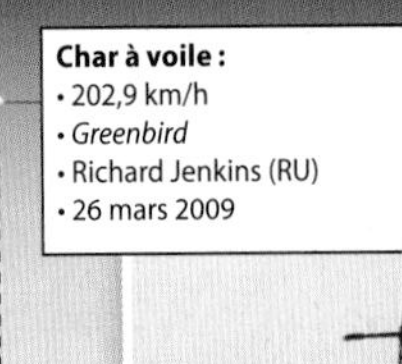

18 592 C'est le nombre d'heures passées au volant par les Schmid en consommant 165 559 l d'essence !

Le plus long voyage en voiture

Le 18 décembre 2012, Emil et Liliana Schmid (tous deux Suisse) avaient parcouru 668 485 km à bord de leur Toyota Land Cruiser. Ce couple d'aventuriers, sans domicile permanent, a commencé son voyage épique le 16 octobre 1984, et a depuis traversé ainsi 172 pays et territoires.

E30 1 766 ch de 1983, au studio Sant'Elia, à Cagliari (Italie), le 26 février 2009.

En véhicule à énergie solaire

Le véhicule du projet Solar Car de la Hochschule Bochum (Allemagne) a parcouru 29 753 km autour du monde, en partant d'Adélaïde (Australie) le 26 octobre 2011, et en terminant à Mount Barker (Australie), le 15 décembre 2012.

Avec un plein

La voiture qui a parcouru la plus longue distance avec un plein, soit 2 545,80 km, est une Volkswagen Passat 1.6 TDI BlueMotion. Marko Tomac et Ivan Cvetković (tous deux Croatie) l'ont conduite du 27 au 30 juin 2011, en Croatie, à l'occasion d'un événement organisé par la revue croate *Auto Motor i Sport*. Ils ont consommé en moyenne 3,08 l/100 km, battant le précédent record en effectuant 88,92 km de plus.

Le plus long trajet en taxi

Leigh Purnell, Paul Archer et Johno Ellison (tous RU) ont quitté Covent Garden à Londres (RU) en taxi, le 17 février 2011. Ils ont effectué un trajet de 69 716,12 km dans le monde entier, pour revenir à Covent Garden, le 11 mai 2012. À l'issue du voyage, le compteur de *Hannah*, taxi londonien noir LTI Fairway FX4 de 1992, affichait la somme de 79 006,80 £ (98 490 €). L'équipe a aussi établi le record du trajet à la plus haute altitude en taxi, en voyageant à 5 225,4 m de haut dans la province chinoise de Qinghai, le 29 août 2011.

SUIVEZ CETTE VOITURE ! De haut en bas : Leigh, Paul, Johno et *Hannah* à Angkor Watt, (Cambodge) ; piégés par la neige en Finlande ; et arrivant à Sydney (Australie).

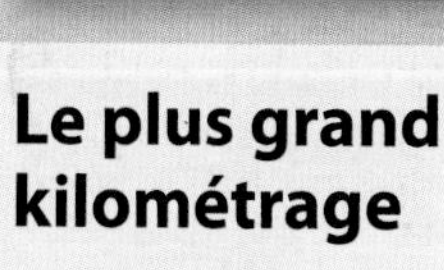

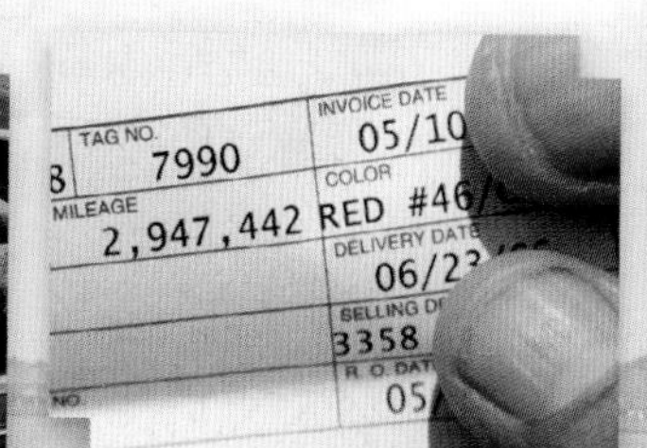

INFO

Irvin a versé l'équivalent d'un an de salaire pour acquérir sa voiture. Il ne la vendra que s'il obtient 1 $ pour chaque mile parcouru.

Le plus grand kilométrage

La Volvo P-1800S de 1966 d'Irvin Gordon (USA) avait plus de 4 773 314 km au compteur le 9 juillet 2012. Elle roule tous les jours et parcourt environ 140 000 à 160 000 km par an, car elle participe à de nombreuses manifestations automobiles aux États-Unis et occasionnellement à l'étranger. Irvin l'a achetée le 30 juin 1966 pour 4 150 $, il avait alors 25 ans.

LES RECORDS DE SPORT AUTOMOBILE SONT P. 248-249.

Voiture électrique :
- 495,140 km/h
- *Buckeye Bullet 2*
- Roger Schroer (USA)
- 24 août 2010

Voiture diesel :
- 563,418 km/h
- *JCB DIESELMAX*
- Andy Green (RU)
- 23 août 2006

Moto :
- 605,697 km/h
- streamliner *Top Oil-Ack Attack*
- Rocky Robinson (USA)
- 25 septembre 2010

Véhicule à roues motrices : (la puissance du moteur est transmise aux roues) :
- 737,794 km/h
- *Vesco Turbinator*
- Don Vesco (USA)
- 18 octobre 2001

Voiture :
- 1 227,985 km/h
- *Thrust SSC*
- Andy Green (RU)
- 15 octobre 1997

SUR L'EAU

Le 1er tour de l'Amérique en solo sans escale

Entre le 13 juin 2011 et le 18 avril 2012, Matt Rutherford (USA) a parcouru 43 576 km à bord du *St Brendan*. Parti de la baie de Chesapeake (Maryland, USA), il a fait le tour de l'Amérique du Nord et de l'Amérique du Sud. Le 19 septembre 2011, le *St Brendan* de 8,2 m est aussi devenu le **plus petit bateau à avoir franchi le passage du Nord-Ouest** menant à l'océan Arctique.

TOUR DU MONDE

Le premier

On croit souvent que Ferdinand Magellan (Portugal) a effectué le 1er tour du monde. Or, il est mort avant de terminer son voyage. Le 20 septembre 1519, il quittait l'Espagne à la tête d'une flotte de 5 vaisseaux, mais seul le *Vittoria*, commandé par le navigateur Juan Sebastián Elcano est rentré le 8 septembre 1522 avec à son bord 17 membres de l'équipage d'origine. Magellan fut tué le 27 avril 1521 au cours d'un combat avec des aborigènes à Mactan (Philippines).

Le 1er tour du monde sans escale

Homme : Robin Knox-Johnston (RU) est parti de Falmouth (Cornouailles, RU), le 14 juin 1968, dans le cadre du Golden Globe du *Sunday Times*, et est revenu le 22 avril 1969. Il était le seul resté en lice.

Femme : Kay Cottee (Australie) a quitté Sydney (Australie), le 29 novembre 1987, à bord du *First Lady* de 11 m. Elle est rentrée 189 jours plus tard, le 5 juin 1988.

Le tour du monde à la voile en solo le plus rapide à bord d'un monocoque

François Gabart a remporté le Vendée Globe 2012-2013 en 78 jours, 2 h et 16 min à bord du *MACIF*. Son périple a débuté et s'est achevé aux Sables-d'Olonne, du 10 novembre 2012 au 27 janvier 2013. À 29 ans, Gabart (né le 23 mars 1983) est le **plus jeune vainqueur du Vendée Globe**.

Le 1er tour du monde en solo sans escale par l'ouest

Homme : Le 6 août 1971, Chay Blyth (RU) a terminé son tour du monde d'est en ouest après 292 jours à bord du *British Steel*. Dans ce sens, il faut affronter les vents et courants dominants, c'est pourquoi l'itinéraire ouest-est est plus populaire.

Femme : Dee Caffari (RU) a mis 178 jours, 3 h, 5 min et 34 s pour revenir à Portsmouth (RU). Elle a accompli son exploit à bord de l'*Aviva*, un monocoque de 22 m, du 20 novembre 2005 au 18 mai 2006.

Elle a aussi pris part au Vendée Globe – le tour du monde par l'est – qu'elle a terminé le 16 février 2009, devenant la **1re femme à avoir fait le tour du monde à la voile sans escale dans les deux sens**.

Le 1er tour du monde solo sans engins motorisés

Pour réaliser son tour du monde qui a débuté et s'est achevé dans la baie de Bodega (Californie, USA), Erden Eruç (Turquie) a ramé, fait du kayak, de la marche et du vélo. Son périple s'est déroulé du 10 juillet 2007 au 21 juillet 2012, soit 5 ans, 11 jours, 12 h et 22 min.

Matériel nautique (ancre parachute, ancre arrière, lignes de mouillage, pare-battages et pièces) à l'avant de la cabine

Panneaux solaires alimentant les batteries des systèmes électroniques

Cabine principale

Around-n-over en contreplaqué marin

Compartiment lesté à l'eau de mer pour que le bateau soit droit

Forme pour améliorer la stabilité

Sacoches latérales pour répartir le matériel dans des compartiments accessibles

Remorque pour le matériel lors des étapes sur terre

CITATION

« Il fallait rester concentré malgré les désagréments. Je ne tente pas de dompter la nature, mais de vivre en harmonie avec elle. J'essaie de ne plus faire qu'un avec la mer. »

INFO

Individuel : Jason Lewis (*page ci-contre*) a réussi son tour du monde à la seule force de ses muscles 5 ans avant Erden, mais il a bénéficié de la compagnie et de l'aide d'amis au cours de plusieurs étapes de son parcours de 74 842 km.

Seul : Erden (*à gauche*) a réalisé son tour du monde seul. Il est le premier à avoir accompli cet exploit sans assistance.

LES PLUS RAPIDES SUR ET SOUS L'EAU

Sous-marin à propulsion humaine :
- 8,035 nœuds (14,9 km/h)
- *OMER 5*
- École de Technologie Supérieure, université de Québec (Canada)
- Juin 2007

Embarcation à propulsion humaine
- 18,5 nœuds (34,26 km/h) sur plus de 100 m
- Hydrofoil *Decavitator*
- Mark Drela (USA)
- 27 octobre 1991

Sous-marin le plus rapide :
- 40 nœuds (74 km/h)
- Alfa class (Russie)
- Commandé en 1971

Voile (femme) :
- 45,83 nœuds (84,88 km/h)
- *Mistral 41* et *Simmer Sail 5.5 SCR*
- Zara Davis (RU)
- 17 novembre 2012

Voile (homme) :
- 65,45 nœuds (121,21 km/h) sur plus de 500 m
- *Vestas Sailrocket 2*
- Paul Larsen (Australie)
- 24 novembre 2012

74 842 Ce sont les kilomètres parcourus par Jason Lewis lors de son exploit.

Le 1er tour du monde sans engin motorisé

Le 12 juillet 1994, Jason Lewis (RU) a commencé son voyage, qui a duré 13 ans, en partant de Greenwich à Londres (RU). Il a marché, fait du vélo et du patin pour traverser les cinq continents, mais aussi du kayak, nagé, ramé et pédalé pour franchir les océans. Il a parcouru une distance supérieure à la circonférence de la Terre, soit 40 075 km avant d'arriver à bon port le 6 octobre 2007. Il était accompagné lors de certaines étapes par des amis et supporters.

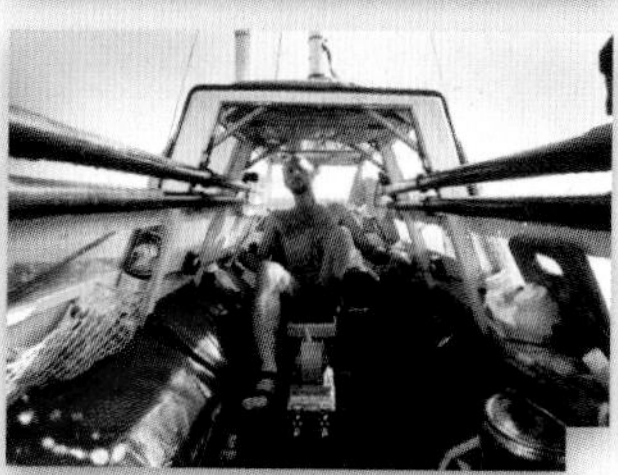

Les hommes, dont le record est resté inégalé plus de 100 ans, espéraient un prix de 10 000 $ (250 000 $ actuels), mais ne l'ont jamais reçu.

Le plus de traversées à la rame
Simon Chalk (RU) en a réussi 7. Il a traversé l'Atlantique d'est en ouest avec un coéquipier (1997), au sein d'un équipage de 5 personnes (2007-2008), 6 personnes (2013), 8 personnes (2012) et 14 personnes (2011), ainsi que l'océan Indien d'est en ouest en solo (2003) et avec 7 coéquipiers (2009).

Le plus vieux rameur à avoir traversé l'Atlantique en solo
Pavel Rezvoy (Ukraine, né le 28 novembre 1938) a réussi la traversée à la rame de l'Atlantique d'est en ouest à bord du *Marion-Lviv*, le 20 janvier 2004, à 65 ans et 53 jours.

Le plus jeune tandem de rameurs ayant traversé l'océan Indien
James Thysse (RU, né le 8 décembre 1986) et Jamie Facer-Childs (RU, né le 11 juillet 1987) ont entamé leur traversée de l'océan Indien le 19 avril 2009 à bord du *Southern Cross*. James avait 22 ans et 132 jours, et Jamie 21 ans et 282 jours. Ils ont touché terre le 31 juillet 2009.

La traversée à la voile du Pacifique la plus rapide
Olivier de Kersauson (France) a parcouru 2 925 milles nautiques (5 417 km) à bord de son trimaran *Geronimo* à la vitesse moyenne de 35,5 km/h. Il a mis 4 jours, 19 h, 31 min et 37 s en novembre 2005 pour relier Los Angeles (Californie) à Honolulu (Hawaii, USA).

27,75 C'est la vitesse moyenne en nœuds de Francis Joyon.

La plus longue distance à la voile en solo en 24 h

Francis Joyon (France) a parcouru 666,2 milles nautiques (1 233,8 km) seul à bord de son trimaran *IDEC* de 29 m, les 30 et 31 juillet 2012. Il avait auparavant effectué le **tour du monde à la voile le plus rapide en solo** en 57 jours, 13 h, 34 min et 6 s du 23 novembre 2007 au 20 janvier 2008.

OCÉANS

La 1re transatlantique à la rame
George Harbo et Frank Samuelsen (tous deux Norway, USA) ont traversé l'Atlantique d'ouest en est. Partis de New York (USA) le 6 juin 1896 à bord d'un skiff de 5,48 m, ils ont débarqué axu îles Sorlingues (RU) le 1er août, après avoir parcouru en ramant 5 262 km en 55 jours.

La 1re traversée de l'Atlantique à la rame dans les deux sens

Charles Hedrich (France) est parti à la rame de Saint-Pierre-et-Miquelon dans le nord-ouest de l'Atlantique, près du Canada. Il est passé près des îles Canaries au large de l'Afrique pour atteindre la Petite Anse d'Arlet à la Martinique au terme d'un périple sans escale de 145 jours, 10 h et 57 min. Le 9 juillet 2012, il avait pris place dans son bateau *Respectons la Terre* pour effectuer seul son exploit sans assistance. Il est arrivé le 2 décembre, après avoir parcouru 11 000 km à la rame.

Au plus loin à la rame dans l'Arctique

Paul Ridley, Collin West, Neal Mueller et Scott Mortensen (tous USA) ont parcouru en ramant 1 600 km d'Inuvik (Canada) à Point Hope (Alaska), en 40 jours, 3 h et 7 min, du 17 juillet au 26 août 2012, à bord d'un bateau de 8,8 m.

Ski nautique (femme) :
- 96,54 nœuds (178,8 km/h)
- Dawna Patterson Brice (USA)
- 21 août 1977

Barefoot :
- 117,95 nœuds (218,44 km/h)
- Scott Pellaton (USA, *dans l'image au cours d'un entraînement*)
- 1er novembre 1989

Bateau à moteur de Formule 1 :
- 138,36 nœuds (256,25 km/h)
- Bateau léger en fibre de carbone avec un moteur Mercury de 2,5 l
- Guido Cappellini (Italie)
- 29 avril 2005

Bateau à hélice :
- 229,92 nœuds (425,81 km/h)
- *Problem Child*
- Dale Ishimaru (USA)
- 21 avril 2006

Le bateau le plus rapide :
- 275,97 nœuds (511,11 km/h)
- Hydroglisseur *Spirit of Australia*
- Ken Warby (Australie)
- 8 octobre 1978

AU SOMMET

La personne la plus âgée à gravir les sept sommets

Le 18 février 2010, Takao Arayama (Japon) a gravi à l'âge de 74 ans et 138 jours le dernier des Sept Sommets (les plus hauts pics des sept continents), en réussissant l'ascension du Kilimandjaro (Tanzanie).

Le plus de personnes sur l'Everest le même jour
Le 19 mai 2012, 234 alpinistes ont gravi l'Everest, battant le précédent record de 170 personnes qui avait été établi en 2010. L'affluence est un problème sérieux sur le **plus haut sommet du monde**. 3 721 personnes l'ont escaladé depuis sa conquête en 1953 *(voir à droite)*. Le 10 mai 1996 a été la **journée la plus meurtrière sur l'Everest** : huit alpinistes ont péri lors d'une tempête.

LA PLUS RAPIDE...

Ascension de l'Everest
Pemba Dorje Sherpa (Népal) a gravi le versant sud de l'Everest en 8 h et 10 min le 21 mai 2004. Ce record, contesté par un sherpa rival, a été homologué par le gouvernement et le ministère népalais du Tourisme.

Ascension des sommets de plus de 8 000 m
Jerzy "Jurek" Kukuczka (Pologne) a gravi les 14 sommets de plus de 8 000 m en 7 ans, 11 mois et 14 jours, entre le 4 octobre 1979, date de son arrivée au sommet du Lhotse (8 516 m) à la frontière entre le Népal et le Tibet, et le 18 septembre 1987, date à laquelle il est parvenu au sommet du Shisha Pangma (8 027 m) au Tibet.

Ascension de trois sommets de plus de 8 000 m
En juin 1983, Erhard Loretan et Marcel Rüedi (tous deux Suisse) ont effectué l'ascension de trois des quatorze sommets de plus de 8 000 m, à savoir le Gasherbrum II, le Gasherbrum I et le Broad Peak, en 15 jours. Ces trois montagnes se trouvent à la frontière entre le Pakistan et la Chine.

Ascension des sept sommets
Vernon Tejas (USA) a escaladé le plus haut sommet de chaque continent en seulement 134 jours, entre le 18 janvier et le 31 mai 2010.

LA PREMIÈRE...

Ascension de l'Everest
Le 29 mai 1953, à 11 h 30, Edmund Percival Hillary (Nouvelle-Zélande) et Tenzing Norgay (Inde/Tibet) ont atteint le sommet de l'Everest. Henry Cecil John Hunt était à la tête de l'expédition.

Personne à avoir gravi deux sommets de 8 000 m en une journée
Le 15 mai 2012, Michael Horst (USA) a gravi l'Everest, via le col sud, puis a atteint le sommet du Lhotse, le quatrième pic le plus

L'ascension de l'Everest et du K2 la plus rapide

Karl Unterkircher (Italie, 1970–2008) a escaladé les deux plus hauts sommets du monde avec un intervalle de 63 jours. Il a gravi l'Everest (8 848 m) le 24 mai 2004 et le K2 (8 611 m) le 26 juillet 2004, effectuant les deux ascensions sans oxygène.

La première femme à gravir deux fois l'Everest (en une saison)

Chhurim Dolma Sherpa (Népal) a atteint deux fois le sommet de l'Everest en une seule saison, le 12 mai 2012, puis le 19 mai, devenant la première femme à accomplir cette prouesse.

L'ascension la plus rapide du plus haut pic de chaque pays africain

Il a fallu cinq ans à Eamon "Ginge" Fullen (RU) pour gravir le plus haut pic de chaque pays du continent africain. Il y est parvenu le 25 décembre 2005 en atteignant le sommet du Bikku Bitti (3 376 m) en Libye.

LES ALPINISTES
Ginge et ses guides tchadiens ont été les premiers à gravir ce sommet éloigné et inaccessible en Libye.

LES 10 PLUS HAUTS SOMMETS ET CEUX QUI LES ONT GRAVIS

1. Mont Everest (8 848 m) Edmund Hillary (Nouvelle-Zélande) et Tenzing Norgay (Inde/Tibet) le 29 mai 1953.

2. K2 (8 611 m) Lino Lacedelli et Achille Compagnoni (tous deux Italie) le 31 juillet 1954.

3. Kangchenjunga (8 586 m) Joe Brown et George Band (tous deux RU) le 25 mai 1955.

4. Lhotse (8 516 m) Ernst Reiss et Fritz Luchsinger (tous deux Suisse) le 18 mai 1956.

5. Makalu (8 485 m) Jean Couzy et Lionel Terray (tous deux France) le 15 mai 1955.

À VOIR EN 3D AVEC L'APPLI GRATUITE

haut. Il a, ce faisant, établi le record de l'ascension la plus rapide de deux sommets de plus de 8 000 m, en un peu plus de 20 heures.

L'ascension du K2 par une femme

Wanda Rutkiewicz (Pologne) fut la première femme à gravir le sommet du K2, le 23 juin 1986.

Le 17 mai 2010, Edurne Pasaban Lizarribar (Espagne) est devenue la **première femme à avoir gravi les 14 sommets de plus de 8 000 m** (record non contesté). Un mois plus tôt, Oh Eun-Sun (Corée du Sud) avait revendiqué ce titre, mais son ascension du Kangchenjunga en 2009 est contestée.

La **première femme à avoir gravi tous les sommets de plus de 8 000 m sans oxygène** est Gerlinde Kaltenbrunner (Autriche). Elle a escaladé le dernier (K2) le 23 août 2011.

La première ascension de l'Everest par une femme

Junko Tabei (Japon) a atteint le sommet de l'Everest le 16 mai 1975. Le 28 juin 1992, après l'ascension du Puncak Jaya, elle est devenue **la première femme à avoir gravi les Sept Sommets** (le plus haut pic de chaque continent).

LES PLUS ÂGÉS POUR GRAVIR…

L'Everest

L'alpiniste japonais Yuichiro Miura (né le 12 octobre 1932) a atteint le sommet de l'Everest le 23 mai 2013 à 80 ans et 223 jours.

Le Kilimandjaro

Le 1er octobre 2012, Martin Kafer (Suisse, né le 10 mai 1927) a gravi le Kilimandjaro (Tanzanie), à l'âge de 85 ans et 144 jours.

Il a effectué l'ascension avec sa femme, Esther Kafer (Suisse, née le 23 avril 1928), qui est donc devenue **la femme la plus âgée à avoir escaladé le Kilimandjaro**, puisqu'elle avait 84 ans et 161 jours.

Un sommet de 8 000 m sans oxygène

Carlos Soria Fontán (Espagne, né le 5 février 1939), détenteur de ce record, a atteint le sommet du Gasherbrum I sans oxygène, le 3 août 2009, à l'âge de 70 ans et 179 jours.

Les Sept Sommets (femme)

Carolyn "Kay" LeClaire (USA, née le 8 mars 1949) a gravi le dernier des sept sommets, l'Everest, le 23 mai 2009 à l'âge de 60 ans et 76 jours.

LE NEZ

Le « Nez » est une saillie rocheuse entre les deux faces d'El Capitán. C'est l'itinéraire le plus connu des grimpeurs.

24

C'est le nombre d'alpinistes morts sur El Capitán depuis 1905. Parmi eux, 13 ont péri sur le « Nez ».

L'ascension d'El Capitán la plus rapide

Le 17 juin, 2012, Hans Florine et Alex Honnold (tous deux USA) ont gravi le « Nez » d'El Capitán (2 308 m) en Californie (USA) en 2 h, 23 min et 51 s, battant de 13 min le précédent record. D'ordinaire, les alpinistes mettent jusqu'à trois jours pour escalader la paroi presque verticale à cet endroit.

Florine a aussi réalisé **l'ascension en solo d'El Capitán la plus rapide** en 11 h et 41 min, le 30 juillet 2005.

Le plus grand alpiniste de tous les temps ?

Rares sont les grimpeurs capables de rivaliser avec Reinhold Messner (Italie), comme le montre le tableau ci-dessous. Certains ont effectué plus d'ascensions, mais Messner est celui qui a gravi les pics les plus élevés et les plus dangereux. Il a commencé l'escalade très jeune : sa première ascension fut celle d'un pic de 900 m, à 5 ans. Sur la photo en bas à droite, on voit Messner en 1980 avec une photo de l'Everest qu'il vient de gravir seul et sans oxygène, avec un petit sac à dos pour tout équipement.

RECORD	DÉTAILS	DATE
Première ascension de l'Everest sans oxygène	Réalisée par Peter Habeler (Autriche)	8 mai 1978
Première ascension en solo de l'Everest	Il a fallu trois jours à Messner pour réussir l'ascension depuis le camp de base situé à 6 500 m	20 août 1980
Ascension de trois sommets de plus de 8 000 m	Kangchenjunga le 6 mai 1982 ; Gasherbrum II le 24 juillet 1982 ; Broad Peak le 2 août 1982	2 août 1982
Le premier à gravir tous les sommets de plus de 8 000 m	Son exploit a débuté en 1970 et s'est terminé par l'ascension du Lhotse à la frontière entre le Népal et le Tibet	16 octobre 1986
Le premier à gravir tous les pics de plus de 8 000 m sans oxygène	Messner a non seulement été le premier à gravir tous les pics de plus de 8 000 m, mais aussi le premier à le faire sans oxygène	16 octobre 1986

CITATION

« Nous tirons plus de leçons de nos échecs que de ce que nous croyons être des victoires. »

ATTENTION, RÉALITÉ AUGMENTÉE ! PAGE EN 3D

6. Cho Oyu (8 188 m) Josef Jöchler, Herbert Tichy (tous deux Autriche) et Pasang Dawa Lama (Népal/Sherpa), le 19 mai 1954.

7. Dhaulagiri I (8 167 m) Kurt Diemberger (Autriche), Peter Diener (Allemagne), Ernst Forrer, Albin Schelbert (tous deux Suisse), Nawang Dorje et Nima Dorje (tous deux Népal/Sherpa) le 13 mai 1960.

8. Manaslu (8 163 m) équipe japonaise conduite par Yuko Maki le 9 mai 1956.

9. Nanga Parbat (8 125 m) Hermann Buhl (Autriche) le 3 juillet 1953.

10. Annapurna I (8 091 m) Maurice Herzog et Louis Lachenal (tous deux France) le 3 juin 1950.

SUR LA GLACE

La plus longue expédition en snowkite en Antarctique

Le 3 février 2012, Dixie Dansercoer et Sam Deltour (tous deux Belgique) ont accompli l'Antarctic ICE Expedition en traversant l'est de l'Antarctique. Ils ont parcouru 5 013 km sans assistance et sans utiliser de véhicules motorisés.

PÔLE NORD

Le 1er à atteindre le pôle Nord

Le titre de « 1re personne à avoir atteint le pôle Nord » est sujet à controverse. Robert Peary affirme y être parvenu en compagnie de Matt Henson (tous deux USA), le 6 avril 1909. Frederick Cook (USA) prétend avoir réalisé cet exploit 1 an plus tôt, le 21 avril 1908. Aucune de ces affirmations n'a pu être prouvée.

Le **1er voyage terrestre au pôle Nord non contesté** date du 19 avril 1968, quand Ralph Plaisted (USA) accompagné par Walter Pederson, Gerald Pitzl et Jean-Luc Bombardier a atteint le pôle après avoir traversé la mer de glace en 42 jours avec une motoneige.

La 1re expédition en solitaire

Naomi Uemura (Japon, 1941-1984) a été le premier à rallier le pôle Nord au terme d'un trek en solitaire sur la mer de glace arctique le 1er mai 1978. Parti le 7 mars du cap Columbia sur l'île d'Ellesmere (Canada), il a parcouru 770 km.

Børge Ousland (Norvège) a mis 52 jours à skis pour aller du cap Arkticheskiy, sur l'archipel russe de Severnaya Zemlya, jusqu'au pôle Nord sans assistance du 2 mars au 23 avril 1994, accomplissant le **trek en solitaire le plus rapide jusqu'au pôle Nord**. Il n'a utilisé aucun transport motorisé ou parafoil.

Le trek le plus rapide avec assistance (femme)

Catherine Hartley et Fiona Thornewill (toutes deux RU) ont mis 55 jours, du 11 mars au 5 mai 2001, pour atteindre le pôle Nord. Elles ont été réapprovisionnées en cours de route. Elles sont parties de l'île de Ward Hunt (Territoires du Nord-Ouest, Canada).

Le trek en solo au pôle Sud (femme) sans aide et sans assistance le plus rapide

Hannah McKeand (RU) a mis 39 jours, 9 h et 33 min, du 19 novembre au 28 décembre 2006 pour aller à skis de l'anse d'Hercule dans l'Antarctique jusqu'au pôle Sud.

L'expédition la plus rapide au pôle Nord

Tom Avery (RU), Matty McNair (Canada), Andrew Gerber (Afrique du Sud), George Wells (RU) et Hugh Dale-Harris (Canada) ont mis 36 jours, 22 h et 11 min, entre le 21 mars et le 26 avril 2005, pour atteindre le pôle Nord. Ils ont bénéficié d'aide et d'assistance. Ils cherchaient à reproduire le périple controversé entrepris en 1909 par Robert Peary (*à gauche*). Comme celui-ci, ils ont été réapprovisionnés 4 fois. *(Voir à droite pour le trek le plus rapide.)*

La 1re nage de longue distance au pôle Nord

Le 15 juillet 2007, Lewis Gordon Pugh (RU) a parcouru à la nage 1 km au pôle Nord. Son immersion dans une eau dont la température est comprise entre – 1,7 et 0 °C sans combinaison a duré 18 min et 50 s.

La plus longue expédition en snowkite en ligne droite et sans assistance sur l'Arctique

Adrian Hayes (RU), Devon McDiarmid et Derek Crowe (tous deux Canada) ont parcouru 3 120 km en faisant du snowkite en ligne droite et traversant verticalement la calotte glaciaire du Groenland.

INFO

Une fois au pôle, l'équipe (*à droite*) a posé comme sur la photographie de l'équipe de Peary (*à gauche*) prise en avril 1909. Peary avait utilisé ce cliché pour prouver qu'il était parvenu au pôle.

LES PIONNIERS

14 décembre 1911 – Le 1er à atteindre le pôle Sud : Roald Amundsen (Norvège) à la tête d'une équipe de 5 hommes.

2 mars 1958 – La 1re traversée de l'Antarctique : Sir Vivian Ernest Fuchs (RU), à la tête d'une équipe de 12 personnes, met 99 jours pour aller de la base de Shackleton à celle de Scott via le pôle.

19 avril 1968 – Le 1er au pôle Nord (record vérifié) : à la tête d'une expédition, Ralph Plaisted (USA) y parvient en 42 jours avec une motoneige.

29 mai 1969 – La 1re traversée de l'Arctique : elle a été accomplie par l'expédition britannique « Trans-Arctic » menée par Wally Herbert (RU).

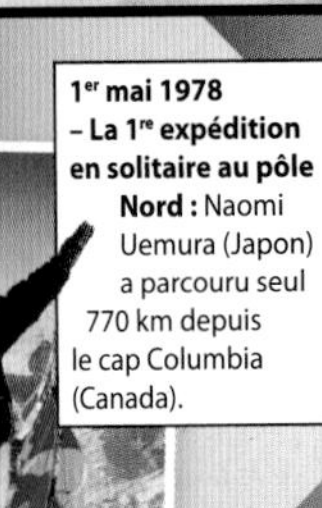

1er mai 1978 – La 1re expédition en solitaire au pôle Nord : Naomi Uemura (Japon) a parcouru seul 770 km depuis le cap Columbia (Canada).

Le 1er navire de surface au pôle Nord

Le brise-glace nucléaire soviétique (maintenant russe) *Arktika* mesurait 150 m de long, 30 m de large et avait un déplacement maximum de 23 460 t. Il a été mis en service le 3 novembre 1974 et a fonctionné jusqu'en 2008. Il était capable de briser des blocs de glace de 5 m d'épaisseur. Le 17 août 1977, il est devenu le premier bateau de l'histoire à atteindre le pôle Nord.

Leur expédition a duré 67 jours, du 20 mai au 25 juillet 2009. Adrian est aussi devenu le **plus rapide à atteindre les trois pôles**, en gravissant l'Everest et en gagnant les pôles Nord et Sud en 1 an et 217 jours. Il est parvenu au sommet de l'Everest le 25 mai 2006, au pôle Nord le 25 avril 2007 (au départ de l'île de Ward Hunt au Canada) et au pôle Sud le 28 décembre 2007 (au départ de l'anse d'Hercule).

Le trek le plus rapide au pôle Nord avec assistance

David J P Pierce Jones (RU), Richard et Tessum Weber (tous deux Canada), et Howard Fairbanks (Afrique du Sud) ont mis 41 jours, 18 h et 52 min pour atteindre le pôle Nord. Ils sont partis le 3 mars 2010 à 82° 58'02" de latitude Nord et à 77° 23'3" de longitude Ouest. On est venu les chercher le 14 avril 2010 à leur arrivée au pôle Nord (90° de latitude Nord).

INFO

Marche : à pied, sans skis.
Trek : à pied, avec des skis.
Solo : voyage accompli par une seule personne sans la compagnie d'autres aventuriers.
Individuel : voyage accompli par une personne en compagnie d'autres personnes à certains moments.
Assistance : il s'agit de ravitaillement et d'aide médicale.
Aide : il s'agit de l'aide du vent (cerf-volant), des chiens et de véhicules motorisés qui permettent de progresser.
Terrestre : un voyage sur terre avec n'importe quel moyen (y compris un transport motorisé).

PÔLE SUD

Le 1er à atteindre le pole Sud

Le pôle Sud a été atteint le 14 décembre 1911, à 11 h, par le capitaine Roald Amundsen (1872-1928), alors à la tête d'une équipe norvégienne de 5 hommes, au terme d'un voyage de 53 jours en traîneau à chiens depuis la baie des Baleines.

Le voyage terrestre vers le pôle Sud le plus rapide

Une équipe britannique composée de Jason De Carteret et Kieron Bradley a effectué ce voyage à bord du *véhicule polaire Thomson Reuters*, une Toyota Tacoma modifiée. Les deux hommes sont partis de Patriot Hills (Antarctique) le 18 décembre 2011 et sont arrivés au pôle Sud 1 jour, 15 h et 54 min plus tard.

Le trek le plus rapide à pied au pôle Sud, sans aide et sans assistance

Ray Zahab, Kevin Vallely et Richard Weber (tous Canada) ont atteint le pôle Sud le 7 janvier 2009. Partis de l'anse d'Hercule, ils ont parcouru 1 100 km en 33 jours, 23 h et 30 min, en montant à l'altitude de 3 050 m.

Le trek le plus rapide en solo au pôle Sud, sans aide et sans assistance

Le 13 janvier 2011, à 35 ans, Christian Eide (Norvège) a effectué un trek en solitaire sans assistance au pôle Sud en 24 jours, 1 h et 13 min. Il a entrepris ce périple de 1 150 km, le 20 décembre 2010 en partant de l'anse d'Hercule (Antarctique) et a parcouru en moyenne 47 km par jour, bien que le dernier jour il ait réussi à en faire 90.

1 665
C'est le nombre de kilomètres parcourus par Teodor et ses compagnons en Antarctique.

L'expédition aux trois pôles la plus rapide (femme)

Cecilie Skog (Norvège) a atteint les trois points les plus extrêmes de la Terre, à savoir les trois pôles, en 1 an et 336 jours. Elle a gravi l'Everest le 23 mai 2004, est parvenue au pôle Sud le 27 décembre 2005 et a finalement rallié le pôle Nord le 24 avril 2006.

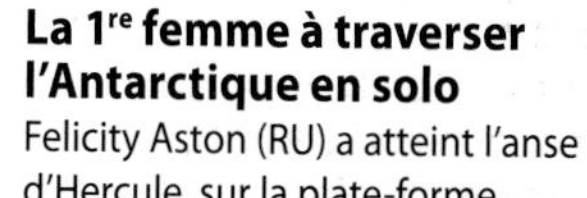

La plus jeune personne à avoir traversé l'Antarctique

À 20 ans et 120 jours, Teodor Johansen (Norvège, né le 14 août 1991) était le plus jeune au sein de l'équipe de 6 personnes qui a traversé l'Antarctique en 2011. Il est parti du glacier Axel Heiberg le 26 novembre, a atteint le pôle le 18 décembre et a terminé son trek avec aide et assistance dans l'anse d'Hercule le 12 janvier 2012.

La 1re femme à traverser l'Antarctique en solo

Felicity Aston (RU) a atteint l'anse d'Hercule, sur la plate-forme de Ronne, le 23 janvier 2012, après avoir parcouru 1 744 km en 59 jours. Elle est partie de la plate-forme de Ross, en tirant deux traîneaux et sans l'aide d'un cerf-volant ou de tout autre moyen de propulsion. Elle a été ravitaillée en chemin.

CONDITIONS MÉTÉOROLOGIQUES EXTRÊMES, VOIR P. 22

11 mai 1986 – Le 1er à avoir atteint le pôle Nord en solitaire : Jean-Louis Étienne (France) y est parvenu, mais a été ravitaillé plusieurs fois en cours de route.

14 mai 1989 – Le 1er à marcher jusqu'aux deux pôles : Robert Swan (RU) a atteint le pôle Sud à pied le 11 janvier 1986 et le pôle Nord le 14 mai 1989.

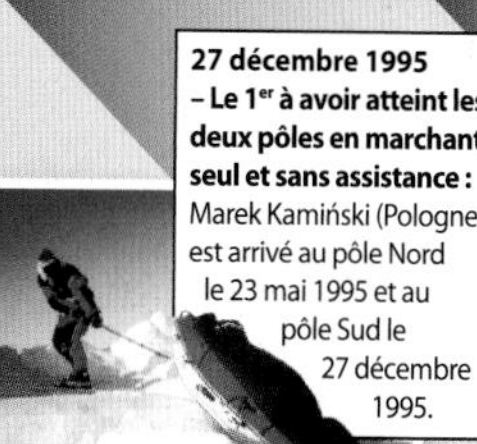

27 décembre 1995 – Le 1er à avoir atteint les deux pôles en marchant seul et sans assistance : Marek Kamiński (Pologne) est arrivé au pôle Nord le 23 mai 1995 et au pôle Sud le 27 décembre 1995.

27 mai 1997 – La 1re expédition polaire entièrement féminine : 20 Britanniques, soit 5 équipes de 4 femmes, se sont relayées pour atteindre le pôle Nord depuis l'île de Ward Hunt (Canada), en parcourant 768 km.

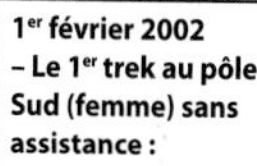

1er février 2002 – Le 1er trek au pôle Sud (femme) sans assistance : Tina Sjögren (Suède) a effectué ce trek avec son mari Thomas en 63 jours.

DANS LES AIRS

La plus jeune personne à avoir fait le tour du monde en avion

À 20 ans et 269 jours, Walter Toledo (Brésil, né le 4 décembre 1991) a fait le tour du globe à bord d'un Piper Malibu Matrix PA-46, du 8 juillet au 29 août 2012. Il est parti de Goiânia (Brésil).

AVION

Le 1er vol transatlantique

Albert Cushing Read (USA) et son équipage ont relié en avion le port de Trepassey (Terre-Neuve, Canada) à Lisbonne (Portugal), en passant par les Açores, du 16 au 27 mai 1919.

Le commandant James V. Sullivan et le commandant Major Noel F. Widdifield (tous deux USA) ont survolé l'Atlantique à bord d'un Lockheed SR-71A Blackbird en 1 h, 54 min et 56,4 s, le 1er septembre 1974, réalisant le **vol transatlantique le plus rapide**. Pour parcourir les 5 570,80 km séparant New York de Londres, ils ont voyagé à la vitesse moyenne de 2 908,02 km/h.

Le 1er survol de l'Everest

Le 3 avril 1933, deux biplans ont survolé l'Everest qui, avec ses 8 848 m, est la **montagne la plus haute**. L'un deux était piloté par le commandant Lord Clydesdale accompagné du colonel L V S Blacker, et l'autre par le capitaine D F MacIntyre, accompagné de S R Bonnett, un cinéaste.

Le 1er avion à énergie solaire

L'AstroFlight *Sunrise* était un avion électrique expérimental conçu par Roland Boucher (USA) pour voler grâce à l'énergie solaire. Son baptême de l'air a eu lieu le 4 novembre 1974 quand il a décollé de Bicycle Lake sur le terrain militaire de Fort Irwin (Californie, USA). Il a effectué 28 vols avant de se casser en raison de turbulences près d'un cumulus.

Le tour du monde le plus rapide par les pôles

Walter H. Mullikin (USA) a effectué le tour du monde le plus rapide à bord d'un Boeing 747 SP en passant par les pôles en 54 h, 7 min et 12 s, du 28 au 31 octobre 1977. Son voyage a débuté et s'est achevé à San Francisco (USA).

Le vol le plus long d'un aéronef à propulsion humaine

Colin Gore (USA), étudiant de troisième cycle à l'université du Maryland (USA), a fait voler *Gamera II*, un aéronef à rotor, pendant 1 min et 5,1 s, au Prince George's Sports & Learning Complex de Landover (Maryland), le 28 août 2012. Un aéronef à voilure tournante s'élève grâce à ses ailes ou pales qui tournoient autour d'un axe vertical.

HÉLICOPTÈRE

Le tour du monde le plus rapide

Edward Kasprowicz et son équipier Stephen Sheik (tous deux USA) ont effectué un tour du monde à bord d'un hélicoptère AgustaWestland Grand en 11 jours, 7 h et 5 min, voyageant à une vitesse moyenne de 136,7 km/h. Partis de New York (USA), ils y sont revenus le 18 août 2008.

Le pilote d'hélicoptères le plus âgé

Le 28 juin 2012, Donald Hinkel (USA) a effectué un vol seul

Le vol en wingsuit le plus long

Jhonathan Florez (Colombie) est resté dans les airs en wingsuit durant 9 min et 6 s au-dessus de La Guajira (Colombie), le 20 avril 2012.

Le lendemain, toujours au-dessus de La Guajira, il a réalisé le **saut en wingsuit le plus vertigineux**, en se jetant dans le vide à l'altitude de 11 358 m. On le voit (*à droite*) avec sa femme Kaci, et quelques-uns de ses certificats GWR.

LES PIONNIERS DE L'AVIATION

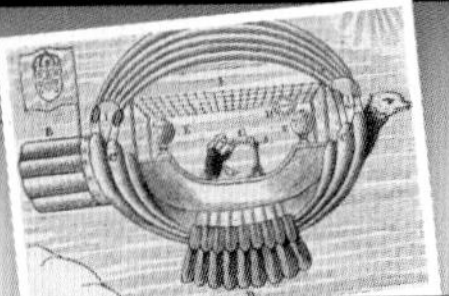

Le 1er vol en ballon : le père Bartolomeu de Gusmão (Portugal) a inventé un prototype de ballon et a volé à bord de celui-ci à la Casa da Índia, à Terreiro do Paço (Portugal), le 8 août 1709.

Le 1er vol habité : le 15 octobre 1783, Jean-François Pilâtre de Rozier s'est élevé à 26 m du sol dans un ballon arrimé au sol, construit par Joseph-Michel et Jacques-Étienne Montgolfier (tous France).

Le 1er vol motorisé : le 17 décembre 1903, Orville Wright (USA) a piloté sur 36,5 m le *Flyer I*, avion équipé d'un système de transmission par chaîne, à l'altitude de 2,5-3,5 m à Kitty Hawk, près du mont Kill Devil (Caroline du Nord, USA).

Le 1er vol en hélicoptère : le 13 novembre 1907, Paul Cornu (France) a piloté un hélicoptère expérimental non entravé en France.

Le 1er vol transatlantique en solo : à 00 h 52 GMT, le 20 mai 1927, Charles Lindbergh (USA) a décollé de Long Island (New York, USA) à bord de son monoplan *Spirit of St Louis*. Il a atterri à 22 h 21 GMT, le 21 mai 1927, à l'aéroport du Bourget (France), après un vol de 33 h, 30 min et 29,8 s.

Le 1er saut en chute libre sans parachute

Stuntman Gary Connery (RU) a sauté en « wingsuit » d'un hélicoptère survolant l'Oxfordshire (RU), à 732 m du sol, le 23 mai 2012. Il est devenu le 1er spécialiste de la chute libre à atterrir sans ouvrir son parachute dans une pile de boîtes de cartons (18 600 en tout). Il s'était fait connaître lors de la cérémonie d'ouverture des jeux Olympiques de 2012 en sautant d'un hélicoptère déguisé en Élisabeth II.

au-dessus de l'aéroport Oscoda County à Mio (Michigan, USA), à 86 ans et 206 jours.

Le **pilote d'hélicoptères militaires en activité le plus âgé** est le commandant Mike Crabtree (RU). Il a volé pour la Royal Air Force d'Oman à 64 ans et 305 jours, le 18 octobre 2012.

La 1re taïkonaute

Le terme « taïkonaute » désigne un astronaute chinois. Le 16 juin 2012, à 10 h 37 UTC (Temps universel coordonné), Liu Yang (Chine) a mis en orbite le vaisseau *Shenzhou-9*. Sa mission a permis à la Chine de réussir le 1er amarrage d'un vaisseau habité au laboratoire spatial *Tiangong-1*.

BALLON

La plus grande altitude dans un ballon habité

Malcolm D. Ross et Victor A. Prather (tous deux USA) se sont élevés à une altitude de 34 668 m au-dessus du golfe du Mexique (USA), le 4 mai 1961, dans leur ballon *Lee Lewis Memorial*. Ce record n'a pas été battu par Felix Baumgartner durant son saut en chute libre effectué en 2012 (*voir p. 68*) car il fallait que son ballon revienne sur Terre conformément aux règles de la FAI (Fédération aéronautique internationale).

Le 1er tour du monde en ballon

Le 20 mars 1999, Bertrand Piccard (Suisse) et Brian Jones (RU) ont fait un tour du monde sans escale à bord du ballon *Breitling Orbiter 3*. Ils sont partis de Château-d'Oex (Suisse) et ont franchi la « ligne d'arrivée » à 9,27 ° de latitude ouest au-dessus de la Mauritanie (Afrique du Nord).

Du 19 juin au 2 juillet 2002, Steve Fossett (USA) a fait le tour du monde à bord du *Bud Light Spirit of Freedom*, en parcourant 33 195 km. Il s'agissait du **1er tour du monde en solitaire en ballon.** Le 1er juillet 2002, il a atteint 322,25 km/h, la **vitesse maximale dans un ballon.**

Le 1er vol en ballon au-dessus du pôle Nord

Ivan André Trifonov (Autriche) a survolé le pôle Nord, à une altitude de 1 km, à bord d'un ballon Thunder and Colt Cloudhopper conçu pour une personne, à 18 h 30 GMT, le 20 avril 1996.

Le 8 janvier 2000, Trifonov a aussi effectué le **1er survol du pôle Sud en ballon** à l'altitude de 4 571 m avec deux co-équipiers espagnols, à bord du ballon à air chaud Cameron AX 60 – EC-HDB.

La personne la plus âgée à voler dans un ballon

Emma Carroll (née Lanman, USA, 18 mai 1895-10 juillet 2007) a réalisé un vol de 1 h en ballon d'air chaud à Ottumwa (Iowa, USA), le 27 juillet 2004 à 109 ans et 70 jours.

Première marche dans l'espace lointain

Al Worden (USA) était le pilote du module de commande d'Apollo 15, qui a été lancé le 26 juillet 1971 et qui est revenu sur Terre le 7 août 1971. À environ 320 000 km de la Terre, Worden a effectué la 1re marche qui ne soit pas dans l'orbite terrestre basse. Celle-ci a duré 39 min.

INFO

Deux ans plus tard, l'astronaute James Lovell (*à gauche*) est de nouveau allé dans l'espace au cours d'Apollo 13. Un réservoir d'oxygène a explosé, entraînant un incendie. Heureusement, l'équipage a réussi à revenir sur Terre à bord du module.

Les 1ers hommes à perdre le contact avec la Terre

L'équipage de la mission Apollo 8 de la NASA – James Lovell, William Anders et Frank Borman (tous USA, *de gauche à droite*) – a quitté la Terre le 21 décembre 1968. Ces hommes ont été les premiers à aller au-delà le l'orbite de la Terre. Au bout de 68 h, 58 min et 45 s, le 24 décembre, alors qu'ils décrivaient leur première orbite autour de la face cachée de la Lune, ils n'ont plus eu de liaison radio avec le centre de contrôle de Houston pendant 34 min, comme cela était prévu. C'était la première fois que des hommes n'étaient plus en contact avec la Terre.

La 1re traversée du Pacifique en avion : l'équipage du monoplan *Southern Cross* a quitté Oakland (Californie, USA) à 8 h 54, le 31 mai 1928, et atteint Brisbane (Queensland, Australie), à 10 h 50, le 9 juin 1928.

Le 1er survol du pôle Sud : le pionnier de l'aviation Richard Byrd (USA) a survolé le pôle Sud le 29 novembre 1929. Il a mis 19 h pour effectuer un trajet circulaire depuis l'ice-shelf de Ross.

La 1re traversée de l'Atlantique en solo (femme) : du 20 au 21 mai 1932, Amelia Earhart (USA) a relié Harbour Grace (Terre-Neuve, Canada) à Londonderry (Irlande du Nord, RU), en 13 h et 30 min.

Le 1er tour du monde en avion : Wiley Post (USA) a effectué son premier tour du monde du 15 au 22 juillet 1933, en parcourant 25 089 km. Le point de départ et d'arrivée était New York (USA).

Le 1er vol supersonique : le 14 octobre 1947, le capitaine Charles "Chuck" Elwood Yeager (USA) a franchi le mur du son en atteignant 1 078 km/h au-dessus du lac Muroc (Californie, USA).

SOMMAIRE

SUR LA POINTE DES PIEDS

Chelsea se produit sous le nom de Lady Torpedo et a créé Cantina, un spectacle de cabaret-cirque dans « un monde nocturne de séduction, de sueur et de tequila ».

LA PLUS LONGUE DISTANCE SUR UNE CORDE EN TALONS HAUTS

Le 22 janvier 2013, Chelsea McGuffin (Australie) était à Sydney (Nouvelle-Galles du Sud, Australie) lorsqu'elle a parcouru 7,52 m sur une corde raide tendue, avec des chaussures à talons de 12 cm de haut. La corde se situait à 2,42 m du sol et ses talons étaient larges de 2 cm à leur extrémité.

CIRQUE TRADITIONNEL

LE 1ER CIRQUE MODERNE

Au printemps 1770, Philip Astley (RU), ancien sergent-major de la cavalerie devenu voltigeur équestre, a ajouté des acrobates, des funambules et des clowns au spectacle de son école d'équitation de Londres (RU). *Circus* signifie en latin « anneau » ou « circulaire » et, même si Astley galopait dans un cercle, le mot anglais *circus* n'a été utilisé qu'à partir du 4 novembre 1782 avec l'ouverture du Royal Circus de Charles Hughes (RU). Ce spectacle, présenté dans une arène de 19,7 m de diamètre, faisait référence à un cirque. Les représentations de cirque n'ont donc aucun rapport avec les cirques romains, beaucoup plus anciens.

1826 : la 1re représentation sous un chapiteau en toile

En octobre 1825, J. Purdy Brown et Lewis Bailey (tous deux USA), entrepreneurs de cirque, ont utilisé une tente, ou « pavillon », pour réaliser une performance. Ils ont assuré une première série de représentations d'une journée en 1826. Il existe peu de représentations des chapiteaux d'avant 1847, date à laquelle ils ont gagné en diamètre ou en longueur. Le terme « chapiteau » s'est répandu à partir de 1883, avec la promotion du « PT Barnum's Greatest Show on Earth and Great London Circus ».

1860 : le 1er cirque à trois pistes

« Lord » George Sanger (RU) a initié le système permettant au public d'assister à plusieurs représentations en même temps en 1860. Il a été repris en 1872 par William Cameron Coup pour lui et le « PT Barnum's Museum, Menagerie and Circus » de PT Barnum, puis par tous les grands cirques américains. Sanger a propagé une rumeur affirmant que la reine Victoria l'avait anobli pour l'avoir laissée mettre sa tête dans la gueule d'un de ses lions. Son titre de « lord » autoproclamé a incité les autres entrepreneurs de cirque à s'appeler « Captain », « Sir » et même « King ».

1896 : la 1re flèche humaine

Alar la flèche humaine, alias Mary Murphy (RU), a été projetée d'une arbalète géante à 12,19 m à travers une cible en papier vers un porteur situé sur un trapèze. Mary, des Flying Zedoras, a réalisé ce tour au Barnum & Bailey Circus en 1896. Au mois d'avril suivant, au Madison Square Garden de New York (USA), l'arbalète (même mécanisme que la boule de canon humaine, voir *ci-dessous*) a mal fonctionné, assommant l'artiste. La presse a rapporté l'incident avec une image macabre la montrant inconsciente sur une plate-forme, au-dessus de la foule. Sa jeune sœur Frances l'a remplacée dans le rôle d'Alar en 1902.

LE 1ER BOULET DE CANON HUMAIN

Zazel, alias Rosa Richter (RU), est devenue le 1er boulet de canon humain le 2 avril 1877. Elle n'avait que 14 ans lorsqu'elle a été propulsée à 6,1 m, à l'aquarium Westminster de Londres (RU). Le lancement a été effectué grâce à des ressorts, l'explosion n'était que théâtrale.

LE PLUS GRAND CHAPITEAU DE CIRQUE ITINÉRANT

Le Ringling Bros and Barnum & Bailey Circus possédait une tente de 8 492 m², soit l'équivalent de 32 courts de tennis. Composée d'un toit rond de 61 m de diamètre et de 5 sections intermédiaires de 18 m de large, elle a accompagné des tournées aux États-Unis de 1921 à 1924.

1904 : le 1er looping-the-loop à vélo

Les tours à vélo ont été initiés par les frères Ancillotti (Italie) en 1868. Au cirque Barnum & Bailey, en 1904, l'un d'eux a parcouru une rampe et réalisé une boucle pour la première fois. Au sommet se trouvait un vide de 3,3 m que le cycliste a franchi la tête en bas.

1910 : le 1er triple saut périlleux de bâton à porteur

Les dates clés des tours de cirque sont souvent difficiles à déterminer, car ils résultent généralement d'un entraînement continu dont l'histoire n'a pas gardé une trace au quotidien. Les artistes préfèrent les réaliser régulièrement que de battre des records ponctuels. Pourtant, nous savons qu'en 1910, Ernest Clarke (RU) a réalisé un triple saut périlleux arrière, rattrapé par son frère Charles, au cirque Ringling Bros (USA). Clarke a tenté d'effectuer ce triple saut régulièrement dans le cadre de ses spectacles sans jamais y parvenir. Il a également travaillé seul avec une plate-forme éloignée, synchronisant son retour avec le balancement de son trapèze.

LE CIRQUE AYANT LE PLUS VOYAGÉ

Originaire de San Francisco (USA), le cirque de Giuseppe Chiarini (Italie) a énormément tourné en Asie, en Asie australe, en Europe, en Amérique du Sud, aux États-Unis et dans les Antilles de sa création en 1856 au décès de Chiarini en 1897.

LE 1ER QUADRUPLE SAUT EN TRAPÈZE VOLANT

Miguel Vazquez (Mexique) a réalisé un quadruple saut arrière de bâton à porteur lors d'une représentation du Cirque Ringling Bros and Barnum & Baily à Tucson (Arizona, USA), le 10 juillet 1982.

LE 1ER TRAPÉZISTE VOLANT

Le gymnaste Jules Léotard (France) a réalisé un tour en trapèze volant pour la première fois en 1859 au cirque d'Hiver à Paris. Son père, Jean Léotard, a conçu l'équipement et Jules a sauté d'un trapèze à l'autre. Le porteur (et le saut du bâton vers les mains du porteur) est apparu plus tard, à la fin du XIXe siècle.

LE PLUS VIEUX CIRQUE PERMANENT ENCORE EN ACTIVITÉ

Le cirque d'Hiver a ouvert à Paris le 11 décembre 1852. Construit par le célèbre architecte Jacques Ignace Hittorff pour l'entrepreneur Louis Dejean, il a été inauguré sous le nom de « cirque Napoléon » et rebaptisé en 1873. En 1934, il a été acquis par la famille Bouglione et est toujours sous leur contrôle.

1920 : le 1er triple saut régulier en trapèze

C'est une chose de réaliser un tour en trapèze grâce à la chance, mais la marque d'un véritable artiste de cirque est de pouvoir le refaire tous les soirs. Bien qu'Alfred Codona (Mexique) ne soit pas le premier trapéziste à réaliser un triple saut arrière, c'est le premier à l'avoir refait régulièrement. Codona a d'abord effectué ce triple saut à Chicago (Illinois, USA), au cirque Sells-Floto, le 3 avril 1920. Il l'a ensuite réalisé régulièrement avec son frère Abelardo comme porteur jusqu'en 1933, lorsqu'une blessure mit fin à sa carrière.

ROI DU COSTUME
Le costume une-pièce popularisé par Jules Léotard a été baptisé en son honneur dans les années 1880.

1920 : le 1er porteur suspendu par les talons en trapèze

Un trapéziste suspendu par les talons fait glisser ses jambes sur la barre jusqu'à être suspendu à l'envers par les talons. La première personne à avoir rattrapé quelqu'un tout en étant suspendue à un trapèze volant par les talons était Winnie Colleano (Australie).

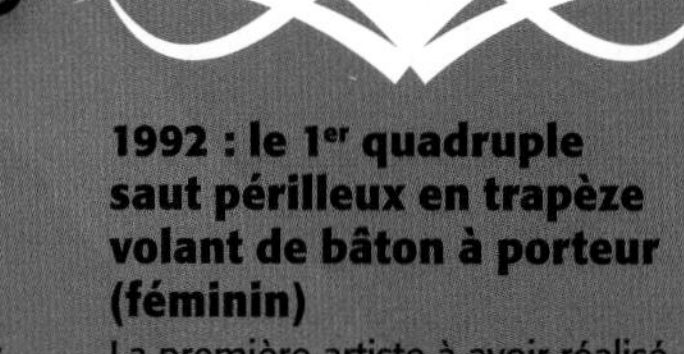

1992 : le 1er quadruple saut périlleux en trapèze volant de bâton à porteur (féminin)

La première artiste à avoir réalisé un quadruple saut arrière d'un trapèze vers un porteur est Jill Pages (USA). Elle a été rattrapée par son mari, Willy Pages, lors d'un entraînement à San Juan (Puerto Rico), le 19 février 1992.

LE 1ER TRIPLE SAUT PÉRILLEUX ARRIÈRE ET DEMI

Tony Steele (USA) a réalisé un triple saut arrière et demi d'un trapèze vers un porteur qui l'a saisi par les jambes en 1962 à Durango (Mexique), et l'a refait régulièrement ensuite. Tony a commencé sa carrière à 15 ans, lorsqu'il s'est enfui de chez lui pour rejoindre le cirque.

1985 : la 1re pirouette complète en trapèze volant

Le 6 juin 1985, Elena Panova (née Elena Nikolaevna Borisova, ex-URSS) de l'école nationale de cirque de Moscou a réalisé une pirouette complète en partant d'une position debout et en se rattrapant avec les chevilles aux cordes du trapèze. Elle a effectué ce tour lors de son premier spectacle professionnel.

2011 : le 1er triple saut périlleux en planche en trapèze volant

Le saut périlleux en planche est réalisé dans une position droite au lieu d'être repliée. Farhad Sadykov, artiste volant de la troupe des White Birds du Kazakhstan, en a réalisé une triple version au festival international du cirque de Monte-Carlo en janvier 2011.

CIRQUE MODERNE

LA PLUS GRANDE TROUPE DE CIRQUE

Le Cirque du Soleil (Canada) compte près de 1 300 artistes sous contrat, 9 spectacles permanents aux États-Unis (à Las Vegas et Orlando), 11 productions itinérantes dans le monde et un revenu annuel d'environ 900 millions $. Son fondateur, Guy Laliberté (Canada), a lancé la marque en 1984 avec des artistes de rue. En mars 2013, sa fortune s'élevait à 1,8 milliard $.

La plus rapide à parcourir 20 m en contorsion

Le 11 mars 2013, Leilani Franco, contorsioniste (*en bas à gauche*), a parcouru le plus rapidement 20 m en roulade de contorsion en 17,47 s, au Royal Festival Hall de Londres (RU). Dans cette figure, les acrobates ont les pieds au sol, se courbent vers l'arrière et se propulsent vers l'avant en roulade.

Elle a parcouru le **plus vite 20 m en pont** le même jour en 10,05 s. Seuls les mains et les pieds reposent au sol en pont, tandis que les bras sont tendus au-dessus de la tête et que le dos est arqué.

Le trou le plus haut franchi d'un trampoline

Le 12 mars 2012, Charlie Burrows (RU) s'est élevé à 2 m et réalisé un saut carpé à travers un trou de 80 cm² à Rome (Italie). Il a effectué des saltos arrière sur un trampoline pour gagner en dynamique et a évité les bords du trou.

Le plus de motos réalisant des backflips

Le 28 février 2013, Nitro Circus, fondé par la star des sports d'action Travis Pastrana (USA), a réuni 16 motos

LA PLUS HAUTE PILE DE CHAISES EN ÉQUILIBRE

Luo Jun (Chine) de la Zunyi Municipal Acrobatic Troupe a tenu en équilibre sur les mains sur une pile de 11 chaises, le 15 septembre 2007 à Pékin (Chine).

LE PLUS DE TOURS COMPLETS EN TORSION EN 1 MIN

Leilani Franco (RU/Philippines) a réalisé 25 tours, au Box Theatre de Soho (Londres, RU), le 11 mars 2013. Leilani reposait au sol sur le buste, son dos arqué et ses jambes étendues au-dessus du corps, les pieds au sol devant son visage. Ses jambes ont réalisé des tours complets de son corps en revenant à la position initiale à chaque fois.

CITATION
« Je n'ai jamais rien vu de tel dans ma vie. »
Simon Cowell, *Britain's Got Talent*

réalisant des backflips simultanément lors d'un spectacle à l'O2 Arena de Londres (RU).

Le plus de tours en roues de la mort en 3 min
La « roue de la mort » se compose de deux roues de hamster à taille humaine tournant autour d'un pivot. Le 30 novembre 2011, Wan Xiaohua et Zhang Yizhan (tous deux Chine) de la Zhoukou Acrobatic Troupe ont effectué 42 tous en 3 min, à Pékin (Chine).

Le plus de sauts à la corde sur une roue de la mort en duo
Ronald Montes et Jhon Robinson Valencia Lozada (tous deux Colombie) ont sauté 33 fois à la corde tout en avançant sur une roue de la mort, au Royal Albert Hall de Londres (RU), le 24 janvier 2013, lors d'une performance en direct du spectacle Koozå du Cirque du Soleil.

Le plus de motos dans un globe de la mort
Dix motards du Puyang Haoyi Acrobatic Group (Chine) ont roulé dans un globe de la mort, à Puyang (Chine), le 5 décembre 2010. Comme avec le mur de la mort, les acrobates défient la gravité à l'intérieur du globe, mais aussi en le remontant et en roulant sur la sphère.

LA PLUS LONGUE DURÉE DEBOUT SUR UN GUIDON

Ivan Do-Duc (France), un artiste cycliste du Cirque du Soleil, a tenu en équilibre pendant 1 min et 39,49 s, sur le guidon d'un vélo. Il a accompli ce tour pour la 1re fois à Milan (Italie), le 14 avril 2011, en se contentant de rouler en cercles d'un diamètre de 10 m.

La plus longue durée en suspension par le cou
Donovan Jones s'est relié à Rebecca Peache (tous deux USA) à l'aide d'un support acrobatique placé autour de leur cou. Il a ensuite été soulevé, à l'envers, sur un trapèze. Rebecca, suspendue en dessous de lui, a ensuite tournoyé à plusieurs reprises pendant 1 min et 12,29 s, à Pékin (Chine), le 14 août 2011.

La plus longue durée suspendu par les dents
Igor Zaripov (Russie), du Cirque du Soleil, est resté suspendu par les dents pendant 2 min et 32 s, sur le plateau de *Good Morning America*, à New York (USA), le 8 mai 2012.

Le plus de montées et descentes d'un cheval en course en 30 s
Liu Wei, de la Zhoukou Acrobatic Troupe, est monté et descendu d'un cheval 16 fois, au Hangzhou Safari Park (province de Zhejiang, Chine), le 27 novembre 2010.

RELEVER LA BARRE
Après chaque acrobatie, l'artiste doit faire preuve de précision pour se réceptionner sur la barre russe étroite et flexible.

LE 1ER QUADRUPLE SAUT PÉRILLEUX À LA BARRE RUSSE (FÉMININ)

Anna Gosudareva de la Rodion Troupe (tous deux Russie) a réalisé un quadruple saut périlleux arrière sur une barre russe (une barre flexible), au Festival international du cirque de Monte-Carlo, en janvier 2005. La barre était tenue par les fondateurs de la troupe, Valery Rodion (*à gauche*) et Aleksandr Mikhaylov.

HULA-HOOP
L'engouement pour le hula-hoop a débuté aux États-Unis dans les années 1950, mais les cerceaux sont source d'amusement et d'exercice depuis longtemps. Les Grecs s'entraînaient avec un anneau de bronze, ou *trochus*.

LE PLUS DE CERCEAUX EN FEU TOURNÉS EN GRAND ÉCART

Pippa "The Ripper" Coram (Australie) a fait tourner 3 cerceaux en feu simultanément en grand écart, au London Wonderground (RU), le 14 septembre 2012. Pour cette tentative, des mèches trempées dans du pétrole ont été ajoutées sur le pourtour du cerceau.

SPECTACLES

CITATION
« Il faut essayer de garder le visage aussi horizontal que possible pour éviter le plus chaud de la flamme. »

LA TORCHE TENUE LE PLUS LONGTEMPS ENTRE LES DENTS

Comme si cracher du feu ne suffisait pas, Carisa Hendrix (Canada) a corsé sa tentative en tenant une torche entre ses dents sans respirer, flamme vers le bas. Elle s'est entraînée pendant 1 mois avant d'atteindre le temps record de 2 min et 1,51 s, sur le plateau de *Lo Show dei Record,* à Rome (Italie), le 12 avril 2012.

DONS ENFLAMMÉS

Le plus de flammes crachées en 1 min
Fredrik Karlsson (Suède) a craché 108 flammes, le 3 novembre 2012, à Sergels Torg, à Stockholm (Suède). Le pompier Fredrick est plus habitué à éteindre les feux, même s'il détient également le **record de la flamme crachée le plus longtemps,** avec 9,96 s, le 19 novembre 2011.

Le plus de torches éteintes en 30 s
Hubertus Wawra (Allemagne), alias le maître des flammes de l'enfer, a éteint avec sa bouche 39 torches enflammées en 30 s à Bombay (Inde), le 21 février 2011.

Le plus de torches éteintes avec la langue en 1 min
Le Space Cowboy (*voir encadré en haut à droite*) a éteint 27 chalumeaux à gaz avec sa langue en 1 min, le 27 septembre 2012, à Londres (RU).

Le plus de torches allumées et éteintes en 1 min
Preacher Muad'dib (RU) a allumé et éteint 83 torches enflammées à Londres (RU), le 18 novembre 2010. Il a alterné entre deux baguettes enflammées. Il a également réalisé le **plus grand nombre de tours de bâton de feu en 1 min,** en faisant tourner 150 fois un bâton de 119 cm à Whitby (RU), le 31 octobre 2009.

LAMES

Le plus de couteaux attrapés en 1 min
En 1 min, Ashrita Furman a attrapé d'une main 34 couteaux Hibben de 30 cm lancés par Bipin Larkin (tous deux USA), au Sri Chinmoy Center de New York (USA), le 16 mai 2012.

Le plus de couteaux lancés de dos autour d'une cible humaine en 1 min
Patrick Brumbach (Allemagne) a lancé 63 couteaux autour de son assistante en lui tournant le dos à Schloss Holte-Stukenbrock (Allemagne), le 17 août 2011.

LE PLUS DE SABRES AVALÉS EN MÊME TEMPS

Le 12 septembre 2012, à l'hôtel Guoman, près de Tower Bridge (Londres, RU), le Space Cowboy, alias Chayne Hultgren (Australie), est devenu le plus grand avaleur de sabres du monde lorsqu'il a fait glisser 24 lames d'au moins 38 cm chacune dans son œsophage.

Le plus de ballons éclatés avec des couteaux en 1 min
Le Space Cowboy *(ci-dessus)* a fait éclater 21 ballons en 1 min au lancer de couteaux, au Wonderground de Londres (RU), le 24 août 2012. Il se trouvait à 5 m des ballons et a utilisé 10 couteaux qu'il a récupérés et réutilisés à chaque fois.

Le plus de pommes coupées en l'air avec une épée en 1 min
Tsurugi Genzou (Japon) a tranché 28 pommes jetées en l'air avec une épée de 66 cm sur le plateau de *Waratte litomo !*, lors du FNS 27 h TV, au Hizen Yume Kaido de Saga (Japon), le 22 juillet 2012.

CITATION
« Les gens enfoncent et retirent des choses de leur nez pour divertir ou pour des raisons médicales depuis des milliers d'années. »

LE RESSORT MÉTALLIQUE LE PLUS LONG PASSÉ À TRAVERS LE NEZ ET LA BOUCHE

Andrew Stanton (USA), du SwingShift SideShow de Las Vegas, se présente sous le nom de M. Screwface. Il utilise une perceuse pour insérer des anneaux métalliques graissés là où, honnêtement, ils ne devraient pas entrer. Le 31 mars 2012, il a fait passer un ressort de 3,63 m de long à travers son nez et sa bouche, sur le plateau de *Lo Show dei Record*, à Rome (Italie).

LE PLUS DE BLOCS DE BÉTON CASSÉS SUR LE VENTRE EN 1 MIN

Au Wonderground de Londres (RU), Daniella D'Ville, alias Danielle Martin (RU), était allongée sur une planche à clous pendant que The Great Gordo Gamsby (Australie) cassait 8 blocs de béton à la suite sur son ventre en 1 min, le 14 septembre 2012. Chaque bloc mesurait 10 x 44 x 21,5 cm et pesait 5,8 kg. Gordo les frappait avec une masse de 6,35 kg.

Le véhicule le plus lourd tiré par un avaleur de sabres
Ryan Stock (Canada) a avalé une épée de 43,18 cm de long et de 2 cm de large. Ce n'était qu'un début : il a ensuite fixé des chaînes à la poignée d'une Audi A4 de 2002 et l'a tirée sur 6,38 m, en 20,53 s, à Las Vegas (Nevada, USA), le 28 octobre 2008.

Ryan détient aussi le record du **véhicule le plus lourd tiré à l'aide d'un crochet passé entre la cavité nasale et la bouche** avec 725 kg, à Rome (Italie), le 21 mars 2012.

FOUETS

Le plus de fleurs tenues dans la bouche coupées au fouet en 1 min
Le Space Cowboy a utilisé un fouet à longue mèche pour couper en deux 31 fleurs placées l'une après l'autre dans la bouche de Zoe L'Amore *(à droite)*, à Londres (RU), le 28 septembre 2012.

Le plus de bougies éteintes avec un fouet en 1 min
Le plus grand nombre de bougies éteintes avec un fouet en 1 min s'élève à 78, record détenu par Xu Xinguo (Chine), sur le plateau d'une émission spéciale *Guinness World Records*, sur CCTV à Pékin (Chine), le 10 décembre 2012.

LE PLUS DE VENTILATEURS ARRÊTÉS AVEC LA LANGUE

Zoe L'Amore, alias Zoe Ellis (Australie), a arrêté 20 ventilateurs électriques dotés chacun d'hélices de 27 cm de large avec sa langue en 1 min, au Wonderground de Londres (RU), le 14 septembre 2012. Elle a alterné entre deux ventilateurs de bureau tenus à la main à pleine puissance, arrêtant toutes les lames avant de passer au suivant.

Le fouet le plus rapide
Le record mondial de vitesse et de précision avec un fouet appartient à Adam Crack, alias Adam Winrich (USA), qui a touché 10 cibles à la suite en 4,85 s, en faisant claquer son fouet à la Bristol Renaissance Faire de Kenosha (Wisconsin, USA), le 8 juillet 2008.

LE PLUS DE PLATS À FOUR PLIÉS SUR LA TÊTE EN 1 MIN

Burnaby Q Orbax *(tout à droite)* et Sweet Pepper Klopek (tous deux Canada) ont donné une représentation commune aux Monsters of Schlock. Ce duo dynamique s'est frappé à tour de rôle sur la tête avec 55 plaques de four pendant 1 min, à Niagara (Ontario, Canada), le 31 août 2012.

4 CM
Ces plaques de 3 mm d'épaisseur devaient être pliées de 4 cm pour être prises en compte dans le record.

MAGIE

LE PLUS DE CRÉATURES VIVANTES AU COURS D'UNE PERFORMANCE

Lors de leur émission spéciale *Don't Try This at Home*, tournée en 1990, Penn & Teller (USA) ont fait apparaître plus de 80 000 abeilles. Ils ont ainsi voulu symboliser chaque animal que les prestidigitateurs ont, dans l'histoire de la magie, fait apparaître.

Le plus grand cours de magie
Kevin McMahon (RU) a donné un cours de magie à 1 063 personnes, lors d'un événement organisé par le Royal Blind (RU), au Fettes College d'Édimbourg (RU), le 27 octobre 2012.

Le **plus de personnes ayant participé à un cours de magie sur plusieurs sites** s'élève à 2 573 individus. La Fundación Abracadabra de Magos Solidarios (Espagne) l'avait organisé dans 51 hôpitaux espagnols, le 10 décembre 2010.

Le tour de magie le plus mortel
Au moins 12 personnes (8 magiciens et 4 spectateurs) ont trouvé la mort au cours d'un tour où le magicien doit attraper avec les dents une balle tirée avec une arme. Même si l'exploit comprend des illusions, le danger est réel. Le plus célèbre cas de décès est celui de Chung Ling Soo (USA, né William Ellsworth Robinson), tué sur scène au Wood Green Empire de Londres (RU), le 23 mars 1918.

LES PLUS RAPIDES À SE LIBÉRER...

D'une camisole de force
Sofia Romero (RU) s'est échappée d'une camisole de force Posey en 4,69 s, à l'Aylestone Leisure Centre de Leicester (RU), le 9 juin 2011. Elle détient aussi le record du **plus grand nombre d'évasions d'une camisoles en 1 h** (soit 49) pour *Officially Amazing* (Lion TV) , à l'Old Vic Tunnels de Londres (RU), le 9 janvier 2013.

De menottes les yeux bandés
Le 10 avril 2012, Thomas Blacke (USA) s'est libéré les yeux bandés d'une paire de menottes de police en 3,45 s, à South Yarmouth (Massachusetts, USA). Il a aussi été le **plus rapide à retirer une paire de menottes sous l'eau** en 3,425 s, toujours à South Yarmouth, le 25 octobre 2011.

D'une chaîne sous l'eau
Weasel Dandaw, alias Daniel Robinson (RU), s'est libéré d'une chaîne sous l'eau en 10,76 s, aux London Studios de Londres (RU), le 11 septembre 2004.

De film étirable en étant suspendu
Rob Roy Collins (RU) s'est libéré de 10 couches de film étirable tout en étant suspendu à une grue en 27 s, à Campden (Ontario, Canada), le 30 août 2012.

LE PLUS RAPIDE À S'ÉCHAPPER D'UNE PAIRE DE MENOTTES

Le janvier 2011, le super cascadeur Chad Netherland (USA) s'est échappé d'une paire de menottes à double verrou en 1,59 s, à Las Vegas (Nevada, USA). *Découvrez un autre record musclé de Chad p. 103.*

LE PLUS DE LAPINS SORTIS D'UN CHAPEAU

Le duo de magiciens italiens « Jabba », alias Walter Rolfo et Piero Ustignani, a tiré 300 lapins blancs tout doux d'un chapeau de magicien en moins de 30 min. Cette version inédite d'un classique a eu lieu lors du congrès de magie de Saint-Vincent (Aoste, Italie), le 17 mai 2008.

D'une chaîne de transport
Mike Sanford (USA) s'est échappé d'une chaîne de transport de prévenu à double verrou en 1 min et 54,34 s, à Sammamish (Washington, USA), le 31 octobre 2004.

LE PLUS DE...

Verres brisés pendant un tour de contrôle mental
Lors des Masters of Magic convention de Saint-Vincent (Italie), le 15 avril 2011, Walter Rolfo et Piero Ustigani (tous deux Italie, *voir en bas à gauche*) ont brisé 66 verres à vin dans un tour classique pour montrer la « puissance de leur esprit ».

Tours réalisés sous l'eau en 3 min
Le plus de tours sous l'eau en 3 min s'élève à 13 performances, toutes réalisées par Alessandro Politi (Italie) sur le plateau de *Lo Show dei Record* à Milan (Italie), le 25 avril 2009.

Magiciens dans un spectacle
Le nombre record de magiciens dans un spectacle s'élève à 106 personnes. Elles ont été réunies par Magic Circle Germany et Julius Frack (Allemagne), au Landestheater de Tübingen (Allemagne), le 4 mars 2012.

Personnes disparues au cours d'une illusion
Criss Angel (USA) a fait « disparaître » 100 personnes dans un tour d'illusion sur le plateau de *Criss Angel : Mindfreak*, au *Luxor Hotel and Casino* de Las Vegas (Nevada, USA), le 26 mai 2010.

LE RETRAIT LE PLUS RAPIDE D'UNE CAMISOLE EN ÉTANT SUSPENDU (SANS CHAÎNE)

En 8,4 s, l'illusionniste Lucas Wilson (Canada) s'est libéré d'une camisole verte Posey tout en étant suspendu en l'air par les chevilles à une hauteur de 1 m. Lucas a réalisé ce tour à l'envers, à la Holy Trinity Catholic High School d'Ontario (Canada), le 8 juin 2012.

LE PLUS DE TOURS DE MAGIE, LES YEUX BANDÉS, EN 1 MIN

Les yeux bandés, Fernando Diaz (Venezuela) a réalisé 17 tours en 1 min sur le plateau de l'émission télévisée *Buenas Noches*, à Caracas (Venezuela), le 24 août 2011. Chaque tour, dont celui du "ballon sortant d'une bouteille" et celui de "l'éponge qui change de couleur", comportait au moins deux effets ou deux éléments, et avait lieu en direct et en public.

CITATION
« Je dois garder mon calme, parce que si je panique, je vais rater le tour qui m'a demandé tant d'entraînement. »

JONGLERIE

LE PLUS DE RÉPÉTITIONS DU PAPILLON EN 3 MIN

Le 11 novembre 2012, au NEMO Science Center d'Amsterdam (Pays-Bas), Niels Duinker (Pays-Bas) a répété 212 fois une technique de jonglage appelée « papillon ». La main et la balle doivent rester en contact permanent pendant la réalisation de ce tour.

La plus longue distance parcourue en monocycle en jonglant avec 3 objets

Le 22 août 2011, Ashrita Furman (USA) a parcouru 2 816 km en monocycle tout en jonglant avec 3 balles le long du Joe Michaels Mile de Bayside (New York, USA).

La 1re jonglerie dans l'espace

Donald E. Williams (USA), pilote de la NASA, a jonglé avec plusieurs fruits à bord de la navette spatiale *Discovery*, le 15 avril 1985.

LE PLUS DE...

Balles échangées à deux en jonglant

Les frères Chris et Andrew Hodge (USA) ont échangé 15 balles en 38 passings, pour 75 balles attrapées en février 2011.

Rebonds réceptionnés en duo (16 balles)

Le 13 novembre 2005, David Critchfield et John Jones (tous deux USA) ont fait rebondir 16 balles, soit 74 rattrapages. En commençant avec 4 balles dans chaque main, les deux hommes les ont envoyées à tour de rôle dans les mains de leur partenaire. Chaque balle rebondissait une fois avant d'être attrapée et renvoyée.

Bout à bout de boîtes de cigares en 30 s

Dans cette discipline du jonglage, les boîtes ne sont pas jetées en l'air, mais circulent face au jongleur, qui en tient une dans chaque main et la troisième au milieu. L'artiste en déplace simplement une de la gauche vers la droite (bout à bout). The Great Gordo Gamsby (Australie) a réalisé 36 « bout à bout » avec 3 boîtes en 30 s, au Wonderground de Londres (RU), le 14 septembre 2012.

LA PLUS LONGUE DURÉE À JONGLER AVEC 3 OBJETS, SUSPENDU À L'ENVERS

Quinn Spicker (Canada) a jonglé avec 3 objets pendant 12 min et 50 s tout en étant suspendu à l'envers au PNE Garden Auditorium de Vancouver (Colombie-Britannique, Canada), le 22 juillet 2010.

LE PLUS DE RÉCEPTIONS AVEC DES TRONÇONNEUSES EN MONOCYCLE

Assis sur un monocycle, le Space Cowboy, alias Chayne Hultgren (Australie), a réalisé 8 réceptions avec une tronçonneuse, à Pékin (Chine), le 7 décembre 2012.

LE PLUS DE PERMUTATIONS EN JONGLANT AVEC 3 OBJETS

Les jongleurs Matt Baker et Joe Ricci (tous deux USA) ont effectué 13 permutations (en sautant au-dessus de l'autre) en 1 min, sur le plateau de *Torihada Scoop 100 – New Year SP*, à Tokyo (Japon), le 1er janvier 2012.

LE PLUS DE HACHES RÉCEPTIONNÉES À LA SUITE

Avec des haches de 69 cm de long, pesant chacune 4,3 kg, Erik Kloeker (USA) a accompli 86 réceptions successives, à Newport (Kentucky, USA), le 30 août 2012.

LE PLUS DE LANCERS CROISÉS DERRIÈRE LE DOS (7 OBJETS)

Un lancer croisé derrière le dos consiste à faire passer un objet dans le dos pour le rattraper face à soi de l'autre main, puis de le jeter de nouveau dans le dos vers la première main. Ty Tojo (USA) a fait 69 lancers croisés derrière le dos à la suite, le 25 février 2013, à Las Vegas (Nevada, USA).

LE PLUS DE BALLES JONGLÉES

Alexander Koblikov (Ukraine) a jonglé avec 14 balles lors d'un entraînement au 37e festival international du cirque de Monte-Carlo (Monaco), le 16 janvier 2013. Koblikov a utilisé la technique du « multiplex » qui consiste à lancer et réceptionner 2 balles non attachées à la fois. Alex Barron (RU) a jonglé avec 11 balles, le 3 avril 2012, au Roehampton Club de Londres (RU).

Jonglage avec des tronçonneuses
Le 25 septembre 2011, Ian Stewart (Canada) a réceptionné à 94 reprises 3 tronçonneuses en marche, à la Hants County Exhibition de Windsor (Nouvelle-Écosse, Canada).

LA JONGLERIE AVEC LE PLUS DE BÂTONS

En 1999, Françoise Rochais (France) a jonglé avec 7 bâtons d'un seul coup et le reproduit encore aujourd'hui. Contrairement aux majorettes, elle manipule ses bâtons comme des massues au lieu de les faire rouler.

Passing de massues dos à dos en duo
Le frère et la sœur Vova et Olga Galchenko (tous deux anciennement Russie, maintenant USA) ont échangé 10 massues dos à dos au cours d'un entraînement, en mai 2003, dans leur ville d'origine de Penza (Russie). Le meilleur tour du duo s'élevait à 57 passes.

Rotations individuelles de massues en jonglant allongé (4 massues)
Allongé sur le dos, David Cain (USA) a jonglé avec 4 massues au-dessus de la tête. Il a réalisé 10 lancers et 10 réceptions lors d'un entraînement filmé à son domicile de l'Ohio (USA), le 2 novembre 2012.

Balles de ping-pong jonglées avec la bouche
Tony Fercos (anciennement Tchécoslovaquie, maintenant USA) est capable de lancer et rattraper 14 balles de ping-pong de suite avec sa bouche en un seul cycle. Chaque balle entre dans sa bouche, est lancée en l'air, puis rattrapée dans la bouche.

Passing aux anneaux en duo en jonglant
En août 2010, Tony Pezzo (USA) et Patrik Elmnert (Suède) ont échangé 15 anneaux au cours de 30 passes.

LE PLUS DE BOULES DE BOWLING JONGLÉES

Le 19 novembre 2011, Milan Roskopf (Slovaquie) a jonglé avec 3 boules de bowling devant 350 témoins. Il a utilisé des boules de 4,53 kg chacune pendant 28,69 s, au marathon de jonglerie de Prague (Rép. tchèque).

LE PLUS D'OBJETS JONGLÉS EN MONOCYCLE

Mikhail Ivanov (Russie) – 4e génération d'une famille d'artistes de cirque – a jonglé avec 7 balles sur un monocycle sans selle (roue ultime) à Ivanovo (Russie), le 18 septembre 2012. Il a maintenu les balles en l'air 12,4 s.

Anneaux lancés en duo
Rojic Levicky et Victor Teslenko (tous deux Russie) ont réalisé 18 réceptions avec 18 anneaux en 2008.

Shakers utilisés pour jongler
John McPeak (USA) a accompli pour la première fois la prouesse de jongler avec 10 shakers en public, au casino Nevada Palace de Las Vegas (USA). Tenant 5 shakers empilables dans chaque main, il en a lancé simultanément quatre et gardé le cinquième. Les shakers volants ont tous fait un tour à 360° avant de s'empiler dans l'ordre inversé dans les mains du jongleur.

Tronçonneuses passées sous la jambe en duo (en 1 min)
The Space Cowboy (*voir à gauche*) et The Mighty Gareth (alias Gareth Williams, RU) ont réalisé 40 échanges de tronçonneuses sous la jambe, à Pékin (Chine), le 7 décembre 2012.

LE PLUS DE MASSUES ENFLAMMÉES JONGLÉES EN AVALANT UNE ÉPÉE

The Great Gordo Gamsby (Australie) a jonglé avec 3 massues enflammées tout en avalant une épée pendant 10 s, au Wonderground de Londres (RU), le 14 septembre 2012.

EXPLOITS EXTRAORDINAIRES

UN VRAI PLAN D'ACTION
L'équipe a demandé aux mathématiciens de leur université de les aider à faire tenir plus de 19 personnes dans la voiture.

Le plus de personnes entassées dans une Smart

Vingt membres particulièrement souples de la Glendale Cheerleading Team (tous USA) se sont entassées dans une Smart à l'occasion du *Guinness World Records Gone Wild* de Los Angeles (USA), le 28 septembre 2011. L'équipe se composait uniquement de filles, mesurant chacune au moins 1,52 m.

ADDICTION AUX RECORDS

Pourquoi battre des records ?

Obtenir un certificat GWR, voilà l'ambition de bon nombre d'entre nous. D'autres ne s'arrêtent pas là. Ce sont les candidats aux records les plus déterminés et les plus passionnés, certains ayant à leur actif des centaines d'inscriptions au GWR. Découvrez les personnes pour qui battre des records est devenu un mode de vie.

Suresh Joachim, Canada

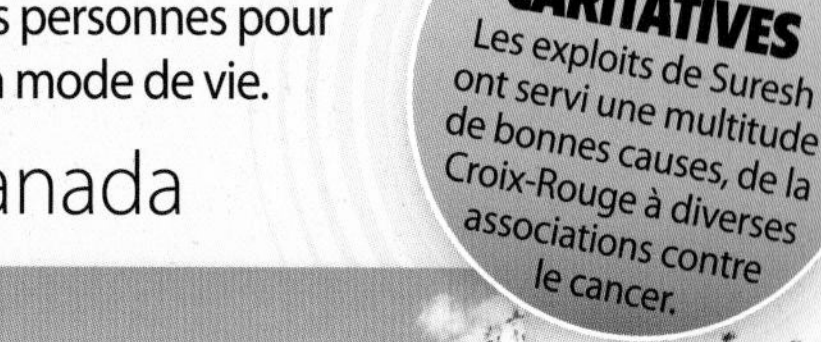

ACTIONS CARITATIVES
Les exploits de Suresh ont servi une multitude de bonnes causes, de la Croix-Rouge à diverses associations contre le cancer.

MINI BIO

Nom : Suresh Joachim
Nationalité : Sri Lanka/Canada
Candidatures : 451
Records actuels : 17
C'est dans la boîte ! Le 22 mai 2009, Suresh a réalisé un film, du script au passage à l'écran, en 11 jours, 23 h et 45 min.

UN SUCCÈS QUI DURE
En regardant la liste des records de Suresh, quelque chose saute aux yeux : cette soif intarissable de dépassement de soi.

Qu'il batte le record de la **plus longue distance en rampant** (56,62 km ; *tout à gauche*) ou de la **plus longue distance en dribblant avec un ballon de basket en 24 h** (177,5 km ; *milieu gauche*), Suresh se surpasse pour garder une longueur d'avance sur ses concurrents.

Il n'a pas besoin d'aller loin pour établir des records. Suresh a passé plus de temps **en équilibre sur un pied** (76 h et 40 min ; *gauche*) et **à se balancer sur un rocking-chair** (75 h et 3 min ; *ci-dessus*) que quiconque. Cet homme a vraiment tout pour continuer à battre des records.

Ashrita Furman, USA

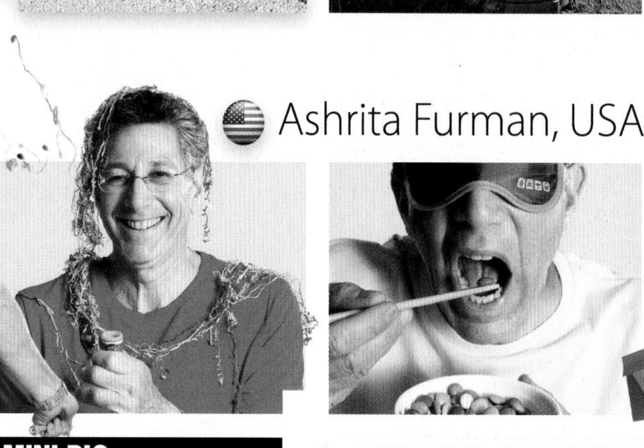

MINI BIO

Nom : Ashrita Furman
Nationalité : USA
Candidatures : 470
Records actuels : 155 – et ce n'est pas fini !
En avril 2009, cette machine à record est devenue la première (et, à ce jour, la seule) personne à détenir 100 titres GWR.

VIVRE SON RÊVE
Pour Ashrita, battre des records est un moyen de réaliser ses rêves. Comme il le dit fièrement : « C'est ma vie ! »

« Je ne m'arrêterai pas avant d'avoir décroché 200 records. »

AUTRE JOUR, AUTRE RECORD...
Ashrita est le roi des records en tout genre, qu'il s'agisse de sauts périlleux, d'échasses à ressort, de marelle, de course en sac ou à l'œuf, de saut à la corde sous l'eau, ou encore de marcher sur des échasses ou de pousser une orange avec le nez. Certains sont épuisants et un peu farfelus (le **plus de sauts à la corde avec des palmes en 5 min** : 253, *à gauche*). D'autres nécessitent dextérité et patience (le **plus de Smarties® mangés les yeux bandés avec des baguettes en 1 min** : 20, *ci-dessus*). D'autres encore ont été réalisés pour le fun (le **plus de bombes de table éclatées en 1 min** : 64, *ci-dessus à gauche* ; le **plus d'avions en papier attrapés avec la bouche en 1 min** : 16, *à droite* – record établi avec Bipin Larkin [USA]). Et au moment où vous lirez ces lignes, il en aura établi un nouveau !

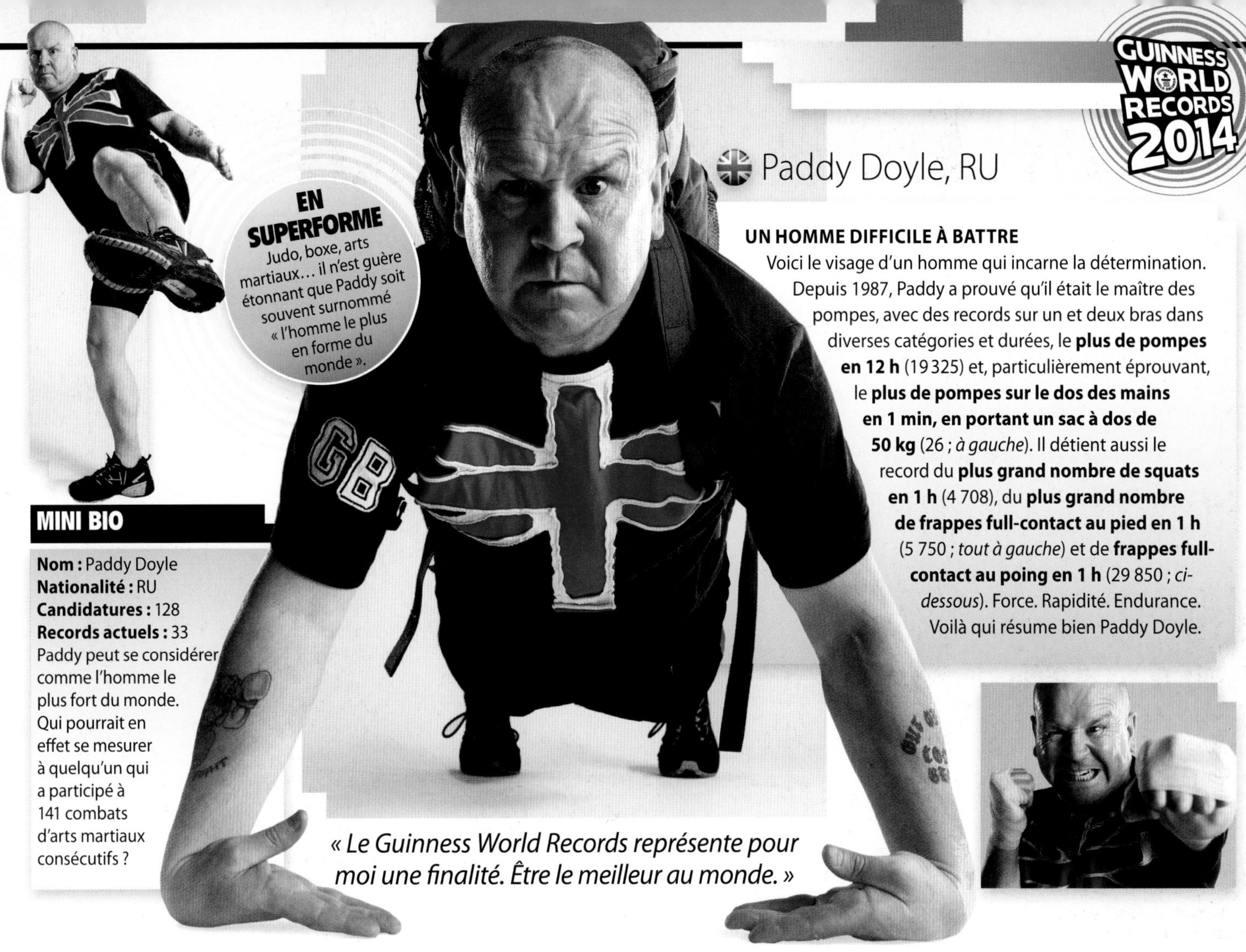

Paddy Doyle, RU

EN SUPERFORME
Judo, boxe, arts martiaux… il n'est guère étonnant que Paddy soit souvent surnommé « l'homme le plus en forme du monde ».

UN HOMME DIFFICILE À BATTRE
Voici le visage d'un homme qui incarne la détermination. Depuis 1987, Paddy a prouvé qu'il était le maître des pompes, avec des records sur un et deux bras dans diverses catégories et durées, le **plus de pompes en 12 h** (19 325) et, particulièrement éprouvant, le **plus de pompes sur le dos des mains en 1 min, en portant un sac à dos de 50 kg** (26 ; *à gauche*). Il détient aussi le record du **plus grand nombre de squats en 1 h** (4 708), du **plus grand nombre de frappes full-contact au pied en 1 h** (5 750 ; *tout à gauche*) et de **frappes full-contact au poing en 1 h** (29 850 ; *ci-dessous*). Force. Rapidité. Endurance. Voilà qui résume bien Paddy Doyle.

MINI BIO
Nom : Paddy Doyle
Nationalité : RU
Candidatures : 128
Records actuels : 33
Paddy peut se considérer comme l'homme le plus fort du monde. Qui pourrait en effet se mesurer à quelqu'un qui a participé à 141 combats d'arts martiaux consécutifs ?

« Le Guinness World Records représente pour moi une finalité. Être le meilleur au monde. »

Zdeněk Bradáč, République tchèque

« Ma soif de records est insatiable, et j'ai encore beaucoup de défis à relever. »

EN IMMERSION
Zdeněk a réalisé le **plus long jonglage avec 3 balles sous l'eau** : 1 h 30 min, au cours d'une plongée, le 18 février 2011.

LE ROI DE L'ÉVASION
Pour Zdeněk, se libérer d'une paire de menottes est aussi simple que de sortir de son lit. Il détient à ce jour les records du **plus grand nombre de menottes déverrouillées en 1 min** (7) et du **plus grand nombre d'ouvertures de menottes en 1 h** (627) et **en 24 h** (10 625). Il est également habile à la table de jeu, puisqu'il est le **plus rapide à mettre en ordre un jeu de cartes battues** (36,16 s) et qu'il détient le record du **plus grand nombre de coupes à une main d'un jeu de cartes en 1 min** (73).

L'adroit Zdeněk est aussi doué pour maintenir les objets en l'air, avec les records du **jonglage le plus long avec 4 objets** (2 h 46 min 48 s) et **du rattrapage de 3 balles en 1 min** (422). En tant que recordman, Zdeněk est cependant difficile à attraper…

MINI BIO
Nom : Zdeněk Bradáč
Nationalité : Rép. tchèque.
Candidatures : 109
Records actuels : 12
Zdeněk a jeté son dévolu sur le jonglage, l'art de l'évasion et les jeux de cartes. En septembre 2009, il s'est extirpé de 3 paires de menottes en 38,69 s... sous l'eau.

MAXI

LES PLUS GRANDS…

Sac à dos
Assez spacieux pour contenir une maison, le plus grand sac à dos mesure 10,37 m de haut, 7,8 m de large et 2,8 m de profondeur. Il a été créé par Omasu (Arabie saoudite), à Djedda (Arabie saoudite), le 4 avril 2012.

Paquet de chips
Calbee, Inc. of Japan a dévoilé son paquet de chips géant pesant 501 kg – l'équivalent en poids de 10 garçons moyens de 14 ans –, à la Calbee Chitose Factory de Chitose, à Hokkaido (Japon), le 16 juillet 2012. Ce paquet – une version à grande échelle du paquet de chips salées Calbee's – mesure 4,8 x 4,2 m.

Stylo-bille
Acharya Makunuri Srinivasa (Inde) a fabriqué un stylo de 5,5 m de haut sur lequel sont gravées des scènes de la mythologie indienne. Il a été présenté à Hyderabad (Inde), le 24 avril 2011.

Livre
Le plus grand livre mesure 5 x 8,06 m, pèse environ 1 500 kg et compte 429 pages. Il a été présenté par le Mshahed International Group à Dubaï (ÉAU), le 27 février 2012.

Bouteille de vin
De 3,8 m de haut et 1 m de diamètre, la plus grande bouteille de vin a été créée par OK Watterfäscht 2011 (Suisse) et mesurée à Watt, Gemeinde Regensdorf (Suisse), le 9 juillet 2011.

Le plus gros ballon de foot
Vous auriez du mal à trouver un but suffisamment grand pour ce ballon… Fabriqué en cuir artificiel, le plus gros ballon de football mesure 12,18 m de diamètre et 38,30 m de circonférence, pour un poids approximatif de 960 kg. Fabriqué par la Doha Bank, à Doha (Qatar), il a été présenté sur le parking de l'hypermarché LuLu de la ville, le 12 février 2013.

La plus grande batterie
Le groupe de percussions Drumartic (Autriche) a fabriqué Big Boom, une réplique de batterie à l'échelle de 5,2/1, parfaitement fonctionnelle. Elle mesure 6,5 m de haut sur 8 m de large. Elle a été présentée, testée et validée à Lienz (Autriche), le 7 octobre 2012.

INFO

Les 4 musiciens de Drumartic, dirigés par Peter Lindsberger, doivent être sacrément costauds pour porter leur paire de baguettes géantes, et rester synchro sans se voir !

RYTHMES EN GRAND
Diamètre des pièces : grosse caisse : 2,9 m ; tom basse : 2,11 m ; tom : 1,57 m ; caisse claire : 1,85 m ; charleston (2) : 1,73 m ; cymbale crash : 1,98 m ; ride : 2,24 m.

LES PLUS GRANDS JOUETS

Pièce d'échecs : un roi mesurant 4,46 m de haut et 1,83 m de diamètre à sa base, a été présenté à Saint Louis (Missouri, USA), le 24 avril 2012.

Manette de jeu vidéo : une manette de jeu fonctionnelle mesurant 3,66 x 1,59 x 0,51 m a été fabriquée à l'Université de Technologie de Delft (Pays-Bas), en septembre 2011.

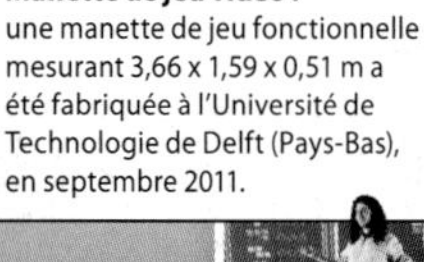

Poupée de chiffon : mesurant 4,62 m de haut, la poupée a été présentée à Gênes (Italie), en 2005.

Série de poupées russes : un ensemble de 51 pièces, la plus grande mesurant 53,97 cm, a été présenté le 25 avril 2003, à Cameron (Caroline du Nord, USA).

Coussin péteur : fabriqué par Steve Mesure (RU) à Londres (RU), le 14 juin 2008, il mesure 3,05 m de diamètre.

Le plus grand chariot

Assez grand pour contenir 250 chariots de taille normale, le plus grand chariot du monde mesure 16,6 m de haut, du sol à la poignée. Avec son panier de 9,6 m de long et 8,23 m de large, et ses roues de 1,2 m de diamètre, il a fallu 1 mois à Migros Ticaret A.Ş (Turquie) pour fabriquer ce chariot géant avec 9,9 t de fer. Il a été présenté le 14 juin 2012, à Istanbul (Turquie).

Le plus grand vélo utilisable

Parmi les nombreuses créations les plus folles que l'on doit à l'inventeur Didi Senft (Allemagne), ce monstre de vélo de 150 kg mesure 7,8 m de long, 3,7 m de haut, pour un diamètre de roue de 3,3 m. Il a été validé à Pudagla (Allemagne), le 2 octobre 2012.

Boule à facettes

Une boule à facettes de 9,98 m de diamètre a été créée par BSG Luxury Group pour Bacardi Russie et dévoilée lors d'une fête organisée à Moscou (Russie), le 26 avril 2012.

Biscuit pour chien

Représentant plus de 2 000 fois la taille d'une friandise normale, un biscuit de 279,87 kg a été fabriqué par Hampshire Pet Products (USA) à Joplin (Missouri, USA), le 8 juillet 2011. Il a été cassé en morceaux et distribué aux chiens par la Joplin Humane Society.

Enveloppe

Adressée à l'ONU et remplie de messages en faveur de la paix dans le monde, la plus grande enveloppe mesurait 11,02 m de long et 7,61 m de large. Elle a été créée par l'Aligarh Muslim University (Inde) de l'Uttar Pradesh (Inde), le 1er mai 2012.

Gilet de sécurité

Un gilet de sécurité de 13,88 m de haut et 10,68 m de large a été fabriqué par Febelsafe et Secura, à Bruxelles (Belgique), et mesuré le 7 février 2013. Ce gilet géant est certifié CE, conformément à la réglementation européenne en matière de santé et de sécurité !

Ballon de plage gonflable

Conçu pour ressembler à un ballon de football, le plus grand ballon gonflable a été créé par l'hypermarché "real,-" (Pologne). Son diamètre a été évalué à 15,82 m, le 8 mai 2012, à Czluchów (Pologne).

LE PLUS GRAND MICRO

L'artiste David Åberg (Suède) a fabriqué un micro géant de 4,5 m de long avec une tête de 1,18 m de diamètre. Il l'a présenté à Helsingborg (Suède), le 19 octobre 2012.

À BICYCLETTE

Peu apprécié sur les circuits du Tour de France et du Giro en Italie, on voit souvent Didi pédaler sur l'une de ses créations, toujours déguisé en diable !

Sucettes

See's Candies a fêté le National Lollipop Day aux États-Unis avec une version de leur sucette au chocolat de 3 176,5 kg. Cette friandise de 1,8 m de haut a été fabriquée dans leur usine de Burlingame (Californie, USA), le 18 juillet 2012.

Boîte à déjeuner

Coupons for Change (USA) a créé une « lunchbox » géante en l'honneur du Hunger Action Month. Mesurant 2,29 x 2,03 x 1,02 m, elle contenait 400 sacs à dos remplis de nourriture pour les enfants démunis de Mountain View (Californie, USA), le 15 août 2012.

Crayon

Ashrita Furman et les membres du Sri Chinmoy Center (tous, USA) ont fabriqué un crayon de 23,23 m de long pesant 9,84 t, à New York (USA), le 27 août 2007.

Carte postale

Une carte postale de 52,48 m² a été créée par Andrej Maver et Glasbena Agencija GIG (tous 2, Slovénie), à Nova Gorica (Slovénie), le 27 août 2012.

Jeu de société Twister : le plus grand plateau de Twister mesurant 52,15 m x 42,7 m a été utilisé pour un jeu géant de Twister, le 1er septembre 2011, à Enschede (Pays-Bas).

Cheval à bascule : mesurant 7,6 x 3,22 x 6,1 m, ce cheval a été créé à Tzoran-Kadima (Israël), le 12 septembre 2010.

Canard en plastique : flottant dans le port de Saint-Nazaire, ce canard de 25 m a été exhibé lors d'une exposition, de juin à septembre 2007.

Plateau de jeu : un plateau de Monopoly de 225 m² a été créé par la De Eindhovense School (Pays-Bas), à Eindhoven (Pays-Bas), le 27 juin 2012.

Hula-hoop : Ashrita Furman (USA) a fait tourner ce cerceau géant de 5,04 m de diamètre plus de 3 fois, à New York (USA), le 9 septembre 2010.

COLLECTIONS

La plus grande collection de tubes de dentifrice

Le dentiste Val Kolpakov (USA) possédait 2 037 tubes de dentifrice le 15 juin 2012. Sa collection provient du monde entier, notamment du Japon, de Corée, de Chine, d'Inde et de Russie.

LA PLUS GRANDE COLLECTION DE...

Décapsuleurs

Marinus Van Doorn comptait à son domicile de Veghel (Pays-Bas) 33 492 décapsuleurs, le 2 novembre 2011.

Casques de pompiers

En date du 9 février 2012, Gert Souer de Haren (Pays-Bas) avait en sa possession 838 casques de pompiers.

Objets Garfield

Mike Drysdale et Gayle Brennan de Los Angeles (Californie, USA) ont rassemblé 3 000 objets en lien avec leur personnage de BD préféré, Garfield. Le couple a transformé son domicile en autel dédié au célèbre chat. Peluches, vidéos, draps, vaisselle, radios, jouets mécaniques à l'effigie de Garfield occupent chaque recoin de leur maison. Ils ont débuté leur collection en 1994.

Puzzles

Au cours des 26 dernières années, Georgina Gil-Lacuna de Tagaytay (Philippines) s'est constitué une collection inégalée de 1 028 puzzles. Le plus grand d'entre eux comprend 18 000 pièces.

La plus grande collection Iron Maiden

Rasmus Stavnsborg (Danemark) possédait 4 168 objets en rapport avec Iron Maiden à Karlslunde (Danemark), au 9 février 2012. Rasmus a commencé à écouter cet emblématique groupe de metal britannique en 1981 à l'âge de 8 ans.

Magazines

James Hyman de Londres (RU) s'est constitué une collection de 50 953 magazines différents. Ce chiffre a été validé le 1er août 2012.

Motos miniatures

Évaluée officiellement le 24 mai 2012, la plus grande collection de motos miniatures comprend 1 258 pièces et appartient à David Correia de Norco (Californie, USA).

Objets en rapport avec le panda

La plus grande collection d'objets en rapport avec le panda appartient à Edo Rajh et Iva Rajh (tous deux Croatie) et prend la forme de 1 966 timbres du World Wildlife Fund (WWF) portant le logo du panda. La collection a été estimée à Zagreb (Croatie) le 2 avril 2012.

Services à thé 3 pièces

Pyrmonter Fuerstentreff (Allemagne) possède 999 services à thé 3 pièces qui ont été présentés à Bad Pyrmont (Allemagne), le 7 juillet 2012.

La plus importante collection de chaussures Converse

Joshua Mueller, à Lakewood (Washington, USA), possédait 1 546 paires de la marque Converse le 8 mars 2012. Il les porte effectivement – quoique recouvertes de sacs en plastique pour qu'elles restent propres !

4,2 C'est le nombre d'années pendant lesquelles Joshua pourrait porter une paire différente chaque jour !

PLUS DE COLLECTIONS

Tickets de bus : 200 000 tickets uniques de 36 pays, au 30 septembre 2008. Collection de Ladislav Sejnoha (République tchèque).

Grille-pain : 1 284 grille-pain, appartenant à Kenneth Huggins de Columbia (Caroline du Sud, USA), au 31 juillet 2012.

Timbres à l'effigie des papes : 1 580 timbres, collection de Magnus Andersson (Suède), comptés à la bibliothèque publique de Falun (Suède), le 16 novembre 2010.

Baumes à lèvres : 491 baumes à lèvres différents, collection d'Eleanor Miller (Israël), au 29 novembre 2011.

Films non-développés : 1 250 films différents en date du 30 juin 2012, appartenant à Ying Nga Chow (Hong Kong, Chine).

PLUS DE COLLECTIONS

COLLECTION	NOMBRE	DÉTENTEUR DU RECORD	DATE
Sacs à vomi d'avion	6 290	Niek Vermeulen (Pays-Bas)	28 février 2012
Objets de Batman	1 160	Zdravko Genov (Bulgarie)	10 décembre 2011
Bouteilles de bière	25 866	Ron Werner (USA)	27 janvier 2012
Bougies	6 360	Lam Chung Foon (Hong Kong)	23 décembre 2011
Jeux d'échecs	412	Akın Gökyay (Turquie)	30 janvier 2012
Cafetières	27 390	Robert Dahl (Allemagne)	2 novembre 2012
Boîtes à gâteaux	2 653	Edith Eva Fuchs (USA)	20 août 2012
Épingles décoratives	18 431	Arvind Sinha (Inde)	10 mai 2010
Coupe-papier	5 000	Santa Fe College Foundation (USA)	25 octobre 2012
Collection Mickey Mouse	4 127	Janet Esteves (USA)	12 mars 2012
Miniatures militaires	2 815	Francisco Sánchez Abril (Espagne)	16 février 2012
Ambulances miniatures	10 648	Siegfried Weinert et Susanne Ottendorfer (tous 2, Autriche)	7 avril 2012
Voitures miniatures	27 777	Nabil Karam (Liban)	17 novembre 2011
Serviettes de table	50 000	Antónia Kozáková (Slovaquie)	1er août 2012
Véhicules miniatures à pédales	400	Phil Collins (RU)	4 septembre 2012
Objets liés aux escargots	1 377	Professor Henryk Skarżyński, MD, PhD (Pologne)	15 juillet 2012
Sneakers / baskets	2 388 pairs	Jordy Geller (USA)	17 mai 2012
Assiettes souvenir	621	The Kundin family (Russie)	1er octobre 2012
Sachets de sucre	9 596	Kristen Dennis (USA)	11 février 2012
Copies d'écran de jeux vidéo	17 000	Rikardo Granda (Colombie)	septembre 2012
Jouets mécaniques	1 042	William Keuntje (USA)	26 novembre 2011
Étiquettes de vin et de champagne	16 349	Sophia Vaharis (Grèce)	17 janvier 2012

La plus grande collection Chevrolet

Située à Downingtown (Pennsylvanie, USA), la plus importante collection de miniatures Chevrolet appartient à Charles Mallon (USA) et se composait de 2 181 objets le 11 avril 2012.

La plus grande collection d'aspirateurs

S'agissant d'aspirateurs, James Brown (RU) n'est vraiment pas en reste ! James possédait 322 différents modèles en date du 31 octobre 2012, qu'il conserve dans son atelier de réparation, M. Aspirateur, à Heanor (Derbyshire, RU) et à Hucknall (Nottinghamshire, RU).

RAMASSE-POUSSIÈRE

Les préférés de James sont ceux fabriqués par Kirby. Son plus ancien aspirateur est un Hoover 700 fabriqué en 1926.

Emballages de bonbons : 2 048 emballages, collection d'Amanda Destro de Venise (Italie), au 16 février 2012.

Étiquettes de sachets de thé : 839 étiquettes, collection de Daniel Szabo (Budapest, Hongrie), au 4 septembre 2011.

Dents humaines : 2 000 744 dents, collection de Frère Giovanni Battista Orsenigo de l'Ospedale Fatebenefratelli de Rome (Italie).

Chapelets : 3 642 chapelets, appartenant à Jamal Sleeq (Koweït), au 9 mars 2012.

Bouées de sauvetage : 100 bouées, collection de José Octavio Busto Iñiguez (USA) au 23 mai 2012.

CASSE-COU

Patinage en rollers le plus bas sur 10 m

Rohan Kokane (Inde) est passé en rollers (limbo) sous une rangée de voitures de 10 m de long sur le plateau de *Lo Show dei Record* à Rome (Italie), le 4 avril 2012. L'espace entre le sol et les voitures était de 25 cm ! C'est le genre de records qu'il ne faut surtout pas tenter de faire chez vous !

LE ROI DU LIMBO
Rohan détient également des records pour avoir patiné sous 20 voitures, et aussi les yeux bandés.

LA PLUS LONGUE DISTANCE PARCOURUE...

En marchant sur des braises
Trever McGhee (Canada) a parcouru 181,9 m sur des braises à une température comprise entre 657,6 et 853,3 °C, au Symons Valley Rodeo Grounds de Calgary (Alberta, Canada), le 9 novembre 2007.

Pour lancer et rattraper une tronçonneuse en marche
Chayne Hultgren a lancé une tronçonneuse en marche à 4 m, laquelle a été rattrapée par Gordo Gamsby (tous 2, Australie), au London Wonderground (RU), le 14 septembre 2012. Le mécanisme de la tronçonneuse Spear & Jackson à deux temps a été réglé pour que la lame continue à tourner.

En courant sur un mur
Amadei Weiland (Allemagne) a couru 3,49 m sur un mur, sur le plateau de *Guinness World Records – Wir holen den Rekord nach Deutschland,* à l'Europa Park de Rust (Allemagne), le 13 juillet 2012.

En courant le corps en feu
Denni Duesterhoeft (Allemagne) a couru 153 m, en flammes, dans *Das Herbstfest der Überraschungen* (ARD, Allemagne), à Riesa (Allemagne), le 13 octobre 2012.

En tant que boulet de canon humain
L'homme-canon David Smith Jr (USA) a été lancé à 59,05 m par un canon sur le plateau de *Lo Show dei Record,* à Milan (Italie), le 10 mars 2011.

La plus longue distance dans un wingsuit

Shinichi Ito (Japon) a volé 28,707 km en wingsuit au-dessus de Yolo County (Californie, USA), le 26 mai 2012. Cette audace lui vaut un double record : la **plus grande distance en wingsuit** et la **plus longue distance à l'horizontale en wingsuit** : 26,9 km.
Pour plus de sports aériens, rendez-vous p. 222.

Le stoppie à moto le plus rapide

Jesse Toler (USA) a réalisé un stoppie à 241,4 km/h – une roue avant, en actionnant habilement les freins et en soulevant la moto en position immobile –, au ZMax Dragway, dans le cadre du Charlotte Diesel Super Show de Concord (Caroline du Nord, USA), le 6 octobre 2012.

VOUS AVEZ VU CE STOPPIE !
Le stoppie mesurait plus de 335,3 m. Jesse conduisait une Suzuki GSXR-750 de 2004.

CASCADES RECORD AU CINÉMA

La plus haute chute libre : 335 m, exploit de Dar Robinson (USA), du sommet de la CN Tower, à Toronto (Canada), pour *Highpoint* (Canada, 1982).

Le plus de voitures accidentées par un cascadeur : 2 003 par Dick Sheppard (RU) sur plus de 40 ans.

Le plus gros budget pour des cascades : plus de 3 millions $, pour *Titanic* (USA, 1997).

La cascade la plus populaire d'un James Bond : un saut de grue à grue dans *Casino Royale* (RU/Rép. tchèque/USA/Allemagne/Bahamas, 2006). Source : *Radio Times* poll.

Le plus long saut en hors-bord : 36,5 m, exploit de Jerry Comeaux (USA) dans *Vivre et laisser mourir* (RU, 1973).

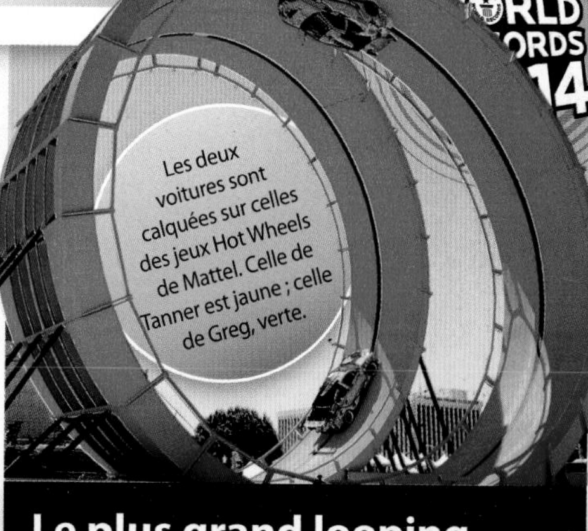

Les deux voitures sont calquées sur celles des jeux Hot Wheels de Mattel. Celle de Tanner est jaune ; celle de Greg, verte.

Le saut à l'élastique le plus haut, le corps en feu

Le 14 septembre 2012, Yoni Roch (France) a réussi l'exploit doublement dangereux de réaliser un saut à l'élastique le corps en feu, d'une hauteur de 65,09 m, du viaduc de la Souleuvre (Normandie, France).

David a aussi atteint la **hauteur la plus élevée en étant propulsé par un canon** – 23,62 m – sur le Charlotte Motor Speedway de Concord (Caroline du Nord, USA), le 15 octobre 2011.

LES PLUS RAPIDES…

Pour rouler sur la glace

Janne Laitinen (Finlande) a conduit une Audi RS6 modifiée à 331,61 km/h dans le golfe de Botnie (mer Baltique "gelée"), en Finlande, le 6 mars 2011.

Pour conduire une voiture les yeux bandés

Metin Şentürk (Turquie), président de la World Handicapped Foundation, a conduit les yeux bandés à 292,89 km/h à bord d'une Ferrari F430, à l'aéroport d'Urfa (Turquie), le 31 mars 2010.

Pour sauter au-dessus de 3 voitures en marche

Aaron Evans (USA) a sauté au-dessus de 3 voitures en marche en 29,09 s, à Los Angeles (Californie, USA), le 9 juillet 2012.

La moto sur un fil

Johann Traber (Allemagne) a atteint 53 km/h au guidon d'une moto, sur un fil, lors du Tummelum Festival de Flensburg (Allemagne), le 13 août 2005.

Sur un quad (VTT)

Le record de vitesse avec un quad, ou un véhicule tout-terrain, départ lancé, est de 315,74 km/h, exploit réalisé par Terry Wilmeth (USA) sur son ALSR Rocket Raptor version 6.0 – un Yamaha 700 Raptor modifié, propulsé par un moteur à injection hybride –, à l'aéroport Madras de Madras (Oregon, USA), le 15 juin 2008.

LES PLUS HAUTS…

Traversée sur un câble

Le 7 août 1974, Philippe Petit (France) a rallié le sommet des tours du World Trade Center de New York (USA), sur un câble à 411 m au-dessus du sol.

Le **parcours le plus élevé sur une corde à moto** a été réalisé à 130 m de haut, sur 666,1 m, record établi par Mustafa Danger (Maroc). Il a roulé sur un câble en acier relié entre le Monte Tossal Hill et le Gran Hotel Bali de Benidorm (Espagne), le 16 octobre 2010.

Le plus grand looping dans une voiture

Greg Tracy et Tanner Foust (tous deux, USA) ont effectué un looping de 18,29 m de diamètre pour Mattel (USA), à Los Angeles (USA), le 30 juin 2012. La piste était une réplique à grande échelle du jeu Hot Wheels Double Dare Snare et le looping s'est déroulé au cours de X-Games 18.

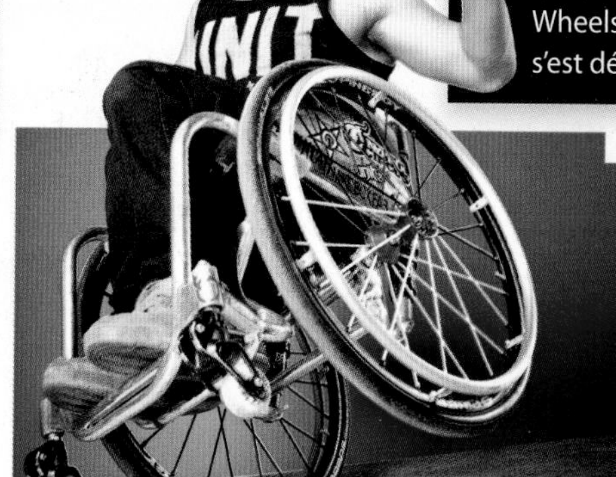

Le saut le plus haut d'une rampe en fauteuil roulant

Aaron Fotheringham (USA) a réalisé un saut d'une rampe de 60 cm dans son fauteuil roulant, à Rome (Italie), le 24 mars 2010. Grâce à ses qualités athlétiques, Aaron a parcouru le monde, inspirant les jeunes en dévoilant son incroyable maîtrise et tout son talent avec son fauteuil roulant.

Le **parcours le plus élevé sur une corde à vélo** est de 72,5 m, record établi par Nik Wallenda (USA) entre les Royal Towers de l'hôtel *Atlantis Paradise Island* de Nassau (Bahamas), le 28 août 2010.

Saut sans assistance sur coussin d'air

Le 7 août 1997, Stig Günther (Danemark) a réalisé un saut de 104,5 m d'une grue pour retomber sur un coussin d'air de 12 x 15 x 4,5 m. La vitesse d'impact était d'environ 145 km/h.

Le plus rapide pour escalader le Burj Khalifa sans assistance

Alain Robert (France) a escaladé le Burj Khalifa – culminant à 828 m, c'est le **plus haut bâtiment du monde** (*voir p. 144-145*) –, à Dubaï (ÉAU), en 6 h 13 min et 55 s, le 29 mars 2011. Emaar Properties, les promoteurs du bâtiment, ont insisté pour qu'il porte un équipement de sécurité pour faire cette tentative.

SPIDERMAN
Alain portait un équipement de sécurité, sachant qu'il réalise toujours ses exploits à mains nues avec des chaussures à semelle en caoutchouc !

Le plus de duels à l'épée : Christopher Lee (RU) a livré des duels dans 17 films avec des fleurets, des épées, des sabres laser et des queues de billard.

Le saut le plus haut sans parachute : 70,71 m par A J Bakunas (USA) dans *Hooper* (USA, 1978). Il est retombé sur un matelas pneumatique.

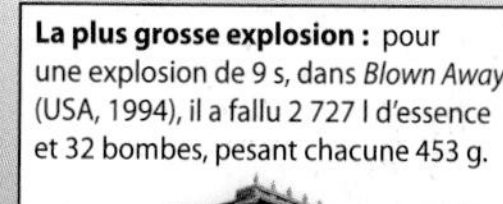

La plus grosse explosion : pour une explosion de 9 s, dans *Blown Away* (USA, 1994), il a fallu 2 727 l d'essence et 32 bombes, pesant chacune 453 g.

Le plus de tonneaux dans une voiture : 7 par le cascadeur Adam Kirley (RU) dans une Aston Martin DBS, dans *Casino Royale* (2006).

La cascade la plus coûteuse réalisée en altitude : 1 million $ – Simon Crane (RU) s'est déplacé entre 2 jets à une altitude de 4 572 m, dans *Cliffhanger* (USA, 1993).

LES PLUS FORTS

CITATION
« J'ai passé ma vie à faire des cascades douloureuses et drôles. »

LES PLUS LOURDS...

Poids tiré avec la langue

Le Great Gordo Gamsby (Australie) a tiré 132 kg sur au moins 10 m, au London Wonderground (RU), le 16 septembre 2012. Gordo s'est servi d'un crochet fixé à la langue pour tracter sa belle assistante Daniella D'Ville (RU), assise sur un chariot surbaissé.

Poids soulevé avec les doigts de pied

Guy Phillips (RU) a soulevé 23 kg à Horning (Norfolk, RU), le 28 mai 2011. Cet homme déterminé s'est servi d'un haltère muni d'une sangle de façon à n'utiliser que ses doigts de pied pour soulever le poids.

Poids soulevé avec les omoplates

Sur le plateau de *CCTV Guinness World Records Special*, à Pékin (Chine), le 8 décembre 2012, Feng Yixi (Chine) a soulevé 51,4 kg entre ses omoplates à au moins 10 cm du sol, en maintenant le poids à cette hauteur pendant 5 s.

Véhicule tracté par une barbe

Sadi Ahmed (Pakistan) a attaché sa barbe à un camion de 1 700 kg et l'a tracté sur 5 m, lors du Punjab Youth Festival à Lahore (Pakistan) le 21 octobre 2012.

Le poids le plus lourd soulevé avec des crochets plantés dans les avant-bras

L'un des membres du duo d'artistes extravagants, appelés les Monsters of Schlock (*voir p. 87*), Burnaby Q Orbax (Canada) a soulevé un fût à cidre en métal de 14,4 kg et l'a maintenu en hauteur 10 s à l'aide de crochets plantés dans ses avant-bras, au London Wonderground (RU), le 28 juillet 2012.

10 C'est la longueur en centimètres de chaque clou – dont 5 cm étaient plantés dans le bois.

Le plus rapide pour enlever 5 clous avec les dents

Le colosse détenteur de plusieurs Guinness World Records, René "Golem" Richter (République tchèque/Allemagne), a arraché, en 32,39 s, 5 clous en acier d'un morceau de bois dans *Lo Show dei Record*, le 28 mars 2012, à la seule force de ses dents. René affirme ne rien faire de particulier pour renforcer ou prendre soin de son exceptionnelle denture – il a juste la chance d'avoir des défenses en béton !

LES PLUS RAPIDES...

Pour lancer 5 pierres d'Atlas

Travis Ortmayer (USA) a lancé 5 pierres d'Atlas – pour un poids total d'environ 750 kg – au-dessus d'un obstacle de 1,5 m de haut en 15,83 s, à Milan (Italie), le 28 avril 2011.

Pour tirer un avion sur 25 m

Le 21 avril 2011, Žydrūnas Savickas (Lituanie) a tiré un avion sur 25 m en 48,97 s, dans l'émission *Lo Show dei Record*. Pour que le record soit homologué, l'avion devait peser plus de 10 t, poids incluant le pilote.

INFO
La voiture soulevée par Igor avec les dents pesait l'équivalent de 26 hommes – ou une équipe de joueurs de football, arbitre et juges de touche compris !

Le plus rapide pour tirer une voiture sur 30 m avec les dents

La superstar de l'acrobatie Igor Zaripov (Russie) a tiré une voiture contenant le plein d'essence et un passager – pour un poids total de 1 645 kg – sur 30 m à la force de la bouche en 18,42 s, à Las Vegas (Nevada, USA), le 12 avril 2012.

EXTRÊMEMENT TALENTUEUX
Igor est cascadeur de l'extrême et acrobate aérien au Cirque du Soleil.

LES PLUS COSTAUDS POUR SOULEVER ET TIRER

Poids le plus lourd soulevé avec le cou : Frank Ciavattone (USA) a soulevé 366,50 kg à la force du cou, à Walpole (Massachusetts, USA), le 15 novembre 2005.

Poids le plus lourd soulevé avec la barbe : le 18 avril 2012, Antanas Kontrimas (Lituanie) a soulevé une femme de 63,5 kg à l'aide de sa barbe, à Rome (Italie).

Poids le plus lourd soulevé avec la langue : le 1er août 2008, Thomas Blackthorne (RU) a soulevé 12,5 kg à l'aide d'un crochet fixé sur la langue.

Poids le plus lourd soulevé avec les paupières : un poids de 24 kg a été soulevé par Manjit Singh (RU), à Leicester (RU), le 15 novembre 2012.

Poids le plus lourd soulevé avec les tétons : Sage Werbock (USA), alias le Great Nippulini, a soulevé 31,9 kg – 2 enclumes munies de chaînes – avec les tétons, à Hulmeville (Pennsylvanie, USA), le 26 septembre 2009.

Retenir 2 avions le plus longtemps

Orages, brouillard, éclairs peuvent tous retarder le décollage d'un avion. Vous pouvez ajouter à cette liste Chad Netherland des États-Unis ! Le 7 juillet 2007, Chad a empêché 2 avions Cessna de décoller en les tirant dans des directions opposées, pendant 1 min et 0,6 s, à l'aéroport Richard I Bong de Superior (Wisconsin, USA).

CITATION
« Je reste motivé en me lançant des défis et en me fixant constamment de nouveaux objectifs. »

Pour faire exploser une bouteille d'eau chaude
Shaun Jones (RU) a fait éclater une bouteille standard d'eau chaude – s'aidant de la seule puissance de ses poumons – en 6,52 s, dans *Lo Show dei Record*, à Milan (Italie), le 31 mars 2011.

LE PLUS DE...

Blocs de béton empilés brisés en deux
Ali Bahçetepe (Turquie) a brisé 36 blocs de béton à Muğla, Datça (Turquie), le 18 mars 2012.

Bancs empilés maintenus entre les dents
Le 19 août 2011, Huang Changzhun (Chine) a tenu en équilibre 17 bancs empilés entre les dents pendant 10 s, sur le plateau de *CCTV Guinness World Records Special*, à Pékin (Chine).

Barres de fer pliées en 1 min
Alexander Muromskiy (Russie) a plié 26 barres de fer de 61 cm de long et de 12 mm d'épaisseur chacune, au Trade Complex Angar Auto de Moscou (Russie), le 3 novembre 2012.

Blocs de glace brisés par bélier humain
J D Anderson (USA) a été utilisé comme bélier humain pour briser 13 blocs de glace, sur le plateau de *Guinness World Records Gone Wild !* à Los Angeles (Californie, USA), le 3 juillet 2012.

Bottins déchirés en 2 min (dos)
Dans *Zheng Da Zong Yi – Guinness World Records Special*, à Pékin (Chine), le 21 décembre 2010, Cosimo Ferrucci (Italie) a déchiré à la suite le dos de 33 bottins.

Alexander Muromskiy a établi le record tout aussi impressionnant du **plus grand nombre d'annuaires téléphoniques déchirés derrière le dos en 3 min**, 10 au total, au centre commercial Global City de Moscou (Russie), le 30 avril 2011.

Battes de base-ball brisées avec le dos en 1 min
Tomi Lotta (Finlande) a brisé 16 battes de base-ball à la force du dos, à Rome (Italie), le 21 mars 2012. Lotta, colosse de renommée internationale, a lutté au coude à coude avec son adversaire Ákos Nagy (Hongrie) pour cette tentative de record.

Le plus de planches en bois brisées

Huynh Dang Khoa (Allemagne) a réalisé une prouesse physique hors norme en brisant 5 planches en bois de 2,54 cm d'épaisseur en 1 min, à Rome (Italie), le 31 mars 2012.

Le plus de pompes sur un doigt en 30 s

Xie Guizhong (Chine) a prouvé qu'il avait un doigt en acier, à Pékin (Chine), le 8 décembre 2011, lorsqu'il a effectué 41 pompes sur un doigt en 30 s.

Les exploits de Xie avec le doigt ne s'arrêtent pas là. Le 11 décembre 2012, à Shenzhen (Chine), il est aussi devenu le **plus rapide à pousser une voiture sur 50 m avec un doigt.** Il lui a fallu 47,7 s pour déplacer le véhicule de 1 890 kg.

ENCORE PLUS FORT
Xie, qui détient déjà le record du plus de pompes sur un doigt, a battu son propre record de 25 lors d'une confrontation avec un challenger chinois !

Le train le plus lourd tiré par les dents : Velu Rathakrishnan (Malaisie) a tiré un train de 260,8 t sur 4,2 m avec les dents, à la gare de Kuala Lumpur (Malaisie), en 2003.

Poids le plus lourd tiré sur 30 m en double : Kevin et Jacob Fast (tous deux Canada) ont tiré un camion de pompiers de 69 753,43 kg sur 30,5 m, à Coubourg (Canada), le 18 juin 2011.

Le plus rapide pour tirer une voiture sur 15 m avec des cannettes « ventousées » sur les mains : à Rome (Italie), le 4 avril 2012, Wei Wei (Chine) l'a fait en 23 s.

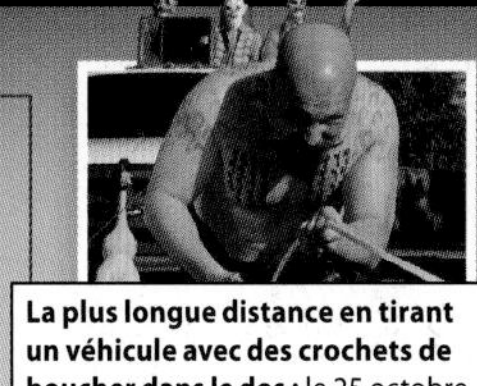

La plus longue distance en tirant un véhicule avec des crochets de boucher dans le dos : le 25 octobre 2011, Burnaby Q Orbax (Canada) a tiré dans la douleur un camion de 4 050 kg sur 111,7 m, à Vancouver (Canada).

Le véhicule routier le plus lourd tiré avec les dents : Igor Zaripov (Russie) a tiré un bus à étage de 12 360 kg dans *Officially Amazing* à Londres (RU), le 15 octobre 2012.

WONDER WOMEN

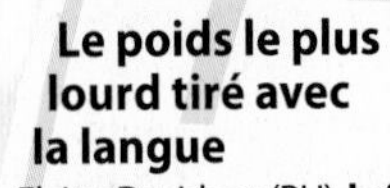

Le poids le plus lourd tiré avec la langue

Elaine Davidson (RU), **la femme la plus piercée** (*voir p. 46*), a tiré un poids de 113 kg relié à un crochet de boucher inséré dans la langue. Les 113 kg correspondent au poids de Grizelda August, à celui de la remorque surbaissée sur laquelle elle était assise et à celui de la chaîne en métal reliant la charge à la langue d'Elaine.

Le même jour, Elaine a également inséré un nombre record **de piques en métal dans sa langue**, faisant glisser 14 piques à kebab en métal mesurant 25 cm de long et 4 mm d'épaisseur dans le trou de sa langue.

Le plus de lancers francs au basket en 1 min

La joueuse de basketball Ashley Graham (USA) a réussi 40 lancers francs sur le plateau du *Lo Show dei Record* à Rome, Italie, le 31 mars 2012. Elle a reçu l'aide de 5 joueurs de l'équipe de basket de Rome.

Le poids le plus lourd soulevé avec les cheveux

Le 8 avril 2011, sur le plateau de *Lo Show dei Record* à Milan (Italie), Joanna Sawicka, alias Anastasia (Pologne), a été hissée la tête en bas tout en tirant une autre personne pesant 53,4 kg à la force de ses cheveux.

La plus rapide pour soulever 4 pierres d'Atlas

Nina Geria (Ukraine) a soulevé 4 pierres d'Atlas en 24,23 s à Rome (Italie), le18 avril 2012. Les pierres pesaient 80 kg, 105 kg, 120 kg et 135 kg. Conformément aux règlements de la compétition, elles ont été soulevées une à la fois en ordre de poids.

Le plus de personnes soulevées et lancées en 2 minutes

Aneta Florczyk (Pologne) a soulevé puis lancé 12 personnes sur le plateau de *Guinness World Records* à Madrid (Espagne), le 19 décembre 2008, battant Irene Gutiérrez (Espagne), qui a lancé 10 personnes.

Le plus haut lancer de fût de bière

Le 12 mars 2012, Nina Geria (Ukraine) a lancé un fût de bière à 3,90 m de haut sur le plateau de *Lo Show dei Record* à Rome (Italie).

Le plus de squats avec 130 kg en 2 min

La colossale Maria Catharina Adriana Strik (Pays-Bas) a soulevé 29 fois 130 kg en 2 min à Rome (Italie), le 4 avril 2012, sur le plateau de *Lo Show dei Record*.

4,04
C'est le nombre de secondes de différence entre le record de Julia et l'actuel record mondial IAAF du 100 m féminin !

Le 100 m le plus rapide sur talons hauts

Julia Plecher (Allemagne) a franchi l'arrivée en 14,531 s avec talons aiguilles sur le plateau de *Guinness World Records : Wir Holen den Rekord nach Deutschland* à l'Europa Park à Rust (Allemagne), le 13 juillet 2012.

MARATHONIENNES

Le fruit le plus rapide : Sally Orange (RU) a couru le marathon Flora de Londres (RU) en 4 h 32 min et 28 s déguisée en son propre homonyme, le 26 avril 2009.

POUR PLUS D'EXPLOITS AU MARATHON, VOIR P. 246

La plus longue chaîne de crochet : Susie Hewer (UK) a réalisé une ligne de crochet de 77,4 m en courant le Marathon Virgin de Londres (RU) le 25 avril 2010.

La super-héroïne la plus rapide : Jill Christie (RU) a couru le Marathon Virgin en Superwoman de Londres (RU) le 25 avril 2010 en 3 h 8 min et 55 s.

La plus rapide en uniforme militaire : Sophie Hilaire (USA) a couru le Marathon de Philadelphie (USA) le 22 novembre 2009 en seulement 4 h 54 min et 15 s.

Le personnage de bande dessinée le plus rapide : Larissa Tichon (Australie), alias Bob l'Éponge, a couru le Marathon Blackmores de Sydney (Australie) en 3 h 28 min et 26 s, le 19 septembre 2010.

1 352,5
C'est le nombre de kg que Nina a soulevés, tirés, déplacés et lancés pour mériter ses 5 Guinness World Records !

Le plus de bottins téléphoniques déchirés en 3 min

La colossale Tina Shelton (USA) a déchiré 21 bottins téléphoniques – de 1 028 pages chacun – de haut en bas à la Ranchland Church de Escondido (Californie, USA), le 9 février 2007. Tina a pulvérisé son précédent record de 14 bottins, établi à Phelan (Californie, USA), en septembre 2006.

La plus rapide pour briser 16 blocs de béton sur son corps

S'infligeant une véritable correction au Cossington Sports Hall de Leicester (RU), le 15 novembre 2012, Asha Rani (Inde) s'est fait placer 16 blocs de béton au-dessus de la tête, qu'elle a brisés un par un à l'aide d'une masse en 53,828 s. Un record établi à l'occasion de la Journée Guinness World Records.

Rani détient aussi le record **du véhicule le plus lourd tiré par les cheveux**. Elle a attaché ses cheveux à un bus à étage de 12 101 kg – plus de 210 fois le poids de son corps ! – et l'a tracté sur 17,2 m sur Humberstone Gate à Leicester (RU), le 18 août 2012.

La marche du canard la plus rapide sur 20 m en portant 120 kg

Nina Geria (Ukraine) a soulevé un poids de 120 kg sur 20 m en 12,33 secondes le 28 mars 2012. Elle a aussi établi les records de la **plus longue distance parcourue en poussant une voiture comme une brouette** sur 90 m, le 31 mars 2012, et du **temps le plus long à soutenir des colonnes d'Hercule** (2 colonnes de 220 kg et 2 chaînes de 30 kg), soit 47,72 s, le 12 avril 2012. Les 3 records ont été établis à Rome, (Italie).

La plus haute chute libre en parachute

Elvira Fomitcheva (URSS) a parcouru 14 800 m en chute libre lors d'un saut en parachute au-dessus d'Odessa (Russie, désormais Ukraine), le 26 octobre 1977.

Le plus de temps à retenir volontairement sa respiration

Après s'être entraînée pendant 4 mois et avoir inhalé de l'oxygène pendant 24 min, Karoline Mariechen Meyer (Brésil) a retenu sa respiration pendant un temps incroyable de 18 min et 32,59 s à la piscine Racer Academy de Florianópolis (Brésil), le 10 juillet 2009.

Le plus de temps sur un lit de clous

Geraldine Williams (RU, désormais Gray), alias Miranda la Reine des Fakirs, est l'une des 2 femmes détenant un Guinness World Record pour le plus long temps passé sur un lit de clous (l'autre, Daniella D'Ville, est aussi britannique, *voir p. 86*). Miranda est restée couchée sur un lit de clous pointus de 15,2 cm espacés de 5 cm, pendant 30 h à Welwyn Garden City (RU), du 18 au 19 mai 1977.

Le plus de coups de pied d'arts martiaux en 1 min (une jambe)

Le 5 mai 2011, lors d'une tentative simultanée l'opposant à une autre femme, Yuka Kobayashi (Japon) a réalisé 273 coups de pied sur le plateau de l'émission *100 Beautiful Women Who Have Guinness World Records* aux Shiodome Nihon TV studios de Tokyo (Japon).

Le fruit le plus rapide (semi-marathon) : Joanne Singleton (RU) a terminé le Schaumburg Half Marathon Turkey Trot à Schaumburg (Illinois, USA), déguisée en fraise, en 1 h 35 min et 45 s, le 26 novembre 2011.

La fée la plus rapide : Emily Foran (RU) a terminé le Marathon Virgin de Londres (RU) en 3 h 20 min et 52 s, le 17 avril 2011.

La bouteille la plus rapide : courant le MBNA Chester Marathon de Cheshire (RU), le 9 octobre 2011, Sarah Hayes (RU) a franchi la ligne au bout de 4 h 36 min et 19 s.

Le personnage de film le plus rapide : le 25 avril 2010, Alisa Vanlint (RU) a couru le Marathon Virgin de Londres (RU) en 3 h 53 min et 40 s revêtue du fameux bikini de la Princesse Leia du film *La Guerre des Étoiles Episode VI : Le Retour du Jedi*.

Le semi-marathon le plus rapide en poussant un landau : prouesse réalisée par Nancy Schubring (USA) en 1 h 30 min et 51 s lors du Mike May Races Half Marathon à Vassar (Michigan, USA), le 15 septembre 2001.

TOUS ENSEMBLE

La plus grande danse Kaikottikali

Le Kaikottikali, ou Thiruvathirakali, est une danse traditionnelle réalisée par les femmes du Kerala (Inde). Elle consiste à chanter en tapant dans les mains. À l'occasion d'un événement organisé par la Mumbai Pooram Foundation (Inde), lors de la journée GWR (9 novembre 2012), 2 639 femmes se sont rassemblées pour danser à Dombivli, au nord de Bombay (Inde).

Le plus de personnes dans un Photomaton®

Sept contorsionnistes se sont entassées dans un Photomaton® de la gare de King's Cross à Londres (RU), le 4 juillet 2012, à l'occasion d'un événement organisé par Photo-Me International (RU). Le Photomaton® mesurait 1,92 m de haut, 75 cm de profondeur et à peine 1,50 m de large – y compris l'espace réservé aux installations techniques !

LES PLUS GRANDS...

Tournoi de tir à la corde

Le mot d'ordre de l'événement : « Les gagnants fanfaronnent et les perdants prennent un bain de boue » décrit bien la journée du Rochester Institute of Technology, au cours de laquelle 1 574 étudiants participent au tournoi de tir à la corde, à Rochester (New York, USA), le 22 septembre 2012.

Coquelicot humain

Un coquelicot géant a été créé par 2 190 personnes lors d'un événement à l'University Church of England Academy (RU), à Ellesmere Port (RU), le 9 novembre 2012.

Rassemblement d'enfants « éprouvette »

Le 16 octobre 2011, la Infertility Fund R.O.C. de Taichung (Taïwan) a organisé un rassemblement de 1 232 enfants nés par insémination artificielle.

Tournoi de jeux de cartes de collection

Le 100e *Yu-Gi-Oh !* Championship Series a réuni 4 364 participants lors du Long Beach California Convention Center, qui s'est tenu du 23 au 25 mars 2012, en Californie (USA).

Le plus grand rassemblement de personnes habillées en nonnes

1 436 hommes et femmes se sont rassemblés, vêtus du traditionnel habit de nonne en suivant un code vestimentaire strict, pour célébrer le Nunday, à Listowel (Kerry, Irlande), le 30 juin 2012. Cette tentative était destinée à récolter des fonds pour l'organisation à but non lucratif Pieta House (Irlande).

RASSEMBLEMENTS DE PERSONNES DÉGUISÉES

Pirates : Roger Crouch et la ville de Hastings (RU) ont réuni 14 231 pirates, à Pelham Beach, Hastings (East Sussex, RU), le 22 juillet 2012.

Zombies : 8 027 morts-vivants ont participé au Zombie Pub Crawl, à Minneapolis (Minnesota, USA), le 13 octobre 2012.

Dindes : 661 dindes rassemblées lors du 44e Capital One Bank Dallas YMCA Turkey Trot, à Dallas (Texas, USA), le 24 novembre 2011.

Sorcières : le Pendle Council, le Pendleside Hospice et le Pendle Witch Walk (tous RU) ont rassemblé 482 sorcières au Barley Village Green de Barley (Lancashire, RU), le 18 août 2012.

Infirmières : BBC WM et l'organisation Cure Leukaemia (tous deux RU) ont rassemblé 201 personnes habillées en infirmières à Victoria Square, à Birmingham (RU), le 21 février 2012.

LE PLUS DE PERSONNES...

CATÉGORIE	NBRE	ORGANISATEUR	LIEU	DATE
Portant un nez rouge	16 092	Credit Union Christmas Pageant	Adélaïde (Australie)	12 nov. 2011
Chantant et dansant (plusieurs endroits)	15 122	Salt and Pepper Entertainment (Inde)	Karnataka (Inde)	28 août 2012
Portant une perruque	12 083	Blatchy's Blues (Australie)	ANZ Stadium, Sydney, Nouvelle-Galles du Sud (Australie)	13 juin 2012
Participant à une course de relais	8 509	40th Batavierenrace	De Nimègue à Enschede (Pays-Bas)	28 avr. 2012
Se désinfectant les mains	7 675	Saint Gurmeet Ram Rahim Singh Ji Insan et Shah Satnam Ji Green "S" Welfare Force Wing (tous 2, Inde)	SMG Sports Complex, Dera Sacha Sauda Sirsa, Haryana (Inde)	23 sept. 2012
Jouant de la guimbarde	1 344	Nikolay Kychkin (Russie)	Cirque national de Yakutsk, Yakutsk, république de Sakha (Russie)	24 juin 2011
Assises sur une chaise (chaise humaine)	1 311	Onojo City (Japon)	Madoka Park de Onojo, Fukuoka (Japon)	28 oct. 2012
Formant des dominos humains avec des matelas	1 150	Höffner Möbelgesellschaft GmbH & Co. KG (Allemagne)	Gründau-Lieblos (Allemagne)	12 août 2012
Enlaçant des arbres	702	Forestry Commission (RU)	Delamere Forest, Cheshire (RU)	11 sept. 2011
Observant les étoiles	683	Mexique	Universidad Nacional Autónoma de México (UNAM), México (Mexique)	3 déc. 2011
Portant de fausses moustaches	648	St Louis Rams (USA)	Edward Jones Dome de St Louis, Missouri (USA)	16 sept. 2012
Se faisant masser	641	Department of Health Service Support Ministry of Public Health	Nonthaburi (Thaïlande)	30 août 2012
Accomplissant un exercice de hula-hoop	290	Michelle Clinage (USA)	Allen Elementary School de Hutchinson, Kansas (USA)	21 mai 2012
Dansant autour du mât de mai	173	Victory House (RU)	Hurst Community College, Hampshire (RU)	18 juill. 2012

Le plus grand rassemblement de personnages de contes

Il était une fois – un 17 février 2012 – 921 élèves et enseignants de l'école San Agustín de Valladolid (Espagne), habillés en personnages de contes. Cet événement, organisé lors du 50e anniversaire de l'école, a réuni des personnages issus de 57 fables et contes.

Le plus de personnes faisant éclater des bulles d'emballage

Le 28 janvier 2013, la Sealed Air Corporation et le lycée de Hawthorne (tous deux USA) ont réuni 366 personnes pour éclater des bulles d'emballage, à Hawthorne (New Jersey, USA). Cette ville est en effet le berceau de l'emballage à bulles. Cette tentative a eu lieu lors de la journée annuelle du Bubble Wrap, lancée par Spirit 95 FM Radio Station en 2001.

Le plus de personnes dans la nouvelle Mini

Dirigé par Dani Maynard, 28 femmes se faisant appeler les « David Lloyd Divas » (toutes RU) se sont serrées dans une Mini Cooper SD de 2011, le15 novembre 2012, à Londres (RU). Plus tard dans la journée, Dani et ses Divas ont établi un autre record : le **plus de personnes dans une Mini** – la Mini classique (plus petite) des années 1960 – avec 23 personnes.

Le plus d'arbres plantés en même temps

L'association caritative Love to Live International (Inde) a organisé un événement au cours duquel des milliers de volontaires ont planté 99 103 arbres dans certaines des zones les plus rudes du Ladakh (Inde), le 29 octobre 2012.

Tortues Ninja : le parc d'attractions Nickelodeon Universe (USA) a réuni 836 tortues Ninja, au Mall of America de Bloomington (Minnesota, USA), le 17 mars 2012.

Chapeaux de cow-boy : 39 013 personnes ont coiffé leur chapeau lors d'un rassemblement organisé par Angels Baseball (USA), à l'Angel Stadium de Anaheim (Californie, USA), le 2 juin 2012.

Personnages de Star Trek : 1 040 fans de science-fiction se sont rassemblés lors de l'Official Star Trek Convention, au Las Vegas Rio Suites Hotel (USA), le 13 août 2011.

Chefs : 2 847 personnes déguisées en chefs se sont retrouvées le 4 janvier 2013 lors d'un événement organisé par le Department of Tourism and Commerce Marketing, à Dubaï (ÉAU).

Personnages de comptines : 396 enfants de l'école primaire Brookmans Park (RU) étaient habillés en personnages de comptines, lors du Village Day 2011, à Brookmans Park (Hertfordshire), RU, le 18 juin 2011.

SKATEBOARD

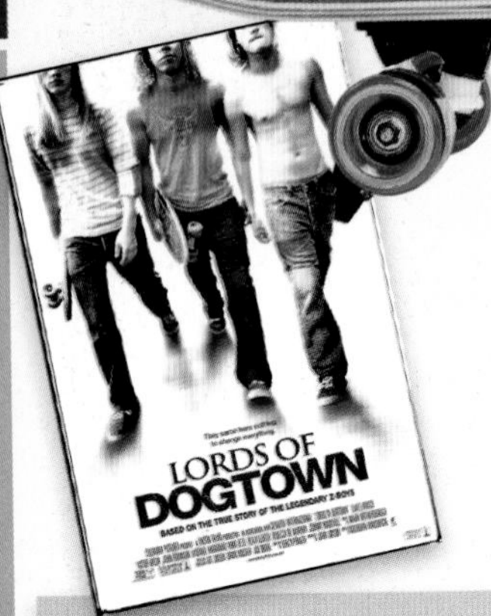

PLANCHES

Premiers skateboards

Il est impossible de savoir qui a inventé le skateboard ou la date de sa création. C'est au début du XXe siècle que des brevets ont été déposés pour des planches à roulettes de loisirs sur lesquelles on se propulse. Mais au milieu des années 1950, de nombreux skateurs fabriquaient encore leurs propres planches.

Frank Nasworthy (USA) a mis au point les **premières roues en polyuréthane** à Encinitas (Californie, USA), en 1970-1973 – une avancée par rapport aux roues en acier ou en « argile » composite utilisées précédemment. Nasworthy a créé Cadillac Wheels en 1973 pour commercialiser son invention, ce qui a permis le renouveau de la pratique du skateboard dans le monde entier.

Le plus ancien skatepark toujours en activité

La construction du Kona Skatepark de Jacksonville (Floride, USA) a débuté en février 1977, pour ouvrir au public le 4 juin 1977. Après une brève fermeture à la fin des années 1970, le skatepark, appartenant de longue date à la famille Ramos, a rouvert et fait toujours le plein.

Le film sur le skateboard le plus rentable

Lords of Dogtown (USA, 2005), de Catherine Hardwicke, a rapporté 13 411 957 $ au box-office à travers le monde. Inspiré de l'histoire vraie des « Z-boys » – skateurs californiens révolutionnaires des années 1970, le film a pour vedettes Emile Hirsch et feu Heath Ledger.

Le plus grand skatepark

Avec ses 13 700 m² de terrain praticable – une superficie plus grande que 2 terrains de football ou 52 courts de tennis – le SMP Skatepark de Shanghai (Chine), a ouvert le 6 octobre 2005 et a coûté 26 millions $, ce qui en fait aussi le **skatepark le plus cher au monde.**

On y trouve le **plus grand bowl en béton**, nommé le « Mondo Bowl » (*photo*), couvrant une superficie de 1 415 m², soit cinq fois plus qu'un court de tennis, ainsi que la **plus grande rampe verticale** du monde – 52 m de longueur, soit plus longue qu'une piscine olympique !

POUR INFO

Le **premier skatepark en béton**, inauguré à Port Orange (Floride, USA) en février 1976, s'est d'abord appelé ScatBoard City, puis Skateboard City. Il se composait de parcours simples, sans les bowls ni les pools ni les pipes des skateparks

Le plus grand skateboard

Conçu et fabriqué par Rob Dyrdek et Joe Ciaglia (tous deux USA) à Los Angeles (USA), le plus grand skateboard mesure 11,14 m de long, 2,63 m de large et 1,10 m de haut. Il a été présenté le 25 février 2009 sur le plateau de *Rob Dyrdek's Fantasy Factory* sur MTV. Skateur accompli, Dyrdek détient 17 Guinness World Records.

Le plus de personnes sur le même skateboard

Dans le clip vidéo « Troublemaker » de Weezer, tourné à Los Angeles (USA) le 21 août 2008, 22 personnes roulaient sur la même planche surdimensionnée.

LES PLUS LONGS…

Voyage en skateboard

Rob Thomson (Nouvelle-Zélande) a parcouru 12 159 km de Leysin (Suisse) à Shanghai (Chine), entre le 24 juin 2007 et le 28 septembre 2008.

Premier magazine de skateboard

En 1964, aux débuts du skateboard, Surfer Publications (USA) a publié *The Quarterly Skateboarder*, qui n'a connu que 4 numéros. Il a été de nouveau publié dans les années 1970 sous le nom *Skateboarder*.

Manual (ou wheeling)

Jeffrey Nolan (Canada) a effectué un wheeling de 217,1 m sur North Augusta Road à Brockville (Ontario, Canada), le 13 juin 2012.

Manual stationnaire

Hlynur Gunnarsson (Islande) a réussi un manual stationnaire de 7 min 59,13 s dans un centre commercial de Reykjavik (Islande), le 2 octobre 2011.

LES X GAMES

Le plus de médailles aux X Games : ayant gagné sa première médaille en 1999, Andy Macdonald (USA) en a remporté 19 en skateboard lors des X Games.

Le plus jeune concurrent aux X Games : Jagger Eaton (USA, né le 21 février 2001) a fait ses débuts aux X Games XVIII (28 juin-1er juillet 2012) à l'âge de 11 ans et 129 jours.

Le plus de victoires masculines dans les épreuves « vert » aux X Games : de 2002 à 2010, Pierre-Luc Gagnon (Canada) a gagné 5 fois dans cette catégorie.

Le plus long saut d'une rampe : lors des X Games X, Danny Way (USA) a réalisé un saut 360 air de 24 m depuis une « mégarampe » le 8 août 2004.

Le plus de ollies 180 en 1 min : Gray Mesa (USA) a réalisé 17 ollies 180 en 1 min aux X Games XVI, le 30 juillet 2010.

280 000 $
C'est le coût de construction de la « mégarampe ».

La plus grande rampe

En 2006, le skateur professionnel Bob Burnquist (USA) s'est fait construire une « mégarampe » de 110 m de long chez lui, près de San Diego (Californie, USA). Mesurant 23 m de haut et munie d'une rampe de lancement de 55 m de long et d'un quarter pipe de 9 m, elle permet aux skateurs d'atteindre une vitesse de 88 km/h et de décoller à 6 m au-dessus du quarter pipe !

Manual sur 1 roue

Le plus long manual sur une roue en skateboard sur une surface plate est de 68,54 m, prouesse réalisée par Stefan Åkesson (Suède) dans le centre commercial Gallerian de Stockholm (Suède), le 2 novembre 2007.

Le premier…

Ollie : Le « ollie », qui consiste à faire sauter la planche en l'air sans se servir de ses mains, a été inventé et réalisé pour la première fois en 1977 par Alan Gelfand (USA) en Floride (USA). Sur la photo, Gelfand sautant en l'air à Gainesville (Floride, USA) en juillet 1979.

Ollie impossible : Ce *trick* extrêmement difficile – un ollie sur un sol plat s'accompagnant d'une rotation verticale à 360° de la planche autour de l'arrière ou de l'avant du pied du skateur – a été réalisé pour la première fois par Rodney Mullen (USA) en 1982. Mullen est considéré comme l'un des skateurs de rue les plus influents.

900 : Tony Hawk (USA) est devenu la première personne à réaliser une rotation de deux tours et demi en l'air, lors des X Games, le 27 juin 1999. Il y est parvenu lors de sa onzième tentative, lors du tournoi Best Trick.

1080 : Un mois avant de devenir le **plus jeune médaillé d'or aux X Games (masculin)** à l'âge de 12 ans et 229 jours, Tom Schaar (USA, *à droite*) a réalisé le premier 1080, soit 3 rotations complètes en l'air. Il a réussi cet exploit hors norme sur une « mégarampe » à Tehachapi (Californie, USA), le 26 mars 2012.

Poirier sur un skateboard

Réalisé sur une distance de 687,33 m, le plus long poirier sur un skateboard a été effectué par Sam Tartamella (USA) le long de la Nakoma Road à Madison (Wisconsin, USA), le 21 juillet 1996.

LES PLUS RAPIDES…

Vitesse (debout)

Mischo Erban (Canada) a atteint la vitesse phénoménale de 129,94 km/h aux Éboulements (Québec, Canada), le18 juin 2012.

Vitesse (tracté)

La vitesse record pour un skateboard tracté est de 150 km/h, exploit réalisé par Steffen Eliassen (Norvège) sur la piste Rudskogen de Rakkestad (Norvège), le 24 août 2012. Eliassen a été tracté par une Tesla Roadster Sport pilotée par Øystein Westlie.

Slalom entre 50 cônes

Le slalom entre 50 cônes le plus rapide sur un skateboard a été réalisé en 10,02 s par Jānis Kuzmins (Lettonie) au Nike Riga Run du Mežaparks (Riga, Lettonie), le 28 août 2011.

Kuzmins détient aussi le record du slalom le plus rapide entre 100 cônes, soit 20,77 secondes, au même skatepark le 12 septembre 2010. À chaque fois les cônes étaient placés à 1,6 m de distance.

50 MILLIONS
C'est l'estimation du nombre de skateurs dans le monde.

Le plus grand full-pipe dans un skatepark

Le Louisville Extreme Park situé dans le Kentucky (USA) abrite le plus grand full-pipe, mesurant 7,3 m de diamètre. En béton, ce skatepark qui comprend 3 715 m^2 de parcours de skateboard « outdoor » a été inauguré le 5 avril 2002.

Le plus de ollies en 1 min : Jacob Halpin (USA) a réalisé 51 ollies lors des X Games XVIII, le 30 juin 2012.

Le plus de axle stalls en 1 min : le 1er août 2010, Annika Vrklan (USA) a réussi 31 axle stalls en 1 min lors des X Games XVI.

Le plus de victoires féminines en « vert » aux X Games : Lyn-Z Adams Hawkins (USA), avec 3 victoires lors des X Games entre 2004 et 2009.

Le concurrent le plus âgé : Steve Alba (USA) a concouru au Park Legends des X Games 2010, à l'âge de 47 ans et 176 jours.

Le 100 m le plus rapide réalisé par un chien : Tillman, un bouledogue anglais, a parcouru 100 m en skateboard en 19,678 s aux X Games XV, le 30 juillet 2009.

TRIVIAL PURSUITS

Le plus de cônes touchés avec des frisbees en 1 min

Brodie Smith (USA), le phénomène du frisbee, a touché 8 cônes avec des disques volants en 1 min, sur le plateau de *Lo Show dei Record*, à Rome (Italie), le 31 mars 2012. Les cônes étaient placés à 10 m de Brodie et à 1 m au-dessus du sol.

CITATION
« Mes fans me motivent pour aller encore plus de l'avant – et réaliser des choses délirantes ! »

LE PLUS DE...

Ballons gonflés avec le nez en 1 h
Le 7 août 2012, Ashrita Furman (USA) a gonflé 328 ballons, uniquement avec son nez, en 1 h, à New York (USA).

Dominos s'effondrant d'une pyramide en 3D
La Sinners Domino Production (Allemagne) a fait chuter une pyramide 3D se composant de 13 486 dominos, au Wolfgang-Ernst-Gymnasium de Büdingen (Allemagne), le 6 juillet 2012.

Languettes de canettes arrachées avec les dents en 1 min
Ryan Stock (Canada) a arraché 11 languettes de canettes en 1 min, sur le plateau du *Guinness World Records Gone Wild !*, à Los Angeles (Californie, USA), le 2 juillet 2012.

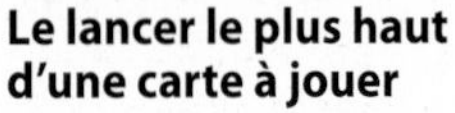

Le lancer le plus haut d'une carte à jouer
Jordan Barker (RU) a lancé une carte à jouer à 13,1 m de haut, dans l'émission *Officially Amazing* (CBBC/Lion TV), à Tunbridge Wells (RU), le 5 novembre 2012.

Le plus long lancer de tong avec le pied
Phillip Conroy (RU) a lancé une tong à 33,9 m de distance avec le pied à l'hôtel *Orquidea* sur l'île de la Grande-Canarie (Espagne), le 10 juin 2012.

Le plus de cuillères en équilibre sur le corps

Eitibar Elchiev (Géorgie) a tenu 52 cuillères en équilibre sur son corps, sur le plateau de CCTV *Guinness World Records Special*, à Pékin (Chine), le 7 décembre 2012. Il attribue son succès à sa transpiration « collante ». Joli !

L'HONNÊTETÉ D'EITIBAR
Eitibar nous a confié que son précédent record de 55 cuillères était erroné ; nous aurions dû compter 51. Merci, Eitibar !

507 MILLIONS
C'est le nombre de post-it qui seraient nécessaires pour faire le tour de la Terre.

Le plus de post-it sur le corps

Le corps de Sarah Greasley (RU) a été recouvert de 454 post-it au Magdalene College de Cambridge (RU), le 17 juin 2011. Quelques-uns se sont envolés, en raison du vent qui soufflait fort ce jour-là.

EN 1 MINUTE...

Le plus de chaussures triées par paires : 11, par Ercan Metin (Turquie), le 12 février 2010. Record égalé par Ozgur Tasan (Turquie), le 26 mars 2010.

Le plus de pinces à linge épinglées sur le visage : 51, par Silvio Sabba (Italie), le 27 décembre 2012.

Le plus d'œufs cassés avec la tête : 142, par Scott Damerow (USA), le 7 juillet 2012.

Le plus de clous plantés à la main : 31, par Boguslaw Bialek (Espagne), le 8 octobre 2012.

Le plus de tee-shirts pliés : 23, par Graeme J Cruden (RU), le 3 mars 2009.

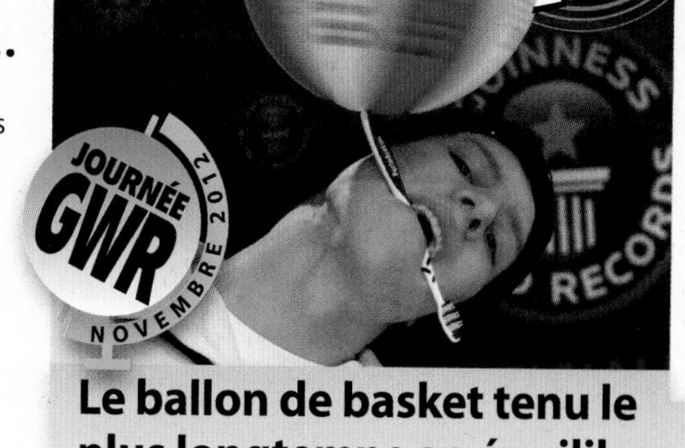

0,38 s
C'est le temps nécessaire à la tapette Little Nipper classique pour se refermer.

Le plus de pièges à souris actionnés sur la langue en 1 min

Sweet Pepper Klopek (Canada) a actionné 47 tapettes à souris sur sa langue en 1 min, à Los Angeles (Californie, USA), le 7 juillet 2012. Le record au féminin a été établi par la Painproof Princess, alias Zoe Ellis (Australie, *ci-dessous*), avec 24 pièges, à Londres (RU), le 28 septembre 2012. Aïe !

Accolades par un individu en 1 h

Jayasimha Ravirala (Inde) a donné 2 436 accolades en 1 h, à Tekkali (Inde), le 29 septembre 2012.

Bombes de table éclatées en 30 s

Le 19 octobre 2012, Alfie Deyes (RU) – l'une des stars de la Guinness World Records YouTube channel GWR OMG ! – a fait exploser 29 bombes de table en 30 s, à Londres (RU). *Pour le record en 1 min, voir p. 94.*

Balles de golf dans une main

Le 16 octobre 2012, Silvo Sabba (Italie) a visité le site Internet des Guinness World Records Challengers et établi un record en tenant 27 balles de golf dans une main.

LES PLUS RAPIDES À...

Organiser un échiquier

Mehak Gul (Pakistan) a disposé les pièces sur un échiquier en 45,48 s, en avant-première d'une partie, lors du Punjab Youth Festival à l'Expo Centre Lahore (Pakistan), le 21 octobre 2012.

Construire une pyramide de dominos de 5 étages

Silvio Sabba (Italie) a construit une pyramide de dominos de 5 étages en 18,4 s, à Pioltello (Italie), le 11 décembre 2012.

Construire un château de cartes de 3 étages

Silvio Sabba (Italie) a construit un château de cartes de 3 étages en 6,8 s, à Pioltello (Italie), le 26 juin 2012.

Coller une personne contre un mur avec du ruban adhésif

Ashrita Furman a collé Alec Wilkinson (tous deux USA) avec du ruban adhésif contre un mur en 32,85 s, à New York (USA), le 2 octobre 2012. Alec est resté collé au mur 1 min, conformément au règlement.

Câbler une prise

Mian Nouman Anjum (Pakistan) a câblé une prise électrique de courant alternatif en 35,93 s, à Lahore (Pakistan), le 21 octobre 2012.

Le ballon de basket tenu le plus longtemps en équilibre sur une brosse à dents

Michael Kopp (Allemagne) a fait tourner un ballon de basket au bout d'une brosse à dents 26,078 s, au Fliegende Bauten de Hambourg (Allemagne), le 14 novembre 2012 pour fêter la Journée du Guinness World Records.

Le plus de piques en bois dans une barbe

Ed Cahill (Irlande) a placé 3 107 cure-dents dans sa barbe, sur le plateau du *Today FM's Ray D'Arcy Show* (Irlande), le 28 septembre 2012. Il a fallu à peine 3 h à Ed pour accomplir sa mission, pour laquelle il n'a eu droit à aucune aide.

14 CM par an : vitesse à laquelle les poils de barbe d'un homme poussent.

Le corps enfoui sous la neige le plus longtemps

Jin Songhao (Chine) a passé 46 min et 7 s le corps entièrement enfoui sous la neige, à A'ershan City, région autonome de Mongolie intérieure (Chine), le 17 janvier 2011.

POUR LES RECORDS DE TEMPS EXTRÊMES, VOIR P. 22

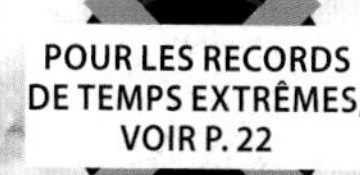

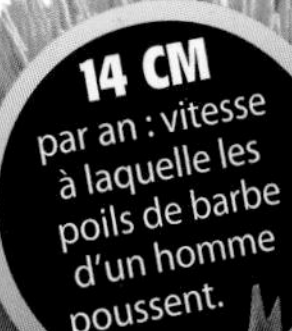

Le plus de pièces de monnaie mises en pile : 40, par Abdullah Alasaad (Jordanie), le 3 mars 2012.

Le plus de culottes enfilées : 36, par Sheena Reyes (Australie), le 28 juillet 2011.

La plus grande pile de tasses à café : 209,9 cm, par Silvio Sabba (Italie), le 29 mai 2012.

Le plus de chaussettes triées avec le pied : 11 paires, par Yui Okada (Japon), le 3 juin 2012.

Le plus d'élastiques tendus sur le visage : 82, par Shripad Krishnarao Vaidya (Inde), le 19 juillet 2012.

PROUESSES EN ÉQUILIBRE

364
C'est le nombre de records GWR d'Ashrita au cours des 25 dernières années.

INFO

Ashrita Furman (USA) est le roi de l'équilibre. Il détient 24 records époustouflants d'équilibriste, des queues de billard aux battes de base-ball en passant par les livres, les œufs, les boîtes à cigares et les tronçonneuses. *Plus d'infos ci-dessous.*

La plus longue distance avec un ballon de foot en équilibre sur la tête

Abdul Halim (Bangladesh) a marché 15,2 km avec un ballon de football sur la tête, au Bangabandhu National Stadium de Dacca (Bangladesh), le 22 octobre 2011.

LES PLUS LOURDS…

Véhicule en équilibre sur la tête

John Evans (RU) a tenu en équilibre une Mini Austin vide de 159,6 kg sur la tête pendant 33 s, à Londres (RU), le 24 mai 1999.

Poids en équilibre sur les pieds

Guo Shuyan (Chine) a maintenu en équilibre sur les pieds une urne en fonte contenant des sacs de sable et une personne – soit 356 kg – sur le plateau d'un CCTV *Guinness World Records Special* à Pékin (Chine), le 5 décembre 2012.

Poids en équilibre sur les dents

Frank Simon (USA) a tenu en équilibre un réfrigérateur de 63,5 kg sur les dents pendant 10 s, à Rome (Italie), le 17 mai 2007. Il a également tenu le plus **longtemps un pneu en équilibre sur les dents :** 31 s, exploit réalisé à Pékin (Chine), le 21 juin 2009. Pour que le record soit homologué, le pneu devait peser au moins 50 kg.

LES PLUS LONGS…

Équilibre sur un vélo en altitude

Xavier Casas Blanch (Andorre) a passé 4 h et 2 min en équilibre sur son vélo, sur le dôme de l'hôtel Hesperia Tower, à 107 m au-dessus du sol, à Barcelone (Espagne), le 29 septembre 2011.

Maintien en équilibre d'un fauteuil roulant sur 2 roues

L'athlète handicapé de l'extrême Aaron "Wheelz" Fotheringham (USA) a maintenu son fauteuil roulant sur ses roues latérales pendant 18,22 s, à Rome (Italie), le 12 avril 2012.

Le plus de pirouettes sur la tête

Les époux Wu Zhengdan et Wei Baohua (tous deux Chine) – de la troupe acrobatique de Guangdong – ont réalisé 4 pirouettes consécutives, Wei en équilibre sur la tête de Wu, à Rome (Italie), le 28 mars 2012. Wu porte une casquette disposant d'une échancrure, dans laquelle son épouse cale la pointe de son chausson.

LE PLUS DE…

Vélos en équilibre sur le menton

Le 8 décembre 2011, à Pékin (Chine), Sun Chaoyang (Chine) a tenu en équilibre 3 VTT pour adultes sur le menton pendant 30 s.

Pièces en équilibre sur le visage (1 min)

Le 9 octobre 2012, Silvo Sabba (Italie) a maintenu 48 pièces de monnaie en place sur son visage pendant 1 min, à Pioltello (Italie).

Personnes ayant maintenu des œufs en équilibre

À Taïwan, toute personne capable de faire tenir un œuf à la verticale sur une table ou au sol le jour du festival du Bateau-Dragon sera chanceuse toute l'année. Lors d'un événement organisé le 23 juin 2012, à Hsinchu (Taïwan), 4 247 personnes ont réalisé cet exploit de bon augure.

GRAND ÉCART
Jacopo avait à peine 18 ans quand il a battu le record. Il est resté incroyablement calme pour maintenir cette position insoutenable.

Record de temps en grand écart facial entre deux objets

Jacopo Forza (Italie) est resté 3 min et 48 s en position de grand écart facial entre deux voitures lors de *Lo Show dei Record*, à Rome (Italie), le 28 mars 2012. Le grand écart facial est une position qui consiste à étendre les jambes à gauche et à droite du torse, avec les hanches en équerre, pour créer un angle à 180°.

INFO

Le mot « équilibre » vient du latin *libra* (balance à deux plateaux) qui a donné *aequilibrium* (les deux plateaux sont au même niveau).

Record de temps avec une tronçonneuse en équilibre sur le menton

Ashrita Furman (USA) a maintenu une tronçonneuse en équilibre sur son menton pendant 1 min et 25,01 s, au Sri Chinmoy Center de New York (USA), le 12 novembre 2012.

LES RECORDS D'ASHRITA

Batte de baseball : 14,48 km parcourus en tenant une batte sur un doigt, à Bali (Indonésie), le 7 février 2011.

Livre : 32,18 km parcourus avec un livre sur la tête, à Bali (Indonésie), le 29 janvier 2011.

Échelle : 2 min et 50 s en tenant en équilibre une échelle sur le menton, à New York (USA), le 2 octobre 2012.

Boîtes à cigares : 223 boîtes en équilibre sur le menton, à New York (USA), le 12 novembre 2006.

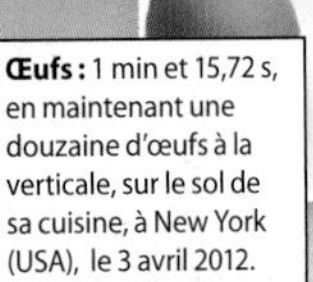

Œufs : 1 min et 15,72 s, en maintenant une douzaine d'œufs à la verticale, sur le sol de sa cuisine, à New York (USA), le 3 avril 2012.

Le plus de sauts sur une poutre en 1 min

Deux gymnastes talentueuses sont entrées dans le *Guinness World Records* en réalisant le nombre incroyable de 20 sauts arrière sur une poutre en 1 min. Le 28 mars 2012, Giulia Bencini (Italie), ici à l'âge de 11 ans, a réalisé cet exploit à Rome (Italie). Elle a égalé le record établi par Émilie Schutt (France) dans l'émission *L'Été de tous les records*, à Soulac-sur-Mer (France), le 16 août 2005.

LA REINE DU SALTO

En 1964, la gymnaste Erika Zuchold (Allemagne) est devenue la **première femme à réaliser un salto arrière sur une poutre.**

Rotations de la jambe avec un cerceau en arabesque (1 min)

L'arabesque consiste à tenir debout sur une jambe et d'étendre l'autre en arrière à 90°. Rashmi Niranjan Joshi (Inde) a maintenu cette position en faisant tourner le cerceau autour de sa jambe tendue 104 fois, sur le plateau de *Guinness World Records – Ab India Todega*, à Bombay (Inde), le 15 mars 2011.

Chapeaux en équilibre sur la tête (1 min)

Le 16 septembre 2012, Melanie Devoy (RU) a tenu 53 chapeaux en équilibre sur la tête pendant 1 min, à l'hôtel Orquidea sur l'île de Grande-Canarie (Espagne).

Parapluies ouverts en équilibre sur le corps en même temps

Liu Lina (Chine) a tenu en équilibre 9 parapluies ouverts sur son corps, sur le plateau de *Lo Show dei Record,* à Milan (Italie), le 28 avril 2011. Allongée, elle en avait 4 sur un pied, 3 sur l'autre et un sur chaque main.

Marches montées avec une personne sur la tête

Qiaoling Yang a monté 25 marches en tenant Qiao Deng (tous 2, Chine) en équilibre sur la tête, sur le plateau de *Zheng Da Zong Yi – Guinness World Records Special*, à Pékin (Chine), le 18 décembre 2010.

Verres en équilibre sur le menton

Sun Chao Yang (Chine) a tenu en équilibre 133 verres sur le menton, sur le plateau du CCTV *Guinness World Records Special*, à Pékin (Chine), le 4 décembre 2012.

Cette prouesse de Sun surclasse le record du **plus grand nombre de verres dans une main** (39), détenu par Reymond Adina (Philippines), réalisé au café *Quatre-Gats*, à Barcelone (Espagne), le 24 octobre 2007.

31 Nombre record de pompes sur 4 Swiss balls en 1 min, réalisées par Neil en août 2011.

Le plus rapide pour sauter sur 10 Swiss balls

Neil Whyte (Australie) a réalisé des bonds sur 10 Swiss balls, sans tomber, en 8,31 s, à Rome (Italie), le 13 avril 2012. Neil a aussi réalisé le **saut le plus long entre 2 Swiss balls,** soit 2,3 m, en 2006.

9,6 C'est la distance en mètres que Chelsea a parcourue sur des bouteilles.

Marcher sur le plus de bouteilles placées debout

Chelsea McGuffin (Australie) a marché sur 51 bouteilles de champagne ouvertes et vides, le 20 septembre 2012, au Spiegeltent du London Wonderground de Londres (RU). Les bouteilles étaient posées au sol sans soutien, et Chelsea portait des chaussons de danse.

Tondeuse à gazon : 4 min et 12 s en maintenant une tondeuse sur le menton, à New York (USA), le 20 octobre 2012.

Bouteille de lait : 1,6 km en faisant du hula-hoop avec une bouteille de lait sur la tête en 13 min et 37,35 s, à New York (USA), le 11 mars 2012.

Casiers à lait : 17 casiers, pesant 42,4 kg, maintenus en équilibre sur le menton pendant 11,23 s, à New York (USA), le 16 juin 2006.

Queue de billard : 4 h et 7 min en tenant une queue de billard sur un doigt à New York (USA), le 18 novembre 2009.

Verres à bière : 81 verres à bière en équilibre sur le menton pendant 12,10 s, dans sa cour à New York (USA), le 12 août 2007.

ARTS DE LA SCÈNE

ONE-MAN SHOW

Le plus de tickets vendus

L'humoriste Peter Kay (RU) a vendu 1 140 798 tickets pour son spectacle *Tour That Doesn't Tour Tour*, qu'il a joué du 23 février 2010 au 25 novembre 2011. La tournée RU/Irlande a généré 39,8 millions £ – une moyenne par spectacle de 274 929 £.

La **tournée la plus rentable par spectacle** est le *Showtime* de Michael McIntyre qui, en 2012, a rapporté 20,96 millions £ en 73 représentations, soit une moyenne de 287 123 £ par spectacle.

Le spectacle le plus long

Le plus long one-man show par un individu est de 40 h, spectacle joué par Bob Marley (USA) et la Comedy Connection, à Portland (Maine, USA), du 22 au 23 septembre 2010.

Le **plus long spectacle joué par plusieurs humoristes sans interruption** est de 80 h. Il a été réalisé par le Laugh Factory (USA) dans leur club d'Hollywood (Californie, USA), du 6 au 9 décembre 2010.

Le spectacle le plus haut

Le 12 mars 2011, Dara O'Briain (Irlande) et les comédiens Jack Whitehall et Jon Richardson (tous deux RU) ont joué un spectacle comique à bord d'un vol British Airways "Flying Start", à 10 668 m d'altitude. La vente des billets du *Smile High Show* a rapporté 100 000 £ au secteur caritatif.

Le spectacle d'humoristes le plus pérenne

La distribution de *Comedy to Go* des Comedy Store Players (RU) est inchangée depuis 1985, soit 27 ans : Paul Merton (alias Paul Martin), Neil Mullarkey, Josie Lawrence et Richard Vranch (tous RU). Le lieu n'a pas changé non plus : The Comedy Store, à Londres (RU).

15 ANS
C'est l'âge auquel Imaan a commencé sa carrière d'humoriste.

Le plus petit humoriste

Le plus petit humoriste en activité est Imaan Hadchiti (Liban/Australie). Il mesure 102,5 cm. Imaan exerce ses talents d'humoriste en Australie et au Royaume-Uni depuis 2005.

13
C'est le nombre de membres : un technicien du son, un technicien vidéo et 11 joueurs.

Le plus de concerts par un orchestre de légumes

The Vegetable Orchestra (Autriche) joue à l'aide d'instruments conçus uniquement à partir de légumes frais. Entre avril 1998 et septembre 2012, ils ont donné 77 concerts dans le monde entier. Cet ensemble utilise un large éventail de légumes pour produire ces sons uniques, notamment des flûtes fabriquées avec des carottes et des percussions à partir de potirons.

Le plus de ballons géants enfilés et éclatés en 2 min

Paolo Scannavino (Italie) a enfilé et éclaté 11 ballons géants en 2 min, sur le plateau de *Lo Show dei Record*, à Rome (Italie), le 31 mars 2012. Paolo est un artiste de cirque italien.

PRINCE CLOWN
Paolo est non seulement un clown professionnel, mais aussi un équilibriste hors pair, capable de jongler avec le feu.

POUR PLUS D'INFOS SHOWBIZ, VOIR P. 196-217

THÉÂTRE

Les plus fortes recettes au box-office à Broadway en une semaine

Wicked, la comédie musicale, prélude au *Magicien d'Oz*, a rapporté 2 947 172 $ sur Broadway en 9 représentations au cours de la dernière semaine de décembre 2012.

Le plus de représentations dans une pièce du West End londonien

David Raven (RU) a incarné Major Metcalf dans *La Souricière* d'Agatha Christie à 4 575 reprises entre 1957

LES PLUS GRANDS ENSEMBLES

Accordéons : 1 137, lors du Panonika Harmonika Festival en 2011, à Cerklje ob Krki (Slovénie), le 8 août 2011.

Cornemuses : 333 grinçant à l'unisson avec l'Art of Living Foundation, au National Palace of Culture, à Sofia (Bulgarie), le 16 mai 2012.

Flûtes : 3 742, lors d'un événement organisé par le comité exécutif Tsugaru Yokobue Guinness au Hirosaki Castle, à Aomori (Japon), le 31 juillet 2011.

Mandolines : 414, organisé par Michael Marakomichelakis (Grèce) à Heraklion (Crète), le 5 septembre 2012.

Scies musicales : 53, événement organisé par Natalia "Saw Lady" Paruz (USA) à la Trinity Church, Astoria, à New York (USA), le 18 juillet 2009.

Le plus de récompenses Laurence Olivier

Matilda the Musical a remporté 7 Olivier en 2012 : Meilleure nouvelle comédie musicale, pour le scénariste Dennis Kelly (RU) et le compositeur/parolier Tim Minchin (Australie) ; Meilleure actrice dans une comédie musicale, pour les 4 actrices ayant joué le rôle de Matilda : Cleo Demetriou (Chypre), Eleanor Worthington-Cox, Kerry Ingram et Sophia Kiely (toutes RU) ; Meilleur acteur, pour Bertie Carvel qui incarne la directrice ; Meilleur décor, Rob Howell ; Meilleur chorégraphe, Peter Darling ; Meilleur son, Simon Baker ; et Meilleur réalisateur, Matthew Warchus (tous RU).

5 ANS
C'est l'âge auquel Ethan a commencé à composer ses propres morceaux.

GUINNESS WORLD RECORDS 2014

Le plus jeune musicien d'une tournée solo

Ethan Bortnick (USA, né le décembre 2000) s'est retrouvé en tête d'affiche au Wentz Concert Hall à Naperville (Illinois, USA), le 3 octobre 2010, à 9 ans, 9 mois et 9 jours, dans le cadre de sa tournée. Le jeune prodige du piano qui a commencé à jouer à 3 ans a été l'invité de la présentatrice Oprah Winfrey.

et 1968. (Au 25 novembre 2012, il s'était donné 25 007 représentations, sans interruption, de *La Souricière*, la **pièce la plus pérenne**.)

La plus longue carrière de comédien

Hanna Maron (Israël), née en 1923, a débuté sur les planches à 4 ans ; elle continue de jouer aujourd'hui. Elle compte 85 ans de carrière.

La production théâtrale la plus rapide

Youth Theatre Performerz et MRL Productions (tous deux RU) ont mis en scène la comédie musicale *Our House* de Tim Firth – maîtrisant tous les aspects de la production (auditions, chorégraphie, jeux de scène, répétitions, décors et éclairages, création de costumes et d'accessoires) – en 22 h, au Princes Theatre de Clacton-on-Sea (Essex, RU), les 31 mars et 1er avril 2012.

DANSE

La plus longue distance en dansant le conga

14 employés des magasins Salford et Stretford Tesco (RU) ont dansé le conga en ligne sur 5,487 km, au Old Trafford de Manchester (RU), le 2 décembre 2012.

La plus longue ligne de danseurs

Une ligne de 2 569 danseurs créée à l'initiative de Walkway Over the Hudson a dansé le "Hokey Pokey" à Poughkeepsie (New York, USA), le 9 juin 2012.

Le plus de pas de danse irlandaise « 1-2-3 » en 30 s

Ben Carolan (Irlande) a réussi 43 pas de danse irlandaise, pas appelé 1-2-3, en 30 s, sur le plateau de *Elev8* (RTÉ) à Dublin (Irlande), le 3 août 2012. Le saut en 3 temps est un classique de la danse irlandaise traditionnelle.

Le moonwalk le plus rapide sur 20 m

Ashiq Baluch (RU, *en photo*) s'est mesuré à 5 autres sosies de Michael Jackson en dansant le moonwalk sur 20 m en 7,81 s, dans *Lo Show dei Record* à Rome (Italie), le 4 avril 2012. Trois concurrents ont été disqualifiés pour s'être écartés de la technique de la star.

AU-DELÀ DE LA LUNE
Le **moonwalk le plus rapide sur 100 m** est de 32,06 s, record établi par Luo Lantu (Chine), à Pékin (Chine), le 8 décembre 2010.

Saxophones : 1 432, à l'occasion d'un événement au Houli Horse Farm, Taichung (Taïwan), le 7 août 2011.

Melodicas : 664, par l'école primaire d'Adile Altınbaş (Turquie), au Nizip stadium de Gaziantep (Turquie), le 23 avril 2011.

Ukulélés : 2 134, à l'occasion du Ukulele Picnic organisé par Leiland Grow Inc. (Japon), au Yokohama Red Brick Warehouse de Yokohama, à Kanagawa (Japon), le 28 juillet 2012.

Triangles : 574, ils ont tinté à l'unisson au Cambridgeshire Music (RU), à Godmanchester (RU), le 13 mai 2012.

Tubas : 502, record établi par la TubaChristmas (USA) à Anaheim (Californie, USA), le 21 décembre 2007.

Le message le plus répandu sur les réseaux sociaux en 24 h

Pour annoncer sa victoire aux élections présidentielles de 2012, Barack Obama (USA) a posté sur Twitter le message « Quatre ans de plus » accompagné d'une photographie de lui-même enlaçant sa femme Michelle. Le message a été retwitté 771 635 fois par différentes personnes 24 h seulement après son apparition le 7 novembre 2012.

GUINNESS WORLD RECORDS 2014

LES PLUS GRANDES SOCIÉTÉS

Les grandes sociétés jugées selon leur valeur marchande

En avril 2013, Apple était l'entreprise la plus riche dans un monde des affaires devenu un peu plus pauvre au cours des 12 derniers mois. Les banques et les sociétés pétrolières restent néanmoins à la tête des secteurs les plus rentables.

Ces estimations se fondent sur le *Forbes* Global 2000, une étude sur les 2 000 sociétés les plus performantes publiée en avril. Les meilleures sociétés de certains secteurs sont classées en fonction de leur valeur marchande. En effet, le chiffre d'affaires est un critère qui ne rend pas compte de la taille réelle du secteur bancaire, le nombre des effectifs seul donne une fausse idée de l'importance de certaines sociétés, quant aux profits, ils peuvent « disparaître », comme le savent bien les comptables, sur les déclarations de revenus et ne sont donc pas fiables pour juger de la santé d'une société.

La valeur marchande, ou « capitalisation boursière », se calcule en multipliant le cours de l'action par le nombre d'actions en circulation. C'est à cela que les investisseurs jugent de la solidité d'une entreprise.

Walmart (USA)
Magasins à prix réduits
Valeur marchande : 242,5 milliards $
Place : 7
Fondé en 1962, Walmart est le **plus grand détaillant** (*voir p. 147*). Ses 8 500 entrepôts et magasins de produits à prix réduits sont disséminés dans 15 pays. Au Royaume-Uni, il est appelé Asda, au Japon Seiyu, tandis qu'en Inde il s'appelle Best Price.

Caterpillar, alias CAT (USA)
Équipement lourd
Valeur marchande : 58,2 milliards $
Place : 97
Au début des années 1900, la Holt Manufacturing Company a commencé à produire des tracteurs à chenilles. La société Caterpillar est née en 1925 quand Holt a fusionné avec la C L Best Tractor Company, sa rivale.

469,16 MILLIARDS
Ce sont les ventes en $ de Walmart en 2012 (voir p. 147.)

Coca-Cola (USA)
Boissons
Valeur marchande : 173,1 milliards $
Place : 26
Coca-Cola nous désaltère depuis 1886 et inclut maintenant des marques de boissons non alcoolisées comme Fanta, Sprite, Schweppes, Dr Pepper, Kia-Ora, Lilt, Coke et Diet Coke.

Comcast (USA)
Télévision par câble
Valeur marchande : 106,3 milliards $
Place : 53
Fondé en 1963, Comcast est un fournisseur de télévision par câble, d'Internet haut débit, de téléphonie et de services de sécurité à domicile.

Procter & Gamble (USA)
Produits ménagers/hygiène et beauté
Valeur marchande : 208,5 milliards $
Place : 16
Fondé en 1837, Procter & Gamble englobe les marques Head & Shoulders, Braun, BOSS, Daz, Ariel, Duracell, Dreft, Bold et Pampers.

Sony (Japon)
Biens de consommation électroniques
Valeur marchande : 17,6 milliards $
Place : 547
Créé en 1946, Sony était alors spécialisé dans les produits audio. Il a lancé le 1er enregistreur à bande magnétique japonais (le G-Type) en 1954 et le 1er transistor du pays (le TR-55) en 1955. Il s'est ensuite lancé dans la vidéo et les technologies de communications et d'information.

Visa (USA)
Services financiers au consommateur
Valeur marchande : 104,8 milliards $
Place : 56
Multinationale de services financiers, Visa a été créée en 1958. Elle est mieux connue aujourd'hui pour ses cartes de paiement permettant des transferts électroniques de fonds.

Amazon.com (USA)
Vente sur Internet et sur catalogue
Valeur marchande : 119 milliards $
Place : 43
Fondée en 1994, Amazon.com est une société de vente au détail en ligne, le **plus grand magasin de ventes sur Internet** (*voir p. 146*).

Source : Forbes Global 2000.
Tous les chiffres étaient exacts au 17 avril 2013.

CVS Caremark (USA)
Vente de produits pharmaceutiques
Valeur marchande : 66 milliards $
Place : 109
Fondé en 1892, CVS Caremark est le plus grand fournisseur du secteur médical américain et emploie 203 000 personnes.

FORBES GLOBAL 2000 – LE TOP 10

Outre la valeur marchande des compagnies, le magazine Forbes, d'où sont tirés les chiffres ci-dessous, prend aussi en compte leurs ventes, leurs profits et leurs actifs. En les comparant en fonction de ces quatre critères, Forbes établit le Global 2000, la liste des plus grandes compagnies publiques du monde. Voici les 10 premières du classement 2013 :

	SOCIÉTÉ	SECTEUR	VENTES	PROFITS	ACTIFS	VALEUR
1	Banque industrielle et commerciale de Chine (ICBC)	Grandes banques	134,8 Md $	37,8 Md $	2 813,5 Md $	237,3 Md $
2	Banque de construction de Chine	Banques régionales	113,1 Md $	30,6 Md $	2 241 Md $	202 Md $
3	JPMorgan Chase (USA)	Grandes banques	108,2 Md $	21,3 Md $	2 359,1 Md $	191,4 Md $
4	General Electric (USA)	Conglomérat	147,4 Md $	13,6 Md $	685,3 Md $	243,7 Md $
5	Exxon Mobil (USA)	Pétrole et gaz	420,7 Md $	44,9 Md $	333,8 Md $	400,4 Md $
6	HSBC Holdings (RU)	Grandes banques	104,9 Md $	14,3 Md $	2 684,1 Md $	201,3 Md $
7	Royal Dutch Shell (Pays-Bas)	Pétrole et gaz	467,2 Md $	26,6 Md $	360,3 Md $	213,1 Md $
8	Banque agricole de Chine	Banques régionales	103 Md $	23 Md $	2,124,2 Md $	150,8 Md $
=9	PetroChina	Pétrole et gaz	308,9 Md $	18,3 Md $	347,8 Md $	261,2 Md $
=9	Berkshire Hathaway (USA)	Services d'investissement	162,5 Md $	14,8 Md $	427,5 Md $	252,8 Md $

Chiffres exacts au 17 avril 2013

PLACE
Forbes classe d'abord les sociétés en fonction de chacun des critères, puis fait une moyenne des quatre pour déterminer leur place dans le Global 2000.

United Parcel Service (USA)
Livraison de courrier par avion
Valeur marchande : 81,5 milliards $
Place : 81
La société de messagerie United Parcel Service (UPS) satisfait chaque jour 8,8 millions de clients dans 220 pays et territoires. Fondé en 1907, à Seattle (Washington, USA), UPS emploie 397 100 personnes dans le monde.

Apple (USA)
Matériel informatique
Valeur marchande : 416,6 milliards $
Place : 1
Apple a été fondée en 1976. Après une période difficile dans les années 1990, elle a connu une reprise spectaculaire sous la direction de Steve Jobs grâce à une série de produits innovants, notamment l'iMac, l'iPod, l'iPhone et l'iPad.

Nestlé (Suisse)
Industrie agroalimentaire
Valeur marchande : 233,5 milliards $
Place : 11
Englobant des marques comme Perrier, Nescafé, Nesquik, Häagen-Dazs, Aero et KitKat, Nestlé emploie près de 300 000 personnes. Son créateur, Henri Nestlé, était un pharmacien allemand.

Toyota Motor Corporation (Japon)
Fabrication de voitures et de camions
Valeur marchande : 167,2 milliards $
Place : 29
Premier constructeur automobile du monde en 2013, avec 9,75 millions de véhicules vendus l'année précédente, la société Toyota a été créée en 1937 par Kiichiro Toyoda. Elle a fabriqué son 200 millionième véhicule en 2012.

Nike (USA)
Vêtements/accessoires
Valeur marchande : 49,4 milliards $
Place : 160
Le géant des vêtements de sport et de loisirs a été fondé en 1964.

Exxon Mobil (USA)
Société pétrolière et gazière
Valeur marchande : 400,4 milliards $
Place : 5
Le géant du pétrole est la **plus importante société publique en termes de profits** (*voir p. 123*).

McDonald's (USA)
Restaurants
Valeur marchande : 99,9 milliards $
Place : 61
Le 1er fast-food McDonald's a ouvert en 1940. En 1958, la société avait vendu son 100 millionième hamburger. Le Big Mac est apparu 10 ans plus tard. En 2011, il était possible de trouver un McDonald's dans 119 pays.

Microsoft (USA)
Logiciels et programmation
Valeur marchande : 234,8 milliards $
Place : 10
Fondé par Bill Gates et Paul Allen en 1975, Microsoft est le plus grand fabricant de logiciel en termes de recettes. Ses ventes estimées à 72,9 milliards $ sont presque le double de celles de son rival, Oracle (37,1 milliards $).

ICBC (Chine)
Grandes banques
Valeur marchande : 237,3 milliards $
Place : 9
La Banque industrielle et commerciale de Chine a été fondée en 1984 (*voir aussi p. 122.*)

Samsung Electronics (Corée du Sud)
Semi-conducteurs
Valeur marchande : 174,4 milliards $
Place : 25
Samsung a été créée en 1938. Parmi ses activités figuraient le commerce de détail, le textile et l'agroalimentaire. Ce n'est que dans les années 1960 que la société a commencé à fabriquer du matériel électronique.

Johnson & Johnson (USA)
Équipements médicaux et produits pharmaceutiques
Valeur marchande : 221,4 milliards $
Place : 13
La multinationale produit des médicaments sans ordonnances, des produits pour bébés et divers soins pour la peau et les cheveux. L'entreprise a été créée en 1886.

General Electric (USA)
Conglomérat
Valeur marchande : 243,7 milliards $
Place : 6
Depuis sa création en 1892, l'activité de General Electric s'est étendue à une grande diversité de secteurs comme l'aéronautique, l'énergie, les produits de santé et l'éclairage.

97 811
C'est le nombre de personnes employées par Microsoft en mars 2013, dont 57 572 aux USA.

POPULATIONS

Le plus de téléphones portables par habitant

Selon les derniers chiffres du World Factbook de la CIA, il y aurait aux Émirats arabes unis 1 709 téléphones portables pour 1 000 habitants. En 2011, on en comptait 11,7 millions en tout. C'est en Chine que les téléphones portables sont les plus nombreux, soit 1,04 milliard le 20 juillet 2012, puis en Inde où il y en a 890,5 millions. On en compte 300 millions aux États-Unis.

Le plus fort taux de natalité

Selon *The Economist,* pour la période 2005-2010, le Niger a enregistré 49,5 naissances pour 1 000 habitants.

La nation vivant le plus en altitude

68 % du Népal se trouve dans les montagnes de Mahabharat, de Siwalik et de Chure. Le climat y est doux malgré une altitude moyenne de 3 000 m.

LES PLUS FORTES…

Migration forcée

À peu près 12,5 millions d'individus ont été transportés de force d'Afrique en Amérique pour y devenir esclaves entre 1501 et 1866. Le même nombre de personnes aurait été conduit vers les pays arabes, mais il n'existe pas de traces écrites de cet épisode. Cette migration forcée a été particulièrement importante en 1829 : elle a touché 117 644 hommes, femmes et enfants africains.

Migration massive

Le 15 août 1947, la partition de l'Inde britannique a déraciné plus de 18 millions de personnes. Elle s'est faite de façon arbitraire selon les appartenances religieuses afin de créer l'Inde et le Pakistan ; la frontière traverse même certains villages.

Cette partition a attisé les tensions civiles et religieuses existant entre musulmans et hindous, occasionnant le **plus grand nombre de victimes dues à une seule migration.** Elle fit au moins 1 million de morts et 12 millions de sans-abri, le Pakistan accueillant la majorité des musulmans, et l'Inde les hindous.

La population la plus jeune

En 2012, l'Ouganda était le pays où l'âge médian des habitants était le moins élevé, soit 15,1 ans (15 ans pour les hommes et 15,2 ans pour les femmes). Les Ougandais ont en moyenne 34,8 ans de moins que les habitants de la principauté de Monaco, où l'**âge médian de la population est le plus élevé**.

Démocratie

Avec une population de 1,24 milliard d'habitants, l'Inde est la plus grande démocratie du monde. Les élections nationales de 2009 ont, selon les estimations, rassemblé 714 millions d'électeurs, soit plus que les électeurs américains et européens réunis. L'Inde dispose d'un parlement composé de deux chambres : la chambre haute compte 245 sièges et la basse 545.

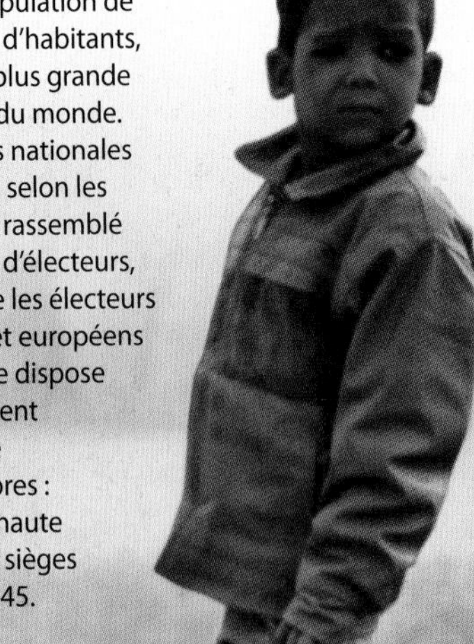

Le pays comptant le plus fort pourcentage de pauvres

Malgré la croissance de son économie, c'est en Inde que se trouvent 41,01 % des pauvres du monde. Elle compte 1,24 milliard d'habitants, soit moins que la Chine, le **pays le plus peuplé** avec plus de 1,33 milliard d'habitants, parmi lesquels 22,12 % des plus pauvres du monde. Le Nigeria est en 3e position. Il accueille 8,03 % des habitants les plus pauvres, mais ne compte que 155,2 millions d'habitants.

1,25 $ maximum. jour définissant le seuil de pauvreté, selon l'ONU.

PLUS D'INFOS SUR LES PERSONNES ÂGÉES, VOIR P. 58

QUEL MONDE MERVEILLEUX !

Le pays le plus heureux : au Costa Rica, 8,5 citoyens sur 10 se disent heureux, selon le sondage du World Database of Happiness.

L'indice de performance environnementale le plus haut : il était de 76,69 sur 100 en Suisse, en 2012. L'indice tient compte de la biodiversité, des méthodes agricoles et de la préparation aux changements climatiques.

La plus grande espérance de vie : au Japon, l'âge moyen est de 83,7 ans. Il est de 80,1 ans pour les hommes et 87,2 ans pour les femmes.

Le pays le plus économe en énergie : en 2008, Hong Kong avait un PIB par unité d'énergie consommée (PIB par kilogramme d'équivalent pétrole) de 20.

L'aide extérieure la plus élevée : les États-Unis ont donné 28,8 milliards $ à d'autres pays au titre de l'aide internationale en 2009.

Le continent avec la plus forte concentration de biomasse humaine

Sur les 7 milliards d'habitants de la Terre, 6 % vivent en Amérique du Nord, mais ils représentent 34 % de la biomasse humaine. L'Asie, qui abrite 61 % de la population mondiale, ne représente que 13 % de la biomasse humaine. Une tonne de la biomasse humaine correspond à environ 12 adultes en Amérique du Nord et à 17 adultes en Asie.

LE PLUS DE...

Cinémas par habitant

La Biélorussie compte le plus de cinémas par habitant, soit 1 pour 2 734 habitants. Il y a en tout 3 780 cinémas pour 10 335 382 habitants.

Réponses à un recensement en ligne

L'Estonie a terminé son premier recensement en ligne en février 2012, annonçant que 66 % de la population y avait participé. En Estonie, près de 99 % des transactions bancaires sont effectuées en ligne et 94 % des déclarations de revenus sont remplies sur Internet.

Millionnaires par habitant

Singapour abrite plus de millionnaires que tout autre pays : 17,1 % des ménages possèdent au moins 1 million $. Cela équivaut à 188 000 ménages, selon une enquête sur le nombre de millionnaires effectuée par le Boston Consulting Group pour 2011.

Criminalité

Selon l'étude sur les homicides de l'Office des Nations unies contre la drogue et le crime, 43 909 meurtres ont été commis au Brésil en 2011, soit 22,7 meurtres pour 100 000 habitants.

INFO

Les chercheurs de la London School of Hygiene and Tropical Medicine ont calculé que la biomasse humaine ferait 256 millions de tonnes. Ils ont utilisé les données relatives à l'Indice de masse corporelle (IMC) et la taille en fonction du nombre d'habitants.

LES PLUS FAIBLES...

Consommation alimentaire

Selon l'Organisation des Nations unies pour l'alimentation et l'agriculture (FAO), les habitants du Sierra Leone et de la République démocratique du Congo consomment en moyenne 1 500 calories par jour, soit 39 % de la consommation moyenne des citoyens américains.

Taux de natalité

Entre 2005 et 2010, il y a eu à Hong Kong (Chine) 8,2 naissances pour 1 000 habitants. L'Allemagne occupait l'avant-dernière place, avec 8,4 naissances pour 1 000 habitants.

Augmentation de population

La population de la Bulgarie aura une croissance de - 0,8 % entre 2010 et 2015. En 2010, on comptait 7,45 millions de Bulgares, mais selon les prévisions de l'ONU, ils ne seront que 5,46 millions en 2050. Si l'on ajoute une émigration massive, ce phénomène devrait avoir des répercussions sur les retraites. Les pensions sont en effet payées par les actifs, de moins en moins nombreux.

Taux d'imposition

Les habitants de Bahrein et du Qatar ne paient pas d'impôts. Le pétrole génère plus de la moitié des revenus du gouvernement.

Le plus grand déficit en hommes

Selon les estimations du World Factbook de la CIA en 2012, le pays où les hommes sont beaucoup moins nombreux que les femmes est l'Estonie, avec 84 hommes pour 100 femmes. Le **plus grand déficit en femmes est enregistré** aux Émirats arabes unis où elles sont 100 pour 219 hommes.

La plus forte augmentation du nombre de diplômés

En 1998, on comptait 1 million d'étudiants en Chine. En 2004, il y avait 2 236 collèges et universités. En 2008, le système éducatif chinois était le plus important du monde. Entre février 2007 et février 2011, 34 millions de Chinois ont décroché un diplôme, soit « la croissance la plus rapide dans l'histoire mondiale » selon le président de l'université de Yale, Richard C Levin (USA).

Les pays les moins corrompus : la Nouvelle-Zélande, le Danemark et la Finlande ont obtenu 90 sur 100 selon les calculs permettant de déterminer l'indice de perception de la corruption en 2012.

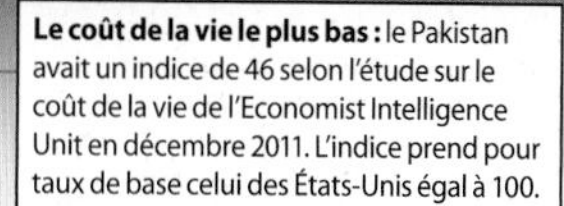

Le coût de la vie le plus bas : le Pakistan avait un indice de 46 selon l'étude sur le coût de la vie de l'Economist Intelligence Unit en décembre 2011. L'indice prend pour taux de base celui des États-Unis égal à 100.

Le plus faible taux de mortalité infantile : les Bermudes ont un taux de 2,5 pour 1 000. Ce chiffre est une estimation de 2011 faite par *The Economist*.

Le taux d'inflation le plus bas : selon *The Economist*, le Qatar avait un taux d'inflation de – 4,9 % en 2010.

Le pays le plus pacifique : l'Islande avait un indice 1,113 selon le Global Peace Index publié par l'Institut pour l'économie et la paix.

ARGENT ET ÉCONOMIE

30
C'est la part en pourcentage du capital de L'Oréal détenu par les Bettencourt.

La femme la plus riche

D'après la liste publiée par le magazine *Forbes* en avril 2013, l'héritière française de L'Oréal, Liliane Bettencourt, est la femme la plus riche du monde. Elle l'était déjà en 1999. Sa fortune est estimée à plus de 30 milliards $.

3
C'est le nombre d'années consécutives au cours desquelles Helú et sa famille ont été les plus riches.

La personne la plus riche

Le géant des télécoms mexicains, Carlos Slim Helú, possède avec sa proche famille une fortune de 69 milliards $. Il contrôle des pans entiers de l'économie mexicaine. Il a des parts dans la banque, des compagnies aériennes et le secteur minier. En 1990, il a acquis au moment de sa privatisation le réseau mexicain de télécommunications, principale source de sa richesse.

Le pays bénéficiant de la plus grande liberté économique

Selon l'indice de la liberté économique 2011, les habitants de Hong Kong (Chine) jouissent de la plus grande liberté économique. Celle-ci est définie comme « le droit fondamental de chacun de contrôler son travail et ses biens… de travailler, produire, consommer et investir de l'argent comme bon lui semble, cette liberté étant protégée et ne pouvant être limitée par l'État ».

Le plus gros rachat d'une société de produits alimentaires

En février 2013, on a appris que Warren Buffett, le 2e homme le plus riche des États-Unis après Bill Gates, était un acteur clé de l'offre publique d'achat de 28 milliards $ de l'entreprise Heinz. Cette offre, la plus importante jamais annoncée dans le secteur alimentaire a été bien accueillie par la direction de Heinz, mais le 18 février 2013, elle devait encore être approuvée par les actionnaires.

Les plus pauvres

La République démocratique du Congo a été ravagée par la violence pendant deux décennies en raison de la guerre civile et d'invasions constantes. Ses habitants sont les plus pauvres du monde. Si l'on mesure le PIB du pays, c'est-à-dire la valeur marchande des biens et services produits dans un pays pendant un an divisée par le nombre d'habitants, chaque Congolais dispose en moyenne de 400 $ par an.

La banque la plus sûre

Selon la revue *Global Finance*, la banque allemande KfW serait la plus sûre du monde, si l'on évalue les taux de crédit à long terme des agences de crédit et ses actifs. Elle est détenue par le gouvernement fédéral allemand et les *Länder* (les 16 États fédéraux). Presque tous ses prêts sont couverts par le gouvernement qui bénéficie des coûts d'emprunt les plus bas du monde.

La plus forte croissance économique

De 2000 à 2010, la Guinée équatoriale a connu la plus forte hausse annuelle moyenne de son PIB réel, soit 17 %.

Avec un PIB global de 14,58 billions $ en 2010, les États-Unis sont **à la tête du commerce mondial**. La Chine, au 2e rang, possède un PIB de 5,92 billions $.

En 2010, le Luxembourg était le pays où le **PIB par habitant était le plus élevé**, soit 105 190 $. *Ci-dessous, les calculs du PIB pour 2011 établis par la Banque mondiale.*

Les budgets les plus élevés

Éducation : Le Timor oriental consacre 14 % de son PIB à l'école, selon les estimations de 2006-2011.
Santé : Les États-Unis consacraient 17,9 % de leur PIB à la santé en 2010.

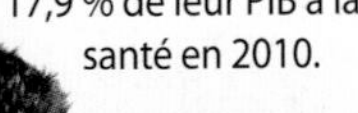

La personne la plus endettée

Jérôme Kerviel (France) était l'un des meilleurs traders de la Société Générale, avant qu'il n'effectue des prises de position frauduleuses et non couvertes sur des contrats financiers à court terme sur indices boursiers d'un montant de 73 milliards $, qui entraînèrent des pertes colossales pour la banque et son arrestation par les autorités françaises. En octobre 2012, il a été condamné par la justice française à verser 6,3 milliards $ à la Société Générale.

La plus grande société en termes de chiffre d'affaires

Selon *Forbes*, au18 avril 2012, la plus grande société en termes de chiffre d'affaires est la multinationale pétrolière et gazière, Royal Dutch Shell, avec 470,2 milliards $. Son concurrent le plus proche est le spécialiste de la grande distribution Walmart Stores, Inc., dont le chiffre d'affaires est de 447 milliards $.

LE TOP 10 DES ÉCONOMIES

1. **USA :** 14 991 billions $

2. **Chine :** 7 318 billions $

3. **Japon :** 5 867 billions $

4. **Allemagne :** 3 601 billions $

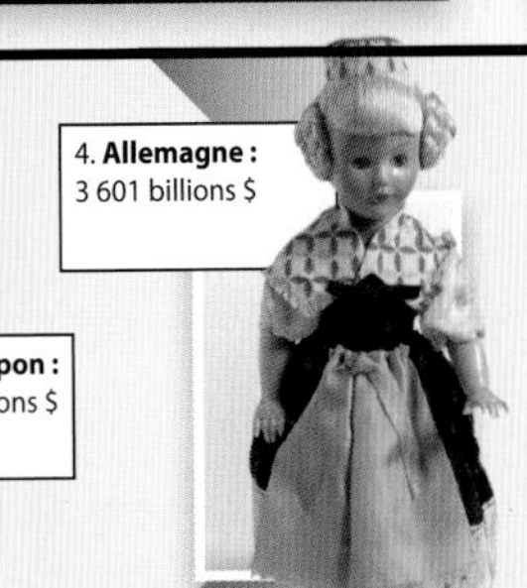

5. **France :** 2 773 billions $

Source : Banque mondiale, janvier 2013

L'économie la plus innovante

L'Indice de l'innovation mondiale est publié chaque année par un consortium à la tête duquel se trouve l'école de commerce INSEAD et qui inclut l'Organisation mondiale de la propriété intellectuelle, agence des Nations unies. La Suisse bénéficie de l'économie la plus innovante, suivie par la Suède.

ÉVALUER L'INNOVATION
L'indice prend en compte divers facteurs, dont l'économie, les institutions politiques, l'éducation, les infrastructures et la technologie.

Le plus grand renflouement d'une banque

Subventionnées par le gouvernement américain, la Federal National Mortgage Association (connue sous le nom de "Fannie Mae", d'après ses initiales FNMA) et la Federal Home Loan Mortgage Corporation ("Freddie Mac") ont souffert de la crise de l'immobilier américain en 2007. Ces deux institutions ont été nationalisées et refinancées pour être « renflouées ». En 2008, le Trésor américain a versé à chacune 100 milliards $. Cette aide a été augmentée en décembre quand la crise est devenue manifeste. Fin 2012, 187,5 milliards $ avaient été alloués aux deux institutions. Selon les estimations de la Federal Housing Finance Agency (l'agence fédérale du financement du logement), la note finale se monterait à 360 milliards $!

Fannie Mae est la **plus grande société en termes d'actifs**. Selon *Forbes*, ces derniers s'élevaient à 3 211 milliards $, le 18 avril 2012.

La plus grande société publique

En avril 2012, Exxon Mobil affichait un chiffre d'affaires de 433,5 milliards $, des profits de 41,06 milliards $, des actifs de 331 milliards $ et une valeur marchande de 407,4 milliards $.

Le plus grand volume de transactions en 1 jour

Le 10 octobre 2008, 7 341 505 961 transactions ont été enregistrées à la bourse de New York.

La plus faible croissance économique

De 1999 à 2009, le Zimbabwe a connu une *baisse* annuelle de 6,1 % de son PIB.

En 2009, le Burundi affichait le **plus faible PIB par habitant**, soit 160 $ par habitant.

Les budgets les plus faibles

Éducation : Le **plus petit budget** est celui du Congo-Kinshasa et du Myanmar. Ces deux États ne consacrent que 2 % de leur PIB à l'éducation selon les derniers chiffres disponibles.
Santé : En 2009, le **budget le plus faible** était celui du Congo-Brazzaville et du Myanmar. Ces pays ne consacraient que 2 % de leur PIB à ce secteur.

87 C'est le nombre de jours au cours desquels du pétrole s'est répandu dans le golfe du Mexique.

La plus grosse amende pour une entreprise

En avril 2010, Deepwater Horizon a déversé des millions de barils de pétrole brut dans le golfe du Mexique, tuant 11 travailleurs et ruinant de nombreuses entreprises américaines. BP a été condamné à verser 2,4 milliards $ à la fondation américaine pour la pêche et la faune, ainsi qu'une amende de 1,26 milliard $. La note finale pourrait avoisiner 4 milliards $. En outre, 7,8 milliards $ de dommages et intérêts pourraient être réclamés à BP.

L'élection la plus onéreuse

Selon le Center for Responsive Politics, les élections présidentielles 2012 ont été de loin les plus chères de l'histoire des États-Unis. Elles auraient coûté la somme faramineuse de 6 milliards $. Comme la Commission des élections fédérales l'a noté, les deux candidats à la présidence : Barack Obama et son concurrent Mitt Romney (*encart*) ont dépensé à eux deux 30,33 $ par seconde.

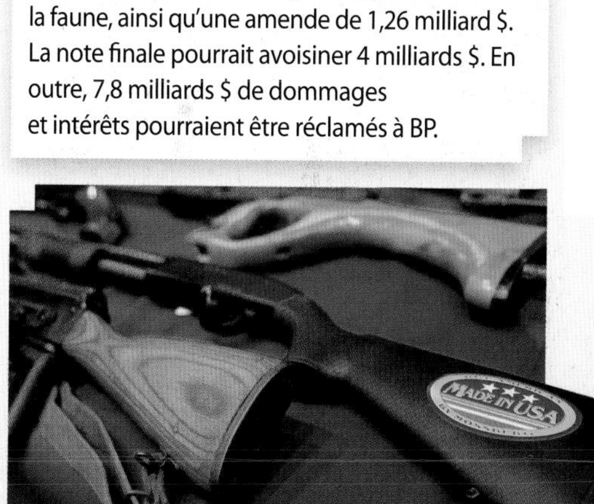

Le plus grand exportateur d'armes

En 2011, les ventes d'armes des États-Unis au reste du monde ont triplé : 66,3 milliards $. Le pays détient 75 % du marché. L'US Congressional Research Service a attribué cela à la hausse des ventes aux alliés des États-Unis dans le golfe Persique.

6. Brésil : 2 477 billions $

7. RU : 2 445 billions $

8. Italie : 2 194 billions $

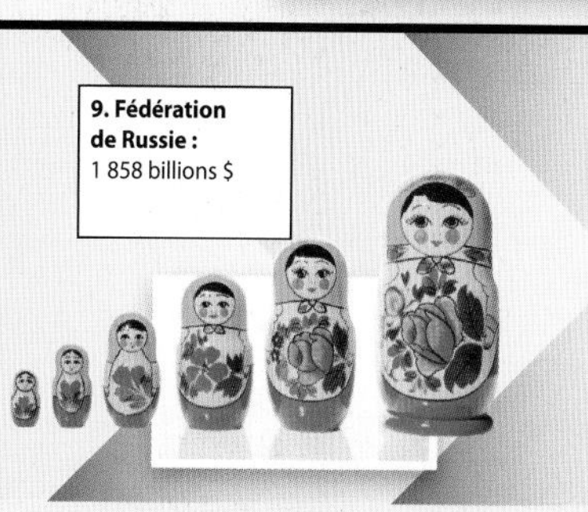

9. Fédération de Russie : 1 858 billions $

10. Inde : 1 848 billions $

LES PLUS CHERS...

36 000 £

Batte de cricket
Une batte appartenant à Mahendra Singh Dhoni (Inde) – capitaine de l'équipe indienne de cricket, détenteur de nombreux records – a été vendue 100 000 £ à R K Global Shares & Securities Ltd (Inde) lors du dîner caritatif "East Meets West" donné par Dhoni à Londres (RU), le 18 juillet 2011.

Gant
Un gant ayant appartenu au chanteur Michael Jackson (USA) a été acheté par Ponte 16 Resort (Chine) pour 420 000 $, au Hard Rock Cafe de New York (USA), le 21 novembre 2009. (*Pour plus d'habits hors de prix, voir ci-dessous.*)

420 000 $

Calendrier
Un calendrier composé de dessins des costumes des personnages d'*Alice au pays des merveilles* de Lewis Carroll a été vendu 36 000 £ lors d'une vente aux enchères destinée à collecter des fonds pour le Muir Maxwell Trust et la Fettes Foundation (tous RU), au Fettes College, à Édimbourg (RU), le 3 juillet 2011.

Pièce de LEGO®
Une pièce de Lego® de 4 x 2 cm et de 25,6 g confectionnée avec de l'or 14 carats a été vendue 12 500 $, le 3 décembre 2012 à un acheteur anonyme par Brick Envy, Inc. (USA), site Web spécialisé dans les LEGO®.

12 500 $

Leurres en forme de canard
Deux leurres représentant des canards sculptés par A Elmer Cromwell (USA) ont été vendus 1,13 million $ chacun, le 20 septembre 2007, lors d'une vente privée organisée par le courtier Stephen O'Brien Jr Fine Arts à Boston (Massachusetts, USA). Le « pilet lissant ses plumes » et l'« oie du Canada endormie » ont été acquis par un acheteur anonyme.

Sac à main
Un sac à main Hermès « Diamond Birkin » a été vendu 203 150 $ lors d'une vente aux enchères de sacs et d'accessoires de luxe organisée par Heritage Auctions à Dallas (Texas, USA), le 9 décembre 2011.

Cognac (bouteille)
Une bouteille de Cuvée Léonie millésime 1858 (cognac antérieur aux ravages du phylloxéra) a été vendue à Maggie Vong (Hong Kong) par Cognac Croizet Hong Kong Ltd (Chine) au prix de 1 000 000 CNY (soit 156 219 $), à l'hôtel Swatch Art Peace de Shanghai (Chine), le 24 septembre 2011.

32 000 C'est le nombre de cristaux Swarovski ornant le HYLA GST.

Contenu téléchargeable
Un burin virtuel en diamant d'une valeur de 50 000 £ a été mis en vente le 6 novembre 2012 dans le jeu vidéo en ligne multijoueur (MMO) *Curiosity : What's Inside the Cube ?* (22Cans, RU). Le jeu est constitué d'un cube noir que les joueurs frappent avec un burin virtuel, essayant ensemble de découvrir ce qui se cache à l'intérieur.

Appareil photo
Le 12 mai 2012, le prototype d'un Leica de 35 mm a été vendu à un acheteur anonyme 2,16 millions € à la vente aux enchères WestLicht Photographica de Vienne (Autriche). Seuls 25 prototypes avaient été fabriqués en 1923.

Système informatique
Le réseau informatique SAGE (Semi-Automatic Ground Environment) est le **plus cher**, le **plus grand** – puisqu'il intégrait 56 ordinateurs IBM AN/FSQ-7 couvrant 1 860 m² – et le **plus lourd** (226,8 t) jamais fabriqué. Créé par IBM en association avec le MIT et RAND, SAGE a été achevé en 1963. Son prix était compris entre 4 et 12 milliards $ à l'époque, bien que la majorité des gens le fixait à 8 milliards $. Il est resté opérationnel plus de 20 ans.

21 900 $

Aspirateur
L'aspirateur incrusté de pierres HYLA GST Swarovski Edition coûte 21 900 $. Créé par Hartmut Gassmann (Allemagne) et HYLA US Gassmann, Inc. (USA), il peut être commandé sur Internet. Le 22 février 2013, deux exemplaires avaient été vendus.

2,16 millions €

DES HABITS HORS DE PRIX

Le sari le plus cher : 100 021 $. Vendu le 5 janvier 2008, il a été créé par Chennai Silks (Inde).

La robe la plus chère : 4,6 millions $. Portée par Marilyn Monroe (USA) dans *Sept ans de réflexion* (USA, 1955), elle a été vendue le 18 juin 2011.

Le costume de scène le plus cher : 300 000 $. Le costume blanc d'Elvis Presley (USA) figurant un paon a été vendu le 7 août 2008.

Le couvre-chef le plus cher : 277 292 $. Ce casque en bronze ailé du IVe siècle av. J.-C. a été vendu le 28 avril 2004.

Le maillot de football le plus cher : 225 109 $. Le n° 10 porté par Pelé (Brésil) en 1970, lors de la finale de la coupe du monde, a été vendu le 27 mars 2002.

119,9 millions $, le 2 mai 2012, à un acheteur anonyme chez Sotheby's à New York (USA). Le prix de départ de la toile, qui dépeint un homme la tête entre les mains, était de 40 millions $.

Chèque Le chèque original de Detective Comics, Inc. d'un montant de 412 $, destiné aux créateurs de Superman, Jerry Siegel et Joe Shuster, et daté du 1er mars 1938, a été vendu aux enchères pour 160 000 $, sur ComicConnect.com (USA), le 16 avril 2012. À l'époque, ceux-ci avaient cédé les droits de propriété du personnage pour 130 $ seulement.

Thon
Un thon rouge a été vendu 155 400 000 yens (1 196 599 €) au marché aux poissons Tsukiji de Chūō, (Tokyo, Japon), le 5 janvier 2013. Il pesait 222 kg.

Cocktail

Le 7 février 2013, le cocktail The Winston réalisé par Joel Heffernan (Australie) a été vendu 125 000 $AUS au Club 23 à Melbourne (Australie). La boisson qui demande 16 h de travail en raison de sa décoration sophistiquée faite de poudre de chocolat et de noix muscade contient 6 cl du cognac Cuvée Léonie de Croizet de 1858 (*voir à gauche*).

Système d'enceintes
Fabriqué sur commande, le système d'enceintes Transmission Audio Ultimate de 15 500 W d'une valeur de 1 239 750 £ comprend 12 enceintes mesurant 2,1 m de haut. Toutes sont faites avec un aluminium utilisé en aéronautique. Elles présentent des finitions latérales noires et brillantes ou en bois de rose, et des pupitres en granit.

INFO
Il restait assez d'or pour faire des bagues et une paire de manchettes assorties !

Nom de domaine Internet
En octobre 2009, le nom insure. com a été vendu 16 millions $ à l'agence de marketing en ligne Quinstreet.

Tableau
Les Joueurs de cartes de Paul Cézanne a été vendu 250 millions $ à la famille royale du Qatar en 2011. C'est l'un des cinq tableaux de la série réalisée par l'artiste au début des années 1890.

Le **tableau le plus cher jamais acquis aux enchères** est *Le cri* d'Edvard Munch (1895), qui a été vendu

Whisky
Le 15 novembre 2010, une bouteille de Macallan de 64 ans d'âge fabriquée par Lalique a été vendue 460 000 $, chez Sotheby's, à New York (USA).

Le 16 novembre 2000, l'homme d'affaires européen Norman Shelley a acquis une collection de 76 bouteilles de whisky de malt Macallan au prix de 231 417,90 £.

Cette **collection de whisky, la plus chère au monde,** incluait 76 malts rares, le plus vieux datant de 1856.

Chemise en or

Le 6 février 2013, Datta Phuge (Inde) a payé 6 615 481 roupies (90 324 €) une chemise faite sur mesure avec 3,5 kg d'or solide 22 carats, à Pimpri Chinchwad. (Maharashtra, Inde). Celle-ci a été créée par Ranka Jewellers et « tricotée » par 15 orfèvres.

Objet lié aux jeux Olympiques

La coupe d'argent de Bréal, remise aux marathoniens lors des premiers JO modernes d'Athènes (Grèce) en 1896, a été vendue 541 250 £ à la fondation Stavros Niarchos (Grèce), le 18 avril 2012.

Le chandail de base-ball le plus cher : 4 415 658 $. Appartenant à l'origine à "Babe" Ruth (USA), il a été vendu le 20 mai 2012.

La robe ancienne la plus chère : 101 500 $. Conçue en 1888 par Charles Frederick Worth (RU) et portée par Esther Chapin (USA) lorsqu'elle a été présentée à la reine Victoria en 1889, elle a été vendue le 3 mai 2001.

Les chaussures les plus chères : 666 000 $. Ce sont les pantoufles rouges de Judy Garland (USA) dans *Le Magicien d'Oz* (USA, 1939), vendues le 24 mai 2000.

La veste la plus chère : 1,8 million $. Cette veste en cuir portée par Michael Jackson (USA) dans la vidéo de 1983 *Thriller* a été vendue le 26 juin 2011.

Les baskets les plus chères : 4 053 $. Ce sont des Nike Dunks trempées dans l'or 18 carats créées par Ken Courtney (USA) pour un défilé de mode à New York (USA), en 2007.

COURRIER ET E-MAILS

La boîte aux lettres sous-marine la plus profonde

Les plongeurs peuvent poster leur courrier dans une boîte aux lettres située à 10 m de profondeur dans la baie de Susami (Japon). La boîte est relevée quotidiennement par des employés autorisés. Plus de 4 273 courriers sous-marins ont été relevés dans cette boîte au cours de sa première année de service (1999).

La plus longue livraison d'un sac de courriers

Un sac de courriers diplomatiques indiens a été retrouvé au Mont-Blanc (France), près du site d'un crash d'*Air India* en 1966 par le sauveteur de montagne Arnaud Christmann et son voisin Jules Berger, le 21 août 2012, près de 46 ans après avoir été perdu.

Le plus grand fournisseur de messagerie

En juin 2012, Gmail, le service de messagerie de Google, a atteint 425 millions de comptes mensuels actifs, dépassant ses rivaux tels que Yahoo ! Mail et Hotmail pour devenir le principal fournisseur de messagerie.

Le timbre le plus cher

Le « Treskilling » jaune suédois, timbre rare imprimé dans la mauvaise couleur, a été vendu le 8 novembre 1996 pour la somme vertigineuse de 2 870 000 CHF par la maison d'enchères David Feldman, à Genève (Suisse).

Le 1er enfant envoyé par courrier

Quelques semaines après l'ouverture des services postaux américains en 1913, un petit garçon anonyme de l'Ohio a été envoyé depuis la maison de ses parents jusqu'à celle de ses grands-parents, à 1,6 km de là, pour 15 ¢. Cette pratique a duré jusqu'en 1914, avant que le maître de poste n'empêche l'envoi d'êtres humains par colis postaux !

Le plus ancien bureau de poste en activité

En 2012, le bureau de poste de Sanquhar (Dumfriesshire, RU) a fêté son 300e anniversaire. Il fonctionne en permanence depuis 1712, date à laquelle il a servi d'étape pour les livraisons postales à pied et à cheval. C'est une attraction touristique populaire et les visiteurs peuvent faire estampiller leur courrier avec le cachet du « plus vieux bureau de poste du monde ».

La connexion Internet la plus rapide

Entre les 27 et 31 mars 2012, à The Gathering, rassemblement informatique au sein de la Vikingskipet Olympic arena de Hamar (Norvège), les participants pouvaient utiliser une connexion superrapide de 200 gigabits/s. Des e-mails ont été envoyés à la vitesse de l'éclair et il était possible de télécharger des films en Blu-ray de haute définition en 2 s !

2 800 C'est le nombre d'étudiants qui ont contribué à la lettre.

La plus longue lettre

Les étudiants de Brahma Kumaris Youth Wing, organisation spirituelle de l'université du Gujarat (Inde), ont écrit une lettre de 866 m de long adressée à Dieu, le 28 mars 2010, pour célébrer leur jubilé d'argent et le jubilé de diamant de l'université.

Le bureau de poste le plus haut

Le village de Hikkim, à Himachal Pradesh (Inde), se trouve dans l'Himalaya, à 4 724 m au-dessus du niveau de la mer. Le bureau de poste de Hikkim a ouvert en novembre 1983 pour servir les 600 habitants du village : il traite entre 15 et 20 lettres par jour et détient les économies d'une cinquantaine de personnes.

Le van le plus rapide de *Postman Pat*

Un van à pièce de *Postman Pat,* auquel on a ajouté un volant de course et un moteur à 4 vitesses de 500 cm³, a réalisé une course d'accélération sur 402 m, lors de la York Raceway du Yorkshire (RU), le 30 août 2012. Il l'a terminée en 17,419 s, avec une vitesse finale de 135,6 km/h.

CACHETS D'AUTORITÉ

L'échange de timbres le plus coûteux : en octobre 2005, Bill Gross (USA) a échangé 4 timbres par avion « inverted Jenny » d'une valeur de 2,97 millions $ pour un Z-grill de 1 ¢ appartenant à Donald Sundman (USA), évalué à 3 millions $ en 2005.

La collection de timbres la plus chère : la collection Kanai de 183 pages d'éditions classiques de l'île Maurice a été vendue pour 15 000 000 CHF en une fois par la maison d'enchères genevoise David Feldman, en Suisse, le 3 novembre 1993.

La 1re société de magie sur un timbre national : les services postaux britanniques ont publié une série de 5 timbres interactifs le 15 mars 2005 pour commémorer le centenaire du Magic Circle (RU).

Le 1er jeu vidéo sur un timbre national : en 2000, la série *Celebrate the Century* des services postaux américains comprenait un timbre de 33 ¢ représentant deux enfants jouant à *Defender* sur Atari 2 600.

La plus grande émission de timbres : 751,25 millions de timbres commémorant le Congrès de l'Union postale de 1929 ont été vendus.

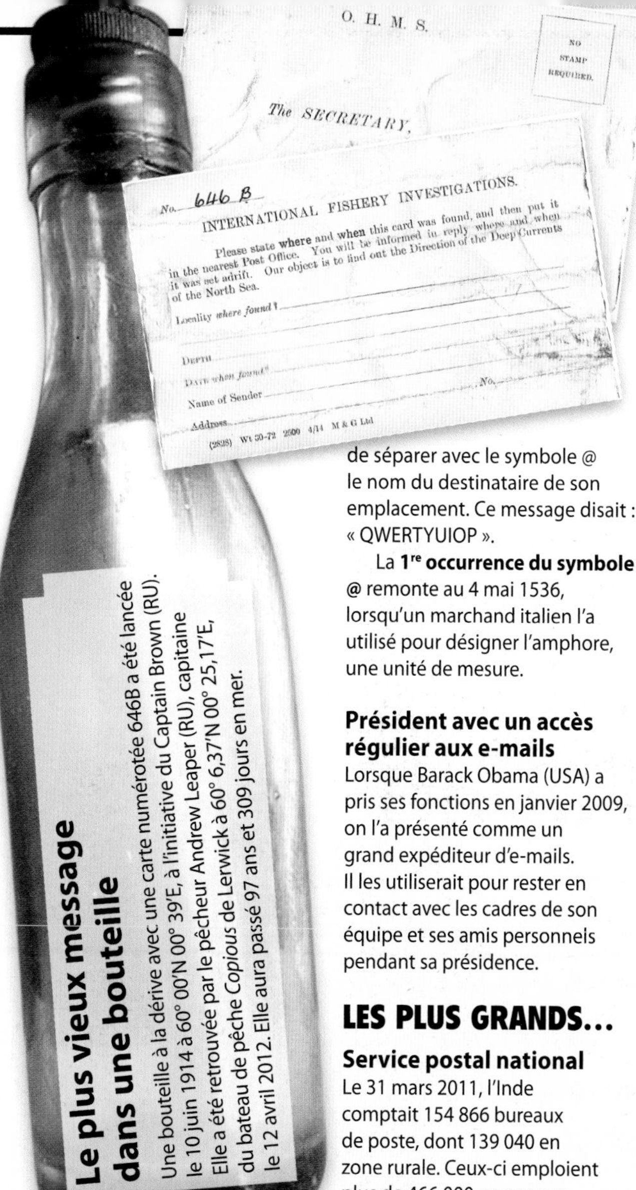
O. H. M. S.

NO STAMP REQUIRED.

The SECRETARY,

No. 646 B

INTERNATIONAL FISHERY INVESTIGATIONS.

Please state where and when this card was found, and then put it in the nearest Post Office. You will be informed in reply where and when it was set adrift. Our object is to find out the Direction of the Deep Currents of the North Sea.

Locality where found ...

Depth

Date when found

Name of Sender ... No.

Address

(2828) Wt 29-72 2000 4/14 M & G Ltd

Le plus vieux message dans une bouteille

Une bouteille à la dérive avec une carte numérotée 646B a été lancée le 10 juin 1914 à 60° 00'N 00° 39'E, à l'initiative du Captain Brown (RU). Elle a été retrouvée par le pêcheur Andrew Leaper (RU), capitaine du bateau de pêche *Copious* de Lerwick à 60° 6,37'N 00° 25,17'E, le 12 avril 2012. Elle aura passé 97 ans et 309 jours en mer.

LES PREMIERS…

Vol aéropostal

Le 18 février 1911, 7 ans à peine après que les frères Wright eurent accompli leur premier vol motorisé, Henri Pequet (France) a piloté un petit biplan transportant 6 500 lettres d'un aérodrome d'Allahabad à Naini (Inde), sur 10 km, pendant environ 15 min.

E-mail

En 1971, Ray Tomlinson, ingénieur de la société informatique Bolt, Beranek and Newman à Cambridge (Massachusetts, USA), a envoyé le 1er e-mail. Il s'agissait d'un essai pour voir s'il pouvait échanger un message entre deux ordinateurs, et c'est lui qui a choisi de séparer avec le symbole @ le nom du destinataire de son emplacement. Ce message disait : « QWERTYUIOP ».

La **1re occurrence du symbole** @ remonte au 4 mai 1536, lorsqu'un marchand italien l'a utilisé pour désigner l'amphore, une unité de mesure.

Président avec un accès régulier aux e-mails

Lorsque Barack Obama (USA) a pris ses fonctions en janvier 2009, on l'a présenté comme un grand expéditeur d'e-mails. Il les utiliserait pour rester en contact avec les cadres de son équipe et ses amis personnels pendant sa présidence.

LES PLUS GRANDS…

Service postal national

Le 31 mars 2011, l'Inde comptait 154 866 bureaux de poste, dont 139 040 en zone rurale. Ceux-ci emploient plus de 466 000 personnes.

Collection de souvenirs de l'histoire postale

Le National Postal Museum de la Smithsonian Institution de Washington DC (USA) rassemble une collection philatélique et postale de 13 257 549 objets, dont des articles de bureaux et des boîtes aux lettres. Il occupe 6 968 m².

L'impression la plus rapide d'un timbre

Pour fêter le 100e anniversaire du 1er timbre du pays, Liechtensteinische Post AG (Liechtenstein) a imprimé un timbre en 57 min et 50 s. Cette tentative de record a eu lieu lors de l'exposition philatélique de la LIBA 2012, à Schaan (Liechtenstein), le 16 août 2012, et le premier exemplaire a été acheté par le rédacteur en chef du GWR, Craig Glenday.

La plus longue livraison d'une lettre

En 2008, Janet Barrett (RU), propriétaire d'une auberge à Weymouth (Dorset, RU), a reçu en lettre RSVP une invitation à une fête adressée à « Percy Bateman » par « Buffy » et postée le 29 novembre 1919. Il a fallu 89 ans pour qu'elle soit livrée par les services postaux de Sa Majesté.

SURF SPATIAL

Composé sur un Apple Macintosh Portable, le 1er e-mail spatial a été envoyé sur le réseau AppleLink (service en ligne offert par Apple avant la commercialisation d'Internet).

Le 1er e-mail envoyé de l'espace

Le 28 août 1991, les astronautes Shannon Lucid et James C Adamson (tous deux USA) ont envoyé un e-mail vers la Terre depuis la navette spatiale *Atlantis* de la NASA. Le message disait : « Bonjour la Terre ! Salutations de l'équipe STS-43. Voici le 1er AppleLink de l'espace. On passe du bon temps, vous nous manquez… envoyez du cryo et RCS ! Hasta la vista, baby… nous reviendrons ! »

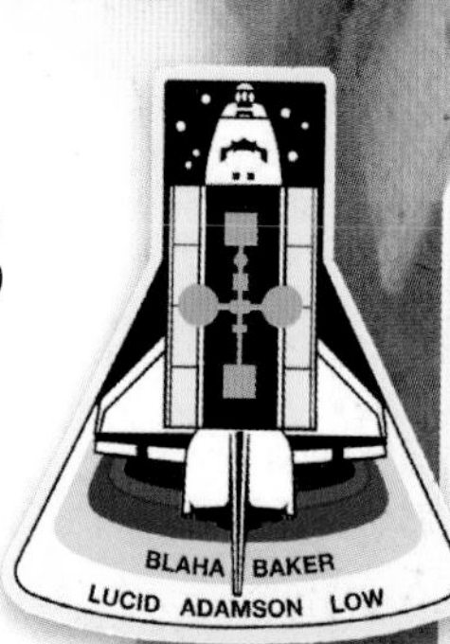

.e timbre le plus rare : deux timbres détiennent e record de rareté, un timbre de Guyane ritannique de 1 ¢ « Black on Magenta » de 1856 (*à droite*, e dernier sur le marché en 980) et le banco suédois de skillings, le Treskilling jaune e 1855 (*voir ci-dessus*).

La plus grande mosaïque en timbres : une mosaïque de 162 m² a été créée par des bénévoles de la poste sud-africaine et du Hatfield Tuition College (Afrique du Sud), au Tshwane Events Centre de Pretoria (Afrique du Sud), entre le 12 septembre et le 12 octobre 2010.

La plus grande organisation philatélique : avec près de 35 000 membres dans plus de 110 pays, l'organisation à but non lucratif American Philatelic Society est la plus grande société philatélique du monde.

La plus vieille carte postale imagée : une carte envoyée par M. Theodore Hook (RU) à lui-même depuis Fulham (Londres, RU), en 1840, représentait des scribes postiers assis autour d'un encrier géant.

Le plus grand timbre en édition spéciale : un timbre mesurant 60 x 49,3 cm a été émis par TNT Post (Pays-Bas), le 6 novembre 2007.

RÉSEAUX SOCIAUX

Le plus d'utilisateurs de Facebook par pays

Le 10 mars, les États-Unis comptaient 163 071 460 utilisateurs de Facebook. Le même jour, d'après le bureau américain du recensement, la population américaine s'élevait à 315 467 468 habitants, ce qui signifie que 51,69 % du pays a un compte Facebook. Le Brésil se classe 2e, avec 66 552 420 utilisateurs.

La vidéo en ligne la plus vue en 24 h

Sorti en 2013, le hit *Gentleman* de PSY, alias Park Jae-Sang (Corée du Sud), a été visionné 38 409 306 fois au 14 avril 2013.

Le plus d'abonnés sur YouTube

Le 16 mai 2013, Smosh, le duo comique formé par Anthony Padilla et Ian Hecox (tous deux USA) compte 9 820 623 abonnés sur YouTube. Leur chaîne (www.youtube.com/user/smosh), qui présente des clips humoristiques, est aussi l'une des plus vues sur YouTube, avec 2 328 054 269 vidéos vues au 16 mai 2013.

Le plus grand site Internet de partage vidéo

YouTube continue de dominer Internet comme principale source de vidéos, avec plus de 4 milliards d'heures de vidéo visionnées et 1 milliard de visiteurs uniques sur le site chaque mois en mai 2013.

LES TENDANCES DES RECHERCHES DE 2012

CATÉGORIE	SUJET	DÉTAILS
Recherches globales	Whitney Houston (USA)	Le décès de Whitney Houston (USA, ci-dessus), le 11 février 2012, l'a mise en tête des sujets des catégories Recherches, Célébrités et Artistes. • le titre viral *Gangnam Style* de PSY (Corée du Sud) s'est placé 2e des recherches les plus populaires, suivi de l'ouragan Sandy.
Célébrités		• Dans la catégorie Célébrités, Whitney Houston est suivie de Kate Middleton, membre de la famille royale britannique. En 3e place se trouve l'étudiante Amanda Todd (Canada), dont la vidéo tragique s'est propagée à la suite de sa mort.
Artistes sur scène		• La star de *La Ligne verte* (USA, 1999), Michael Clarke Duncan, mort le 3 septembre 2012, a succédé à Whitney Houston dans la catégorie Artistes. Le groupe pop One Direction (RU/Irlande) occupe la 3e position.
Sportifs	Jeremy Lin (USA)	Le basketteur Jeremy « Linsanity » Lin (USA) a mené le jeu avec une progression spectaculaire. Le nageur Michael Phelps (USA) s'est classé 2e et le quarterback des Broncos de Denver, Peyton Manning (USA), 3e.
Événements	Ouragan Sandy (USA)	Le passage dévastateur de l'ouragan Sandy était le sujet principal, suivi des photos de Kate Middleton (RU) enceinte. En 3e position viennent les jeux Olympiques de Londres 2012.
Images	One Direction (RU/Irlande)	One Direction a occupé les sommets des tendances en images sur Google en 2012. L'actrice et chanteuse Selena Gomez (USA) se classe 2e, suivie du très attendu iPhone 5.
Vidéos	*Gangnam Style*	*Gangnam Style* de PSY (Corée du Sud) prend la tête, alors que *Somebody That I Used to Know* par Walk Off the Earth (Canada) est 2e. Le politique *KONY 2012* de Invisible Children, Inc. (USA) prend la 3e place.
Longs métrages	*The Hunger Games* (USA, 2012)	Le film de science-fiction *The Hunger Games* a pris la tête du classement, suivi du **plus rentable des James Bond**, *Skyfall* (RU, 2012, *voir p. 203*) et de *Prometheus* de Ridley Scott (RU/USA, 2012) en n° 3.
Émissions télévisées	*BBB12* (Rede Globo)	*BBB12* (*Big Brother Brasil 12*) était 1er. Le feuilleton *Avenida Brasil* (Brésil) a occupé la 2e place. *Here Comes Honey Boo Boo*, avec Alana Thompson, enfant participant à des concours de beauté, se classe 3e.
Électronique grand public	Apple iPad	Dans la catégorie Électronique Grand Public de Google, l'iPad 3 et l'iPad Mini d'Apple occupent respectivement les 1re et 3e positions. Entre eux se trouve le smartphone Galaxy S3 de Samsung.

Source : Google – Zeitgeist 2012. Les tendances de Google Zeitgeist sont basées sur les variations de trafic pour un terme d'une année sur l'autre. Ainsi, il ne s'agit pas d'une mesure des termes les plus recherchés, mais de ceux à la plus forte progression.

Le plus d'utilisateurs d'Internet par habitant

D'après l'Union internationale des télécommunications, l'Islande est le pays au plus fort taux d'individus utilisant Internet, avec 95,02 % en 2011.

Le navigateur web le plus populaire

En avril 2013, Google Chrome bénéficie d'une part de marché de 39,15 % d'après le site.

Le 1er tweet

Outil de microblogging et réseau social, Twitter a été inventé par Jack Dorsey (USA) en 2006. Les utilisateurs peuvent poster des messages de 140 caractères maximum appelés « tweets » que reçoivent leurs « abonnés ». Le tout premier tweet a été publié par Dorsey, à 21 h 50 (PST), le 21 mars 2006. Il disait : « En train de configurer mon twittr. »

La plus grande chasse au trésor médiatique

Misha Collins (USA) a organisé la plus grande chasse au trésor internationale, rassemblant 14 580 participants, du 29 octobre au 5 novembre 2012. La liste des 151 éléments à trouver comprenait un saut en chute libre (*à gauche*), un stormtrooper nettoyant une piscine (*en bas à gauche*) et un spectacle de marionnettes dans un hôpital pour enfants (*en bas à droite*).

CITATION
« Ce serait sympa de tapisser tous les murs de ma maison de certificats GWR. »
Misha Collins

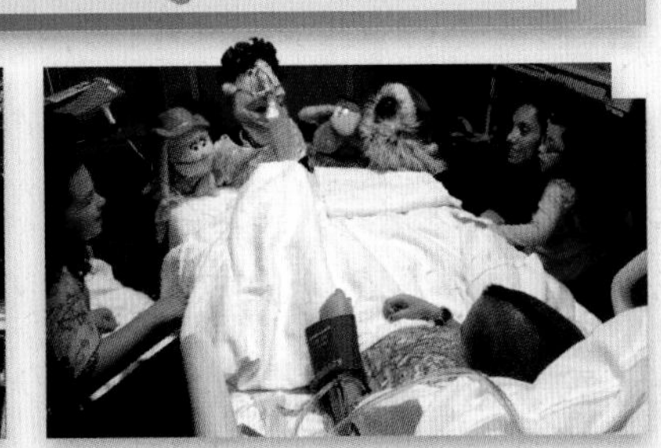

Au moment où nous écrivons (mai 2013), plus de 72 h de vidéo sont ajoutées chaque minute, soit l'équivalent de plus de 308 400 films par semaine.

La plus grande encyclopédie en ligne

Fondée par Jimmy Wales et Larry Sanger (tous deux USA), le 15 janvier 2001, Wikipédia est une encyclopédie en ligne gratuite qui peut être complétée et modifiée par ses utilisateurs. Le 22 mai 2013, le site recensait 4 238 043 articles rédigés en anglais et plus de 37 millions d'articles rédigés dans 285 langues.

Le plus grand réseau social en ligne

Le 31 mars 2013, Facebook était capable de fédérer 1,11 milliard d'utilisateurs actifs avec plus de 150 milliards de liens « amis » entre eux.

Le **statut ayant reçu le plus de « j'aime » sur Facebook** au 16 mai 2013 figure sur la page officielle du président américain Barack

LE PLUS D'ABONNÉS SUR TWITTER

Auteur : Paulo Coelho (Brésil) rassemble 7 825 671 abonnés. Parmi les œuvres de Coelho, *L'Alchimiste*, best-seller acclamé par la critique.

Entrepreneur : Bill Gates, cofondateur de Microsoft et philanthrope, est suivi par 11 320 473 personnes.

Acteur : Ashton Kutcher (USA) compte 14 229 082 abonnés. Ashton Kutcher est aussi **le 1er à avoir réuni 1 million d'abonnés** en 2009.

Vedette de télé-réalité : mannequin et vedette de *L'Incroyable Famille Kardashian*, Kim Kardashian (USA) est suivie par 17 810 657 abonnés.

Actrice : la 1re actrice latino payée 1 million $ pour un rôle (*Hors d'atteinte*, 1998), Jennifer Lopez (USA), est suivie par 18 260 631 abonnés.

Source : twitaholic.com.
Toutes les statistiques étaient exactes au 17 mai 2013.

Le 1er Hangout sur Google+ dans l'espace

Le 22 février 2013, les astronautes Kevin Ford, Tom Marshburn (tous deux USA) et Chris Hadfield (Canada) ont participé au 1er Hangout sur Google+ depuis l'espace et la Station spatiale internationale. Ils ont discuté en ligne pendant 20 min.

Le 16 mai 2013, le **plus de commentaires sous un statut Facebook** s'élève à 118 697 614 et est détenu par le Guru Shri Rajendraji Maharaj Jaap Club (Inde) en réponse à un statut publié le 27 mars 2012.

Le plus de tweets par seconde

À minuit le 31 décembre 2012, dans le fuseau horaire japonais, le nombre de tweets par seconde émis au Japon et en Corée du Sud a atteint 33 388 messages. Le phénomène s'explique en partie par la tradition japonaise d'envoyer des cartes au Nouvel An, ou *nengajo*.

Obama : son « 4 ans de plus » a reçu 4 457 740 « j'aime », le 7 novembre 2012 (*voir p. 116*). Le statut se trouve sur tinyurl.com/obamalikes

Le poker Texas HoldEm (Zynga, 2007) détient le record du **plus de « j'aime » pour un jeu sur Facebook**. Le 16 mai 2013, la page du Texas HoldEm en recensait 70 206 549.

Originaire de La Barbade, Rihanna (née Robyn Rihanna Fenty) est la reine incontestée de Facebook, avec plus de fans (70 738 592) que n'importe quel autre personne au monde au 16 mai 2013. Lors d'une interview en direct sur Facebook le 8 novembre 2012 pour promouvoir son 7e album studio, *Unapologetic*, l'artiste de 25 ans a déclaré être l'**une des personnes les plus « aimées » sur Facebook** (un titre qu'elle a ravi au rappeur Eminem) : « Ça semble irréel… mais cela fait plaisir de savoir que [mes fans] sont présents. »

Le plus d'abonnés sur Twitter pour un groupe pop

Au 16 mai 2013, One Direction (RU/Irlande) réunissait 12 130 152 abonnés sur Twitter sur leur compte @onedirection. Les chanteurs ont également des comptes individuels, avec à leur tête Harry Styles (*ci-dessus à droite*) et ses 12 952 247 abonnés.

Le plus grand site de réseau professionnel en ligne

LinkedIn a été lancé le 5 mai 2003 pour servir de réseau social destiné aux professionnels. Le 9 janvier 2013, LinkedIn a annoncé avoir franchi la barre des 200 millions d'utilisateurs dans le monde. Au 31 décembre 2012, le site progressait à un rythme de 2 membres par seconde.

L'entrepreneur britannique Richard Branson (*à droite*) rassemble le **plus d'abonnés sur LinkedIn**. C'est le 1er à avoir atteint 1 million de contacts. Il comptait 521 636 membres connectés à son profil au 10 mars 2013.

Le plus grand échange de cadeaux anonymes en ligne

Le site www.redditgifts.com (USA) a organisé le plus grand échange de cadeaux anonymes en ligne, un jeu où les participants offrent et reçoivent des cadeaux de manière anonyme. Cet événement, qui a eu lieu du 5 novembre 2012 au 15 février 2013, a rassemblé 44 805 participants.

Le jeu de réseau social le plus populaire

En janvier 2011, *CityVille* (Zynga, 2 010), l'application Facebook la plus populaire, rassemblait 84,2 millions de joueurs par mois.

Le plus d'amis sur Myspace

Depuis le lancement de MySpace en 2003 jusqu'en février 2010, le compte du cofondateur Tom Anderson devenait le 1er « ami » de chaque compte. Au 15 mai 2013, « Myspace Tom » comptait 11 752 308 amis.

La plus grosse somme réunie pour un projet sur Kickstarter

Kickstarter est un site américain conçu pour promouvoir des projets financés par des particuliers. Le 18 mai 2012, la demande de financement pour Pebble, une montre compatible avec les iPhone et Android, s'est terminée à 10 266 845 $, soutenue par 68 929 personnes.

Sportif : Cristiano Ronaldo, *galáctico* du Real de Madrid (Portugal), fédère 18 302 613 abonnés qui l'ont rejoint sur Twitter depuis 6 ans.

Célébrité télévisée : la comédienne et présentatrice Ellen DeGeneres (USA), star de *The Ellen DeGeneres Show*, rassemble 19 296 433 abonnés.

Homme politique : 31 551 812 personnes suivent Barack Obama (USA). Fait inhabituel pour une personnalité de ce type, Obama suit également un certain nombre de personnes, avec 662 594 abonnements.

Chanteuse pop : sur Twitter, la rivale la plus proche de Justin Bieber est Lady Gaga (USA). La star de *Born this Way* compte 37 335 980 abonnés. Ses Little Monsters (ses fans) feront-ils d'elle la n° 1 en 2014 ?

Chanteur pop : Justin Bieber (Canada) n'est pas seulement la star pop la plus suivie. Au 17 mai 2013, il rassemblait le plus d'abonnés, avec 39 206 786 « Beliebers ».

BIG BROTHER

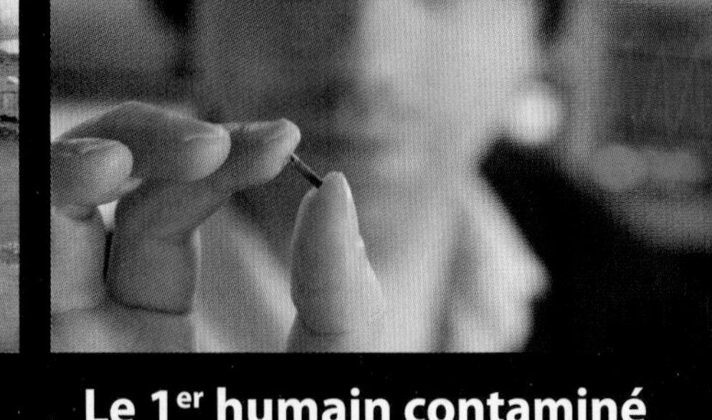

Le plus grand réseau de surveillance de communications

Echelon est le réseau électronique d'écoute clandestine géré par les services de renseignements des États-Unis, du Royaume-Uni, de l'Australie, de Nouvelle-Zélande et du Canada. Il a été créé en 1947 par ces pays pour partager des renseignements. Certains analystes pensent qu'il peut intercepter près de 90 % du trafic sur Internet et surveiller les communications mondiales par téléphone et satellite. En photo, les radômes, des dômes semblables à des balles de golf qui protègent les satellites, utilisés par Echelon à la station de la Royal Air Force de Menwith Hill (North Yorkshire, RU).

Les 1ers cookies sur Internet

Les cookies http, de petites données déposées dans votre navigateur par les sites Internet pour vous rappeler certains éléments tels que votre mot de passe ou vos achats préférés, ont été inventés par Lou Montulli (USA) lorsqu'il travaillait pour Netscape en 1994. Ils ont été utilisés pour la première fois sur Internet sur le propre site de Netscape en 1994, afin de vérifier si les visiteurs venaient ou non pour la première fois.

Le 1er ver informatique

Les vers informatiques sont une sorte de logiciels malveillants conçus pour se répandre sur les réseaux informatiques. Le premier, « Creeper », a été écrit par Robert Thomas (USA) en 1971 lorsqu'il travaillait pour BBN Technologies (USA). Ce programme expérimental autoreproducteur démontrait la mobilité d'une application. Creeper contaminait les ordinateurs PDP-10 et affichait le message suivant sur les écrans contaminés : « Je suis le creeper, attrape-moi si tu peux ! »

Le **1er ver répandu sur Internet** est Morris, créé par Robert Tappan Morris (USA, *voir en bas à droite*), étudiant de l'université de Cornell (USA). Le 2 novembre 1988, Morris a libéré ce ver qui a mis hors service près de 10 % des ordinateurs connectés à Internet (soit environ 60 000 machines).

Le 1er ver informatique visant des systèmes industriels

Le ver stuxnet a été découvert en juillet 2010. Se propageant de PC à PC par clé USB, il recherche et cible de petits ordinateurs appelés automates programmables et utilisés pour contrôler les processus industriels. En configurant un mot de passe par défaut, stuxnet accédait à des systèmes industriels défaillants et perturbait leur fonctionnement. L'Iran, où se trouvaient 60 % des ordinateurs touchés, a accusé l'Occident d'avoir créé stuxnet pour attaquer ses installations nucléaires, affirmant que les centrifugeuses utilisées pour l'enrichissement nucléaire avaient été mises hors service lors d'une cyberattaque.

Le 1er virus informatique

Le premier programme informatique se reproduisant subrepticement a été démontré par Fred Cohen, étudiant du Massachusetts Institute of Technology (USA), le 11 novembre 1983. Les virus étaient connus sur le plan théorique, mais Cohen a été le premier à écrire et exécuter un code fonctionnant.

Le 1er humain contaminé par un virus informatique

Le 27 mai 2010, Mark Gasson (RU) de l'université de Reading (RU) a annoncé s'être implanté une puce RFID (identification par radiofréquence) dans la main et l'a ensuite contaminée avec un virus informatique. La puce lui a permis d'activer son téléphone et de passer des portes de sécurité. En traversant l'une d'elles, le système qui a reconnu la puce RFID a aussi accepté le virus, puis l'a transmis aux autres puces ou cartes magnétiques utilisées pour activer la porte. Le virus de Gasson visait à souligner les menaces potentielles pour les implants comme les stimulateurs cardiaques et les implants cochléaires.

TAILLE RÉELLE

Le 1er virus à la dérobée

En janvier 2012, la société de sécurité de messagerie Eleven (Allemagne) a fait part de la découverte d'un nouveau type d'e-mails malveillants capables de contaminer un PC avec des virus et des chevaux de Troie à la simple ouverture du message. Auparavant, les utilisateurs pouvaient ouvrir leurs e-mails en toute

INFO

Les « spams » tirent leur nom d'un sketch du *Monty Python's Flying Circus* dans lequel les comédiens répétaient ce mot en l'honneur du « **sp**iced h**am** », un pâté de porc (*à droite*). Dans les années 1980, ce mot a été réutilisé sur les bulletins board services (BBS, premiers forums) pour interrompre les conversations en ligne.

Les spammeurs les plus prolifiques

En novembre 2009, une cour américaine a condamné les frères Lane, Shane Atkinson (Nouvelle-Zélande) et Jody Smith (USA) à payer 15,5 millions $ pour avoir envoyé des spams faisant la promotion de plantes médicinales et de médicaments. Ils contrôlaient 35 000 ordinateurs et auraient créé un tiers des spams mondiaux.

PANTHÉON DES HACKERS

Vladimir Levin (Russie) : il a accédé aux comptes de clients de Citibank en 1994 et a tenté de voler 10,7 millions $; arrêté en 1995 et emprisonné en 1998.

Albert González (Cuba/USA) : il a purgé une peine de 20 ans pour avoir piraté plusieurs sociétés et avoir volé des numéros de cartes de crédit (près de 170 millions) de 2005 et 2007.

David Smith (USA) : il est coupable d'avoir propagé le virus « Melissa » en 1999, sabotant et fermant les systèmes de messagerie ; arrêté une semaine plus tard et condamné à 10 ans.

Gary McKinnon (RU) : il a été accusé par les États-Unis d'avoir réalisé le « plus grand piratage informatique militaire » en 2001-2002 ; dit qu'il cherchait des OVNI.

Jonathan James (USA, 1983-2008) : il a piraté les systèmes informatiques de la Défense américaine en 1999 ; arrêté en 2000, **1er adolescent condamné pour un crime informatique**.

1 MILLIARD C'est le nombre d'utilisateurs du Web bloqués pendant les manifestations en ligne.

La plus grande manifestation sur Internet

SOPA et PIPA (Stop Online Piracy Act et PROTECT IP Act) sont deux lois proposées par le Congrès américain qui ont engendré de vastes manifestations sur le Web. Le 18 janvier 2012, au moins 115 000 sites Internet ont participé en se mettant hors ligne ou en empêchant l'accès aux utilisateurs. Plus de 162 millions de visiteurs de Wikipédia en anglais ont été accueillis par une page bloquée invitant les utilisateurs américains à contacter leur représentant au Congrès.

tranquillité, car il fallait ouvrir une pièce jointe contenant un logiciel malveillant pour qu'il se propage. Cette nouvelle menace, appelée spam à la dérobée, se compose d'e-mails au format html qui téléchargent un logiciel malveillant à l'aide d'un script en java.

Le plus de spams en 1 an

D'après la société de sécurité informatique Symantec, en 2010, 89,1 % des e-mails envoyés étaient des spams. Ce nombre est tombé à 75,1 % en 2011, grâce à la fermeture de gros réseaux zombie comme Rustock. La tendance a perduré en 2012, les spams comptant pour 68 % des e-mails. En comparaison, en 2001, 8 % des e-mails contenaient un spam.

Le 1er rickroll signalé

En mars 2007, une URL promettant un lien vers la première bande-annonce du jeu vidéo *Grand Theft Auto IV* menait les internautes vers le clip de la star des années 1980 Rick Astley (RU) *Never Gonna Give You Up*. Cette pratique, appelée « rickrolling », est devenue un phénomène mondiale du web, ou mème.

Le 1er « hacktivisme » politique

L'« hacktivisme » désigne les mouvements de protestation utilisant des réseaux informatiques dans un but politique. La première occurrence date d'octobre 1989, lorsque des ordinateurs de la NASA et du département américain de l'Énergie ont été contaminés par le ver Worms Against Nuclear Killers. Cette attaque serait venue d'Australie et a eu lieu quelques jours avant le lancement du vaisseau *Galileo*, chargé de générateurs nucléaires, par la navette spatiale *Atlantis*.

La plus grande manifestation par rickroll coordonnée

Le 10 février 2008, de 6 000 à 8 000 membres et soutiens du groupe d'activistes sur Internet Anonymous se sont réunis dans 90 villes du monde, dans le cadre du Project Chanology, un ensemble de manifestations contre l'église de scientologie. Des rickrolls en direct (*voir ci-dessus*) ont été réalisés par les manifestants dans les centres de l'église de 7 villes. En photo, les membres d'Anonymous réunis à Marseille, en octobre 2012.

INFO

Les masques des Anonymous représentent Guy Fawkes, membre de la conspiration des poudres, qui voulait faire sauter le parlement britannique en 1605. Le masque a été conçu par David Lloyd pour la BD *V pour Vendetta* d'Alan Moore (détenteur du **plus d'Eisner Comic Awards**, avec 9 victoires).

INFO

« Big Brother » est entré dans le langage grâce à l'auteur britannique George Orwell (1903-1950). Dans *1984* (1949), l'état fictif d'Oceania est placé sous l'autorité absolue d'un dictateur (qui n'est peut-être pas seul) appelé Big Brother. La propagande de son parti se résume en partie dans la désormais célèbre phrase « Big Brother vous regarde ».

Kevin Poulsen (USA) : il a été condamné à 51 mois de prison en 1994 pour fraude informatique ; désormais journaliste et auteur.

Adrian Lamo (USA) : il a été arrêté en 2003 après avoir piraté les systèmes informatiques de diverses sociétés de médias ; a passé 6 mois de détention au domicile de ses parents.

Kevin Mitnick (USA) : consultant en sécurité et hacker arrêté par le FBI en 1995 pour fraude électronique et informatique ; a passé 5 ans en prison.

Michael Calce (Canada) : il a bloqué des sites tels qu'eBay, Amazon et Yahoo en 2000 ; a passé 8 mois dans un centre de détention pour adolescents.

Robert Tappan Morris (USA) : il a créé le ver Morris (*voir texte*) ; 1re personne condamnée par le Computer Fraud and Abuse Act (1984).

PRISONS

Le plus de prisonniers dans le couloir de la mort (pays)

Selon le rapport annuel d'Amnesty International en 2012, plus de 8 000 prisonniers attendaient d'être exécutés au Pakistan en 2011, soit plus du double qu'aux États-Unis. La dernière exécution a eu lieu en 2008.

La prison la plus grande
Rikers Island est le principal centre carcéral de New York (USA). Il compte 10 prisons réservées aux petits malfaiteurs, aux délinquants en transit, aux personnes incapables de payer la caution et à celles qui purgent des peines de moins d'un an. Pouvant accueillir près de 15 000 détenus, ce centre fonctionnait en 2012 grâce à 10 432 employés et disposait d'un budget de 1,08 milliard $. En 2003, il a abrité jusqu'à 14 533 détenus par jour, la durée moyenne des incarcérations étant de 54 jours.

La prison la plus grande (capacité)

Le pénitencier de Silivri (Turquie) abrite de dangereux criminels. Sa construction a débuté en 2005 et s'est achevée 2008. Il peut héberger 11 000 prisonniers, mais il n'y en avait que 8 586 début octobre 2012. Cette prison de haute sécurité emploie 2 677 personnes.

La plus grande île servant de prison

Au début du XIXe siècle, le territoire de Van Diemen – actuel État de Tasmanie – servait de colonie pénitentiaire aux Britanniques. L'île de 67 800 km² abritait à une époque 75 000 détenus, soit 40 % de prisonniers provenant des îles britanniques. Les déportations de prisonniers ont cessé en 1853.

La plus forte population carcérale

Selon le Centre international d'études pénitentiaires, en 2011, il y avait aux États-Unis 2 239 751 prisonniers, soit 716 pour 100 000 habitants. Il s'agit du **plus fort taux d'incarcération.** La Chine était juste derrière avec 1 640 000 prisonniers, soit 121 prisonniers pour 100 000 habitants.

La plus grande ferme servant de prison

Bordée de trois côtés par le Mississippi, la prison d'État de Louisiane (USA) est également une ferme de 7 300 ha, dont le budget était de 124 035 534 $ pour 2009-2010. Les 1 624 membres de son personnel sont en charge de 5 193 prisonniers. Cette ferme, la plus grande prison de haute sécurité des États-Unis, abrite un couloir de la mort et une salle d'exécution.

L'évasion la plus importante

Le 11 février 1979, un employé iranien d'Electronic Data Systems Corporation a incité la foule à assiéger la prison de Ghasr à Téhéran (Iran) pour libérer deux de ses collègues américains. Près de 11 000 prisonniers en ont profité pour s'échapper.

L'**évasion la plus importante de condamnés à mort** a eu lieu le 31 mai 1984, quand 6 prisonniers se sont échappés de la maison de correction de Mecklenburg en Virginie (USA), en prétendant détenir une bombe. Tous ont été capturés quelques jours plus tard et exécutés au cours des 12 années qui ont suivi.

La cavale la plus longue

Leonard T. Fristoe (USA) s'est évadé de la prison d'État de Carson (Nevada, USA), le 15 décembre 1923. Il a été remis à la justice par son fils le 15 novembre 1969, à Compton (Californie, USA). Âgé de 77 ans, il avait

DERRIÈRE LES BARREAUX
En 2011, aux États-Unis, il y avait 4 575 prisons pouvant officiellement accueillir 2 134 000 prisonniers.

PEU DE CRIMINELS
La République centrafricaine et les Comores partagent le **plus faible taux d'incarcération** avec 19 prisonniers pour 100 000 habitants.

LONGÉVITÉ CARCÉRALE

L'emprisonnement le plus long à Alcatraz : Alvin Karpis (USA) a passé 26 ans dans la prison d'Alcatraz, dans la baie de San Francisco (Californie, USA), d'août 1936 à avril 1962.

L'emprisonnement le plus long d'un futur dirigeant : Nelson Mandela (président d'Afrique du Sud de 1994 à 1999) a été détenu dans trois prisons, du 5 août 1962 au 11 février 1990, soit 27 ans, 6 mois et 6 jours.

Le dirigeant destitué le plus longtemps en prison : l'ancien général du Panamá, Manuel Noriega, (qui a dirigé le Panamá de 1983 à 1989) est en prison depuis sa capture par les forces militaires américaines, le 4 janvier 1990.

La plus longue carrière de bourreau : William Calcraft (RU, 1800-1879) a participé à presque toutes les pendaisons de la prison de Newgate, à Londres (RU) pendant 45 ans, de 1829 à 1874.

La plus longue peine de prison pour piratage informatique : Brian Salcedo (USA) a été condamné à 9 ans de prison, le 16 décembre 2004, pour piratage après avoir essayé de voler les informations de cartes de crédit.

La plus petite prison

L'île de Sercq est la plus petite des quatre principales îles britanniques de la Manche et possède sa propre prison construite en 1856. Celle-ci ne peut accueillir plus de 2 prisonniers.

passé près de 46 ans en liberté sous le nom de Claude R. Willis.

La forme de prison la plus sûre

Les prisons "Supermax" accueillent les criminels les plus dangereux. Ces derniers sont généralement seuls dans leurs cellules 23 h par jour, et ont peu d'occasion de se cultiver ou se détendre. Leurs repas leur sont livrés par un guichet dans la porte et ils ne peuvent faire de l'exercice que seuls, dans des espaces restreints. Ils ne disposent que de communications surveillées et limitées avec le personnel, les autres prisonniers et le monde extérieur. Le mobilier est en métal ou en béton. Les prisonniers sont menottés, et ont le torse entravé par des chaînes quand ils sortent de leurs cellules. La sécurité est assurée par des détecteurs, des rayons laser, des capteurs de pression et des chiens.

Près de 25 000 prisonniers sont détenus dans ce genre de prisons aux États-Unis. Aucun n'a jamais réussi à s'évader.

La plus grande prison (un seul bâtiment)

L'établissement correctionnel des Twin Towers à Los Angeles (Californie, USA) occupe 140 000 m² sur un site de 4 ha. Il inclut un établissement médical, un bureau de transfert, des salles d'audience et des cellules.

Le plus grand bateau-prison

Le plus grand bateau faisant office de prison est le New York City Prison Barge, ou Vernon C. Bain Center, qui compte 870 lits. Situé sur l'East River, à New York (USA), il fait partie du complexe pénitentiaire de Rikers Island. Il existe depuis 1992 et sa construction a coûté 161 millions $.

Le prisonnier relâché le plus âgé

En 1987, Brij Bihari Pandey (Inde), un prêtre hindou de 84 ans, a tué 4 personnes avec 15 complices. À l'issue d'un procès qui a duré plus de 20 ans, il a été condamné à la prison à perpétuité en 2009. Malade, il a été libéré pour des raisons humanitaires de la prison de Gorakhpur à Uttar Pradesh (Inde), à 108 ans, en juin 2011. Il est mort 2 mois plus tard, le 25 août 2011.

Bill Wallace (Australie, 1881-1989) est le **détenu le plus âgé à être mort en prison.** Il a passé 63 ans à l'hôpital psychiatrique d'Aradale, à Ararat (Victoria, Australie) et y est resté jusqu'à sa mort, le 17 juillet 1989, peu de temps avant ses 108e ans.

Le plus de transferts d'une prison à l'autre

Entre sa condamnation en 1971 et sa mort le 12 septembre 1998, Lawrence Doyle Conklin (USA) a été transféré 117 fois dans 53 prisons des États-Unis.

Le plus de victimes lors de l'incendie d'une prison

Les 14 et 15 février 2012, un incendie à la prison de Comayagua dans le centre du Honduras (à l'extérieur de la capitale Tegucigalpa) a coûté la vie à au moins 358 prisonniers, ainsi qu'à d'autres personnes piégées à l'intérieur.

La prison pouvant accueillir le plus de femmes

La prison centrale pour femmes de Chowchilla (Californie, USA) est le plus grand centre de détention réservé aux femmes. Il abrite aussi des condamnées à mort. Le 30 janvier 2013, la prison était à plus de 184,6 % de sa capacité, avec 3 700 détenues alors qu'elle ne peut en héberger que 2 004.

LE CÔTÉ SOMBRE D'INTERNET SE DÉVOILE P. 130

La condamnation la plus longue pour avoir joué à un jeu vidéo : en septembre 2002, Faiz Chopdat (RU) a fait 4 mois de prison pour avoir joué à *Tetris* sur son portable en vol, « mettant en danger la sécurité de l'avion ».

La plus longue incarcération en cellule d'isolement : le 17 avril 2013, Herman Wallace (*à gauche*) et Albert Woodfox (tous deux USA) ont passé 41 ans en cellule d'isolement, principalement dans le pénitencier d'État de Louisiane (USA), appelé « Angola Jail ».

La plus longue condamnation (un chef d'accusation) : en 1981, Dudley Wayne Kyzer (USA) a été condamné à 10 000 ans de prison pour le meurtre de sa femme. Il a aussi été condamné 2 fois à perpétuité pour avoir tué sa belle-mère et un étudiant.

La plus longue condamnation en appel : en 1994, Darron Bennalford Anderson (USA) a été jugé coupable de crimes graves et condamné à 2 200 ans de prison. Il a fait appel, a de nouveau été reconnu coupable, et condamné à une peine de prison supplémentaire de 9 000 ans, ramenée plus tard à 500 ans.

Le plus long séjour dans un couloir de la mort pour un chien : Word, un chien croisé Lhassa Apso, a été enfermé 8 ans et 190 jours à partir du 4 mai 1993 pour avoir mordu 2 fois des gens.

FERMES ET AGRICULTURE

Le plus de moissonneuses-batteuses travaillant simultanément

Le 28 juillet 2012, 208 moissonneuses-batteuses ont travaillé sur un même champ. Un record réalisé par Combines 4 Charity, dans la ferme de Gerry Curran, à Duleek (comté de Meath, Irlande).

CULTURES ET CÉRÉALES

Les premières plantes domestiquées

Des preuves semblent indiquer que la culture du riz a commencé en Corée il y a 15000 ans. Toutefois, les plus anciennes plantes domestiquées connues sont les huit espèces pionnières du néolithique, parmi lesquelles le lin, quatre espèces de légumes et trois de céréales. Domestiquées par les communautés agricoles du début de l'holocène, dans le Croissant fertile (sud-ouest de l'Asie), elles datent de 9500 av. J.-C. En juin 2006, des chercheurs de l'université d'Harvard (USA) et de l'université Bar-Ilan (Israël) ont annoncé la découverte de neuf figues carbonisées datant d'il y a 11 200-11 400 ans, dans un village du début du néolithique appelé Gilgal I, près de Jéricho (Israël). Selon eux, cette variété particulière n'a pu être cultivée que par l'homme. Les figues seraient donc les plus vieilles plantes cultivées à des fins agricoles.

Le temps le plus court pour labourer un acre

Joe Langcake a mis 9 min et 49,88 s pour labourer 1 acre (0,404 ha) de terre, selon les règles de l'United Kingdom Society of Ploughmen, à la ferme Hornby Hall de Brougham (Penrith, RU), le 21 octobre 1989. Joe a utilisé pour cela un tracteur Case IH 7 140 Magnum et une charrue Kverneland à quatre corps.

Le plus de cannes à sucre coupées à la main en 8 h

Roy Wallace (Australie) a coupé à la main 50 t de cannes à sucre en 8 h, le 9 octobre 1961, dans une plantation de Giru (Australie).

La plus grande récolte de blé

Mike Solari (Nouvelle-Zélande) a récolté 15,636 t/ha de blé dans un champ de 8,869 ha, dans sa ferme d'Otama, à Gore (Nouvelle-Zélande), le 8 mars 2010.

12,2 t/ha d'orge d'hiver ont été récoltées sur un terrain de 21,29 ha, à l'Edington Mains Farm du Stockton Park (Leisure) Limited de Chirnside (RU), le 2 août 1989. C'est la **récolte d'orge la plus importante.**

Le plus de blé récolté en 8 h

James C (Jay) Justice III (USA) a récolté 19 196,59 boisseaux de blé à l'aide d'une moissonneuse Caterpillar 485 Lexion, dans la Catfish Bay Farm, à Beckley (Virginie-Occidentale, USA), le 14 septembre 2001.

L'âne le plus petit

KneeHi (né le 2 octobre 2007), un âne brun, de 64,2 cm au garrot, a été mesuré le 26 juillet 2011, à la Best Friends Farm de Gainesville, (Floride, USA). Cet âne miniature méditerranéen appartient à Jim et Frankie Lee, ainsi qu'à leur fils Dylan (*sur la photo*).

181 C'est le poids maximal en kilogramme d'un âne miniature.

La race d'oies la plus grosse

L'oie la plus grosse est l'oie de Guinée, ou l'oie de Chine. Adultes, les mâles les plus gros pèsent 10 kg et sont plus grands que les femelles, dont le poids moyen avoisine 8 kg.

LES ANIMAUX DE LA FERME LES PLUS CHERS

Vache : 1,3 million $

Alpaga : £ 419 000

Mouton : £ 231 000

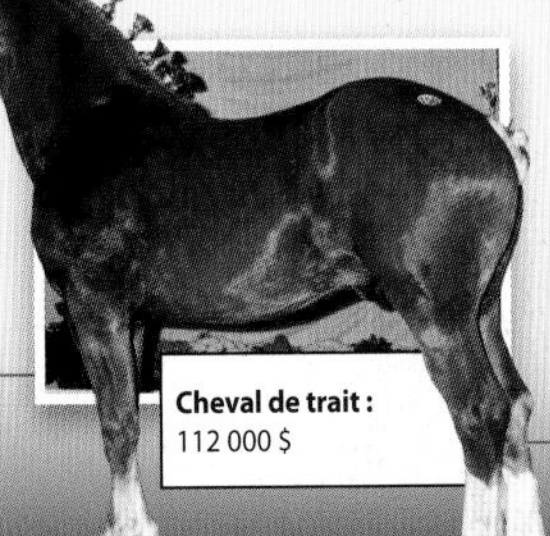

Cheval de trait : 112 000 $

Taureau : £ 126 000

La plus longue queue de poney

La queue de Golden Shante, alias Topper, poney shetland appartenant à Janine Sparks (USA), atteignait 4,08 m de long quand elle a été mesurée à la ferme Brookwood de New Palestine (Indiana, USA), le 24 juillet 2010.

Le plus grand cercle de céréales
Le 17 mai 2005, un cercle de blé aplati de 55 m de diamètre reproduisant le logo de la marque de rhum Bacardi® a été réalisé à Dalponte Farms, une grande ferme cultivant de la menthe à Richland (New Jersey, USA). Bacardi® achète de la menthe à cette ferme pour son mojito à base de rhum.

ANIMAUX

La première ferme d'élans
Une ferme expérimentale d'élans a été créée en 1949 par Yevgeny Knorre et le personnel de la réserve naturelle de Pechora-Ilych, près de Yaksha dans la république des Komis (U.R.S.S., actuelle Russie). Cependant, la première ferme consacrée à la domestication et à l'élevage de l'élan, essentiellement pour la production de lait et de fromage est celle de Kostroma fondée en 1963 dans la région de Kostroma (Russie). Le troupeau d'élans semi-domestiqués qui y vit compte entre 10 et 15 femelles productrices de lait. Plus de 800 élans ont été élevés dans cette ferme depuis sa création.

La race de cheval la plus rare
Le Barbe d'Abaco Barb est le cheval le plus rare. En juillet 2010, il n'en restait que cinq spécimens, tous apparemment stériles. Autrefois courants aux Bahamas, ils auraient disparu après avoir été chassés pour la consommation ou le plaisir, ou empoisonnés par l'usage de pesticides.

Le plus grand dindon domestique
La plus grande race de dindon domestique est le grand dindon blanc. Les mâles peuvent peser de 13,5 à 18 kg, à 20-24 semaines, et les femelles de 6,5 à 9 kg au même âge. En raison de leur taille, ils ne peuvent se reproduire naturellement et le sont donc par insémination artificielle.

Le **dindon domestique le plus petit** est le dindon blanc nain. Les mâles adultes pèsent près de 6 kg et les femelles de 3, 5 à 4,5 kg. Ces dindons sont donc un peu plus gros que les plus grosses poules.

Le veau le plus lourd
Le veau le plus lourd pesait 102 kg. Ce veau frison avait été pesé en 1961 à la ferme de Rockhouse, à Bishopston (Swansea, RU).

La **génisse la plus légère** était une génisse Holstein appelée Christmas, née le 25 décembre 1993, à Hutchinson (Minnesota, USA). Elle pesait 4,1 kg à sa naissance.

Le mammifère domestique comptant le plus de races

Le mouton domestique (*Ovis aries*) compte plus de races que n'importe quelle autre espèce d'animaux de la ferme. Dans le monde, il en existe plus d'un millier.

La vache ayant donné le plus de lait dans sa vie
Smurf, une Holstein de la ferme Gillette, Inc., Dairy Farm (Canada) à Embrun (Ontario, Canada), a produit 216 891 kg de lait dans sa vie.

La plus petite race de canard domestique

Le « call duck » qui pèse moins de 1 kg doit son nom à sa première utilisation. Il était initialement élevé pour servir d'appât et attirer des colverts dans les pièges cachés au milieu des plaines marécageuses.

Le premier cheval cloné

Idaho Gem, un mulet domestique, a été le premier membre de l'espèce équine produit par clonage. Né le 4 mai 2003, il était la copie génétique de son frère Taz, un champion des hippodromes. Pour l'obtenir, des scientifiques de l'université de l'Idaho (USA) ont introduit un noyau de cellule fœtale du mulet dans l'ovocyte d'une jument.

Le premier rongeur domestiqué

Le premier rongeur domestiqué fut le cochon d'Inde (*Cavia porcellus*) qui était élevé pour sa viande dans les Andes dès 5000 av. J.-C.

Chèvre : NZ$ 14 000

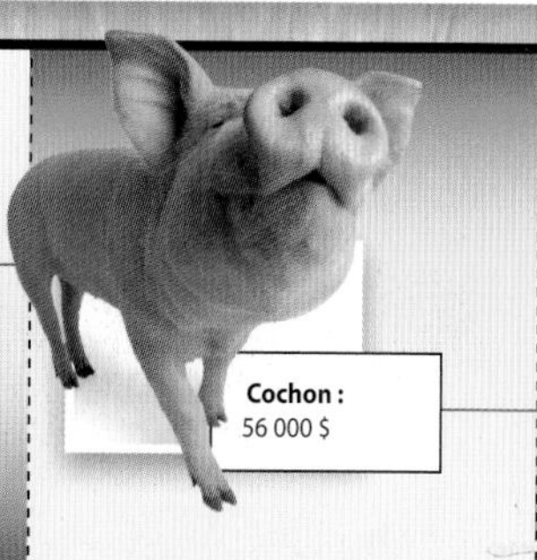

Cochon : 56 000 $

Chien de berger : £ 10 080

Canard : £ 1 500

Animal virtuel : 1 300 $ pour un faisan dans le jeu vidéo *FarmVille*

GÉANTS DE JARDIN

Le panais le plus lourd

David Thomas (RU) a cultivé un panais de 7,85 kg qui a été présenté à la foire d'automne de Malvern, au parc des expositions Three Counties de Worcestershire (RU), le 23 septembre 2011. « Ce panais est vilain, mais c'est le plus gros ! », s'est exclamé David.

• **Brocoli :** pesant 15,87 kg, il a été cultivé par John et Mary Evans de Palmer (Alaska, USA) en 1993.
• **Céleri :** cultivé par Ian Neale (RU), il pesait 33,9 kg le 23 septembre 2011, lors du Malvern Autumn Show de Worcestershire (RU).
• **Cerise :** cultivée par Gerardo Maggipinto (Italie), elle pesait 21,69 g le 21 juin 2003.
• **Concombre :** pesant 12,4 kg, il a été cultivé par Alfred J. Cobb (RU) et présenté au concours de légumes géants de RU du National Amateur Gardening Show à Shepton Mallet (Somerset, RU), le 5 septembre 2003.
• **Ail :** pesant 1,19 kg, il a été cultivé par Robert Kirkpatrick d'Eureka (Californie, USA) en 1985.
• **Citron :** il pesait 5,26 kg le 8 janvier 2003. Il a été cultivé par Aharon Shemoel (Israël) à Kfar Zeitim (Israël).

Le chou le plus lourd

L'énorme chou cultivé par Scott A. Robb (USA) pesait 62,71 kg quand il a été présenté à la foire de l'État d'Alaska à Palmer (Alaska, USA), le 31 août 2012. En entendant la nouvelle, Robb s'est exclamé : « J'en fais pousser depuis 21 à 22 ans et j'arrive enfin au sommet ! »

LES PLUS LOURDS...

• **Pomme :** cultivée par Chisato Iwasaki (Japon) dans son verger d'Hirosaki (Japon), le 24 octobre 2005, elle pesait 1,849 kg.
• **Avocat :** cultivé par Gabriel Ramirez Nahim (Venezuela), il pesait 2,19 kg le 28 janvier 2009 à Caracas (Venezuela).
• **Betterave** : elle pesait 23,4 kg et a été présentée par Ian Neale (RU) de Southport (Pays de Galles, RU) lors du concours de légumes géants du RU à Shepton Mallet (Somerset, RU), le 7 septembre 2001.
• **Myrtille :** pesant 11,28 g en août 2008, elle a été cultivée par Polana Spzoo à Parczew (Pologne) pour Winterwood Farms Ltd à Maidstone (Kent, RU).

La plus grande sculpture faite avec des citrouilles

Rob Villafane (USA) a utilisé deux citrouilles géantes pesant 824,86 kg et 767,9 kg pour sculpter une apocalypse zombie à New York (USA) en octobre 2011.

• **Courge :** pesant 93,7 kg, elle a été présentée par Bradley Wursten (Pays-Bas) lors du championnat néerlandais de légumes géants à Sliedrecht (Pays-Bas), le 26 septembre 2009.
• **Poire :** Elle pesait 2,95 kg. JA Aichi Toyota Nashi Bukai (Japon) à Toyota (Aichi, Japon) l'a cueillie le 11 novembre 2011.
• **Ananas :** Il pesait 8,28 kg. Cultivé par Christine McCallum (Australie) à Bakewell (Australie), il a été récolté en novembre 2011.
• **Prune :** Cultivée par la JA Komano Section Kiyo de Minami-Alps (Japon), elle pesait 323,77 g à Minami-Alps (Yamanashi, Japon), le 24 juillet 2012.
• **Pomme de terre :** cultivée par Peter Glazebrook (RU) (*voir encadré à droite*), elle pesait 4,98 kg lors du National Gardening Show, du parc des expositions Bath & West à Shepton Mallet (Somerset, RU), le 4 septembre 2011.
• **Citrouille :** *Voir au centre.*
• **Radis :** 31,1 kg. Cultivé par Manabu Oono (Japon), il a été pesé le 9 février 2003 à Kagoshima (Japon).

911,27 C'est le poids en kg de la citrouille la plus lourde cultivée en 2012 par Ron Wallace (USA, *photo sur l'encart gauche*).

AUTRES RECORDS

Le trajet le plus long en tondeuse : Gary Hatter (USA) a parcouru 23 487,5 km en 260 jours depuis Portland dans le Maine jusqu'à Daytona Beach (Floride, USA), entre mai 2000 et le 14 février 2001.

La plus grande pelle : Yeoman Quality Garden Products (RU) a présenté une pelle de 3,90 m à Droitwich (RU), le 4 octobre 2011.

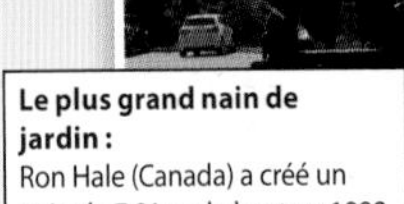

Le plus grand nain de jardin : Ron Hale (Canada) a créé un nain de 7,91 m de haut en 1998.

Le plus grand nichoir pour oiseaux : le Heighley Gate Nursery and Garden Centre a construit un nichoir de 2,1 m de haut à Morpeth (RU), en janvier 2008.

L'abri de jardin le plus rapide : le "Gone to Speed" d'Edd China s'est déplacé à 94 km/h à Milan (Italie), le 1er avril 2011.

Le concombre le plus long

Ian Neale (RU) a la main verte. Il a cultivé un concombre 107 cm qu'il a présenté le 26 septembre 2011. Son rutabaga (*ci-contre, à droite*) a impressionné le rappeur Snoop Dogg (USA), également horticulteur, qui l'a invité à son spectacle à Cardiff en octobre 2011 pour échanger avec lui quelques astuces de jardinage !

• **Corossol :** cultivé par Ken Verosko (USA) à Hawaï (USA), il pesait 3,69 kg le 8 juin 2010.

FRUITS ET PLANTES LES PLUS GRANDS...

TYPE	HAUTEUR	PRODUCTEUR	ANNÉE
Basilic	3,34 m	Anastasia Grigoraki (Grèce)	2012
Haricot	14,1 m	Staton Rorie (USA)	2003
Chou de Bruxelles	2,8 m	Patrice et Steve Allison (USA)	2001
Céleri	2,74 m	Joan Priednieks (RU)	1998
Chou vert	4,06 m	Woodrow Wilson Granger (USA)	2007
Aubergine	5,50 m	Abdul Masfoor (Inde)	1998
Chou frisé	5,54 m	Gosse Haisma (Australie)	1987
Paddy	2,8 m	Tanaji Nikam (Inde)	2005
Papayer	13,4 m	Prasanta Mal (Inde)	2003
Persil	2,37 m	David Brenner (USA)	2009
Poivron	4,87 m	Laura Liang (USA)	1999
Canne à sucre	9,5 m	M. Venkatesh Gowda (Inde)	2005
Maïs	10,74 m	Jason Karl (EU)	2011
Tomate	19,8 m	Nutriculture Ltd (RU)	2000

• **Potiron :** cultivé par Joel Jarvis (Canada), il pesait 674,31 kg, le 1er octobre 2011 à la fête de la Citrouille de Port Elgin (Ontario, Canada).
• **Fraise :** pesant 231 g, elle a été produite par G. Andersen de Folkestone (Kent, RU) en 1983.
• **Rutabaga :** pesant 38,92 kg, il a été présenté lors du National Gardening Show de Shepton Mallet (Somerset, RU), le 4 septembre 2011, et a été produit par Ian Neale (UK).

CITATION
« Je fais du compost à partir d'herbes coupées, de feuilles et de pommes de terre. Ces dernières contiennent beaucoup de nutriments. »

Le tournesol le plus haut

Hans-Peter Schiffer (Allemagne) a fait pousser un tournesol qui mesurait 8,23 m de haut à Kaarst (Allemagne), le 4 septembre 2012. Le steward de la Lufthansa a battu de 20 cm son précédent record établi en 2009.

3
C'est la hauteur moyenne en mètres de certaines variétés de tournesol.

D'AUTRES RECORDS DE TAILLE P. 170

L'oignon le plus lourd

Peter Glazebrook (RU) n'a pas versé une larme quand il a présenté son oignon de 8,195 kg à l'Harrogate Flower Show qui s'est tenu à North Yorkshire (RU), le 13 septembre 2012. Ce jour-là, il a aussi dévoilé la betterave la plus longue (640,5 cm).

Le plus grand jardin de plantes médicinales : le jardin de plantes médicinales de Guangxi couvre 201,57 ha et comporte 5 600 variétés d'herbes. Il se trouve à Nanning (province de Guangxi, Chine).

Le plus grand mur végétal : le mur végétal de l'hôtel de ville de Séoul (Corée du Sud) mesurait 1 516 m² quand il a été achevé le 31 août 2012.

Le plus long jardin bordant une plage : la plage de Santos (Brésil) est bordée par un jardin de 5,3 km de long, d'une superficie de 218 800 m².

Le jardin avec le plus d'espèces d'arbres géants : les Royal Botanic Gardens de Kew (Londres, RU) comprennent les plus grands spécimens de 138 espèces d'arbres.

Le plus grand jardin parfumé : il existe un jardin parfumé de 36 ha pour les aveugles dans le jardin botanique de Kirstenbosch à Table Mountain, au Cap (Afrique du Sud).

La ville la plus densément peuplée

Selon la neuvième édition du *Demographia World Urban Areas*, publié en mars 2013, la population de Dacca (Bangladesh) est estimée à 14 399 000 de personnes qui vivent dans une zone d'environ 324 km^2 – ce qui donne une densité de 44 500 habitants au km^2.

Sur cette photo, un train massivement bondé quitte la gare avant la fête musulmane d'Aïd al-Kabir (Fête du Sacrifice), qui a lieu à la fin du *hajj* – pèlerinage à la ville sacrée de La Mecque (Arabie saoudite). À cette occasion, les musulmans du monde entier sacrifient des moutons, chèvres, vaches et chameaux pour commémorer le sacrifice consenti par le prophète Abraham, sur l'ordre de Dieu, de son fils Ismaël.

Dossier :

AU CŒUR DE L'ISLAM

Le *hajj* attire environ 2 millions de personnes par an, venus de 140 pays, soit le **plus de pèlerins musulmans**. Chaque musulman doit essayer de faire ce pèlerinage au moins une fois dans sa vie.

CITÉ DU FUTUR

Imaginons comment nous vivrons

Au fil du temps, nos villes vont s'étendre et accueillir de plus en plus d'habitants. Ces paysages urbains exigeront davantage d'énergie et de nourriture, ainsi que de nouveaux moyens de transport et une nouvelle architecture ; il faudra aussi être respectueux de l'environnement. À quoi vont ressembler ces métropoles et comment vont-elles fonctionner ? Pendant des siècles, architectes et designers urbains ont essayé d'imaginer les cités du futur. Ici, nous examinons sept aspects de planification urbaine et offrons un aperçu de ce qui se prépare peut-être – en fait, quelques-uns des projets les plus extraordinaires existent déjà !

3 Transports

Si les villes s'étendent et deviennent plus complexes, s'y déplacer pourrait demander plus de temps et les niveaux de pollution s'élèveraient sans doute. Une option serait d'envisager des moyens de transport dans des « wagons-capsules » se déplaçant dans des tubes sous vide. Il existe des propositions en Chine pour des bus laissant passer les voitures en dessous d'eux (*ci-dessus*). En outre, des voitures comme la Hiriko Fold électrique (*ci-dessous*), la **1re voiture pliante** à être produite, contribuent à réduire l'impact sur l'environnement et la taille des parkings.

1 Concurrence mondiale

En développant des liens plus étroits avec le reste du monde, de nombreuses villes devront rivaliser pour attirer habitants, intérêts économiques et visiteurs. Les passagers aériens devraient plus que doubler d'ici à 2030, et les liaisons avec les aéroports vont devenir vitales.

Les édifices qui attirent l'œil aident aussi les villes à affronter la concurrence. C'est le cas du **1er gratte-ciel torsadé**, le HSB Turning Torso (*ci-dessus, à gauche*), à Malmö (Suède, 2005). Des attractions touristiques originales rehaussent le profil d'une cité – comme (*ci-dessus*) les 101 ha du parc de Singapour « Jardin de la Baie » (2012). Les villes augmentent aussi leur prestige en organisant des événements sportifs, comme la Coupe du monde de football et les JO, deux manifestations dont la prochaine édition aura lieu à Rio (Brésil).

FRONTIÈRE MARTIENNE

Mars500, le **plus long programme expérimental simulant un vol dans l'espace**, a duré de 2007 à 2011 en Russie et avait pour objectif de tester la faisabilité d'un vol aller-retour habité vers Mars.

La planification de communautés viables sera une priorité majeure dans les années à venir. L'illustration principale de ces pages représente une projection de Tianjin Eco-City, un chantier de 30 km^2 en cours de construction à quelque 40 km du centre de Tianjin (Chine). Conçue par Surbana Urban Planning Group, la ville sera en partie alimentée par des sources d'énergie renouvelable ; au moins la moitié des besoins en eau de la ville seront couverts par de l'eau dessalée et recyclée. Pour minimiser les émissions de CO_2, la principale forme de transport sera un système de transport léger sur rails ; un système de recyclage des déchets sera également mis en place. La ville devrait accueillir environ 350 000 habitants et être terminée dans les années 2020.

2 Maisons extra-terrestres

Pourrions-nous vivre ailleurs que sur Terre ? Un projet en cours des architectes Foster & Partners et de l'Agence spatiale européenne étudie comment les techniques d'impression en 3D pourraient permettre de construire des bâtiments sur la Lune à partir de régolithe (sol lunaire). Des simulations de régolithe et de chambres à vide ont déjà été utilisées pour créer des maquettes. Les plans prévoient une résidence de 4 personnes qui doit protéger ses occupants des températures extrêmes, des méteorites et du rayonnement gamma ; elle serait établie au pôle sud de la Lune, avec la lumière quasi perpétuelle du Soleil à l'horizon.

Designs urbains

La **plus grande construction en termes de capacité** est Abraj Al Bait Towers (*encart*) à La Mecque (Arabie saoudite) – un ensemble de tours destinées à accueillir 65 000 personnes. Parmi les designs urbains fantastiques de l'architecture du futur se distingue la Pyramide Shimizu prévue pour 750 000 résidents (*ci-dessus*) à Tokyo (Japon), proposée en 2004 avec utilisation de la technologie des nanotubes pour sa construction. Toujours sur la planche à dessin, on trouve des propositions de Foster & Partners pour les 2,5 millions de m² de Crystal Island à Moscou (Russie), susceptible d'abriter 30 000 personnes sous le même toit.

Les plus hauts gratte-ciel

Le **plus haut édifice** est la Burj Khalifa à Dubaï (ÉAU), avec ses 828 m. De futurs gratte-ciel projettent de grimper beaucoup plus haut. Sky City One (*à gauche*), proposé pour Changsha (province du Hunan, Chine), devrait atteindre 838 m. Et la Kingdom Tower à Jeddah (Arabie saoudite) est conçue pour atteindre 1 000 m !

Développement durable

L'un des défis les plus complexes pour les villes du futur est de savoir préserver l'écologie et adopter une gestion durable. Les nouvelles villes devront utiliser des sources d'énergie alternative, comme celle de l'eau, du vent et du soleil. Le **parc éolien à la plus grande capacité** est celui de Roscoe (*ci-dessus*) au Texas (USA), avec 627 éoliennes générant jusqu'à 781,5 MW depuis 2011. Le 1er panneau publicitaire qui extrait de l'eau douce à partir de l'humidité de l'air a été installé à Lima (Pérou, *ci-dessus, à droite*).

PUB SUR MESURE

Certains panneaux sont équipés de logiciels perspicaces permettant la reconnaissance du visage, du sexe et de l'âge, pour évaluer nos goûts.

Villes numériques

Jérusalem (Israël) est devenue la **1re ville entièrement wi-fi compatible** en 2004, et alors que les villes sont de plus en plus connectées grâce à la large bande à ultra haute vitesse, les smartphones et autres appareils de communication, elles vont être recouvertes d'une couche presque invisible de données numériques. Cette couche de données numériques ne change pas l'aspect physique des villes, mais elle produit un énorme effet sur les citoyens. Le MyKad malaisien (*à gauche*) est déjà en service – une carte à puce utilisée à la fois comme permis de conduire, carte bancaire, porte-monnaie électronique, ticket pour les transports publics et clé de sécurité.

ESPACES URBAINS

Le plus grand restaurant

Construit en 2002 pour un coût de 40 millions $, le restaurant Bawabet Dimashq (restaurant de la porte de Damas) à Damas (Syrie) peut accueillir 6 014 clients. Sa cuisine couvre 2 500 m² et il occupe jusqu'à 1 800 employés au cours des périodes les plus chargées.

La 1re cité Dark Sky (Ciel étoilé)

Pour protéger la vue de l'Observatoire Lovell à Flagstaff (Arizona, USA), les habitants ont accepté de durcir la réglementation concernant la pollution lumineuse, et en 2001, elle a été nommée première cité internationale Dark Sky.

La ville avec les plus grandes recettes de jeu

Plus de 38 milliards $ ont été générés par les 35 casinos et autres services de jeux à Macau (Chine), en 2012.

L'emplacement de bureaux le plus coûteux

Selon une étude du cabinet immobilier CBRE de décembre 2012, les espaces de bureau au centre de Hong Kong (Chine) coûtent 2 651,24 $ le m² par an.

La plus forte densité d'édifices recouverts de marbre blanc

Le gouvernement du Turkménistan a redéveloppé une zone de 22 km² dans la capitale Achgabat, où se dressent 543 nouveaux immeubles recouverts de 4 513 584 m² de marbre blanc. La ville est aussi dotée du **plus de fontaines avec bassins dans un lieu public** : 27 depuis juin 2008, couvrant 14,8 ha.

L'aéroport le plus fréquenté par les passagers nationaux et internationaux

Selon l'Airports Council International (ACI), 92 365 860 personnes, au départ ou à l'arrivée, sont passées par l'aéroport Hartsfield-Jackson d'Atlanta (Géorgie, USA), en 2011.

Les premiers bus

Le premier service municipal d'omnibus à moteur a été inauguré le 12 avril 1903 et circulait entre la gare ferroviaire d'Eastbourne et Meads (East Sussex, RU).

INFO

Ocean Parkway à Brooklyn (New York, USA) a été construite en 1880, suite à une proposition de Frederick Law Olmsted et Calvert Vaux. La voie piétonnière a été divisée pour créer une piste cyclable séparée en 1894, et a été déclarée monument historique en 1975.

POUR LES AMATEURS

La Plaza México a beau être grande, la foule la plus nombreuse dans un stade fut les 199 854 spectateurs réunis à un match de football au stade Maracanã à Rio (Brésil), le 16 juillet 1950.

La plus grande arène

Capable d'accueillir 41 262 spectateurs, la plus grande arène est Plaza México à Mexico (Mexique), inaugurée le 5 février 1946. Sa superficie est de 1 452 m², et son diamètre de 43 m. Utilisée principalement pour les corridas, l'arène accueille aussi des matchs de boxe et des concerts.

Le plus ancien musée

Le musée royal des Armures, dans la Tour de Londres (RU), a ouvert ses portes au public en 1660.

Le plus court tronçon de stationnement interdit

Un tronçon de 43 cm de double ligne jaune existe dans Stafford Street, à Norwich (Norfolk, RU), entre un stationnement réservé aux résidents et une zone de stationnement limité à 2 h.

Le plus grand parking automatisé

Les tours Emirates Financial à Dubaï (EAU) sont dotées d'un parking automatisé qui peut accueillir 1 191 voitures. Il occupe 27 606 m². Le système de parking est capable de multiples mouvements de palettes, rapides et simultanés, et est programmé pour contrôler une capacité de pointe de 360 voitures à l'heure. Il a été terminé le 26 juin 2011.

Le plus petit cinéma (places)

Le Palast Kino de la Bahnhofstraße à Radebeul (Allemagne) compte 9 places. Propriété de Johannes Gerhardt (Allemagne), il a ouvert le 30 octobre 2006 avec *Smoke* (Allemagne/USA/Japon, 1995).

LES 10 VILLES OÙ IL EST LE PLUS AGRÉABLE DE VIVRE

Source : Étude de The Economist Intelligence Unit's global "liveability". Classements basés sur des facteurs incluant les taux de criminalité, les moyens de transport, l'éducation, la liberté d'expression, le climat et les soins médicaux.

1. Melbourne (Victoria, Australie) : 97,5 %

2. Vienne (Autriche) : 97,4 %

3. Vancouver (Canada) : 97,3 %

4. Toronto (Ontario, Canada) : 97,2 %

=5. Calgary (Alberta, Canada) : 96,6 %

La plus large avenue

La construction de l'avenue du 9 Juillet à Buenos Aires (Argentine) a débuté en 1935 pour se terminer dans sa section principale au milieu des années 1960. Ses 16 voies de circulation et ses travées médianes paysagées, qui s'étendent sur plus de 110 m, occupent la place d'anciens quartiers.

LES PLUS GRANDS...

Fontaine

La fontaine musicale de Dadaepo Beach à Busan (Corée du Sud) mesure 2 519 m^2 – c'est-à-dire la superficie d'environ 10 courts de tennis – et a été inaugurée par le district de Saha-gu le 30 mai 2009. Elle compte 1 046 jets et 1 148 lumières, et l'eau atteint 55 m.

INFO

Nishi Rokugo Koen à Tokyo (Japon) est la plus grande aire de jeux en pneus – on en a utilisé plus de 3 000 pour créer robots géants, dinosaures, balançoires, tunnels et portiques. Il a ouvert en 1969.

Réseau routier

La longueur cumulée du réseau routier national interurbain de Chine faisait au moins 98 364 km à la fin de 2012.

Bibliothèque

La Bibliothèque du Congrès (Washington, DC, USA) contient plus de 151,8 millions d'articles. Parmi ceux-ci, 66,6 millions de manuscrits, 34,5 millions de livres, 13,4 millions de photos, 5,4 millions de cartes et 3,3 millions d'enregistrements sonores, rangés sur environ 1 349 km d'étagères.

Place

La Place Merdeka à Jakarta (Indonésie) mesure 850 000 m^2 – c'est-à-dire environ deux fois la superficie du Vatican, ou 1,25 fois celle de Disneyland à Anaheim (Californie, USA).

LES PLUS LONGS...

Café en plein air

Le 7 août 2011, Präsenta GmbH et le Festival international berlinois de la Bière (tous deux Allemagne) ont créé un café en plein air de 1 820 m de long à Berlin (Allemagne).

Jetée

La 1re jetée en bois de Southend-on-Sea (Essex, RU) a été inaugurée en 1830 et prolongée en 1846. L'actuelle jetée de fer, longue de 2,15 km, a été inaugurée le 8 juillet 1889.

Le 1er métro

La première section du métro de Londres (RU) – une section de la Metropolitan Line qui fait 6 km entre Paddington et Farringdon – a ouvert le 9 janvier 1863. On peut voir ici une locomotive à vapeur de 1898, quittant la station de Baker Street en janvier 2013, dans le cadre d'une reconstitution du premier voyage sur la ligne.

Réseau urbain de canaux

Birmingham (RU) dispose de 183,5 km de voies navigables. Long de 280 km à l'origine, la création du réseau a commencé en 1759.

Promenade

Le Bayshore Boulevard, long de 7,2 km, longe Upper Hillsborough Bay à Tampa (Floride, USA). Il suit la digue du parc de la statue de Christophe Colomb au boulevard Gandhi sans interruption.

Le plus grand parc à thème couvert

Ferrari World Abu Dhabi, sur l'île de Yas à Abu Dhabi (ÉAU) a ouvert le 4 novembre 2010 sur 700 000 m^2. La partie centrale de 86 000 m^2 est abritée par un toit de 200 000 m^2 à 50 m de hauteur. On voit ci-dessus des visiteurs dans des Ferrari miniatures le jour de l'inauguration.

DE QUOI SAUTER AU PLAFOND

On pourrait recouvrir 16 750 Ferrari avec l'aluminium du toit. Le logo seul mesure 65 m de long et couvre 3 000 m^2.

=5. Adélaïde (Australie-Méridionale) : 96,6 %

7. Sydney (Nouvelle-Galles du Sud, Australie) : 96,1 %

8. Helsinki (Finlande) : 96,0 %

9. Perth (Australie-Occidentale) : 95,9 %

10. Auckland (Nouvelle-Zélande) : 95,7 %

TOUJOURS PLUS HAUT

La 1re pyramide en pierre de taille

La 1re pyramide à degrés à Saqqarah (Égypte) a été construite en 2750 av. J.-C. pour servir de tombe à la momie du pharaon Djéser. Jadis revêtue de calcaire blanc poli, c'était alors l'édifice le plus important au monde, avec une hauteur de 62 m et une base de plus de 1 200 m².

Le 1er gratte-ciel

Le Home Insurance Building de Chicago (Illinois, USA) a été élevé en 1884-1885. Surnommé le « Père des Gratte-ciel », il ne comptait que 10 étages et culminait à 42 m. Les gratte-ciel sont dotés d'une structure d'acier assez solide pour soutenir leurs façades de pierre.

La plus haute mosquée

Terminée le 5 juillet 2004, la mosquée du roi Abdallah, au 77e étage de l'immeuble "Centre du Royaume" à Riyadh (Arabie saoudite), est à 183 m au-dessus du niveau du sol.

LES FONDATIONS LES PLUS PROFONDES

Les fondations des tours Petronas de Kuala Lumpur (Malaisie) sont profondes de 120 m. Les tours de 451,9 m ont été les édifices les plus hauts du monde de 1998 à 2004, jusqu'à ce qu'elles soient dépassées par les 508 m de la Taipei 101 à Taipei (Chine).

La plus haute structure en bois

La tour en treillis de bois de 118 m à Gliwice (Pologne) est la plus haute structure de bois actuellement érigée. Elle a été construite en 1935 et utilisée à l'origine pour les transmissions radiophoniques. Elle fait aujourd'hui partie d'un réseau de téléphonie mobile.

Le plus haut planétarium

Le planétarium du Kōriyama City Fureai Science Centre à Fukushima (Japon) est situé à 104,25 m au-dessus du sol, aux 23e et 24e étages du gratte-ciel Big Eye. Ouvert en 2001, le planétarium se compose d'un dôme incliné de 23 m de diamètre.

La plus haute piscine

L'hôtel Ritz-Carlton au sommet de l'immeuble de l'International Commerce Centre (ICC) à Hong Kong (Chine) possède une piscine et un spa situés au 188e étage, à une hauteur de 474,4 m au-dessus du sol.

LE PLUS HAUT IMMEUBLE INOCCUPÉ

La construction de l'hôtel Ryugyong à Pyongyang (Corée du Nord) a été arrêtée en 1992, alors que l'édifice avait atteint 330 m. Depuis lors, les 105 étages sont restés vides. La construction a repris en avril 2008, mais au moment de mettre sous presse, aucune date d'ouverture n'a été annoncée.

LE PLUS HAUT...

Cinéma

Le complexe de salles de cinéma le plus haut au monde est le Cineworld UGC de Glasgow (RU) avec 62 m. Ouvert le 21 septembre 2001, il compte 18 écrans sur 9 niveaux et peut accueillir 4 277 spectateurs.

La plus haute tour

La Sky Tree de Tokyo (Japon) – anciennement appelée New Tokyo Tower – mesure 634 m de hauteur jusqu'à la pointe de son mât, c'est-à-dire le double de la tour Eiffel. Située à Sumida, Tokyo, elle a été inaugurée en mai 2012 et est utilisée pour la diffusion et l'observation ; elle abrite aussi un restaurant. L'ancienne tour de diffusion de la ville n'était plus assez haute pour offrir une couverture de télévision numérique terrestre complète, car elle est entourée de nombreux gratte-ciel.

LES 10 VILLES POSSÉDANT LE PLUS DE GRATTE-CIEL

1. Hong Kong (Chine) : 2 354 édifices dépassant 100 m, avec une hauteur cumulée de 333 836 m.

2. New York (USA) : 794 édifices dépassant 100 m, avec une hauteur cumulée de 109 720 m.

3. Tokyo (Japon) : 556 édifices dépassant 100 m, avec une hauteur cumulée de 73 008 m.

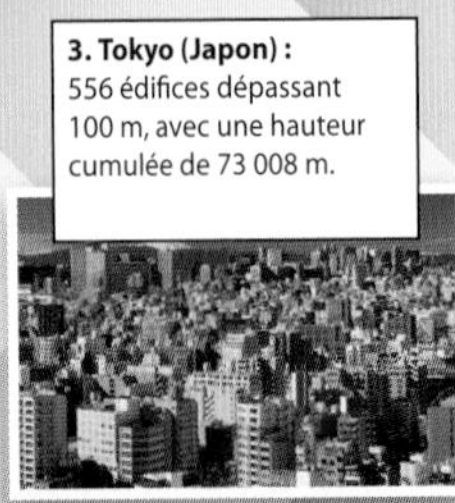

4. Shanghai (Chine) : 430 édifices dépassant 100 m, avec une hauteur cumulée de 59 958 m.

5. Dubaï (EAU) : 403 édifices dépassant 100 m, avec une hauteur cumulée de 66 248 m.

Source : Council on Tall Buildings & Urban Habitat

Le plus haut building

La Burj Khalifa fait 828 m de haut. Elle a été conçue par Emaar Properties et inaugurée à Dubaï (EAU), le 4 janvier 2010. Cette tour détient le record du **plus grand nombre d'étages dans une construction** (160), et est également la **plus haute structure jamais édifiée sur Terre par l'homme**.

Tour penchée

La tour du stade olympique de Montréal (Canada) mesure 165 m et a un angle incurvé de 45°. Terminée en 1987, la tour est conçue pour supporter 75 % du poids du toit de l'édifice principal. Alors que l'inclinaison de cette tour est intentionnelle, l'édifice avec la plus grande inclinaison non intentionnelle n'est pas la fameuse tour de Pise (Italie), mais le clocher de l'église protestante de Suurhusen (Allemagne), qui penche à 5,19° (3,97° pour la tour de Pise).

LA PLUS HAUTE STRUCTURE DE BÉTON

Terminés en 2009, les 92 étages du Trump International Hotel & Tower de Chicago (Illinois, USA) s'élèvent à 356 m, ou 423 m en comptant la flèche de l'édifice. Celui-ci abrite 486 appartements résidentiels et un hôtel de 339 chambres.

LE PLUS HAUT HÔPITAL

L'Hôpital & Sanatorium de Hong Kong – Li Shu Pui block dans la « Vallée heureuse », Hong Kong (Chine) – fait 148,5 m de haut. Cette structure de béton et d'acier de 38 étages a été terminée en trois phases entre 1988 et 2008, et dispose de plus de 400 lits.

Phare

La tour Marine Yokohama du parc Yamashita à Yokohama (Japon) est un phare d'acier de 106 m de hauteur. Il a une puissance de 600 000 candelas et une plage de visibilité de 32 km. Il est aussi doté d'un observatoire situé à 100 m au-dessus du sol. Il a été construit pour marquer le100e anniversaire de la première opération commerciale réalisée entre Yokohama et l'Occident, en 1854.

INFO

Du XIIe siècle à la fin du XIXe, l'édifice le plus haut du monde était toujours une église ou une cathédrale. Cet état de fait a cessé en1901avec la construction du City Hall de Philadelphie (USA), d'une hauteur de 167 m.

Opéra

Le Civic Opera House de Chicago (Illinois, USA), haut de 45 étages, est un imposant gratte-ciel de calcaire mesurant 169 m de haut qui peut acueillir 3 563 spectateurs.

Pyramide

Également appelée la Grande Pyramide, la pyramide de Khéops à Gizeh (Égypte) mesurait 146,7 m de haut quand elle a été achevée il y a 4 500 ans ; l'érosion et le vandalisme ont réduit sa hauteur à 137,5 m.

Édifice à structure d'acier

La tour Willis de Chicago (Illinois, USA) fait 442 m de haut, pour 108 étages de bureaux ; elle est construite en acier et pèse 201 848 t. Le design intègre neuf unités de tubes d'acier carrés disposés 3 par 3. Terminée en 1974, elle couvre 423 637 m² de surface au sol.

Le plus haut cimetière

Illuminé en permanence, le Mémorial Necrópole Ecumênica, à Santos, près de São Paulo (Brésil), compte 14 étages et s'élève à 46 m au-dessus du sol. Le premier enterrement a eu lieu le 28 juillet 1984. La photo en médaillon montre que des blocs supplémentaires sont en construction, ce qui va encore surélever le cimetière.

La plus haute pagode en bois

Achevée en 2007, la pagode Tianning de Changzhou (Chine) s'élève à 153,79 m. Cette pagode de 13 étages, surmontée d'un pinacle en or, a une superficie d'environ 27 000 m². Sa construction a coûté quelque 300 millions de yuans (24,5 millions €).

Édifice universitaire

Construite entre 1949 et 1953, l'université d'État M. V Lomonossov, sur la colline des Moineaux au sud de Moscou (Russie), s'élève à 240 m de hauteur.

Château d'eau

Le château d'eau à forme ellipsoïdale d'Edmond (Oklahoma, USA), construit en 1986, mesure 66,5 m de haut et a une capacité de 1 893 000 l. La tour a été réalisée par CB&I (Chicago Bridge & Iron Company).

Moulin

Le plus haut moulin à vent traditionnel en activité est De Noordmolen (aujourd'hui un restaurant), à Schiedam (Pays-Bas), avec 33,33 m.

6. Bangkok (Thaïlande) : 355 édifices dépassant 100 m, avec une hauteur cumulée de 48 737 m.

7. Chicago (USA) : 341 édifices dépassant 100 m, avec une hauteur cumulée de 48 441 m.

8. Guangzhou (Chine) : 295 édifices dépassant 100 m, avec une hauteur cumulée de 42 865 m.

9. Séoul (Corée du Sud) : 282 édifices dépassant 100 m, avec une hauteur cumulée de 39 308 m.

10. Kuala Lumpur (Malaisie) : 244 édifices dépassant 100 m, avec une hauteur cumulée de 34 035 m.

MAGASINS ET ACHATS

Le plus grand magasin en ligne

En termes de chiffre d'affaires, Amazon (USA) est le plus grand magasin en ligne, avec des ventes nettes en 2012 de 61,09 milliards $. La société emploie 88 400 personnes et a une valeur de marché de 119 milliards $.

LES PLUS GRANDS

Immeuble commercial

En termes de superficie, le plus grand immeuble commercial sous un seul toit est le bâtiment de vente de fleurs aux enchères Bloemenveiling à Aalsmeer (Pays-Bas). Sa superficie de 782 599 m² permettrait d'accueillir 14 Grandes Pyramides.

Grand magasin

Le grand magasin Shinsegae (Nouveau Monde) Centum City dans le quartier Haeundae-gu de Busan (Corée du Sud) couvre 293 905 m² – une superficie supérieure à 50 terrains de football. Le magasin est ouvert depuis le 3 mars 2009 ; outre des concessionnaires de marques de luxe, il offre un spa, un jardin sur le toit et un practice de golf.

Façade de magasin dans un centre commercial

Les trois étages des Galeries Lafayette (France), magasin situé dans le Morocco Mall de Casablanca (Maroc), couvrent 3 381,92 m² en façade. Installé et géré par le Groupe Aksal (Maroc), le magasin a été conçu par Davide Padoa de Design International (RU) et inauguré en novembre 2011.

Façade illuminée

Le Mall Taman Anggrek à Grogol Petamburan (Jakarta Ouest, Indonésie), possède une façade courbe continue, illuminée de LED, qui couvre 8 6 75,3 m² et affiche des images vidéo animées en couleurs. La nuit, tout le mur de façade scintille de la lumière de 862 920 pixels. L'installation a été terminée le 29 février 2012.

La plus vieille boutique de bonbons

La bien nommée « Plus Vieille Boutique de Bonbons d'Angleterre » à Pateley Bridge (Yorkshire, RU) a ouvert ses portes en 1827 et a vendu des bonbons sans discontinuer jusqu'à aujourd'hui. (Le chiffre « 1661 » sur le linteau est la date de construction de la maison.) La plupart des friandises sont toujours faites dans les bassines en cuivre et avec des moules dont certains ont plus de 100 ans.

La 1re boutique à l'envers

Viktor & Rolf, la maison de mode néerlandaise, a créé la 1re boutique à l'envers à Milan (Italie), en 2005. Les clients y pénètrent par une porte à l'envers et font face à des lustres qui s'élèvent du sol, des chaises fixées au plafond couvert d'un plancher, et même à des cheminées à l'envers. Elle a été créée par Viktor Horsting et Rolf Snoeren, les propriétaires néerlandais, avec Buro Tettero et SZI Design.

Le plus grand magasin de musique en ligne

En octobre 2011, l'iTunes Store de Apple avait vendu plus de 16 milliards de chansons pour téléchargement numérique. Fin 2012, la société comptait plus de 400 millions d'acheteurs actifs pour 29 % des ventes de musique mondiales.

Le 1er centre commercial

Le 1er centre commercial au monde – c'est-à-dire un grand nombre de boutiques distinctes regroupées sous un même toit – était le forum de Trajan de la Rome antique (Italie). Conçu par l'architecte Apollodorus de Damas et construit entre100 et 112, le forum abritait un marché de150 boutiques et des « bureaux » disposés le long de six niveaux de galeries.

LES 10 MAGASINS LES PLUS SPACIEUX

1. New South China Mall
Dongguan (Chine)
600 153 m²

2.Golden Resources Mall
Pékin (Chine)
557 419 m²

3. SM City North Edsa
Quezon (Philippines)
482 878 m²

4. 1 Utama
Selangor (Malaisie)
465 000 m²

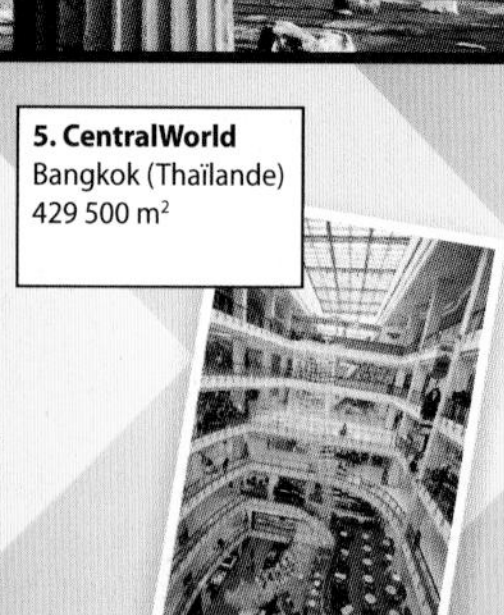

5. CentralWorld
Bangkok (Thaïlande)
429 500 m²

grand complexe commercial en Amérique du Nord.

Le plus grand centre commercial

Sur la base de la surface locative brute, le New South China Mall de Dongguan (Chine) est le plus grand centre commercial, avec 600 153 m² d'espace commercial disponible. Toutefois, le **plus grand centre en superficie totale** est le Mall de Dubaï (ÉAU) (*photo*), qui couvre 1 124 000 m².

Sac à provisions

Un sac de toile de 83,82 m de hauteur (sans les poignées) et de 38,10 m de large a été fabriqué par Raj Bahadur (Inde) et exposé à Ghaziabad (Inde), en février 2009.

Le **plus grand sac à provisions en papier** a été présenté par la chaîne de supermarchés Kaufland (Roumanie), à Bucarest (Roumanie), le 18 mai 2009. Le sac – fait de papier recyclé – mesurait 4,18 x 6,62 x 1,79 m.

Étiquette de prix

Une étiquette de prix mesurant 5,07 m de long et 3,60 m de large a été fabriquée par le Forum Ankara Outlet et Media Markt à Ankara (Turquie), le 28 mars 2010. L'étiquette géante a été suspendue à une publicité pour un réfrigérateur à l'extérieur du centre commercial.

Centre commercial souterrain

Le PATH de Toronto (Canada) est un réseau de 27 km de galeries abritant 1 200 commerces et services qui offrent 371 600 m² d'espace de vente. Plus de 50 immeubles, cinq stations de métro et un terminal de chemin de fer sont accessibles de ce complexe.

Parking

Le parking du West Edmonton Mall à Alberta (Canada) peut accueillir 20 000 véhicules, avec possibilité, s'il est plein, de se garer dans un parking attenant prévu pour 10 000 voitures supplémentaires. West Edmonton Mall est le plus

Le plus gros chiffre d'affaires pour un grand magasin

Harrods à Londres (RU) a déclaré un chiffre d'affaires de 1,01 milliard £ pour l'année se terminant le 29 janvier 2011. Le grand magasin emblématique – le plus grand en Europe – a été acquis par Qatar Holdings en 2010 pour 1,5 milliard £.

INFO

Harrods est le magasin de choix si vous souhaitez acheter des articles battant des records, comme la **baignoire la plus chère** – à 530 000 £, taillée dans un bloc de cristal amazonien de 9,07 t !

Le plus grand magasin

Walmart (USA) a déclaré un chiffre d'affaires mondial total de 469,16 milliards $ en 2012. Le groupe Walmart, dont le siège est à Bentonville (Arksansas, USA), possède 10 818 magasins dans 27 pays et emploie 2,2 millions de personnes.

Chariot motorisé

Monster Kart est un chariot construit par Frederick Reifsteck (USA) en acier inoxydable et équipé d'un moteur Chevrolet 900-hp 454. Ce chariot à moteur que l'on peut conduire mesure 8,23 m de long, 2,43 m de large et 4,57 m de haut. Il a été exposé à South Wales (New York, USA), le 20 avril 2012. (*Pour le **plus grand chariot**, voir p. 97.*)

Le **chariot motorisé** le **plus rapide** a atteint 69 km/h et a été créé par Tesco PLC et The Big Kick au Tesco Extra store de Hatfield (Hertfordshire, RU), le 17 novembre 2011.

Le loyer de magasin le plus élevé

Pour la première fois en 11 ans, la Fifth Avenue à New York (USA) a perdu son titre de zone la plus chère du monde en termes d'espace commercial. En 2012, le loyer annuel à Causeway Bay (Hong Kong, Chine) a atteint 28 309 $/m².

QUE SIGNIFIE IKEA ?

IKEA est un acronyme tiré de **I**ngvar **K**amprad (nom du fondateur), **E**lmtaryd (nom de sa ferme) et **A**gunnaryd (sa ville natale).

Le plus grand magasin de meubles

Le chiffre d'affaires de la société IKEA, fondée par Ingvar Kamprad en Suède en 1943, était de 25,173 milliards € en 2011. Le géant du meuble – qui emploie 131 000 personnes dans 332 magasins ouverts dans 38 pays – vend une gamme de 9 500 produits. En 2011, il a reçu 655 millions de visites de ses clients.

=6. Persian Gulf Complex
Chiraz (Iran)
420 000 m²

=6. Istanbul Cevahir
Istanbul (Turquie)
420 000 m²

=6. Mid Valley Megamall
Kuala Lumpur (Malaisie)
420 000 m²

9. Dubai Mall
Dubaï (Émirats arabes unis)
350 224 m²

10. West Edmonton Mall
Edmonton (Alberta, Canada)
350 000 m²

Source : Emporis

HAUTS ET BAS

Premier trottoir roulant

Le premier trottoir roulant et le plus long de l'histoire a été présenté à l'Exposition internationale de Chicago (Illinois, USA) en 1893. Divers niveaux permettaient aux visiteurs de se tenir debout en se déplaçant à 3,2 km/h, ou de s'asseoir sur des bancs pour voyager à 6,4 km/h. Exploité par la Columbian Movable Sidewalk Company, il transportait les visiteurs arrivant par bateau à vapeur sur une distance d'environ 1 km, le long d'un quai, jusqu'à l'entrée de l'Exposition.

L'ascenseur le plus haut

En une seule descente, l'ascenseur de la mine d'or d'AngloGold Ashanti de Mponeng en Afrique du Sud fait un incroyable plongeon de 2 283 m – 4,5 fois plus que les ascenseurs du plus **haut immeuble**, le Burj Khalifa (*voir ci-dessous*). Cette descente ne prend que 3 min. Un deuxième ascenseur emmène les mineurs encore plus bas, à 3 597 m. Il transporte 4 000 employés dans la mine.

La plus haute chute dans une cage d'ascenseur

Stuart Jones (Nouvelle-Zélande) est tombé de 23 étages – soit 70 m – dans une cage d'ascenseur, alors qu'il travaillait sur le toit d'une cabine d'ascenseur provisoire au Midland Park Building de Wellington (Nouvelle-Zélande), en mai 1998. Malgré de multiples blessures, il a survécu.

Betty Lou Oliver (USA) a survécu à la **plus longue chute dans un ascenseur**, un plongeon de 75 étages (plus de 300 m) dans l'Empire State Building de New York (USA), le 28 juillet 1945. Elle a atterri dans le sous-sol – l'impact a été amorti par des câbles enroulés. Et l'ascenseur a été ralenti par la pression de l'air dans sa cage relativement étroite.

La pire catastrophe d'ascenseur

L'ascenseur d'une mine d'or de Vaal Reefs (Afrique du Sud), est tombé de 490 m, le 10 mai 1995, tuant 105 personnes. L'accident a été causé par une locomotive qui a plongé dans une cage d'ascenseur pour atterrir sur la cabine, après être entrée dans le mauvais tunnel.

Premier ascenseur pour cyclistes

L'ascenseur à vélo de Trondheim (Norvège) a été inauguré en 1993. Les cyclistes posaient leur jambe droite sur un repose-pied pour être poussés sur 130 m, jusqu'en haut de la colline de Brubakken (pente de 10 %) à 8 km/h.

Plus haute montée sans arrêt d'un ascenseur dans un immeuble

L'ascenseur principal de la Burj Khalifa à Dubaï (ÉAU) grimpe 504 m en une seule ascension. Le gratte-ciel a été officiellement inauguré le 4 septembre 2010. Pour en savoir plus sur le Burj, le **plus haut immeuble**, *voir p. 144*.

- 57 ascenseurs et 8 escaliers mécaniques
- Ascenseurs à double pont, d'une capacité de 12 à 14 personnes par cabine, pour ceux qui vont sur la terrasse d'observation au Niveau 124.
- 3 "salons plein ciel" aux niveaux 43, 76 et 123 : étages intermédiaires où on peut quitter un ascenseur express pour un ascenseur local s'arrêtant à tous les étages
- Aucun ascenseur ne donne accès à tous les étages

40 Ce sont les secondes nécessaires aux deux ascenseurs pour atteindre le 89e étage à 382 m du sol.

Ascenseur le plus rapide dans un immeuble

Deux ascenseurs à grande vitesse dans le gratte-ciel Taipei 101 de Tapei (Taïwan) peuvent atteindre 60,6 km/h. Leur système de régulation de la pression atmosphérique permet d'éviter aux occupants d'avoir mal aux oreilles.

Le plus grand silo-élévateur

Un unique silo-élévateur exploité par la DeBruce Grain Inc. de Wichita (Kansas, USA) se compose de 310 élévateurs sur une triple rangée de chaque côté de la tour de chargement centrale. Cette unité mesure 828 m de long et 30,5 m de large. Chaque réservoir fait 37 m de haut et 9,1 m de diamètre, soit une capacité de stockage de 7,3 millions d'hectolitres de blé. C'est suffisant pour fournir la farine de tout le pain consommé aux États-Unis pendant six semaines.

Le trottoir roulant le plus rapide

Un trottoir roulant rapide, à la station de métro Montparnasse à Paris (France), a transporté les voyageurs à 9 km/h, environ trois fois plus vite que les trottoirs roulants habituels. Cette unité de 180 m a été installée en 2003, puis retirée en 2009 à cause de chutes de passagers et de pannes.

ASCENSEURS EXTRAORDINAIRES

AquaDom, Berlin-Mitte (Allemagne) : un ascenseur haut de 25 m à parois transparentes au centre de l'aquarium – le **plus haut aquarium à contenir un ascenseur.**

Silos Volkswagen Autostadt, Wolfsburg (Allemagne) : ce **parking automatisé le plus rapide** utilise des "navettes" robotiques dans deux tours de 20 étages, hautes de 48 m, pour livrer une voiture en 45 secondes.

Falkirk Wheel, Falkirk (RU) : le **plus grand ascenseur à bateaux pivotant** transporte des bateaux entre l'Union Canal et le Forth & Clyde canal.

Ascenseur paternoster, Université de Sheffield (RU) : une chaîne de 38 cabines ouvertes, toujours en mouvement dans la Tour des Arts de l'université, haute de 78 m. C'est le **plus grand ascenseur paternoster.**

Ascenseur du Louvre, Paris (France) : sans toit, mû par un système hydraulique, sortie par une passerelle sur le côté.

L'escalier roulant le plus court

Au centre commercial Okadaya More de Kawasaki-shi (Japon), cet escalier roulant fait juste 83,4 cm de haut. Il a été installé par Hitachi Ltd.

Escalier roulant en spirale

Le premier escalier roulant en spirale opérationnel a été présenté à Osaka (Japon) en 1985. Installé par la Mitsubishi Electric Corporation, il était bien plus complexe qu'un escalier roulant habituel, à cause de plusieurs défis d'ingénierie.

Escalier roulant

Jesse W. Reno (USA) a créé le premier manège escalier roulant à l'Old Iron Pier de Coney Island (New York, USA), en septembre 1895. Son "ascenseur incliné" avait une ascension de 2,1 m et une inclinaison de 25°. On s'asseyait sur des lattes en fonte au-dessus d'une courroie à 22,8 m par minute.

Le plus long parcours en escalier roulant

Suresh Joachim Arulanantham (Sri Lanka/Canada) a effectué au total 225,44 km sur des escaliers roulants montants et descendants au centre commercial Westfield de Burwood (Nouvelle-Galles du Sud, Australie). Il a établi un record en 145 h et 57 min, entre le 25 et le 31 mai 1998.

Le plus d'escaliers roulants dans un réseau de métro

Le réseau du métro de Washington (DC, USA) incorpore 557 escaliers roulants entretenus par une équipe de 90 techniciens sous contrat.

LES PREMIERS...

Ascenseur de sécurité

Le premier ascenseur de sécurité – c'est-à-dire construit avec un mécanisme de sûreté pour empêcher la cabine de tomber en cas de rupture des câbles – a été conçu par Elisha Graves Otis (USA) qui en fit la démonstration au Crystal Palace de New York (USA) en 1854.

Le **premier immeuble à avoir un ascenseur de sûreté permanent** a été le grand magasin E.V. Haughwout à New York (USA), en 1857. L'ascenseur à vapeur Otis transportait les acheteurs entre les cinq étages du magasin.

Ascenseur panoramique

Le premier ascenseur panoramique fixé à l'extérieur d'un immeuble a été installé à l'hôtel El Cortez à San Diego (USA) en 1956, par son propriétaire d'alors : Harry Handlery. Conçu par l'architecte C.J. "Pat" Paderewski, l'ascenseur desservant 15 étages était surnommé le *Starlight Express.*

L'installation d'essai pour ascenseurs la plus profonde

Le laboratoire Tytyri High-Rise à Lohja (Finlande) possède une installation d'essai qui descend à 333 m dans une mine de calcaire. Installée par KONE (Finlande), elle teste les ascenseurs à grande vitesse – jusqu'à 17 m/s – pour des immeubles dépassant 200 m de haut.

LES PLUS LONGS...

Système d'escaliers roulants

L'escalier mécanique Central Hillside Link de Hong Kong (Chine) mesure 800 m de long et est constitué d'une série d'escaliers roulants.

Escalier roulant dans le métro

Située à Saint-Pétersbourg (Russie), la station de métro Admiralteyskaya, inaugurée en décembre 2011, possède quatre escaliers roulants parallèles, s'élevant chacun à 68,6 m et dotés de 770 marches.

Trottoir roulant (actuel)

En dessous des parcs et jardins de The Domain à Sydney (Australie) se trouve un trottoir roulant de 207 m de long. Inauguré le 9 juin 1961 et construit par le Trust des Jardins botaniques de Sydney, il a été reconstruit en 1994. Le trottoir roulant en pente douce se déplace à 2,4 km/h.

Téléphérique

Le téléphérique de Grindelwald-Männlichen (Suisse) mesure 6,239 km. Le trajet, en deux parties, peut pourtant s'effectuer sans changer de télécabine.

L'ascenseur extérieur le plus haut

Situé en plein air, dans le parc forestier national de Zhangjiajie (province du Hunan, Chine), l'ascenseur Bailong « Cent Dragons », dont les cabines sont tout de verre, mesure 326 m de haut. Il a été construit à flanc d'une falaise de quartzite, mais sa partie supérieure (171,4 m) est aérienne.

Ascenseur municipal d'Oregon City (Oregon, USA) : transporte les passagers en 15 s de haut en bas d'une falaise de 39 m, entre les deux niveaux de la ville.

CN Tower, Toronto (Canada) : contrôlés par charge électrique, les panneaux de verre du sol s'opacifient au début et à la fin des 346 m de **la plus longue descente en ascenseur à sol de verre.**

Ascenseur Rising Tide, paquebot *Oasis of the Seas* : associé à un bar, reliant deux niveaux du bateau – le **premier ascenseur avec un bar.**

Ascenseur à bateaux Strépy-Thieu, Le Rœulx (Belgique) : il relie la Meuse et l'Escaut. Le **plus grand ascenseur à bateaux**, avec un trajet vertical de 73,15 m, il peut lever des péniches pesant 1 350 tonnes.

Ascenseur de l'immeuble Umeda Hankyu, Osaka (Japon) : de 3,3 x 2,8 m, il est capable de transporter 80 passagers – le **plus grand nombre de passagers pour un ascenseur dans un immeuble de bureaux.**

HÔTELS

INSPIRATION LITTÉRAIRE
L'hôtel emprunte son nom à Jules Verne, l'auteur de Vingt Mille Lieues sous les mers.

Le 1er hôtel sous-marin

Les clients plongent à 6,4 m pour franchir la porte d'entrée du lodge sous-marin Jules dans le lagon d'Émeraude, à Key Largo (Floride, USA). Le lodge possède 2 chambres et un salon de 2,4 x 6 m. Construit à l'origine pour devenir un laboratoire de recherche sous-marine, le lodge a été transformé en hôtel par Ian Koblick et Neil Monney (tous deux USA) et a ouvert en 1986. Il a compté parmi ses clients l'ancien Premier ministre canadien Pierre Trudeau, et la rock star Steven Tyler, chanteur d'Aerosmith.

Le 1er hôtel de sable

Durant l'été 2008, la plage de Weymouth (Dorset, RU) abritait un hôtel entièrement en sable. Il a fallu 600 h pour construire en plein air le château de sable-hôtel de 15 m². Une chambre familiale avec un grand lit et un lit individuel était disponible pour 10 £ la nuit. Cet hôtel a été conçu par le sculpteur Mark Anderson (RU), suite à une commande du site LateRooms.com.

L'hôtel à la plus haute altitude

L'hôtel Everest View, au-dessus de Namche (Népal) – le village le plus proche du camp de base de l'Everest –, est situé à 3 962 m.

L'hôtel avec le plus de restaurants

Le Venetian Resort Hotel Casino qui a ouvert en mai 1999 à Las Vegas (Nevada, USA) possède 17 restaurants (*voir à droite*).

La plus grande chaîne hôtelière

Wyndham Hotels & Resorts est la plus grande chaîne hôtelière, avec plus de 7 250 hôtels dans 50 pays. Avec son siège à Parsippany (New Jersey, USA), les chaînes du groupe comprennent Wyndham, Ramada, Days Inn, Howard Johnson, Planet Hollywood et Travelodge. Son chiffre d'affaires en 2012 a atteint 4,5 milliards $.

2 494
C'est le poids en tonnes du sommet pivotant du Marmara.

Le 1er hôtel pivotant

Le Marmara à Antalya (Turquie) a 24 chambres dans sa partie supérieure pivotante, qui offrent des vues sur la Méditerranée et les montagnes de Bey. La section entière flotte sur 433 t d'eau dans un bassin spécial et est mue par six moteurs électriques de 1 kW. L'eau réduit la friction du loft qui pivote chaque jour. La construction de cet hôtel de 18 étages a été terminée en 2005 pour 12,8 millions £. Il a été conçu par Hillier Architecture et les ingénieurs structurels MEP.

Le plus de fontaines dans un hôtel

Il y a plus de 1 000 fontaines sur le lac artificiel de 4,8 ha de l'hôtel Bellagio de Las Vegas (Nevada, USA). C'est l'équivalent de la superficie de 70 courts de tennis ! Les fontaines projettent de l'eau à 73 m, avec un accompagnement de musique stéréophonique et des jeux de lumière utilisant 4 000 luminaires programmés.

L'hôtel le plus septentrional

L'hôtel-restaurant le plus au nord est l'hôtel Radisson Blu Polar Spitsbergen à Longyearbyen (Svalbard, Norvège). Le Svalbard est constitué de plusieurs îles depuis Bjørnøya au sud jusqu'à Rossøya au nord, le point le plus septentrional de l'Europe.

La plus grande flotte de Rolls-Royce d'une chaîne d'hôtels

Le Peninsula Hotels Group possède 28 Rolls-Royce dans le monde, dont 14 Rolls-Royce Phantom à empattement long à Hong Kong (*en photo*) et une Phantom II Sedanca De-Ville 1936. Deux Phantoms sont utilisées à Pékin, quatre Phantoms et une Phantom II Sedanca De-Ville 1934 à Shanghai, deux Phantoms et une Phantom II Sedanca De-Ville 1934 à Tokyo, deux Silver Spurs à Bangkok et une autre Rolls-Royce à Beverly Hills. Toutes sont vert foncé.

LES 10 SUITES D'HÔTEL LES PLUS ONÉREUSES

1. Penthouse Royal, à l'hôtel Président Wilson, Genève (Suisse) : 65 000 $ la nuit – la **suite d'hôtel la plus chère**. Salles de bains en marbre, piano Steinway à queue, terrasse privée et vue sur le lac Léman et le mont Blanc.

2. Villa Royale, au Grand Resort Lagonissi, Athènes (Grèce) : 45 000 $ la nuit. Terrasse en bois, maître d'hôtel particulier et sentier privé conduisant à la plage.

3. Villa Hugh Hefner (maintenant Villa Two-Story Sky), au Palms Casino Resort, Las Vegas (USA) : 40 000 $ la nuit. Piscine en porte-à-faux, lit pivotant et suffisamment d'espace pour recevoir 250 personnes.

4. Penthouse Ty Warner, au Four Seasons, New York (USA) : 35 000 $ la nuit. Baies vitrées offrant une vue à 360° sur Manhattan, neuf pièces et lustres en cristal.

5. Suite Royale Plaza, au Plaza hotel, New York (USA) : 30 000 $ la nuit. Bibliothèque, salle à manger privée pour 12 personnes et salle de sport.

Source : *travel.usnews.com*

Le plus grand hôtel en sel

Les 16 chambres du Palacio de Sal, dans les marais salants de Salar de Uyuni (Bolivie) ont des sols, murs, plafonds, tables, chaises et lits en sel, de même que le terrain de golf. Et la piscine est remplie d'eau salée. L'hôtel actuel a été reconstruit en 2007 en utilisant un million de blocs de sel de 35 cm pesant au total 10 000 t. Ces blocs sont joints par une pâte de sel et d'eau ressemblant à du ciment.

Le plus vieil hôtel
Le Nisiyama Onsen Keiunkan de Hayakawa (Yamanashi, Japon) est un hôtel disposant d'une source chaude, en service depuis l'an 705.

Le plus petit hôtel
L'hôtel Eh'häusl à Amberg (Allemagne) a une superficie totale de 53 m². Pris en sandwich entre deux immeubles plus grands, l'hôtel ne peut accepter que deux clients à la fois.

Le plus grand vitrail
Il est sans doute surprenant que le plus grand vitrail ne soit pas dans une cathédrale. Cette peinture murale sur verre rétro-éclairé, de 41,14 m de haut et de 9 m de large, se trouve dans le hall de l'hôtel Ramada à Dubaï (EAU), où il a été installé en 1979.

LES PLUS GRANDS…

Hall d'hôtel
Le hall du Hyatt Regency à San Francisco (Californie, USA) fait 107 m de long, 49 m de large et 52 m de haut, c'est-à-dire la hauteur d'un immeuble de 15 étages.

Structure de glace
Situé à 200 km au nord du Cercle arctique et d'une superficie de 4 000 à 5 000 m², l'ICEHOTEL de Jukkasjärvi (Suède) est reconstruit chaque année en décembre depuis 1990. Pendant l'hiver 2012-2013, il comprenait une réception, un bar, une église et des chambres en glace, avec des thèmes comme « Nid du Dragon », « Iceberg » et « Eau vive ».

Spa
D'une superficie de 176 284,14 m², Mission Hills Haikou se trouve à Haikou (Hainan, Chine). Les locaux ont été mesurés le17 octobre 2012.

Casino
Les clients de l'hôtel-casino de 3 000 suites Venetian Macao à Macao (Chine) ont accès à 3 400 machines à sous ou 870 tables de jeux, dans une zone couvrant 51 100 m² – plus grande que 9 terrains de football américain !

Le plus grand hôtel

Construit en deux phases entre 1999 et 2008, le complexe Venetian & Palazzo de Las Vegas (Nevada, USA) offre 7 017 chambres et possède un canal intérieur dans son centre commercial. Il a été conçu par les architectes KlingStubbins (Venetian) et HKS (Palazzo) et est la propriété de la Las Vegas Sands Corp.

806
C'est le nombre de chambres de la Tour 1. La Tour 2 devrait ouvrir en 2015.

INFO

Le Marriott Marquis (*à droite*) est le plus haut édifice entièrement dédié à un hôtel. Il existe des constructions plus élevées qui abritent des hôtels, mais pas exclusivement. On considère qu'il y a un usage mixte quand au moins 15 % de la superficie ne sont pas à usage d'hôtel, mais réservés à des boutiques ou des appartements privés.

L'hôtel le plus haut

Le J W Marriott Marquis Dubaï (EAU) – dont l'ancien nom était Emirates Park Towers Hotel & Spa – est l'hôtel le plus haut avec 355,35 m entre le rez-de-chaussée et le sommet de son mât. L'hôtel se compose de tours jumelles de 77 étages, dont la première a été inaugurée le 11 novembre 2012.

=6. Suite Présidentielle au Ritz-Carlton, Tokyo (Japon) : 25 000 $ la nuit. Vue sur le mont Fuji, club concierge et accès au Ritz-Carlton Club Lounge.

=6. Bridge Suites, Royal Towers à Atlantis, Paradise Island (Bahamas) : 25 000 $ la nuit. Piano à queue, lustres en or 22 carats et personnel permanent de 7 personnes.

8. Suite Royale au Burj Al Arab, Dubaï (EAU) : 22 900 $ la nuit. Lit à baldaquin pivotant, cinéma privé, bibliothèque et ascenseur particulier.

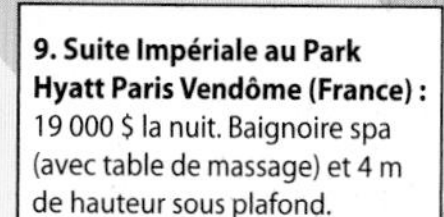

9. Suite Impériale au Park Hyatt Paris Vendôme (France) : 19 000 $ la nuit. Baignoire spa (avec table de massage) et 4 m de hauteur sous plafond.

10. Ambassador's Bure au Wakaya Club & Spa (Fiji) : 4 900 $ la nuit. Spa, piscine particulière et accès privé à l'océan.

HABITAT

La plus grande maison d'Hollywood

La maison du 594 Mapleton Drive à Los Angeles (Californie, USA) occupe 5 253 m². Elle a été agrandie par Aaron Spelling (USA), producteur de séries télé comme *Drôles de dames* et *Beverly Hills 90210*, et possède 123 pièces dont une salle de sport, un bowling, une piscine et une patinoire.

INFO

Avant Antilia (*ci-dessous*), la maison la plus chère était le château Hearst (*ci-dessus*), à San Simeon (Californie, USA), construit pour William Randolph Hearst (USA) en 1939. On y trouve plus de 100 pièces, une piscine chauffée de 32 m et un garage pour 25 limousines.

La maison la plus étroite

Keret House à Varsovie (Pologne) mesure 92 cm dans sa partie la plus étroite et 1,52 m dans sa partie la plus large. Conçue par Jakub Szczęsny, du cabinet d'architectes polonais Centrala, elle mesure 14 m² au sol. Pas d'escaliers : une échelle relie la chambre, la salle de bains et la cuisine.

La maison la plus septentrionale

Les maisons les plus septentrionales habitées toute l'année sont celles des cinq résidents permanents du site Alert sur l'île d'Ellesmere dans l'Arctique canadien, à 817 km du pôle Nord. Habité depuis 1950, Alert accueille une station météo et une base de renseignements.

L'**habitation humaine permanente la plus au sud** est la station américaine Amundsen-Scott du pôle Sud, achevée en 1957 et remplacée en 1975. Les touristes qui visitent cette base l'été disposent d'une boutique, d'une banque et d'un bureau de poste.

Les plus vieilles maisons

Les maisons du site néolithique de Çatalhöyük (actuelleTurquie) datent de 7 500-5 700 avant J.-C. Entre 5 000 et 8 000 résidents occupaient ces maisons en briques crues. On entrait dans les constructions par des trous dans le toit, qui servaient aussi à l'évacuation de la fumée.

La plus grande maison souterraine

Bill Gates (Microsoft, USA) vit dans une demeure qui donne sur le lac Washington à Medina (Washington, USA). Conçue par James Cutler et Peter Bohlin, la construction, dont une grande partie est souterraine, couvre 6 100 m² et a été achevée en 1995. Elle compte 7 chambres, 24 salles de bain, 6 cuisines, 1 piscine de 18 m, une salle de sport de 230 m², une salle de trampoline et un système informatique complexe pour gérer l'environnement, les données et les distractions.

INSPIRATION ANTIQUE

Antilia tire son nom d'une île mythique. La conception est censée se conformer aux principes architecturaux hindous.

Trois hélisurfaces sur le toit avec vue sur Bombay

Antilia est équipée de neuf ascenseurs rapides ; deux ascenseurs sont destinés aux parkings, trois aux chambres d'amis, deux réservés à la famille et deux au personnel

Structure essentiellement en verre et en acier, les six étages supérieurs de la maison servent de résidence familiale au propriétaire, à sa femme, sa mère et à ses trois enfants.

Étage pour l'entretien

Chambres d'amis

Le centre de remise en forme sur deux étages offre une piscine, un spa et une salle de sport

La maison la plus haute

Achevée en 2010, Antilia, propriété de Mukesh Ambani (Inde, *ci-dessus avec sa femme Nita*), mesure 173 m. La triple hauteur des espacements des 27 étages rend cette construction aussi haute qu'une tour de bureaux typique de 60 étages. C'est aussi la **plus grande maison**, avec une surface habitable de 37 000 m². Le coût exact n'est pas connu, mais on l'estime à 1,2 milliard £, ce qui en fait la **maison la plus onéreuse jamais construite**.

Jardin extérieur

LES 10 PLUS GRANDS GRATTE-CIEL

1. Princess Tower Dubaï (ÉAU) : 413,4 m, le **plus haut immeuble résidentiel** au monde.

2. 23 Marina Dubaï (ÉAU) : 395 m.

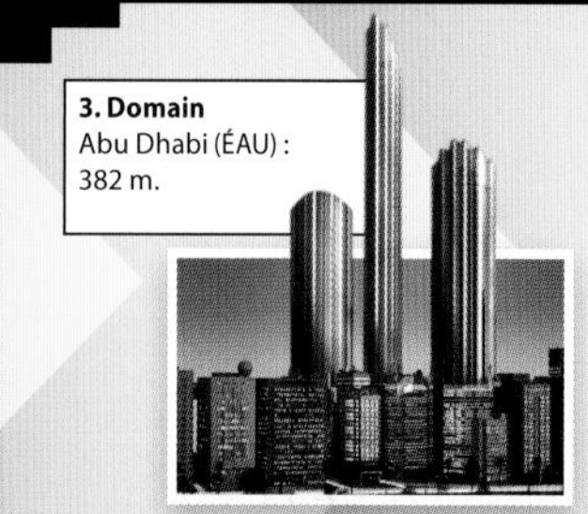

3. Domain Abu Dhabi (ÉAU) : 382 m.

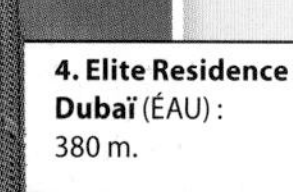

4. Elite Residence Dubaï (ÉAU) : 380 m.

5. The Torch Dubaï (ÉAU) : 345 m.

Source : *Emporis.com*

Le déplacement d'une maison le plus important

En août 2006, la société Warkentin Building Movers, Inc. (Canada) a fait parcourir avec succès 1 650 km à une maison à travers le Canada, de McAuley dans le Manitoba jusqu'à Athabasca dans l'Alberta. La maison de 130 m² a été livrée en parfait état, après 40 h de voyage par la route.

Le plus haut gratte-ciel résidentiel

Achevée en 2012, la Princess Tower à Dubaï (ÉAU) s'élève à 413,4 m. L'étage occupé le plus haut est à 356,9 m.

Les appartements résidentiels les plus hauts

Construit par le promoteur Emaar et inauguré le 4 janvier 2010, le Burj Khalifa à Dubaï (ÉAU) possède l'étage résidentiel le plus élevé à 385 m. Le Burj Khalifa est affecté à un hôtel, des bureaux et des appartements (étages 77-108).

Si l'on prend en compte les lieux de résidence en dehors du globe terrestre, l'**habitation à la plus haute altitude**, et où l'on séjourne quelques mois ou davantage, est la Station spatiale internationale (ISS) en orbite entre 330 km et 410 km au-dessus de la Terre. Lancée en 1998, l'ISS accueille en général à son bord six scientifiques et astronautes.

La plus petite maison temporaire

La maison, qui porte bien son nom – Un-mètre-carré –, a été conçue par l'architecte Van Bo Le-Mentzel (Allemagne) en 2012. Incliner la structure de bois sur le côté permet à l'unique occupant de se coucher pour dormir, et quatre roues donnent la possibilité de déplacer vers d'autres lieux la mini-maison de 40 kg.

La maison avec le plus de pièces

La maison qui compte le plus de pièces est Knole près de Sevenoaks dans le Kent (RU). Elle dispose de 365 pièces – une pour chaque jour de l'année. Organisée autour de sept cours, sa profondeur totale depuis la façade jusqu'à l'arrière est d'environ 120 m. Bâtie en 1456 par Thomas Bourchier, archevêque de Canterbury, la maison a été agrandie par Thomas Sackville, 1er comte de Dorset, vers 1603-1608. Aujourd'hui, Knole est administrée par le National Trust.

554 C'est le nombre d'avions, d'hélicoptères et d'U.L.M. que l'on trouve à Spruce Creek.

La plus grande communauté accessible par avion

Spruce Creek Airpark est un groupe de maisons privées avec accès exclusif à des hangars pour avions et une piste, près de Daytona Beach (Floride, USA). Sur 550 ha (*à droite*), plus de 5 000 résidents partagent 700 hangars, une piste de 1,22 km et 22,5 km de voies, ainsi que des installations de ravitaillement et de réparation.

Le plus grand château habité

Le château de Windsor, résidence de la famille royale britannique (Berkshire, RU), est une construction du XIIe siècle. Il est construit en forme de parallélogramme cintré et mesure 576 x 164 m.

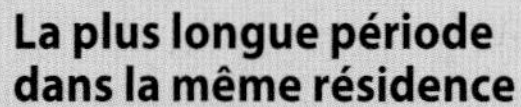

La plus longue période dans la même résidence

Florence Knapp (10 octobre 1873-11 janvier 1988), de Montgomery Township (Pennsylvanie, USA), a vécu dans la même maison pendant 110 ans.

L'estimation la plus élevée pour une maison

La plus grosse somme d'argent pour laquelle une maison a été mise sur le marché est 165 millions $ – il s'agit de la maison de l'ancien magnat de la presse William Randolph Hearst. La villa de 6 967 m² se dresse sur un terrain de 2,6 ha à Beverly Hills (Californie, USA). Elle compte 29 chambres, 40 salles de bain, 3 piscines et 1 night-club. Elle apparaît dans *Le Parrain* (USA, 1972).

Le plus de lampes

Timothy, Grace, Emily, Daniel et John Gay (USA) ont installé 346 283 lumières sur leur maison de Lagrangeville (New York, USA), le 23 novembre 2012. L'installation, appelée ERDAJT Holiday Light Display d'après les initiales des enfants de la famille, est synchronisée avec 154 chansons.

La plus grande maison sphérique

La Casa Bola à São Paulo (Brésil) est la propriété de l'homme d'affaires Lucas Longo. Maison géante à structure d'acier rouge, elle mesure 9,75 m de diamètre et est divisée en trois niveaux. Les deux chambres, la cuisine et la salle de bain sont reliées par une rampe incurvée continue. La Casa Bola possède aussi des portes, placards et meubles convexes, sur mesure.

TEL PÈRE TEL FILS
La Casa Bola a été construite en 1980 par l'architecte Eduardo Longo – le père de Lucas – qui s'est aussi construit une maison ronde dans la ville.

6. Q1
Gold Coast (Australie) : 322,5 m ; le plus haut gratte-ciel résidentiel d'Australie.

7. Ocean Heights
Dubaï (ÉAU) : 310 m.

8. Infinity Tower
Dubaï (ÉAU) : 307 m.

9. East Pacific Center Tower A (*tout à gauche*)
Shenzhen (Chine) : 306 m.

10. Etihad Tower 2
Abu Dhabi (ÉAU) : 305 m.

PALAIS

Le plus grand palais d'État socialiste

Le palais du Parlement de Bucarest (Roumanie) a été construit en grande partie entre 1984 et 1989, pendant le régime communiste roumain avec à sa tête Nicolae Ceaușescu. Le bâtiment mesure 270 x 240 m et s'élève à 86 m au-dessus du niveau du sol, auxquels s'ajoutent 92 m dévolus au sous-sol. Le palais compte 1 100 pièces et 20 000 places de parking sur 340 000 m^2 au sol.

Le 1er palais royal

Un palais blanc en brique crue – ou en calcaire – a été construit au XXXIe siècle av. J.-C. pour Horus-Aha, 2e pharaon de la Première Dynastie, à Memphis (Égypte). Horus-Aha a aussi fait décorer l'extérieur de sa tombe – située à Abydos – pour qu'elle ressemble à la façade d'un palais.

Le plus ancien labyrinthe de haies

Le labyrinthe de haies du palais de Hampton Court (Surrey, RU) a été réalisé pour le roi Guillaume III et la reine Marie II d'Angleterre. Il a été conçu par les jardiniers royaux George London et Henry Wise (tous deux RU) et planté en 1690 en utilisant des charmes (*Carpinus betulus*) pour les haies. Le labyrinthe couvre 0,2 ha et son sentier mesure 800 m.

Le plus grand jardin de palais

À la fin du XVIIe siècle, André Le Nôtre (France) a créé un magnifique jardin pour Louis XIV au château de Versailles (France). Les jardins et espaces boisés couvrent plus de 800 ha. Le célèbre jardin à la française seul couvre 100 ha.

L'édifice le plus lourd

Le palais du Parlement de Bucarest (Roumanie) a été construit avec 700 000 t d'acier et de bronze, associées à 1 million de m^3 de marbre, 3 500 t de cristal et 900 000 m^3 de bois.

Le palais situé à la plus haute altitude

Le palais du Potala à Lhasa (Tibet) a été bâti à 3 700 m au-dessus du niveau de la mer, sur la Colline rouge, dans la vallée de Lhasa. Sa construction a commencé en 1645 sous le 5e dalaï-lama, Lobsang Gyatso. Ce palais s'étend sur 400 x 350 m.

Le plus grand palais utilisé comme galerie d'art

Le palais du Louvre a été construit, puis remanié, par les rois de France entre 1364 et 1756. Après de nombreux développements et ajouts, le Louvre couvre 210 000 m^2. La célèbre pyramide conçue par l'architecte I M. Pei a été ajoutée dans la cour du musée en 1989.

La plus grande salle hypostyle

Le plafond de la salle hypostyle (plafond supporté par des colonnes) du temple d'Amon-Rê à Karnak (Égypte) était soutenu par 134 colonnes et couvrait environ 5 000 m^2, soit un peu plus que la cathédrale Notre-Dame de Paris ! C'est l'œuvre de Ramsès Ier et de son fils Séthi Ier (dans les années 1290 av. J.-C.) autour d'une colonnade datant d'Amenotep III.

Le plus grand harem

L'aile du palais de Topkapi abritant le harem impérial du sultan de l'Empire ottoman (1299-1923) dans l'actuelle Istanbul (Turquie) a été construite en plusieurs tranches à partir de 1459. Avec 400 chambres distribuées dans plusieurs édifices, la plupart conçus par l'architecte ottoman Mimar Sinan, c'est le plus grand harem (résidence interdite aux hommes où étaient confinées les femmes).

Le plus grand palais

Le Palais impérial au centre de Pékin (Chine) couvre 72 ha dans un rectangle de 961 x 753 m. La construction a duré de 1407 à 1420 sous l'empereur Zhu Di de la dynastie Ming. Ses trois architectes, Hsu Tai, Yuan An et Feng Chiao, ont employé plus d'un million d'ouvriers. On y compte 8 886 pièces réparties dans 980 édifices. Le dernier empereur de Chine, Puyi, tenu prisonnier dans la Cité interdite depuis l'avènement de la république, partit en exil en 1924. Le site a été inscrit au Patrimoine mondial de l'Unesco en 1987.

LES 10 SOUVERAINS LES PLUS RICHES

1. **Bhumibol Adulyadej, roi de Thaïlande**
30 milliards $

2. **Haji Hassanal Bolkiah, sultan de Brunei**
20 milliards $

3. **Abdullah bin Abdulaziz Al Saud, roi d'Arabie saoudite**
18 milliards $

4. **Khalifa bin Zayed Al Nahyan, président des Émirats arabes unis**
15 milliards $

5. **Mohammed bin Rashid Al Maktoum, Premier ministre des Émirats arabes unis**
4,5 milliards $

Source : Forbes.com. Chiffres de la dernière enquête datant de 2010.

Le plus grand palais bâti par une seule personne

Le Palais idéal à Hauterives (France) a été bâti par le facteur local, Joseph-Ferdinand Cheval, entre 1879 et 1912. L'édifice terminé mesure 26 m de long, 12 m de large et 11 m de haut.

INFO

Le facteur Cheval (*voir ci-desssus*) a passé plus de 93 000 heures à créer le palais de ses rêves. Il a utilisé la pierre locale, des galets, coquillages et coquilles d'escargots, cimentés par plus de 3 500 sacs de mortier de chaux. Le Palais idéal possède une terrasse, une galerie, une tour, un temple, une tombe, une coupole, des sculptures, un escalier en spirale et une fontaine.

Vivaient dans cette « cage dorée » la mère du sultan (sultane validée), ses femmes, concubines, parentes et enfants ; outre le sultan, seuls des eunuques y avaient accès.

La plus grande école d'équitation dans un palais

L'École d'équitation espagnole du palais impérial de la Hofburg à Vienne (Autriche) a été conçue par Joseph Emanuel Fischer von Erlach (Autriche) et construite entre 1729 et 1735. La salle baroque de 55 x 18 m sert de cadre aux démonstrations d'art équestre des lipizzans blancs et de leurs talentueux cavaliers.

La plus grande galerie d'art

Un visiteur devrait parcourir 24 km pour visiter chacune des 322 galeries du palais d'Hiver faisant partie du musée de l'Ermitage à Saint-Pétersbourg (Russie). Ces galeries abritent presque 3 millions d'œuvres d'art et pièces archéologiques.

Le plus grand palais religieux

Au Vatican, le palais papal (aussi appelé palais apostolique ou palais du Vatican) a été construit entre 1471 et 1605. D'une superficie de 162 000 m², il abrite les appartements du pape, les bureaux de l'Église catholique romaine et le Saint-Siège, des chapelles, la librairie du Vatican, des musées et galeries d'art.

6
C'est la hauteur en mètres du palais. Ses canapés, fauteuils, verres à vin et horloge sont également en glace.

Le 1er palais de glace

Anna Ivanovna, impératrice de Russie, a fait édifier un palais de glace à Saint-Pétersbourg (Russie), pendant l'hiver 1739-1740. L'architecte Piotr Eropkin et le scientifique Georg Wolfgang Krafft ont utilisé un énorme bloc de glace mesurant 16 m de long sur 5 m de large. La ville reproduit le palais chaque hiver.

Le plus haut édifice en glace

Un palais de glace construit en janvier 1992 à St Paul (Minnesota, USA), lors du carnaval d'Hiver a rassemblé18 000 blocs de glace pesant au total 4 900 t. Édifié par TMK Construction Specialties Inc., il mesurait 50,8 m de haut. Le premier carnaval d'Hiver de St Paul a eu lieu en 1886 et l'une des attractions les plus populaires a été le premier palais de glace.

Le tapis le plus cher

Créé pour la salle d'audience du palais sassanide de Ctésiphon (Iraq), le tapis « Printemps de Khosrow » était un chef-d'œuvre de fils de soie et d'or de 650 m² avec des incrustations d'émeraudes. Le tapis a été emporté comme butin par des pillards en l'an 635. Les historiens estiment à 195 millions $ sa valeur à l'origine.

Le plus grand palais résidentiel

L'Istana Nurul Iman aux 1 788 pièces près de Bandar Seri Begawan (Brunei) est la résidence du sultan de Brunei et le siège du gouvernement de Brunei. Sa superficie est de 200 000 m².

SUR INVITATION
Le Palais impérial est souvent appelé la « Cité interdite », parce que la permission d'y entrer ou d'en sortir devait venir de l'empereur lui-même.

6. **Hans-Adam II, prince du Liechtenstein**
3,3 milliards $

7. **Mohammed VI, roi du Maroc**
2,5 milliards $

8. **Hamad bin Khalifa Al Thani, émir du Qatar**
2,4 milliards $

9. **Prince Albert II de Monaco**
1 milliard $

10. **Karim al-Husseini, Aga Khan IV**
800 millions $

La plus grande moto fonctionnelle

La moto totalement fonctionnelle construite par Fabio Reggiani (Italie) mesure 5,10 m de haut du sol au sommet des poignées et 10,03 m de long. Le 24 mars 2012, elle a parcouru 100 m à Montecchio Emilia (Italie). Propulsée par un moteur V8 de 5,7 l, elle est équipée de différents leviers que son conducteur actionne en se tenant sur une plate-forme devant la roue arrière.

GUINNESS WORLD RECORDS 2014
À VOIR EN VIDÉO AVEC L'APPLI GRATUITE
ATTENTION, RÉALITÉ AUGMENTÉE !
PAGE EN 3D
HARLEY-DAVIDSON
FIRE CHIEF

LE *CONCORDIA*

Une opération de sauvetage d'envergure

Le 13 janvier 2012, la mer était calme lorsque le navire de croisière *Costa Concordia* a heurté un récif près de l'île de Giglio, au large de la côte occidentale de l'Italie. Le récif a causé une brèche de 50 m dans la coque à babord et le bateau s'est échoué à 500 m des côtes. Sur les 3 229 passagers et 1 023 membres d'équipage, 30 personnes sont mortes ; 2 sont toujours portées disparues, vraisemblablement décédées.

Le 21 avril 2012, les autorités italiennes ont annoncé que les sociétés Titan Salvage et Micoperi renfloueraient et sortiraient l'épave de l'eau pour la ramener au port. C'est le **plus gros projet de renflouement d'un navire**.

Avant l'accident

Le *Costa Concordia* a dévié de son itinéraire sur l'ordre du capitaine Francesco Schettino (*à droite*), pour saluer les habitants de l'île de Giglio dans un but publicitaire. Le capitaine a abandonné le navire très tôt, rompant avec la tradition maritime qui veut que tous les passagers et l'équipage soient évacués d'abord.

Costa Concordia

En service depuis 2005, le *Costa Concordia* avait un tonnage brut (GT) – c'est-à-dire un volume intérieur global – de 125 814 et mesurait 290,2 m de long. Une heure après avoir heurté le récif, il s'est incliné de 70° à tribord et s'est échoué dans 20 m d'eau. Des bateaux ainsi que des hélicoptères ont été envoyés pour secourir les survivants et des équipes de sauveteurs se sont rendues sur le navire pour explorer les 1 500 cabines et 13 ponts publics. Les opérations de recherche ont duré plusieurs mois avant d'être arrêtées.

CARACTÉRISTIQUES DU *COSTA CONCORDIA*	
Constructeur	Fincantieri Sestri Ponente (Italie)
Coût	450 millions €
Mise à l'eau	2 septembre 2005
Voyage inaugural	14 juillet 2006 (baptisé le 7 juillet 2006)
Chavirement	13 janvier 2012
Déplacement	51 387 t ; jauge GT 125 814
Longueur	290,2 m
Maître-bau	35,5 m
Puissance	75 600 kW (101 380 ch)
Capacité	3 780 passagers ; 1 100 membres d'équipage

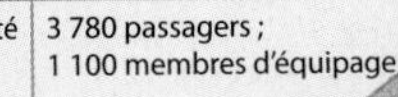

Le travail des plongeurs

L'exploration du navire était risquée pour les plongeurs. Ceux-ci devaient porter des combinaisons étanches, afin de se préserver des substances chimiques, du carburant et d'autres polluants susceptibles de provenir du bateau.

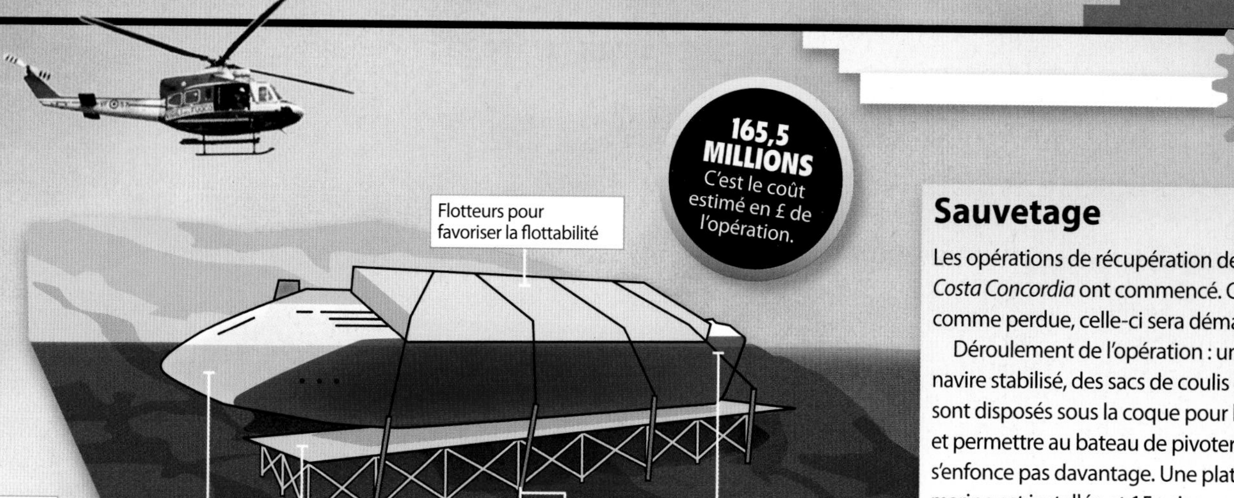

165,5 MILLIONS
C'est le coût estimé en £ de l'opération.

Sauvetage

Les opérations de récupération de l'épave du *Costa Concordia* ont commencé. Considérée comme perdue, celle-ci sera démantelée.

Déroulement de l'opération : une fois le navire stabilisé, des sacs de coulis de ciment sont disposés sous la coque pour la soutenir et permettre au bateau de pivoter afin qu'il ne s'enfonce pas davantage. Une plate-forme sous-marine est installée et 15 caissons sont soudés côté bâbord pour que le navire flotte. Le navire est ensuite partiellement soulevé par une grue et 15 autres caissons sont soudés côté tribord. Les câbles sont retirés et le bateau peut flotter.

ÉPAVES & RENFLOUEMENTS	
Épave la plus ancienne	Un bateau en bois doté d'un seul mât a coulé à Uluburun près de Kaş au sud de la Turquie. Il date du XIVe siècle av. J.-C. (âge de bronze tardif). Découvert en 1982, il contenait une importante cargaison de lingots de cuivre, d'étain et de verre, de pots de résine, de bijoux en or et argent, de noix et épices. (*Sur la photo à droite figure une réplique construite et sabordée à des fins de recherche en 2009.*)
La plus grosse épave	Le 12 décembre 1979, un superpétrolier de 321 186 t, *Energy Determination*, a explosé et s'est cassé en deux dans le détroit d'Ormuz dans le golfe Persique. Le bateau ne transportait aucun chargement ce jour-là, mais il valait 58 millions $.
L'épave la plus précieuse	Le *Nuestra Señora de Atocha* a coulé en 1622 au large de la côte de Key West (Floride, USA) ; il a été découvert le 20 juillet 1985 et contenait 43,7 t d'or et d'argent et 31,75 kg d'émeraudes. Vingt canons en bronze ont également été récupérés (*photo de droite*).
L'épave la plus profonde	Le 28 novembre 1996, la société Blue Water Recoveries (RU) a découvert l'épave du SS *Rio Grande* sur le fond de l'océan Atlantique sud. L'épave, un forceur de blocus allemand de la Seconde Guerre mondiale, se trouve à 5 762 m de profondeur.
Record de profondeur pour un sauvetage d'épave	Blue Water Recoveries (RU) a récupéré 179 t de lingots de cuivre et d'étain à bord du SS *Alpherat*. La société a travaillé à une profondeur de 3 770 m en Méditerranée, à l'est de Malte, en février 1997.
Record de profondeur pour un sauvetage commercial	Le 21 juillet 1961, le vaisseau spatial *Liberty Bell 7* (USA) – faisant partie du programme Mercury-Redstone 4 – est tombé dans l'Atlantique et a coulé avant d'être récupéré. (*La photo de droite montre l'hélicoptère parti sauver l'unique astronaute, Virgil I "Gus" Grissom.*) Le vaisseau spatial est demeuré à 4 500 m de profondeur avant d'être récupéré à titre commercial par le navire *Ocean Project*, le 20 juillet 1999.
Record de profondeur d'un sauvetage par des plongeurs	Une équipe de 12 plongeurs a travaillé dans 245 m d'eau sur l'épave du croiseur HMS *Edinburgh* qui a coulé le 2 mai 1942 dans la mer de Barents au large du nord de la Norvège. En 31 jours, du 7 septembre au 7 octobre 1981, l'équipe a récupéré 460 lingots d'or.

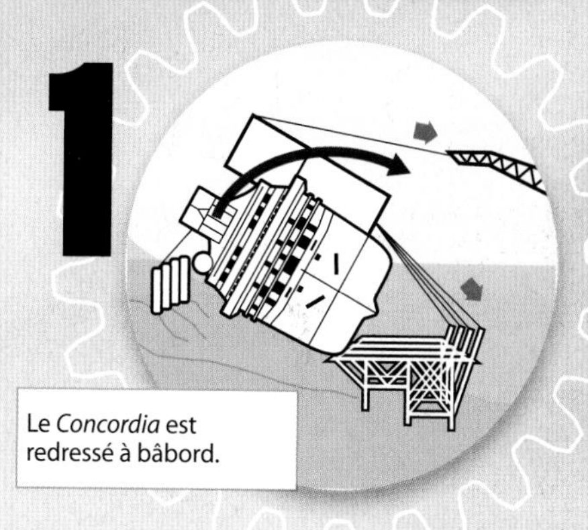

Le *Concordia* est redressé à bâbord.

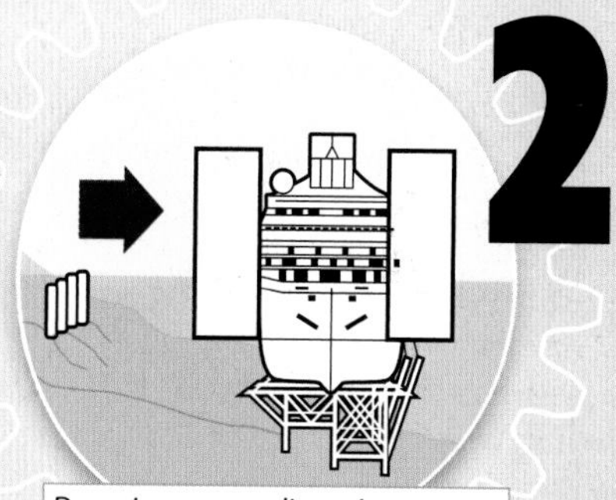

Des caissons sont disposés de l'autre côté.

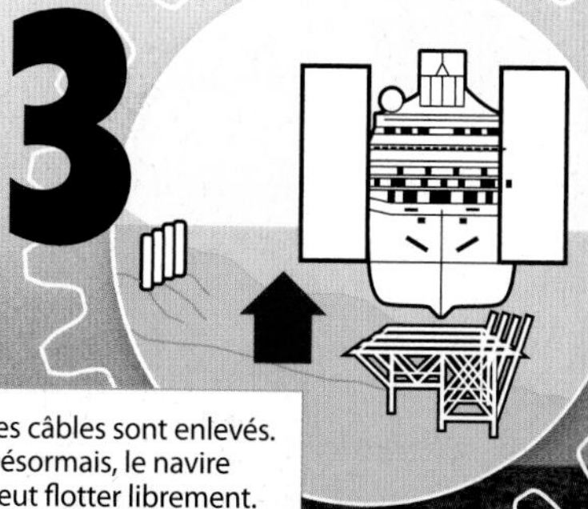

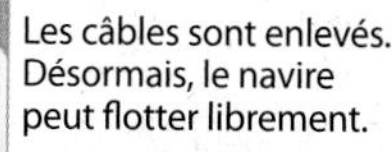

Les câbles sont enlevés. Désormais, le navire peut flotter librement.

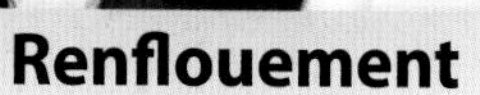

Renflouement

En avril 2013, les 30 derniers caissons géants (coffrets en acier creux) ont été fixés sur le navire. Remplis d'air par aspiration à terme, ils font office de « brassards » et permettent au *Concordia* de flotter au-dessus d'un fond marin artificiel constitué de sacs de ciment et d'une plate-forme en acier.

AVIATION

BATTEMENTS D'AILE

Les ailes de l'A380 ont une taille dépassant de 34 % celle d'un Boeing 747, et leurs extrémités « battent » sur 4 m au décollage.

La 1re école de pilotage dirigée par une femme

Katherine Stinson (USA) a été la 4e femme à obtenir son brevet de pilote aux États-Unis. Elle l'a décroché en 1911 et a commencé ses démonstrations de vol peu après. En 1916, elle a créé avec sa famille la Stinson School of Flying à San Antonio (Texas, USA).

La plus grosse transaction de l'aviation

Le 11 janvier 2011, la compagnie européenne Airbus a signé un accord avec la compagnie aérienne indienne Indigo pour la vente de 180 avions : 30 Airbus A320 et 150 nouveaux Airbus A320NEO (New Engine Option), une variante des premiers. Cette transaction est, par le nombre d'avions, la plus importante de l'histoire de l'aviation commerciale. Sa valeur s'est élevée à 15,6 milliards $.

La plus grande formation d'hydravions ayant traversé l'Atlantique

Le 1er juillet 1933, le général Italo Balbo (Italie) a pris la tête d'un vol en formation de 24 hydravions Savoia-Marchetti S.55 X reliant l'Europe aux États-Unis. Partis d'Orbetello en Toscane (Italie), les hydravions ont franchi les Alpes puis ont survolé l'Islande, le Groenland et le Labrador pour atteindre le lac Michigan, à Chicago (USA). Ils sont arrivés le 15 juillet après un parcours de 9 200 km et plus de 48 h de vol.

La plus grande capacité d'un avion en termes de passagers

Fabriqué par EADS (Airbus SAS), l'Airbus A380 à double pont a effectué son premier vol à Toulouse (France), le 27 avril 2005. L'avion de ligne à réaction a une capacité nominale de 555 places pouvant être élargie à 853 selon la configuration de l'intérieur du fuselage. Il a une envergure de 79,8 m et une capacité de vol de 15 700 km. *Ci-dessus, à gauche :* A380 livré à la compagnie Emirates Airlines à Hambourg en 2008. *Ci-dessus, à droite :* l'un des luxueux intérieurs de l'avion.

La plus grande compagnie aérospatiale

En 2012, Boeing (USA) a enregistré des ventes de 81,7 milliards $, des bénéfices de 3,9 milliards $ et sa valeur sur le marché était de 65,36 milliards $ – ces chiffres concernent le secteur aérospatial. Fondé en 1916, Boeing compte 174 400 employés.

L'usine de Boeing Everett à Washington (USA), dans laquelle les avions sont assemblés, est la **plus grande usine du monde**. Inaugurée en 1967, elle a été agrandie à deux reprises et occupe aujourd'hui un volume de 13,3 millions de m³ pour une surface de 399 480 m² – suffisante pour englober presque entièrement la cité du Vatican, dont la surface est de 440 000 m², ou pour accueillir 5 fois la grande pyramide de Gizeh (Égypte) !

Le 1er avion électrique à rotor inclinable

Le 5 mars 2013, le fabricant d'hélicoptères AgustaWestland – qui fait partie du groupe Finmeccanica (Italie) – a dévoilé son Project Zero : il s'agit du 1er avion électrique à rotor inclinable. Unique, l'appareil peut passer du vol plané au vol propulsé grâce à deux rotors intégrés et inclinables à 90 °. Les rotors se trouvent à l'intérieur de l'aile plutôt qu'à son extrémité, comme c'est le cas sur les avions à rotor inclinable classiques.

Le plus petit avion

Le biplan *Bumble Bee Two*, construit par Robert H. Starr (USA), mesurait 2,69 m pour une envergure de 1,68 m et pesait 179,6 kg à vide. Il pouvait transporter une personne. Le 8 mai 1988, après avoir volé à une altitude de 120 m, il s'est écrasé. Blessé, le pilote s'est remis. La vitesse maximale de l'appareil était de 306 km/h.

GÉANTS DU CIEL

L'avion en service le plus lourd : l'Antonov An-225 *Mriya* (« rêve ») a un poids maximal au décollage de 640 t. Il n'en existe que 2 exemplaires.

L'avion le plus lourd actuellement produit : l'Airbus A380 pèse 560 t.

Le plus lourd bombardier en service : le bombardier russe Tupolev Tu-160 "Blackjack" a un poids maximal de 275 t au décollage et une vitesse maximale d'environ 2,05 Mach (2 200 km/h).

Le plus gros avion turbopropulseur : l'avion russe Antonov An-22 (nom de code OTAN : *Cock*) avait une envergure de 64,4 m et un poids maximal au décollage de 250 t.

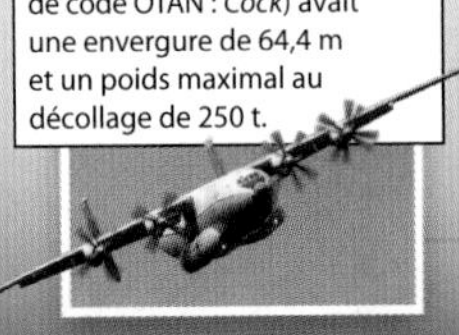

Le plus gros bombardier en termes d'envergure : le bombardier américain Convair B-36J *Peacemaker*, doté de 10 moteurs, avait une envergure de 70,1 m. L'avion, dont le poids maximal au décollage était de 185 t, a été remplacé par le Boeing B-52 à la fin des années 1950.

INFO

L'*AstroFlight Sunrise* a été le **1er avion propulsé par énergie solaire**. Cet avion électrique expérimental et sans pilote a décollé le 4 novembre 1974 pour la 1re fois près du lac Bicycle sur la réserve militaire de Fort Irwin (Californie, USA).

Le 1er vol solaire habité

Le 18 mai 1980, Marshall MacCready, âgé de 13 ans, a accompli le 1er vol solaire habité, à bord du *Gossamer Penguin*, à l'aéroport Shafter, près de Bakersfield (Californie, USA). Il était le pilote idéal en raison de son poids : il ne pesait que 36,2 kg.

LES PREMIERS…

Décollage sur l'eau

Le 28 mars 1910, l'inventeur Henri Fabre (France) a décollé de l'étang de Berre à Martigues (France) à bord de son hydravion *Le Canard*. Propulsé par un moteur rotatif de 50 ch, l'avion a parcouru 502 m à une hauteur d'environ 1,8 m.

Atterrissage sur un bateau

Le 18 janvier 1911, le pilote Eugène B. Ely (USA) a atterri sur une plate-forme en bois fixée sur la plage arrière de l'USS *Pennsylvania* dans la baie de San Francisco (Californie, USA). Ely a utilisé des cordes lestées avec des sacs de sable et des crochets fixés à l'appareil pour ralentir son atterrissage.

Le 2 août 1917, le commandant d'escadron E. H. Dunning du Royal Naval Air Service britannique a fait atterrir un Sopwith Pup sur le porte-avions HMS *Furious*, à Scapa Flow dans l'archipel des Orcades (RU) – réalisant le **1er atterrissage sur un bateau en mouvement**.

Saut en parachute depuis un avion

Le 1er mars 1912, le capitaine Albert Berry de l'US Army a sauté d'un biplan Benoist volant à 460 m au-dessus des Jefferson Barracks à St Louis (Missouri, USA).

Le 1er steward

Heinrich Kubis (Allemagne) a débuté sa carrière de steward en mars 1912 à bord du Zeppelin LZ-10 *Schwaben* de DELAG. Il était aussi chef-steward sur le Zeppelin LZ-129 *Hindenburg*, qui transportait 72 passagers, et s'y trouvait lorsque celui-ci a pris feu à Lakehurst (New Jersey, USA), le 6 mai 1937. Il a eu la vie sauve en sautant par une fenêtre lorsque l'appareil s'est rapproché du sol.

Vol est-ouest en solo au-dessus de l'Atlantique

Parti le 18 août 1932 de la plage de Portmarnock à Dublin (Irlande), le capitaine Jim Mollinson (RU) a traversé l'Atlantique en solo dans un De Havilland DH80A Puss Moth baptisé *The Heart's Content*. Il a atterri le 19 août 1932 à Pennfield (Nouveau-Brunswick, Canada).

Vol habité dans un avion solaire muni de batteries

Conçu et fabriqué par Larry Mauro (USA), le *Mauro Solar Riser* a volé sur environ 800 m à une altitude maximale de 12 m, le 29 avril 1979, à l'aéroport de Flabob à Riverside en Californie (USA).

La plus longue durée de production pour un avion militaire

Fabriqué par la société Lockheed Martin (USA), le Hercules C-130 a volé pour la 1re fois le 23 août 1954 et sa 1re livraison a eu lieu en décembre 1956. La photographie représente une chaîne de montage du C-130.

2 437 C'est le nombre d'Hercules C-130 produits au 7 mars 2013.

Le plus gros hélicoptère : l'hélicoptère russe Mil Mi-12 mesurait 37 m de de long, son poids maximal au décollage était de 103,3 t et le diamètre de son rotor de 67 m. Il a effectué son 1er vol en 1968, mais en raison de problèmes techniques, n'a jamais été produit.

Le plus gros hydravion : les Boeing 314 *Clipper* étaient les plus grands hydravions transportant des passagers dans le cadre d'un service commercial. Leur envergure était de 46,3 m, leur longueur de 32,3 m et leur poids maximal au décollage de 38,1 t.

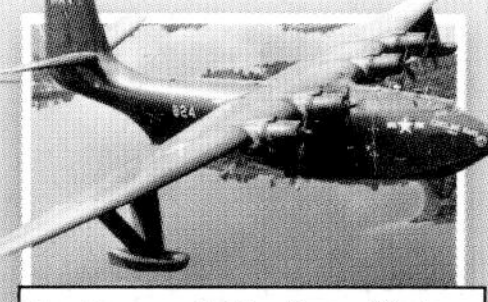

Le plus gros hydravion militaire : le Martin JRM-3 *Mars* a une envergure de 61 m et un poids maximal au décollage de 73,5 t. Il a été construit en 5 exemplaires pour l'US Navy dans les années 1940. L'un d'eux est toujours utilisé pour lutter contre les incendies.

Le plus gros hélicoptère en service : l'hélicoptère russe Mil Mi-26 a volé pour la 1re fois en 1977. Prévu pour 5 personnes, il a un poids maximal au décollage de 56 t.

Le plus gros biplan en service : l'Antonov An-2/An-3 a une envergure de 18,8 m et un poids maximal au décollage de 5,8 t. Il a été fabriqué en 1947 et peut transporter 12 personnes.

CONSTRUCTION DE VÉHICULES

La plus grande machine industrielle mobile

Long de 502 m, le pont transporteur F60 est utilisé pour déplacer des surcharges (rochers et terre au-dessus du charbon dans les mines à ciel ouvert) par convoyeur à bande. Cinq des ponts sur rails ont été construits dans les années 1980 par TAKRAF (Allemagne). Chacun mesure 80 m de haut, 240 m de large et peut déplacer des matériaux de 13 m par min.

La 1re pelle mécanique

William Smith Otis (USA) a fait breveter la 1re pelle à vapeur en 1839. Elle ressemblait à une pelle hydraulique moderne avec un chassis à roues, un bras et un godet. Elle était actionnée par un moteur à vapeur et transmettait l'énergie au godet par un système de poulies.

La plus grande pelle de démolition à grande portée

On utilise les pelles de démolition à grande portée pour abattre des immeubles. Euro Demolition en possède une composée d'une pelle sur chenilles 5110B avec une flèche Rusch TUHD 90-5 qui peut démolir des immeubles de 90 m.

La plus lourde charge levée par une grue

Une péniche, lestée avec de l'eau et pesant 20 133 t, a été soulevée par la grue Taisun aux chantiers navals Yantai Raffles à Yantai (Chine), le 18 avril 2008. La grue est utilisée pour installer des modules sur les bateaux.

LES PLUS GRANDS...

Bulldozer

Le Komatsu D575A Super Dozer pèse 152,6 t ; il est en production depuis 1991. Il a une capacité de 69 m³ et une lame mesurant 7,4 x 3,25 m.

Le poussoir fait 11,72 m de long et se déplace sur des chenilles.

Camion-benne à deux essieux

Le T 282B, fabriqué par Liebherr en Virginie (USA), a une capacité de 363 t. Présenté en 2004, ce camion mesure 14,5 m de long, 8,8 m de large, 7,4 m de haut et pèse plus de 200 t à vide.

Chariot élévateur

Trois chariots élévateurs à contrepoids, capables de soulever 90 t, ont été fabriqués par Kalmar LMV (Suède) en 1991 pour construire des conduites d'eau en Libye. Chacun pesait 116 500 kg et mesurait 16,6 m de long et 4,85 m de large.

La plus grande pelle excavatrice hydraulique

En octobre 2012, Caterpillar a dévoilé sa nouvelle Cat 6120B H FS. Avec un godet d'un volume de 45-65 m³, elle peut charger un camion Caterpillar 797F de 363 t en seulement trois manœuvres. La 6120B est aussi la 1re pelle hydraulique à utiliser une technologie « hybride », tirant de l'énergie du balancement de la pelle quand elle décélère, pour la stocker dans des condensateurs d'une grande efficacité. Le poids total de cette pelle excavatrice est de 1 270 t.

3 360 C'est la puissance de sortie en kilowatts de son moteur SAE J1995.

La plus haute grue télescopique

La flèche de la Liebherr LTM 11 200-9.1 peut atteindre 100 m. Elle est constituée de huit sections de tubes d'acier imbriqués qui s'étendent comme un télescope. La flèche est montée sur un camion et peut lever 1 200 t.

20 C'est la longueur en mètres du véhicule à 9 essieux transportant la grue.

LES PLUS IMPORTANTS CONSTRUCTEURS D'ENGINS

Données de KHL Group/Statista. com

1. Caterpillar (USA) : 35,30 milliards $. Fondée en 1925 ; héritière des tracteurs conçus par Benjamin Holt.

2. Komatsu (Japon) : 21,75 milliards $. Fondée en 1921 ; a commencé comme fabricant d'équipement minier.

3. Volvo (Suède) : 10,01 milliards $. Créée en 1927 ; la ligne de production automobile ÖV4 a été le 1er produit.

4. Hitachi (Japon) : 10 milliards $. Fondée en 1910 ; en 1924, elle a fabriqué la 1re locomotive à courant continu à grande échelle au Japon.

5. Liebherr (Suisse) : 7,93 milliards $. Fondée en 1949 ; Hans Liebherr a commencé par sa 1re grue à tour mobile, d'assemblage facile.

La plus grande cisaille de démolition

La cisaille de démolition Genesis 2 500 est fixée au bras d'une pelle Rusch Triple 34-25, ce qui lui donne une portée de 34 m. L'entrepreneur en démolition AF Decom (Norvège) l'a construite en 2009 pour lui donner à mâcher des sections de plates-formes pétrolières désaffectées de la mer du Nord. En acier, le bras est articulé en trois sections pour une meilleure manœuvrabilité.

Tunnelier
Le tunnelier Bertha a une tête de forage mesurant 17,5 m de diamètre et doit percer le tunnel de la State Route 99 sous Seattle (Washington, USA). La tête de forage se compose d'une grande face d'acier munie de 600 petits disques de coupe qui broient la roche. Fabriqué par l'entreprise japonaise d'ingénierie Hitachi Zosen, il mesure 91 m de long et pèse 6 350 t.

LES PLUS LONGS…

Système de pont mobile
Développé en 1994 pour l'armée indienne par le centre de recherche & développement pour la Défense du pays à Pune (État du Maharashtra), ce système de pont mobile Sarvatra a une portée maximum de 75 m. Des sections du pont se déploient pour franchir des tranchées dans la route ou des étendues d'eau, permettant aux véhicules et aux équipements de continuer leur route. Il se compose de cinq sections montées sur autant de camions – chacune mesurant 15 m – qui peuvent être déployées en 100 min pour créer une « route » de 4 m de large.

Flèche de relevage d'une grue à tour
L'entreprise Zoomlion Heavy Industry Science & Technology Development Co., Ltd (Chine) a construit une grue avec une flèche de relevage de 110,68 m de long – mesurée à Changde (Hunan, Chine), le 28 août 2012.

Zoomlion a aussi réalisé la **plus longue flèche de relevage d'un camion-grue** avec 101,18 m – mesurée à Changsha (Hunan, Chine), le 28 septembre 2012. La flèche en sept sections est utilisée pour verser du béton sur de grands chantiers de construction.

GUINNESS WORLD RECORDS 2014

Le robot de construction dans l'espace le plus avancé

Utilisé pour assembler les nouveaux modules de la Station spatiale internationale, le *Canadarm2* est un bras robotique de 17,6 m. Son extrémité double lui permet de se glisser dans la station. Il peut facilement manipuler des charges utiles pesant jusqu'à 116 t.

Le bulldozer de combat le plus lourdement blindé

La version renforcée du Caterpillar D9 est exploitée par les forces de Défense d'Israël. Surnommé le Doobi (hébreu pour « ours en peluche »), ce bulldozer possède un blindage colossal de15 t pour résister aux grenades propulsées par fusée.

450 C'est le poids en kilo des explosifs auxquels les D9 auraient résisté en service.

La chargeuse sur pneus la plus rapide

Avec ses nombreuses modifications, y compris des roues à la place des habituelles chenilles, la Volvo L60G PCP a atteint 120 km/h sur 1,8 km de piste, à l'aéroport d'Eskilstuna (Suède), le 13 septembre 2012. Sa vitesse maximale était de 46 km/h avant les modifications.

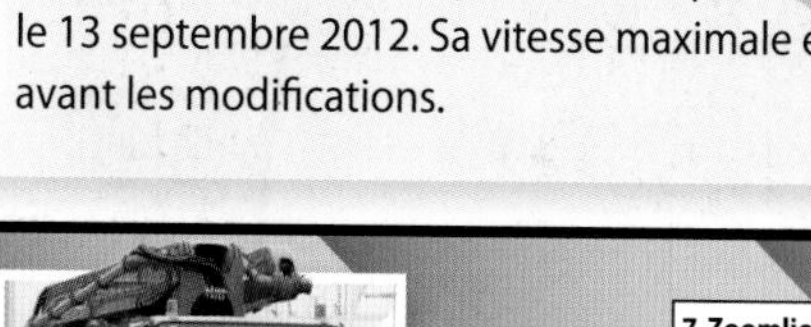

6. Sany (Chine) : 7,86 milliards $. Fondée en 1989 ; premiers produits centrés sur les matériaux de soudage.

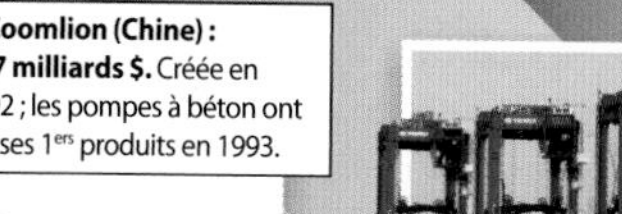

7. Zoomlion (Chine) : 7,17 milliards $. Créée en 1992 ; les pompes à béton ont été ses 1ers produits en 1993.

8. Terex (USA) : 6,51 milliards $. Fondée en 1933 ; à l'origine Euclid, qui fabriquait des camions.

9. Doosan (Corée du Sud) : 5,83 milliards $. Fondée en 1896 ; l'entreprise de 117 ans est la plus ancienne de Corée du Sud.

10. John Deere (USA) : 5,37 milliards $. Fondée en 1837 ; le forgeron John Deere a commencé avec un seul atelier dans son usine.

CHAISES & CO.

La 1re chaise dans l'espace

En 2004, l'artiste Simon Faithfull (RU) a expédié une chaise à 30 km d'altitude dans le cadre de l'exposition *Artists' Airshow*. Attachée à un ballon atmosphérique, la chaise, ainsi que le film de son ascension, réalisé par Faithfull, constituaient une œuvre d'art intitulée *Escape Vehicle No 6*.

La 1re exécution sur une chaise électrique

William Kemmler (USA) a été la 1re personne exécutée sur une chaise électrique. Il a été condamné à mort pour avoir assassiné sa maîtresse Tillie Ziegler à la hache en 1888. Électrocuté le 6 août 1890 à la prison d'Auburn (New York, USA), il est mort au bout de 8 min et 2 tentatives – un courant alternatif de 1 000 volts puis un de 2 000 volts ont été utilisés.

Le plus gros objet en Cotons-Tiges

Monika Veidt de Schönebeck (Allemagne) a fabriqué un fauteuil composé de 61 422 Cotons-Tiges le 18 avril 2002. Le fauteuil est assorti d'une lampe et d'une petite table, également en Cotons-Tiges.

INFO

Vous pourrez voir d'autres chaises gigantesques à Lucena en Espagne (26 m) ; à Nuremberg en Allemagne (25 m) ; à Manzano en Italie (20 m) ; à Washington DC (16,25 m) et à Anniston en Alabama aux États-Unis (10 m).

Le canapé le plus cher

L'un des canapés en acier inoxydable de l'artiste britannique d'origine israélienne Ron Arad a été vendu 409 000 $ chez Phillips de Pury, à New York (USA), le 13 décembre 2007.

Les **fauteuils les plus chers** jamais vendus sont une paire de fauteuils conçus par Robert Adam et fabriqués par Thomas Chippendale (tous deux RU). Ils sont partis à 1,7 million £, le 3 juillet 1997, chez Christie's à Londres.

QUELLE TAILLE FAIT-ELLE ?

Cette chaise atteint la taille de cinq girafes adultes, et à peu près les trois-quarts de la statue de la Liberté (USA).

La plus grande chaise

Elle mesure 30 m de haut et a été réalisée conjointement par les sociétés XXXLutz et Holzleimbauwerk Wiehag GmgH (toutes deux Autriche). Elle a été présentée le 9 février 2009, à Sankt Florian (Autriche).

SIÈGES DE TOUS LES RECORDS

Le fauteuil le plus cher : en février 2009, un fauteuil ayant appartenu à Yves Saint Laurent a été vendu 21,9 millions € chez Christie's à Paris (France).

La chaise la plus légère : la chaise en fibres de carbone *Estrema* de Massimiliano Della Monaca (Italie), qui peut supporter 100 kg, pèse 617 g.

La plus grande collection de chaises miniatures : le 13 mars 2008, Barbara Hartsfield (USA) avait réuni une collection de 3 000 chaises miniatures.

La 1re chaise en plastique de série : la chaise Bofinger (BA 1171) conçue par Helmut Bätzner (Alleemagne) en 1964 a été produite à partir de 1966.

Le 1er pouf haricot : le *Sacco* a été créé en 1969 par les designers Piero Gatti, Cesare Paolini et Franco Teodoro (tous Italie).

Le plus gros meuble gonflable

Ce gigantesque canapé mesurait 20,5 m de long, 8,10 m de large, 8,10 m de haut et occupait un volume de 801 m³. Fabriqué par Jacobs Krönung (Allemagne) à partir de quatre éléments distincts, il a été présenté à Brême le 14 avril 2009.

Le plus grand siège hydroptère
William Blair (RU) a conçu et créé un siège hydroptère de 3,28 m de haut remorqué par un bateau à moteur, avec lequel il a parcouru plus de 100 m.

Le plus grand jeu de chaises musicales
Un jeu de chaises musicales a été organisé le 5 août 1989 avec 8 238 personnes, à l'école sino-anglaise de Singapour. Trois heures et demie plus tard, le jeu a pris fin lorsque le vainqueur, Xu Chong Wei, s'est assis sur la dernière chaise.

20 C'est le nombre d'usines de meubles locales associées pour fabriquer le canapé.

Le plus long canapé

Le plus long canapé mesure 890,25 m et a été réalisé par des fabricants de meubles de Sykkylven (Norvège). Il a été exposé le 14 juin 2009 sur le Sykkylvsbrua, un pont qui traverse le fjord de Sykkylven, et était plus de 10 fois plus long que le canapé qui détenait le précédent record.

La « chaise » la plus longue
Thienna Ho (Vietnam) s'est appuyée contre un mur en position assise pendant 11 h, 51 min et 14 s, au gymnase World Team USA de San Francisco (Californie, USA), le 20 décembre 2008.

La plus grande danse avec une chaise
La plus grande chorégraphie avec une chaise a été exécutée par 271 participants lors d'une séance de stiletto, au centre de remise en forme FIMB de Riverside (Missouri, USA), le 5 novembre 2011.

Le plus de participants à un exercice assis sur une chaise
Le 9 septembre 2012, jour de la fête des grand-parents, 262 personnes ont pris part à un cours de « canne-fu », activité physique inspirée des arts martiaux qui consiste pour des personnes âgées à employer des techniques d'autodéfense simples. Le cours a eu lieu à la résidence *Silvera for seniors* de Calgary (Alberta, Canada). La participante la plus âgée, Hazel Gehring, avait 98 ans.

L'ensemble de salle à manger le plus rapide

Fast Food est un ensemble de salle à manger mobile qui, le 5 septembre 2010, a atteint 183,14 km/h – vitesse moyenne sur deux parcours en sens opposé –, sur le circuit de Santa Pod dans le Northamptonshire (RU). La table a été conçue et pilotée par Perry Watkins (RU).

6 C'est le poids en tonnes de cette chaise longue, plus lourde qu'un éléphant mâle.

La plus grande chaise longue

Mesurant 9,57 m de long, 5,77 m de large et 8,36 m de haut, cette chaise a été fabriquée par Pimm's (RU) et exposée à Bournemouth (RU), le 22 mars 2012. Son concepteur, Stuart Murdoch, est photographié ci-dessus.

VISITEZ DES MAISONS HORS NORMES P. 152

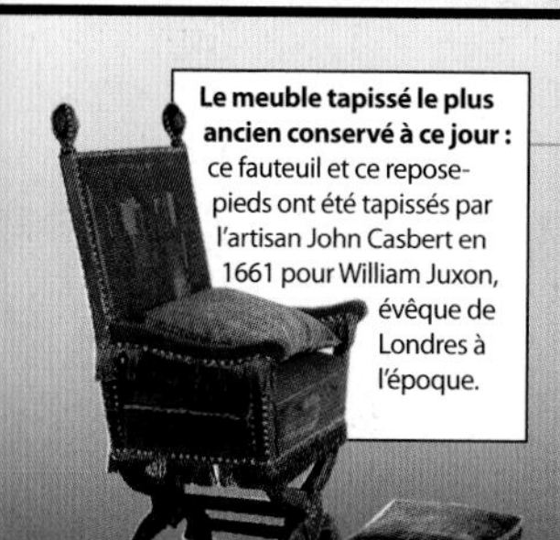

Le meuble tapissé le plus ancien conservé à ce jour : ce fauteuil et ce repose-pieds ont été tapissés par l'artisan John Casbert en 1661 pour William Juxon, évêque de Londres à l'époque.

Le canapé le plus rapide : en septembre 2011, Glenn Suter (Australie) a atteint 163,117 km/h au volant de son canapé roulant.

Le plus gros rocking-chair : ce rocking-chair de 12,83 m de haut fabriqué par Dan Sanzaro (USA) a été mesuré à Cuba (Missouri, USA), le 4 septembre 2008.

La plus grande pile humaine de chaises : en octobre 1999, les acrobates de Pékin ont réalisé une pile humaine de chaises de 6,4 m, à Los Angeles (USA).

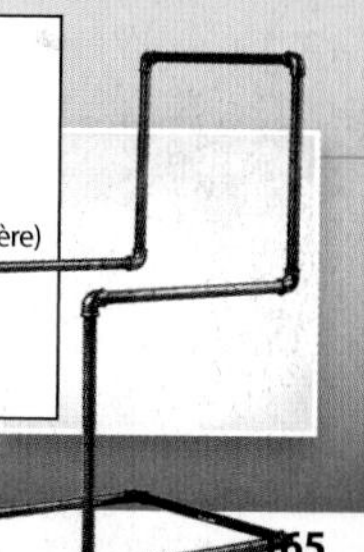

La 1re chaise cantilever : l'architecte Mart Stam (Pays-Bas) a créé cette chaise (sans pieds à l'arrière) en 1926 avec des tuyaux de gaz.

BRIQUE À BRIQUE

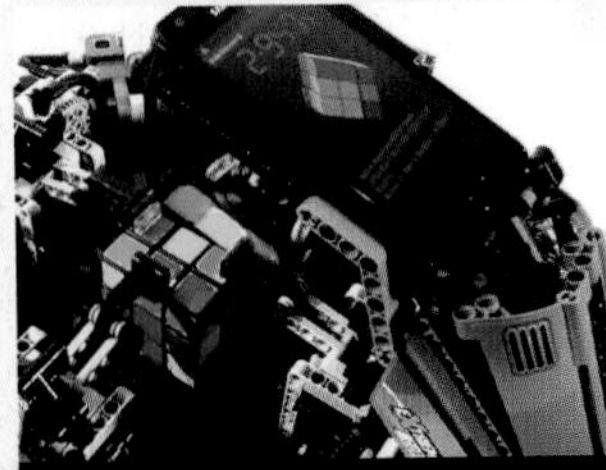

Le robot qui résout le plus vite un Rubik's cube

Le 11 novembre 2011, le CubeStormer II, commandé par ARM Holdings et fabriqué par Mike Dobson et David Gilday (tous deux RU) à partir de quatre kits LEGO® Mindstorms NXT, a résolu un Rubik's cube en 5,270 s, à Londres (RU) – battant de 0,28 s Mats Valk (Pays-Bas), qui, en mars 2013, était le détenteur humain du record.

Le plus petit plateau de cinéma (commercialisé)
Le MovieMaker Set LEGO® de Steven Spielberg, sorti le 1er avril 2001, offre aux enfants tous les éléments nécessaires pour construire un mini-plateau de cinéma de 25 x 25,5 cm. Les amateurs peuvent créer leur film avec la caméra et le logiciel d'édition de films LEGO® PC.

Le plus de tournois de LEGO® Ninjago en 24 h (plusieurs lieux)
Ninjago est à la fois un jeu de combat de figurines ninjas et un film d'animation créés par LEGO®. Le 17 février 2012, les plus fervents amateurs de Ninjago se sont réunis dans 44 boutiques LEGO® d'Amérique du Nord pour participer à un tournoi de 24 h. 18 559 tournois ont ainsi eu lieu, avec des personnages créés sur mesure par les participants.

LES PLUS GRANDS...

Tableau en briques LEGO®
Plus de 2 millions de briques de couleurs ont été utilisées par 5 000 enfants pour représenter les 26 cantons suisses. Créé le 6 octobre 2012, par LEGO® GmbH (Allemagne) en collaboration avec Manor AG et Pro Juventute (deux sociétés suisses), au Salon suisse Toy de Berne (Suisse), le tableau mesurait 153 m². Le slogan de cette tentative de record était : « Les enfants bâtissent l'avenir de la Suisse. »

Ensemble de jeux LEGO®
Kyle Ugone de Yuma (Arizona, USA) a la plus grande collection de jeux LEGO®. Le 23 juillet 2011, elle se composait de 1 091 jeux.

Cours de construction (plusieurs lieux)
287 amateurs de LEGO® ont appris à fabriquer une locomotive et un wagon avec 82 pièces dans le cadre d'un événement organisé par Merlin Entertainments Group Ltd (RU). Les cours ont eu lieu simultanément le 15 novembre 2012 dans neuf LEGO®LAND® Discovery Centres et au LEGO®LAND Windsor resort.

LES PLUS LONGUES...

Travée d'un pont LEGO®
Doté d'une travée de 14 m de long, le pont construit par les visiteurs dans le cadre de l'exposition « L'âge de pierre au musée Phaeno », à Wolfsbourg (Allemagne), le 6 octobre 2008, a donné une nouvelle dimension aux maquettes LEGO®. La construction a été supervisée par René Hoffmeister et Klaas H. Meijaard, experts de LEGO®.

Structure LEGO®
Construite en forme de mille-pattes géant, la plus longue structure LEGO® mesurait 1 578,81 m – soit à peu près la longueur de 32 piscines olympiques – et se composait de 2 901 760 pièces. Le record a été établi à Grugliasco, près de Turin (Italie), le 13 février 2005.

UNE PIÈCE DE TAILLE
Le *T. rex* est la plus grosse pièce présentée dans le cadre de l'exposition itinérante LEGO® de Nathan Sawaya, *The Art of the Brick*. Il a été construit durant l'été 2011 « en l'honneur des milliers d'enfants qui aiment LEGO® ».

Le plus gros squelette de dinosaure LEGO®

Mesurant 6 m et constitué de 80 020 pièces, *Dinosaur Skeleton* de Nathan Sawaya (USA) est un squelette de *Tyrannosaurus rex* à l'échelle – et le plus gros squelette jamais réalisé en briques LEGO®.

La plus haute tour LEGO®

La plus haute structure construite avec des briques en plastique imbriquées est une tour en briques LEGO® de 32,5 m réalisée à Prague (République tchèque), pour célébrer le 80e anniversaire de la société LEGO®. La rameuse Miroslava Knapková a posé la dernière brique après quatre jours de construction, le 9 septembre 2012. Le nombre de briques utilisé est estimé à 500 000.

IMPOSANTES
LEGO® bénéficie d'une longue tradition en matière de construction de tours dans le monde entier. La première, réalisée à Londres (RU) en 1988, mesurait 15,2 m.

INFO
Plus de 400 milliards de briques LEGO® ont été fabriquées depuis 1949 – soit assez pour relier plus de 10 fois la Terre à la Lune !

LES 10 PLUS GROS COFFRETS LEGO®...

1. Aujourd'hui, le plus gros coffret LEGO® est la maquette du Taj Mahal. Sortie en 2008, elle compte 5 922 pièces.

2. Commercialisé en 2007, le *Millennium Falcon*, vaisseau de la série *Ultimate Collector de Star Wars*, recense 5 195 pièces.

3. Sorti en 2010, le pont de la tour de Londres réunit 4 287 pièces.

4. Avec 3 803 pièces, le coffret de la célèbre *Étoile de la Mort* de *Star Wars* est sorti en 2008.

5. L'*Étoile de la Mort* II lui succède, avec 3 441 pièces.

Le plus de contributeurs à une sculpture

Cartoon Network a chargé Kevin Cooper (RU) de réaliser une immense sculpture LEGO® de Bloxx, un personnage du dessin animé *Ben 10 : Omniverse,* avec l'aide de 18 556 personnes. La sculpture de 240 000 briques a été construite dans neuf lieux au Royaume-Uni, du 4 août au 4 octobre 2012.

MAISONS LEGO®

Cette maison LEGO® s'étend sur deux étages, et compte quatre pièces. Elle est même dotée de fenêtres en « verre teinté » LEGO® !

La plus grande maison LEGO®

Atteignant 4,69 m de haut, 9,39 m de long et 5,75 m de large, la plus grande maison en briques en plastique a été construite par 1 200 volontaires qui assistaient James May (RU) dans l'émission *James May's Toy Stories* à Dorking (Surrey, RU), le 17 septembre 2009.

LES PLUS HAUTES...

En 2009, Guinness World Records a créé des catégories relatives à la construction de la plus haute tour LEGO® sur un laps de temps donné par une ou deux personnes, avec une main ou les deux. Voici les records actuels :

- **1 min, deux mains** : le 5 juin 2010, Andy Parsons (RU) a assemblé une pile de 131 briques LEGO® en 60 s, au parc Butlin, à Minehead (Somerset, RU).
- **1 min, une main** : le 26 décembre 2011, au parc de Butlin à Skegness (Lincolnshire, RU), Chris Challis (RU) a construit avec une main une pile de 48 briques en 1 min.
- **30 s, une main** : Viktor Nikitoviæ (Pays-Bas) a construit une tour de 28 briques en 30 s avec une main, au musée NEMO d'Amsterdam (Pays-Bas), le 11 novembre 2012. La tour culminait à 27 cm.
- **30 s, équipe de deux** : Le 4 novembre 2012, Madelyn et Maddox Corcoran (tous deux USA) ont érigé une tour de 31 briques, au Moss Park d'Orlando (Floride, USA).

915 MILLIONS

C'est le nombre de façons de combiner six briques LEGO®.

INFO

Star Wars II : The Original Trilogy de LEGO® inclut 50 personnages propres au jeu et permet aux joueurs d'assortir des parties du corps de façon à créer plus d'un million de personnages. C'est le **jeu vidéo d'action-aventure doté du plus de personnages jouables**.

Le plus gros jeu LEGO® Technic

Ce camion Mercedes-Benz Unimog U 400 à l'échelle 1/12,5 est le plus gros jeu LEGO® Technic disponible dans le commerce. Il se compose de 2 048 pièces. Il a une grue articulée pneumatique dotée d'un godet fonctionnel et d'un treuil à l'avant.

UN JOUET PERFECTIONNÉ

Le camion Unimog est doté d'une direction, d'une transmission quatre roues motrices, d'une suspension et d'un moteur.

La plus grande réunion de clones LEGO® de *Star Wars*

LEGO® (RU) a réuni 35 210 minifigurines LEGO® *Star Wars,* le 27 juin 2008, à Slough (Berkshire, RU). L'impressionnante troupe, menée par un mini-Dark Vador LEGO®, a requis 6 h et 30 min d'installation.

6. Frôlant les sommets vertigineux des maquettes, le coffret tour Eiffel, avec 3 428 pièces, a fait son apparition en 2007.

7. Le Grand Manège compte 3 263 pièces. Il a été commercialisé en 2009.

8. L'*Imperial Star Destroyer* de *Star Wars,* qui contient 3 096 pièces, est sorti en 2002.

9. La maquette de la statue de la Liberté mesure 0,76 m et comporte 2 882 pièces. Elle date de 2000.

10. Le coffret New York (qui n'est pas à l'échelle) est sorti en 2005. Il inclut des voitures, un ferry et même un monorail et compte 2 747 pièces.

INGÉNIERIE MARINE

L'excavateur sous-marin le plus puissant

Le RT-1, construit par Soil Machine Dynamics Ltd (RU), est un véhicule à chenilles dépourvu d'équipage, capable de creuser des tranchées de 2 m de profondeur sur le fond marin pour y abriter des pipelines. Sa puissance est de 2 350 kilowatts et il mesure 16 m de long x 13 m de large x 7,5 m de haut.

L'objet le plus lourd soulevé en mer

En octobre 2004, le ponton-grue Saipem 7000 (Italie) a battu le record de poids soulevé en haute mer, en transportant un pont intégré de 12 150 t entre un cargo et la plate-forme de Sabratha (Libye). L'opération de levage n'a pris que quatre heures, grâce aux excellentes conditions climatiques en mer Méditerranée.

Le premier navire de construction de parcs éoliens en haute mer autoélévateur

Le *MPI Resolution*, fabriqué à Qinhuangdao (Chine), mesure 130,5 m de long et 38 m de large. Ses six piliers peuvent le surélever hors de l'eau pour créer une plate-forme permettant de construire des parcs éoliens en haute mer.

La plus grande plate-forme gazière offshore

Le Troll A, plate-forme gazière offshore située au large de la Norvège en mer du Nord, est **l'objet artificiel mobile le plus lourd**. Le poids de sa structure porteuse est de 656 000 t. S'élevant à 369 m, elle est constituée de 245 000 m³ de béton et de 100 000 t d'acier (soit 15 tours Eiffel).

Le plus grand parc éolien offshore

Le parc éolien Greater Gabbard est composé de 140 turbines Siemens SWT-3.6-107 capables de produire 500 mégawatts d'électricité. Le parc est situé en mer du Nord, à 25 km du Royaume-Uni, et transmet son électricité grâce à trois câbles de 45 km.

Le plus grand boudin de confinement de pétrole offshore

Conçu par Ro-Clean Desmi, le Ro-Boom 3500 a une largeur de 3,5 m lorsqu'il est dégonflé (contre habituellement de 0,5 à 2 m). Chaque année, 3,77 milliards de litres de pétrole se répandent dans les océans du monde entier.

Le plus grand ponton-grue flottant

Appartenant à la société Heerema Marine Contractors (Pays-Bas), le *Thialf* est un ponton semi-submersible de 201,6 m de long, doté d'une capacité de levage de 14 200 t. Équipé de deux grues de 95 m de haut, il peut soulever des charges simultanément. La partie inférieure de sa coque peut être immergée, ce qui accroît son tirant d'eau (augmente son immersion) de 20 m, ce qui lui apporte la stabilité nécessaire pour soulever de telles charges et opérer dans des mers agitées.

LES PLUS GRANDS DRAMES SURVENUS EN MER

Le plus long trajet en canot de sauvetage : 1 300 km entre l'île de l'Éléphant et la Géorgie du Sud, en Antarctique, en 17 jours (arrivée le 19 mai 1916), par Sir Ernest Shackleton (RU) et cinq hommes à bord du *James Caird*.

Plus grosse avarie d'un ferry : le *Doña Paz* coula le 21 décembre 1987, avec officiellement 1 500 passagers (probablement plutôt 4 000). Seuls 24 ont survécu.

Le plus gros sabordage : le 27 novembre 1942, à Toulon (France), 73 navires français ont été coulés pour éviter que les forces allemandes ne s'en emparent.

Plus longue dérive d'un seul naufragé : 133 jours (du 23 novembre 1942 au 5 avril 1943) pour Poon Lim (né à Hong Kong) de la marine marchande britannique.

Record de civils sauvés : 4 296 Japonais ont été sauvés par le cargo américain USS *Brevard*, le 23 janvier 1946.

Plate-forme « SPAR » la plus profonde

La plate-forme d'exploitation et de production de pétrole *Perdido* est amarrée à une profondeur de 2 438 m dans l'océan. Cylindrique, elle possède une structure essentiellement immergée pour favoriser sa stabilité. Gérée par Shell, elle a été livrée dans le golfe du Mexique en août 2008 et a commencé l'extraction du pétrole et du gaz dès le 31 mars 2010.

LES PLUS LONGS...

Gazoduc offshore
Le gazoduc Nord Stream est composé de deux pipelines parallèles acheminant du gaz naturel sur une distance de 1 222 km sous la mer Baltique. Ces pipelines ont été mis en service le 8 octobre 2012, reliant Vyborg (Russie) à Greifswald (Allemagne). Le gazoduc peut transporter 55 milliards de m³ de gaz par an.

Câble sous-marin en fibres optiques
La lumière constitue le fondement des communications de notre époque, grâce aux milliers de kilomètres de câbles en fibres optiques installés au fond des océans. Le plus long de ces câbles est le Sea-Me-We 3 (Southeast Asia – Middle East – Western Europe). Mesurant 39 000 km de long, il est géré par la société indienne Tata Communications, et a été achevé fin 2000.

Câble électrique sous-marin
Un double câble électrique sous-marin de 577,5 km de long relie le réseau électrique norvégien depuis Feda jusqu'au réseau électrique néerlandais à Eemshaven. Chacun de ses deux câbles pèse 37,5 kg par mètre, tandis que les deux réunis pèsent 85 kg par mètre. Le double câble a une capacité de 700 mégawatts.

Le plus vieux phare en haute mer

Construit par l'ingénieur en génie civil britannique Robert Stevenson, ce phare fut achevé en 1811 à Bell Rock, petit rocher de grès de 130 x 70 m situé à 18 km au large de l'est de l'Écosse. Le phare en granit et en grès mesure 35,3 m de sa base au sommet de sa lanterne.

LES PLUS PROFONDS...

Puits de pétrole
Avant d'exploser en 2010, causant la pire marée noire de l'histoire des États-Unis, la plate-forme semi-submersible *Deepwater Horizon* avait réalisé un forage vertical profond de 10 062 m au sein du gisement pétrolier Tiber (Texas, USA).

Fond marin sur lequel a opéré un navire de forage
Le 11 avril 2011, la compagnie offshore Transocean (USA) a annoncé que son navire de forage *Dhirubhai Deepwater KG2* avait effectué un forage à une profondeur de 3 107 m au large de la côte indienne.

Forage le plus profond sur le fond marin

Le 9 septembre 2012, en effectuant des forages dans l'océan Pacifique au large de la péninsule japonaise de Shimokita, le navire de forage *Chikyū* a atteint une profondeur de 2 466 m sous le fond marin. Cela représente près de huit fois la hauteur de la tour Eiffel.

736
Nombre de membres du personnel que le *Thialf* peut accueillir. L'édifice abrite aussi un héliport adapté à un Boeing Chinook 234.

La plus grosse explosion accidentelle sur un navire : 1 635 personnes sont mortes lorsque le cargo *Mont Blanc*, chargé d'explosifs, en a heurté un autre à Halifax (Canada), le 6 décembre 1917.

La pire catastrophe nucléaire sous-marine : le sous-marin nucléaire russe K-219 a sombré dans l'Atlantique le 6 octobre 1986 avec 2 réacteurs et 16 missiles nucléaires.

Le plus grand nombre de morts sur une plate-forme pétrolière : l'incendie de la *Piper Alpha* en mer du Nord le 6 juillet 1988 a causé la mort de 167 personnes sur 225.

La marée noire la plus grave : le puits « Lakeview Gusher » a commencé à fuir le 14 mars 1910 au sein du gisement de Midway-Sunset (USA). La fuite a duré 18 mois et atteint 9 millions de baril de pétrole.

Course de voiliers la plus désastreuse : 23 voiliers coulés ou abandonnés du 13 au 15 août 1979 (tempête de force 11) lors de la 28ᵉ Fastnet Race 90 morts.

VÉHICULES D'EXCEPTION

40 C'est le nombre de places du *Midnight Rider*, géré par une équipe de 4 personnes.

La limousine la plus lourde

Le *Midnight Rider* pèse 22 933 kg. Conçu par Michael Machado et Pamela Bartholemew (tous deux USA, *ci-dessus*) en Californie (USA), ce monstre de 21,3 m de long et 4,1 m de haut est entré en service le 3 septembre 2004. Le *Midnight Rider* abrite trois salons et un bar séparé. Sa décoration intérieure s'inspire de celle des voitures des trains Pullman, devenus populaires vers 1850. Son klaxon joue l'air de *Midnight Rider* des Allman Brothers.

Le plus grand ensemble de klaxons

Dans le cadre de la 7e course de Trabant du club Pausa à Ebersgrün (Allemagne), qui s'est déroulée le 12 juin 2011, 212 voitures ont joué la comptine *All my ducklings* avec leur klaxon. L'événement a été organisé par le club Trabant Pausa e.V. (Allemagne).

Le plus grand siège

Un siège de voiture de 3,4 m de haut, 2,17 m de large et 2,54 m de profondeur a été créé en septembre 2004 à l'occasion de l'exposition *Lust am Auto* de Mannheim (Allemagne). Le siège a été acquis lors d'une vente aux enchères par l'école primaire de Hemhofen en Bavière (Allemagne) et mesuré le 10 décembre 2006.

Le plus gros modèle motorisé de voiture

Le cheikh Hamad bin Hamdan Al Nahyan (ÉAU) a fait construire un gigantesque modèle motorisé d'une Jeep Willy à l'échelle 4:1. La voiture mesure 13,62 m de long, 6,18 m de large et 6,46 m de haut.

Le plus gros « séisme » causé par des stéréos

Le 22 octobre 2008, sur le circuit de Santa Pod à Northampton (RU), les stéréos de 22 voitures ont été allumées simultanément, ce qui a fait vibrer le sol au rythme de 6,325 mm/s. L'effet obtenu correspondait à l'explosion d'une charge de 300 kg à 500 m du sismographe. L'événement avait été organisé par le magazine *Fast Car* et www.talkaudio.co.uk (tous deux RU).

La voiture la plus légère

Louis Borsi (RU) a fabriqué et conduit une voiture de 9,5 kg dotée d'un moteur de 2,5 cm³ et pouvant atteindre 25 km/h.

La voiture la plus longue

Équipée notamment d'un lit à eau « king-size » et d'une piscine dotée d'un plongeoir, la voiture la plus longue est une limousine de 30,5 m possédant 26 roues. Elle a été conçue par Jay Ohrberg (USA). Articulée au milieu, elle peut être conduite comme un véhicule rigide. Elle a été créée à l'origine pour être utilisée dans des films et des publicités.

La voiture la plus chevelue

Maria Lucia Mugno (Italie) a une Fiat 500 recouverte de 100 kg de cheveux naturels. Celle-ci a été présentée le 4 mars 2010 sur le plateau de *Lo Show dei Record* à Rome (Italie).

Le plus long saut de rampe en limousine

Michael Hughes (USA) a effectué un saut de 31,39 m au volant d'une limousine Lincoln Town Car pesant 3 t sur le circuit

Le landau le plus rapide

Colin Furze (RU) a construit un landau motorisé capable d'atteindre 86,04 km/h. Celui-ci a été testé sur le circuit Shakespeare County à Stratford-upon-Avon (RU), le 14 octobre 2012. (*Pour découvrir un autre véhicule remarquable de Colin,* *rendez-vous p. 173.*)

LES MONTAGNES RUSSES

Les plus hautes en métal : *Kingda Ka* du parc de Six Flags Great Adventure près de Jackson (New Jersey, USA) a une hauteur maximale de 139 m.

Avec le plus long dénivelé : *El Toro*, une attraction du parc de Six Flags Great Adventure près de Jackson (New Jersey, USA), inclut un dénivelé de 54 m. Sa hauteur maximale est de 57,3 m.

Les plus rapides en métal : *Formula Rossa* du parc Ferrari World d'Abu Dhabi (ÉAU) permet d'atteindre 240 km/h et une altitude de 52 m en 4,9 s.

Les plus longues en métal : *Steel Dragon 2 000* du parc Nagashima Spaland à Mie (Japon) mesure 2 479 m de long et atteint une hauteur maximale de 95 m.

Les plus longues en bois : *The Beast* à Kings Island (Ohio, USA) mesure 2 286 m de long.

Le plus long scooter d'aide à la mobilité

Créé par Orchard Mobility, le *Limobilizer* est un scooter d'aide à la mobilité de 2,9 m. Il a été mesuré le 25 octobre 2012 au Somerset College de Taunton dans le Somerset (RU).

Perris Auto à Perris, en Californie (USA), le 28 septembre 2002.

La plus grande limousine
Construite par Gary et Shirley Duval (tous deux Australie), la plus grande limousine mesure 3,33 m du sol au plafond. Elle possède deux moteurs distincts et une suspension indépendante pour chacune de ses 8 roues équipées de pneus de camion « monster truck ». Elle a nécessité 4 000 h de travail.

LES PLUS RAPIDES...

Voiture amphibie
Propulsée par un moteur basé sur la transmission de la Corvette LS, la *WaterCar Python* peut atteindre 96 km/h sur l'eau et passer de 0 à 96,5 km/h en 4,5 s sur terre. La *Python* est fabriquée à la main sur commande, et son coût est au minimum de 200 000 $.

Tondeuse à gazon
Le 23 mai 2010, Don Wales (RU) de Project Runningblade a conduit une tondeuse à gazon à 141,35 km/h, à Pendine, dans le Carmarthenshire (RU).

Lit mobile
Le lit mobile le plus rapide a été fabriqué et piloté par Edd China (RU). Le 7 novembre 2008, il a atteint 111 km/h dans une rue privée de Londres (RU), au cours du Guinness World Records Day.

Le talentueux Edd est aussi le concepteur du **bureau le plus rapide**, capable d'atteindre 140 km/h. Le 9 novembre 2006, pour fêter le Guinness World Records Day, Edd a circulé avec le bureau sur le pont de Westminster et dans la City de Londres (RU). (*Voir à droite pour une autre création d'Edd.*)

Scooter d'aide à la mobilité
La vitesse maximale atteinte par un scooter d'aide à la mobilité est de 133,04 km/h. Klaus Nissen Petersen (Danemark) a accompli cette prouesse au Danmarks Hurtigste Bil, à Vandel (Danemark), le 3 juin 2012.

Monster truck
Le 17 mars 2012, Randy Moore (USA) a atteint 155,78 km/h avec un monster truck Aaron's Outdoors, sur le zMAX Dragway, une piste du circuit Charlotte Motor Speedway (Caroline du Nord, USA).

Le camion de laitier le plus rapide

Conçu par une équipe britannique associant Edd China (*en photo*), le pilote Tom Onslow-Cole et eBay Motors, le camion de laitier le plus rapide a atteint 124,77 km/h, le 18 octobre 2012. L'événement a eu lieu dans le cadre du parrainage de l'équipe de course du West Surrey par eBay Motors.

Toilettes tractées
Le 4 avril 2011, au South Georgia Motorsports Park d'Adel (USA), Brewton McCluskey (USA) a roulé à 83,7 km/h sur des toilettes tractées aménagées sur un kart modifié.

Voiture de police
La Lamborghini Gallardo LP560-4 a une vitesse de pointe de 370 km/h. Seuls 30 officiers de police ont le droit de la conduire, essentiellement sur l'autoroute située entre Salerne et Reggio de Calabre (Italie).

La plus petite voiture fonctionnelle

Le 7 septembre 2012 à Carrollton (Texas, USA), Austin Coulson (USA) a fabriqué une voiture de 63,5 cm de haut, 65,41 cm de large et 126,47 cm de long.

Ce n'est toutefois pas la **voiture fonctionnelle la plus basse**. Cette honneur revient à la *Mirai*, qui mesure 45,2 cm du sol à sa partie la plus haute. La *Mirai* a été créée par Hideki Mori (Japon) et des étudiants en ingénierie automobile de l'école Okayama Sanyo d'Asakuchi (Japon), le 15 novembre 2010.

40 C'est la vitesse maximale en km/h à laquelle Austin peut légalement circuler.

INFO
Les décors peints sur la minuscule voiture d'Austin sont inspirés de l'avion militaire P51 Mustang, et ses flancs portent les numéros de la poupe d'un navire sur lequel son grand-père a servi durant la Seconde Guerre mondiale.

Les plus inclinées en métal : *Takabisha* du parc d'attractions de Fujikyu Highland (alias Fuji-Q Highland), à Fujiyoshida (Japon), présente une inclinaison de 121° sur 3,4 m.

En bois, les plus raides : *Outlaw Run*, de Silver Dollar City près de Branson (Missouri, USA), offre une descente de 81°.

Le plus de montées et descentes : *The Smiler* à Alton Towers (Staffordshire, RU) compte 14 montées et descentes le long de sa piste de 1 170 m.

Les plus anciennes : *Leap-the-Dips* de Lakemont Park à Altoona (Pennsylvanie, USA), ouvertes en 1902, ont été closes de 1985 à 1999 pour restauration et sont aujourd'hui opérationnelles.

Les plus anciennes en service ininterrompu : *The Scenic Railway* du Luna Park de St Kilda, près de Melbourne (Victoria, Australie), ont été ouvertes au public le 13 décembre 1912 et ont fonctionné sans interruption depuis.

MOTOS

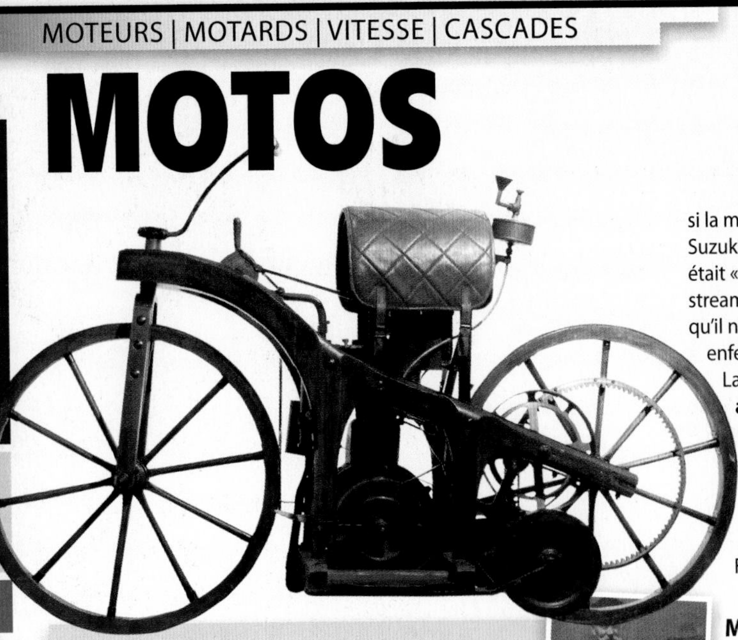

La 1re moto

La 1re bicyclette dotée d'un moteur à combustion interne était une machine à chassis en bois construite à Bad Cannstatt (Allemagne), entre octobre et novembre 1885, par Gottlieb Daimler (1834-1900) et utilisée pour la première fois par Wilhelm Maybach (1846-1929). Sa vitesse maximum était de 19 km/h et son moteur monocylindre à quatre temps de 264 cc générait 0,37 kW (0,5 ch) à 700 tours/min.

LES PLUS RAPIDES...

Moto (streamliner)

Le 25 septembre 2010, Rocky Robinson (USA) a atteint une vitesse moyenne de 605,697 km/h avec sa streamliner *Top Oil-Ack Attack*, sur 1 km, au Bonneville Salt Flats (Utah, USA).

Moto (conventionnelle)

Richard Assen (Nouvelle-Zélande) a atteint 420,546 km/h sur une moto conventionnelle au Bonneville Salt Flats (Utah, USA), le 23 septembre 2011. « Conventionnelle » fait référence à une moto de série, par opposition à une « streamliner » aérodynamique, même si la moto d'Assen – une Suzuki GSX1300R Hayabusa – était « partiellement une streamliner », c'est-à-dire qu'il n'était pas complètement enfermé par des carénages.

La **plus grande vitesse atteinte par une femme sur une moto conventionnelle** est 374,208 km/h par Leslie Porterfield (USA) – également sur une Hayabusa au Bonneville Salt Flats –, le 5 septembre 2008.

Monocycle

Kerry McLean (USA) a atteint 91,7 km/h sur un monocycle à Irwindale (Californie, USA), le 10 janvier 2001. Il a utilisé un monowheel large de 1,22 m et d'une puissance de 30 kW (40 ch) – une roue large tourne autour d'une piste et le pilote et le moteur trouvent place à l'intérieur.

Tandem moto

La plus grande vitesse atteinte par un pilote et son passager est de 291,98 km/h par Erin Hunter et Andy Sills (tous deux USA), sur une BMW S1000RR au Bonneville Salt Flats (Utah, USA), le 20 septembre 2011. Les deux motocyclistes ont effectué deux parcours chronométrés dans des directions opposées, comme pilote et passager à tour de rôle.

La moto la plus rapide (moteur à pistons)

La MV Agusta F4 R 312 est la moto de série la plus rapide avec un moteur à pistons (par opposition au moteur à réaction), avec une vitesse maximale de 312 km/h, d'où le « 312 » dans son nom. Les pistons – dans ce cas en titane – convertissent la pression en un mouvement rotatif qui entraîne la roue arrière.

INFO

Il n'est pas étonnant que la Y2K soit la moto la plus rapide et la plus puissante, quand on sait que ce monstre de la route dispose d'une turbine à gaz Rolls-Royce Allison 250-C18, précédemment utilisée pour les hélicoptères Bell JetRanger !

La moto de série la plus rapide

Propulsée par un moteur à turbine à gaz Rolls-Royce Allison, la MTT Turbine Superbike a une vitesse record chronométrée à 365 km/h, bien que MTT affirme avoir enregistré des vitesses « dépassant 402 km/h ». La raison de cette vitesse extraordinaire tient aux 213 kW (286 ch) de puissance fournis à la roue arrière, avec 577 nm (425 lb/pi) de couple à 2 000 tours/min, ce qui en fait la **moto de série la plus puissante de tous les temps**.

Quand elle a été mise en vente en 2004, la MTT Turbine Superbike coûtait 185 000 $, ce qui en faisait aussi la **moto de série la plus chère à cette date**.

POUR LES SPORTS MOTO, VOIR P. 248

CASCADES ET ACROBATIES

Le plus de pirouettes à moto en 30 s : Horst Hoffmann (Allemagne) a effectué 21 pirouettes lors du Centro Festival d'Oberhausen (Allemagne), le 9 septembre 2006.

Le plus grand burn-out simultané : les équipes Harleystunts et Smokey Mountain Harley-Davidson on effectué 213 burn-outs à Maryville (Tennessee, USA), le 26 août 2006.

Le plus de positions de yoga consécutives sur une moto : sur le plateau de *Guinness World Records – Ab India Todega*, Yogaraj C P (Inde) a pris 23 positions de yoga à Bombay (Inde), le 17 février 2011.

Le plus de personnes sur une moto : les Army Service Corps Motorcycle Display Team Tornadoes (tous Inde) ont réuni 54 membres sur une moto à la base aérienne Yelahanka de Bangalore (Inde), le 28 novembre 2010.

La roue arrière la plus rapide sur glace : au Lac Koshkonong (Wisconsin, USA), le 5 février 2011, Ryan Suchanek (USA) a fait une roue arrière à 152,89 km/h sur la glace.

La moto la plus lourde

La puissante *Harzer Bike Schmiede* a été construite par Tilo et Wilfried Niebel de Zilly (Allemagne) et pesait 4,749 t, le 23 novembre 2007, ce qui en faisait la plus lourde moto. Mesurant 5,28 m de long et 2,29 m de haut, propulsée par un moteur de char russe, la construction de cette moto a pris un an à une équipe de mécaniciens et de soudeurs.

Moto corbillard

Le révérend Ray Biddiss (RU) a atteint 227,08 km/h sur sa Triumph Rocket 2 340cca – moto corbillard –, à l'aérodrome d'Elvington (Yorkshire, RU), le 10 mai 2011.

Fauteuil roulant électrique

Après avoir gonflé le moteur de son fauteuil roulant, Klaus Nissen Petersen (Danemark) a atteint 133,04 km/h, à Danmarks Hurtigste Bil in Vandel (Danemark), le 3 juin 2012.

CHEVAUCHÉES

La plus haute altitude

Six membres du Moto Club Disha Calcutta Nord (tous Inde) ont atteint une altitude de 6 245 m sur leurs Hero Hondas dans la chaîne de montagnes Chang Chenmo près de Marsemikla (Inde), le 29 août 2008. L'altitude a été confirmée en utilisant un GPS et vérifiée par le chef de la patrouille indienne de la frontière.

La plus longue distance à moto en 24 h

L Russell "Rusty" Vaughn (USA) a couvert 3 249,9 km en 24 h sur sa Harley-Davidson Electra-Glide Limited FLHTK de 2010 sur les Uvalde Proving Grounds de Continental (Texas, USA), les 9 et 10 août 2011.

La moto propulsée par un réacteur la plus rapide

Officiellement certifiée par l'IHRA (International Hot Rod Association), la vitesse de pointe de Kevin Martin (USA) a été chronométrée à 325,97 km/h avec la *Ballistic Eagle*, une moto propulsée par un réacteur, au Spring Nationals au Rockingham Speedway (Caroline du Nord, USA), le 24 avril 2009.

La plus longue moto

Capable de transporter 25 personnes, la plus longue moto mesure 22 m de long et a été créée par Direct Bikes Ltd & Colin Furze (tous deux RU). Elle a été présentée et mesurée à l'aérodrome de Saltby (Leicestershire, RU), le 27 juillet 2011.

56 C'est la vitesse en km/h la plus élevée atteinte par la plus longue moto.

La 1re moto de production de masse
L'usine de motos Hildebrand & Wolfmüller (Allemagne) a ouvert en 1894. Au cours de ses deux premières années, elle a produit plus de 1 000 motos, chacune avec un moteur double cylindre quatre temps de 1 488 cc, refroidi par eau.

La moto la plus chère vendue aux enchères
Vendue 291 200 £ hors commissions et taxes, la Brough Superior SS80 de 1922, connue sous le nom de *Old Bill*, a été vendue par H & H Classic Auctions (RU), à l'Imperial War Museum (Cambridgeshire, RU), le 23 octobre 2012.

La moto au plus grand moteur
La Triumph Rocket III est propulsée par un moteur à trois cylindres de 2 294 cc, le plus grand jamais monté sur une moto de série. Il produit104 kW (140 ch) de puissance et 200 nm (147 lb/pi) de couple, plus que la plupart des berlines.

La moto de série la plus puissante
La Vyrus 987 C3 4V "Kompressor" annonce 157,3 kW (213 ch) et possède un moteur de 1 198 cc dérivé de la Ducati 1098R avec l'ajout d'un compresseur pour augmenter la puissance.

La moto électrique la plus rapide
Piloté par Chip Yates (USA), le prototype de la Superbike électrique SWIGZ (USA) a atteint 316,899 km/h sur 1 km, dans le Bonneville Salt Flats (Utah, USA), le 30 août 2011.

Le plus rapide à traverser 21 barils de pétrole sur une moto de trial : Jake Whitaker (NZ) a traversé 21 barils en 10,933 s, à Pékin (Chine), le 16 décembre 2011.

La plus petite distance entre avion et moto lors d'un croisement aérien : une distance de 2,42 m séparait Veres Zoltán et Gulyás Kiss Zoltán (tous deux Hongrie), à Etyek (Hongrie), le 7 septembre 2008.

Le plus long stoppie (roue avant) à moto : Gary Harding (USA) a fait un stoppie sur 86,2 m avec une Kawasaki KX250T8F, au Mason Dixon Dragway à Boonsboro (Maryland, USA), le 22 août 2010.

La plus grande vitesse les yeux bandés : Billy Baxter (GB) a atteint 265,33 km/h sur une Kawasaki Ninja 1 200 cc, les yeux bandés, à RAF (aujourd'hui MoD) Boscombe Down (Wiltshire, RU), le 2 août 2003.

Le plus long stoppie (roue avant) à moto par deux personnes : Craig Jones (RU) a parcouru 305 m en transportant Wing Tat Chui sur le circuit de course du Donington Park (Derby, RU), le 8 mai 2006.

CRASHS D'AVION

Le 1er pilote décédé dans un crash d'avion motorisé

Le 7 septembre 1909, à Juvisy-sur-Orge (France), Eugène Lefebvre (France, *ci-dessus*), ingénieur et pilote pour la Wright Company, s'est écrasé avec l'avion qu'il testait. Il a été le 1er pilote – et la 2e personne – à mourir ainsi. Le **1er accident d'avion fatal** a eu lieu le 17 septembre 1908 : Thomas E. Selfridge (USA) est mort lors du crash d'un avion piloté par Orville Wright, pionnier de l'aviation.

La 1re boîte noire pour avion

En 1956, David Warren (Australie) a conçu un dispositif capable de résister à un crash baptisé *ARL Flight Memory Unit* destiné à enregistrer la conversation de l'équipage et d'autres données avant un accident. Il travaillait au laboratoire de recherche aéronautique du Département de la défense, de la science et de la technologie à Melbourne (Australie). Son intérêt pour l'électronique remonte à ses 9 ans, en 1934, lorsque son père lui avait offert un poste à galène. Peu après, celui-ci est décédé au cours d'une des premières catastrophes aériennes d'Australie, la perte du de Havilland 86 *Miss Hobart* dans le détroit de Bass au sud de Victoria, entre l'Australie et la Tasmanie.

La zone d'aviation la plus dangereuse

Selon le rapport annuel 2012 de l'IATA (Association internationale du transport aérien), les voyages aériens en Afrique sont en moyenne 9 fois plus dangereux que dans le reste du monde. En termes d'avions détruits ou perdus sur 1 million de vols, l'Afrique a enregistré un taux d'accidents de 3,27 en 2011 – ce qui constituait néanmoins une amélioration de 56 % par rapport à 2010.

Le 1er accident d'avion causé par un chien

Le 29 novembre 1976, un berger allemand en liberté à bord d'un avion taxi Piper 32-300 de la compagnie Grand Canyon Air a interféré avec les commandes. Le chien, le pilote et l'unique passager sont décédés.

L'année la moins dangereuse

Selon le rapport de 2012 de l'IATA (Association internationale du transport aérien), le taux d'accidents d'avion en 2011 a été le plus bas. Mesuré en pertes de coque (avion détruit ou irréparable) sur 1 million de vols, ce taux a été de 0,37, soit un accident pour 2,7 millions de vols – une amélioration de 39 % par rapport à 2010, le précédent record. Statistiquement, le taux d'accident est aujourd'hui si faible qu'une personne prenant l'avion tous les jours peut ne pas avoir d'accident durant 14 000 ans.

L'amerrissage d'avion le plus réussi

Des amerrissages forcés d'avions sans victimes avaient déjà eu lieu, mais le record de passagers et membres d'équipage sains et saufs au cours d'une manœuvre réussie était de 155 pour le vol 1549 de l'Airbus A320 d'US Airways. L'avion du capitaine Chesley « Sully » Sullenberger avait subi plusieurs collisions avec des oiseaux après avoir décollé de l'aéroport de LaGuardia à New York le 15 janvier 2009. Les moteurs se sont coupés mais l'avion a amerri sur l'Hudson sans que les passagers ne soient gravement blessés.

17 260 KG
C'était la poussée développée par chacun des 4 moteurs du Concorde, les réacteurs les plus puissants équipant un avion de ligne.

Le crash d'un avion supersonique le plus meurtrier

Le 1er et seul accident du Concorde a eu lieu le 25 juillet 2000. Le crash d'un Concorde d'Air France a causé la mort de 113 personnes : 100 passagers, 9 membres d'équipage et 4 personnes au sol. Le vol 4590 s'est écrasé sur un hôtel à Gonesse (Val-d'Oise). Le Concorde avait décollé de l'aéroport Charles-de-Gaulle avant de s'écraser en raison de l'explosion d'un de ses réservoirs touché à grande vitesse par un morceau de pneu éclaté. Le pneu avait éclaté à cause d'un morceau de métal sur la piste.

POUR L'AVIATION, VOIR P. 160

LES CATASTROPHES AÉRIENNES LES PLUS GRAVES

Source : planecrashinfo.com

1. New York (USA), 11 septembre 2001 : 2 907 morts
B767 américain, B767 United Airlines ; attentat. Répertorié par planecrashinfo.com comme un unique incident ; le total inclut les victimes au sol.

2. Ténérife (Canaries), 27 mars 1977 : 583 morts
B747 Pan Am, B747 KLM ; collision sur la piste.

3. Mont Osutaka (Japon), 12 août 1985 : 520 morts
B747 Japan Airlines ; problème mécanique.

4. New Delhi (Inde), 12 novembre 1996 : 349 morts
B747 saoudien, IL76 kazakh ; collision en plein vol.

5. Forêt d'Ermenonville (France), 3 mars 1974 : 346 morts
DC10 Turkish Airlines ; problème mécanique.

Le plus de victimes dans une collision au sol

Le 27 mars 1977, deux Boeing 747 se sont percutés sur la piste de Ténérife (Canaries), causant la mort de 583 personnes. Un appareil de KLM avait tenté de décoller sans visibilité et avait heurté un 747 de la Pan Am, qui roulait sur la piste à contresens alors que la visibilité était mauvaise.

Le type d'accident d'avion le plus fréquent

Selon le rapport 2011 de l'Organisation de l'aviation civile internationale (OACI) sur la sécurité des avions, les incidents survenus sur la piste représentent 59 % des accidents en 2005-2010. L'accident le plus susceptible de causer des décès est la perte de contrôle en vol : 29 % des accidents mortels et 4 % des accidents.

La plus grande perte d'avions de combat en temps de paix

La Royal Air Force (RU) a perdu 6 de ses 8 avions de combat Hawker Hunter, le 8 février 1956, à la base de West Raynham (RU). Les appareils devaient faire un exercice à 45 000 pieds mais la météo les a contraints à faire demi-tour. La visibilité s'étant brusquement dégradée, la navigation à vue était impossible et il était trop tard pour mettre en place une approche radar. Quatre pilotes se sont éjectés, un s'est écrasé et a survécu et un autre est décédé. Deux avions ont été posés avec succès.

Le 1er accident d'avion causé par un crocodile

Le 25 août 2010, un crocodile a été introduit dans un sac de sport sur un vol Kinshasha-Bandundu (Rép. dém. du Congo). Le reptile s'est échappé, et les passagers paniqués se sont précipités dans le cockpit, causant le déséquilibre du Let L-410 Turbolet. Vingt passagers et l'équipage sont morts, seuls le crocodile et deux personnes ont survécu. Le crocodile a ensuite été tué à la machette.

La collision la plus grave

Le 12 novembre 1996, un Boeing 747 de Saudi Arabian Airlines et un cargo d'Air Kazakhstan sont entrés en collision près de l'aéroport de Delhi (Inde), causant la mort de 349 personnes. C'est l'accident de ce type le plus meurtrier : 23 membres d'équipage et 289 passagers ont péri sur l'avion saoudien, et 10 membres d'équipage et 27 passagers sur le cargo Iliouchine.

Le crash d'hélicoptère le plus fatal

Le 19 août 2002, des séparatistes tchétchènes ont lancé un missile sur un hélicoptère Mi-26 qui s'est écrasé sur un champ de mines, entraînant la mort de 127 passagers et de l'équipage. Doku Dzhantemirov a été condamné à la prison à vie par une cour anti-terroriste russe.

INFO

Selon une étude menée par le Conseil national de sécurité des transports des États-Unis sur les accidents survenus à des avions de ligne américains entre 1983 et 2000, le taux de survie en cas d'accident est de 95,7 %. Sur 53 487 personnes impliquées dans un accident, 51 207 ont survécu.

VOL 191

Le 2 août 1995, des vents violents se sont abattus sur un Lockheed L-1011 TriStar 1 ; 134 personnes sont mortes lorsque l'avion s'est écrasé près de l'aéroport de Dallas (Texas, USA).

L'année la plus funeste pour l'aviation

1985 a été l'année où les accidents d'avion ont causé le plus de décès. Les chiffres varient cependant. Selon planecrashinfo.com, qui tient à jour une base de données sur les accidents d'avion, 2 670 personnes ont péri cette année-là. Trois accidents ont causé 1 105 décès : celui du vol 182 d'Air India (329 victimes), le vol 123 de Japan Arlines (520) et le vol 1285 de Canada's Arrow (256). La photo est celle du vol 191 de Delta Airlines (*voir à droite*).

6. Océan atlantique, 177 km à l'ouest de l'Irlande, 23 juin 1985 : 329 morts B747 Air India ; bombe.

7. Riyadh (Arabie saoudite), 19 août 1980 : 301 morts L-1011 Saudi Arabian Airlines ; incendie et fumée.

8. Golfe Persique, 3 juillet 1988 : 290 morts A300 Iran Air ; abattu par des missiles américains.

9. Shahdad (Iran), 19 février 2013 : 275 morts IL-76MD du corps des Gardiens de la révolution islamique ; météo défavorable.

10. Chicago (Illinois, USA), 25 mai 1979 : 273 morts DC10 American Airlines ; problème mécanique.

NAVIRES

Le plus gros paquebot

Aujourd'hui, les gros paquebots sont souvent utilisés pour des croisières, mais le RMS *Queen Mary II*, dont le voyage inaugural a débuté le 12 janvier 2004, a été conçu comme un vrai paquebot transocéanique. Le bateau mesure 345 m, son maître-bau est de 41 m et il atteint 29,5 nœuds (54,6 km/h).

La classe de navires de guerre la plus rapide

Mis en service en 1999, le patrouilleur lance-missiles Skjold de la marine norvégienne peut dépasser 60 nœuds (110 km/h). Le 6e navire de classe Skjold, le KNM *Gnist*, a été livré en novembre 2012.

La **vitesse la plus élevée d'un destroyer** est de 45,25 nœuds (83,42 km/h) : record établi en 1935 par le navire de 2 900 t *Le Terrible*.

Le plus grand porte-conteneurs (capacité)

Bien qu'il soit un peu plus petit que les navires *Mærsk* de classe E, le CMA GCM *Marco Polo* a une capacité supérieure. Il mesure 396 x 54 m et peut transporter l'équivalent de 16 020 EVP (équivalent 20 pieds), une unité basée sur les dimensions d'un conteneur standard de 20 pieds (6 m). Le *Marco Polo* a effectué son 1er trajet le 7 novembre 2012.

Le 1er navire de surface à atteindre le pôle Nord

Le brise-glace nucléaire soviétique NS *Arktika* a fait l'objet de premiers essais en mer le 3 novembre 1974 et a été en service jusqu'en 2008. Capable de briser des glaces d'une épaisseur de 5 m, il est devenu le 17 août 1977 le 1er navire à atteindre le pôle Nord géographique.

LES PLUS GROS...

Navire en béton encore en service

Pétrolier inauguré en 1921, le SS *Peralta* mesure 128 m de long, son maître-bau (largeur maximale) est de 15,4 m et son tonnage brut (volume intérieur) de 6 144. Le navire sert aujourd'hui de brise-lames flottant protégeant une zone de stockage du bois sur la Powell River en Colombie-Britannique (Canada).

Navire jamais construit

De 458,45 m de long, l'ULCC (*Ultralarge Crude Carrier*) *Seawise Giant* – rebaptisé *Happy Giant, Jahre Viking, Knock Nevis* puis *Mont* – avait un poids en charge de 564 763 t. Le terme de « port en

Le 1er pétrolier à double action

Achevé en 2002, le MT *Tempera* est le 1er pétrolier « à double action », une technologie lui permettant de briser la glace en marche arrière. En marche avant, il navigue comme tout navire, en fendant les eaux. Le MT *Tempera* est doté de propulseurs orientables lui permettant de tourner à 180° pour progresser en marche arrière.

Les plus gros minéraliers

Le *Vale Beijing* et le *Vale Qingdao* ont été construits par le constructeur naval STX Offshore & Shipbuilding (Corée du Sud) et ont effectué respectivement leur 1er voyage en décembre 2011 et juin 2012. Chacun peut transporter 404 389 t de minerais.

PAQUEBOTS
Si les paquebots océaniques transportent des passagers d'un point à un autre, ceux de croisières sont destinés aux voyages d'agrément.

RECORDS EN TERMES DE DÉPLACEMENT

Porte-avions (en construction) : L'USS *Gerald R. Ford* (USA). Longueur d'env. 333 m ; maître-bau d'env. 45 m ; déplacement en charge d'env. 101 000 t

Cuirassé : *Yamato* (*en photo*) et *Musashi* (tous deux Japon). Longueur de 263 m ; maître-bau de 38,7 m ; déplacement en charge de 71 111 t

Navires hôpitaux : L'USNS *Mercy* (*en photo*) et l'USNS *Comfort* (tous deux USA). Longueur de 272,5 m ; maître-bau de 32,2 m ; déplacement en charge de 62 922 t

Cuirassé : Classe Amiral (RU). Longueur de 262,3 m ; maître-bau de 31,7 m ; déplacement en charge de 49 136 t

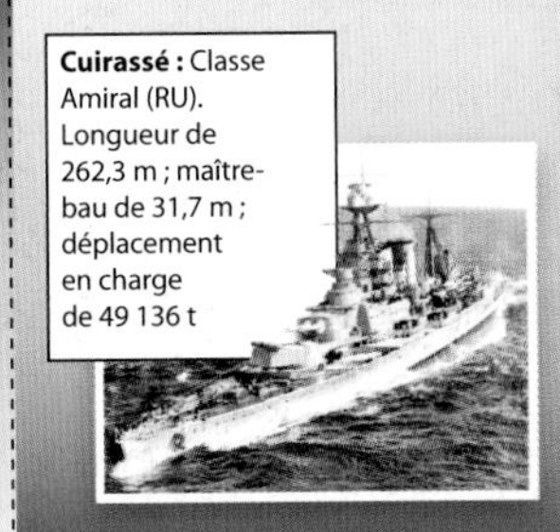

Navire d'assaut amphibie : Classe Wasp (USA). Longueur de 257 m ; déplacement en charge de 36 740 t

lourd » désigne la charge qu'un navire peut transporter et inclut la cargaison et l'équipage. Mis au rebut en 2010, le *Seawise Giant* est devenu le **plus gros navire mis au rebut**, sur le chantier de démantèlement d'Alang (Inde).

Épaves

Le 12 décembre 1979, le navire VLCC (Very large Crude Carrier) *Energy Determination*, doté d'un port en lourd de 321 186 t, a explosé et s'est cassé en deux dans le détroit d'Ormuz (golfe Persique). Sa valeur à vide était de 58 millions $.

L'**épave la plus précieuse** a été découverte par le chasseur de trésor Mel Fisher (USA) au large de la côte de Key West (Floride, USA), le 20 juillet 1985. Le navire *Nuestra Señora de Atocha* transportait 40 t d'or et d'argent et près de 31,75 kg d'émeraudes lorsqu'il a essuyé un ouragan en septembre 1622. Seuls 5 des 265 passagers ont survécu.

Le plus gros navire poseur de conduites

Le MV *Solitaire* a un poids en charge de 127 435 t. Construit en 1972, cet ancien cargo a été transformé en navire de pose de conduites en 1998. Le *Solitaire* mesure 300 m de long (397 m avec son dispositif de pose de conduites), son maître-bau atteint 40,6 m et il peut transporter 22 000 t de conduites qu'il peut poser au rythme de 9 km par jour.

Le plus gros navire de croisière

Le MS *Allure of the Seas* mesure 362 m de long, 66 m de large et son tonnage brut (volume de ses espaces fermés) est de 225 282. Il s'élève à 65 m au-dessus de sa ligne de flottaison.

L'*Allure of the Seas* inclut 16 ponts de passagers et peut accueillir 6 318 personnes. Sa vitesse maximale est de 22 nœuds (40,7 km/h). La photographie ci-contre en haut montre la galerie marchande extérieure et les suites ; celle ci-contre en bas dévoile la promenade du bateau. Le navire abrite un spa, un glacier et une discothèque.

LES PLUS LONGS...

Porte-conteneurs

Long de 397 m, doté d'un maître-bau de 56 m et d'un creux de 30 m du bas du pont à la quille, le MV *Emma Maersk* est le plus gros navire porte-conteneurs. Son équipage compte 30 personnes et sa vitesse est supérieure à 25 nœuds (47,2 km/h). Il peut transporter plus de 11 000 conteneurs.

Porte-avions

Mis en service en 1961 et utilisé jusqu'en 2012, l'USS *Enterprise* (CVN-65) mesure 342 m, mais son déplacement est inférieur à celui des porte-avions de classe Nimitz, ultérieurs. L'*Entreprise* est unique. Il était prévu d'en construire un 5e exemplaire mais cela n'a pas été le cas. Il pouvait transporter 5 828 personnes, équipage inclus, et environ 60 avions, 90 au maximum. Il s'agissait aussi du **1er porte-avions à propulsion nucléaire**.

Paquebot

Le SS *Norway*, dont le tonnage brut est de 76 049, mesure 315,53 m et peut accueillir 2 032 passagers et 900 membres d'équipage. Baptisé *France* et construit en 1960, il a été rebaptisé après son acquisition par Knut Kloster (Norvège) en juin 1979. Le *Norway*, basé à Miami (Floride, USA), est utilisé pour des croisières aux Caraïbes.

Voilier

Identiques, *Club Med 1* et *2* mesurent 187 m chacun. Ils comptent 5 mâts en aluminium, 2 800 m² de voiles en polyester commandées électroniquement, et peuvent accueillir 400 passagers. Dotés d'une surface de voilure assez réduite et de moteurs puissants, ce sont des voiliers à moteur sur le plan technique.

Sous-marin : Classe 941 Akula (Russie). Dénomination OTAN : « Typhoon » Longueur de 171,5 m ; déplacement en plongée de 26 500 t

Sous-marin d'attaque : Classe Oscar II (ex-URSS). Longueur de 154 m ; déplacement en charge de 16 600 t

Véhicule à effet de sol* : « monstre de la mer Caspienne » (ex-URSS). Longueur de 106 m ; envergure de 40 m ; masse de 540 t

*véhicule dont les ailes sont proches du sol ou de l'eau en vol

Aéroglisseur : Classe Zubr (Russie). Dénomination OTAN : « Pomornik ». Longueur de 57 m ; maître-bau de 22,3 m ; déplacement en charge de 535 t

Hydroptère : *Aleksandr Kuhanovich* (URSS). Dénomination OTAN : *Babochka*. Déplacement en charge de plus de 400 t

SCIENCE ET TECHNOLOGIE

Dossier :

UN MONSTRE COLOSSAL

Fanny – ou *Tradinno* (mot-valise composé de « tradition » et « innovation ») – est un dragon de 11 t actionné par un moteur turbo diesel de 2 l et 140 chevaux !

Le plus grand robot mobile

Mesurant 15,72 m de long, 12,33 m de large et 8,20 m de haut, le plus gros robot à quatre pattes capable de marcher a été créé par Zollner Elektronik AG (Allemagne), à Zandt (Allemagne), le 27 septembre 2012. L'imposant animal issu de la mécatronique – en photo ci-dessous sans son habillage d'écailles – est radiocommandé et a été conçu pour apparaître dans la plus ancienne pièce de théâtre populaire d'Allemagne !

MISSION VERS MARS

Le plus gros rover martien : à la découverte de la « planète rouge »

Curiosity est le 4e rover à s'être posé sur Mars après les rovers de la NASA *Sojourner* (1997), *Spirit* et *Opportunity* (tous deux en 2004). Mesurant 3 m de long et pesant 899 kg, *Curiosity* a la taille d'une petite voiture et près de deux fois celle des rovers précédents. Il peut parcourir 200 m par jour sur le terrain accidenté de Mars. Il a atterri dans le cratère de Gale le 6 août 2012 – un lieu choisi par les scientifiques parce qu'il paraissait propice à la découverte de vestiges du passé de la planète rouge, sur laquelle la vie a peut-être existé.

6 144 Nombre de longueurs d'onde d'ultra-violets, de lumière visible et d'infrarouges pouvant être enregistrées.

« Sept minutes de terreur »

C'est ainsi que les scientifiques de la NASA ont baptisé l'atterrissage audacieux de *Curiosity*, lequel appliquait de nouvelles techniques d'exploration. Le vaisseau a utilisé son bouclier thermique afin de ralentir en pénétrant dans l'atmosphère martienne. Après avoir déployé un parachute pour freiner davantage, le vaisseau l'a abandonné, a mis en marche les rétrofusées et descendu le rover avec un câble. Une fois le rover déposé sur Mars, le lien reliant le vaisseau au rover a été coupé et le vaisseau s'est éloigné sur le côté avant de s'écraser, pour éviter de heurter le rover.

PHOTO DE FORAGE

La photo représente le 1er forage sur Mars pour un échantillonnage : il mesure 1,6 cm de diamètre et 6,4 cm de profondeur.

Le viseur laser de *Curiosity*

Doté d'une caméra MastCam située sur le mât du rover, le ChemCam dispose d'un laser infrarouge de 1 067 nanomètres capable de faire fusionner de petits morceaux de roche jusqu'à 7 m du rover. Un plasma se forme alors, qui est analysé en fonction des spectres lumineux émis.

INFO

Existe-t-il une malédiction martienne ? Sur les 40 missions organisées vers Mars depuis 1960, 22 ont échoué. Il existerait une « grande goule galactique », un monstre mythique qui dévorerait les sondes. Aucune autre planète n'a fait l'objet d'autant d'essais ratés *(voir liste ci-dessous)*.

ÉCHECS DES MISSIONS MARTIENNES

À ce jour, le nombre de missions d'exploration de Mars réussies est de 16 pour la NASA (2 étant partiellement réussies). Voici certains des échecs :

SONDE	ORIGINE	DATE DE LANCEMENT	QUE S'EST-IL PRODUIT ?
Phobos-Grunt	Russie	8 novembre 2011	Les propulseurs ne se sont pas allumés ; resté en orbite terrestre.
Beagle 2	Europe	2 juin 2003	Transporté sur Mars par *Mars Express* mais perte à l'atterrissage.
Mars Polar Lander	USA	3 janvier 1999	Contact perdu à l'arrivée sur Mars.
Mars Climate Orbiter	USA	11 décembre 1998	S'est écrasé sur Mars au lieu de se placer sur orbite à cause d'une confusion entre les unités impériales et métriques ; a coûté 327,6 millions $, ce qui en fait l'**erreur de conversion la plus chère** de tous les temps.
Nozomi	Japon	4 juillet 1998	N'a pu se placer sur orbite martienne.
Mars '96	Russie	16 novembre 1996	Panne du moteur sur orbite terrestre.
Mars Observer	USA	25 septembre 1992	Contact perdu trois jours avant l'arrivée sur Mars.
Phobos 1 et *2*	URSS	7 et 12 juillet 1988	Contact perdu avec les deux atterrisseurs et orbiteurs.
Mars 3	URSS	28 mai 1971	L'atterrisseur n'a fonctionné que 20 s en surface avant la perte de contact.
Zond 2	URSS	30 novembre 1964	Survol réussi de Mars mais absence de donnée transmise sur Terre à cause d'une défaillance radio.
Mariner 3	USA	5 novembre 1964	Échec de la mission de survol après dysfonctionnement au lancement ; resté sur orbite solaire.
Mars 1	URSS	1er novembre 1962	61 jours de transmissions radio durant le survol avant dysfonctionnement du dispositif d'orientation de l'antenne.
Mars 1M N°.1 et *N°.2*	URSS	10 et 14 octobre 1960	Les deux sondes ont subi des pannes de commande et n'ont atteint que 120 km d'altitude avant d'être détruites.

Les strates du mont Sharp

L'Aeolis Mons (ou mont Sharp) est le sommet central du cratère Gale. S'élevant à 5 500 m au-dessus du fond du cratère, cette montagne est la destination finale de *Curiosity*. Le panorama filmé par la Mast Camera (MastCam) montre les couches horizontales de la montagne. La petite photographie est un gros plan d'un morceau de roche cassé dont une partie est blanc bleuté.

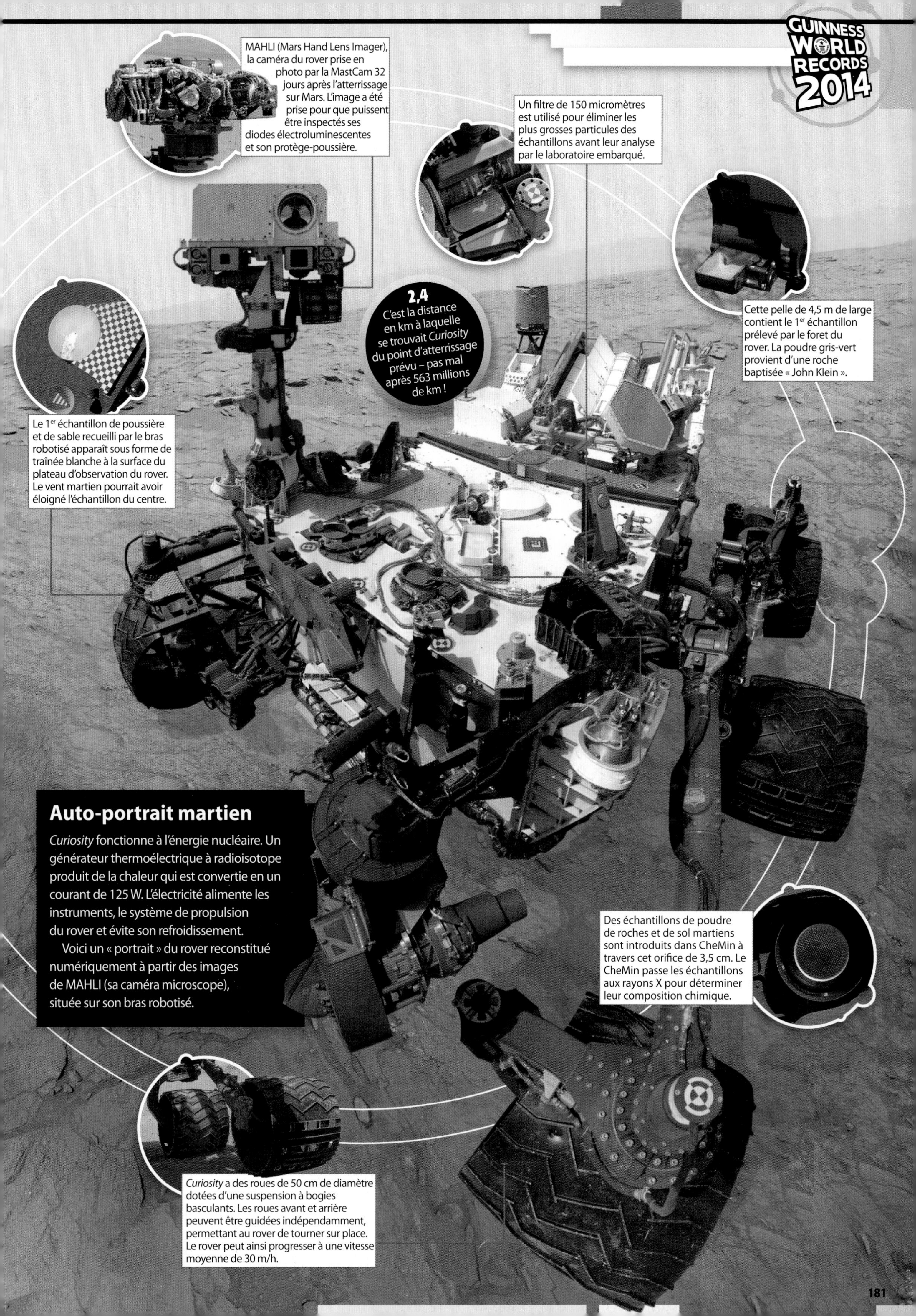

MAHLI (Mars Hand Lens Imager), la caméra du rover prise en photo par la MastCam 32 jours après l'atterrissage sur Mars. L'image a été prise pour que puissent être inspectés ses diodes électroluminescentes et son protège-poussière.

Un filtre de 150 micromètres est utilisé pour éliminer les plus grosses particules des échantillons avant leur analyse par le laboratoire embarqué.

2,4 C'est la distance en km à laquelle se trouvait *Curiosity* du point d'atterrissage prévu – pas mal après 563 millions de km !

Cette pelle de 4,5 m de large contient le 1er échantillon prélevé par le foret du rover. La poudre gris-vert provient d'une roche baptisée « John Klein ».

Le 1er échantillon de poussière et de sable recueilli par le bras robotisé apparaît sous forme de traînée blanche à la surface du plateau d'observation du rover. Le vent martien pourrait avoir éloigné l'échantillon du centre.

Auto-portrait martien

Curiosity fonctionne à l'énergie nucléaire. Un générateur thermoélectrique à radioisotope produit de la chaleur qui est convertie en un courant de 125 W. L'électricité alimente les instruments, le système de propulsion du rover et évite son refroidissement.

Voici un « portrait » du rover reconstitué numériquement à partir des images de MAHLI (sa caméra microscope), située sur son bras robotisé.

Des échantillons de poudre de roches et de sol martiens sont introduits dans CheMin à travers cet orifice de 3,5 cm. Le CheMin passe les échantillons aux rayons X pour déterminer leur composition chimique.

Curiosity a des roues de 50 cm de diamètre dotées d'une suspension à bogies basculants. Les roues avant et arrière peuvent être guidées indépendamment, permettant au rover de tourner sur place. Le rover peut ainsi progresser à une vitesse moyenne de 30 m/h.

TÉLESCOPES SPATIAUX

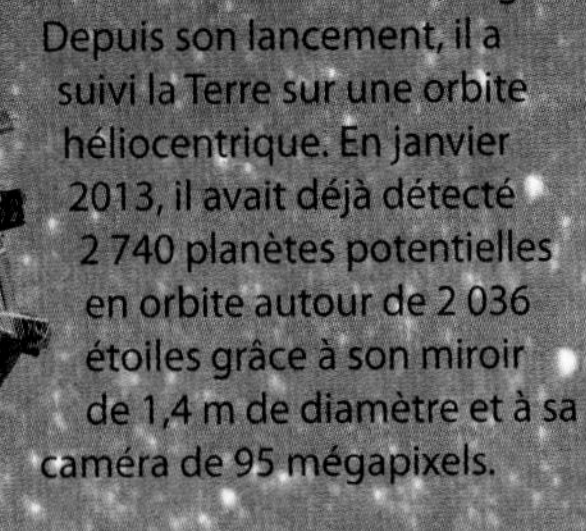

Le plus gros télescope à infrarouge

L'observatoire spatial *Herschel* de l'Agence spatiale européenne (ESA) a été lancé le 14 mai 2009. Il mesure 7,5 x 4 m et sa masse au lancement était de 3 400 kg. Son réflecteur de 3,5 m est le **plus grand miroir lancé dans l'espace**. Situé à environ 1,5 million de km de la Terre, *Herschel* a effectué des observations dans les domaines des longueurs d'ondes submillimétriques et de l'infrarouge lointain. Son domaine spectral permet à *Herschel* de voir à travers les nuages de poussière qui masquent le centre des galaxies et les régions de formation des étoiles.

La 1re détection d'explosions cosmiques de rayons gamma

Les satellites *Vela* ont été conçus par les États-Unis afin de détecter tout essai nucléaire allant à l'encontre du Traité d'interdiction de 1963. Le 2 juillet 1967, *Vela 3* et *4* ont détecté une explosion de rayons gamma qui ne correspondait à aucun essai connu. Les satellites n'avaient certes pas été conçus pour être des instruments astronomiques, mais ils avaient détecté des explosions de rayons gamma aujourd'hui attribuées à des supernovae. Cette découverte est restée secrète jusqu'en 1973.

Le plus de comètes découvertes par un vaisseau spatial

Le vaisseau spatial *SOHO* (Solar and Heliospheric Observatory) commun à l'ESA et à la NASA a été lancé en décembre 1995 pour étudier le Soleil depuis L1 – zone entre le Soleil et la Terre où la gravitation exercée par les deux corps célestes s'équilibre. Depuis octobre 2012, *SOHO* a découvert de façon purement fortuite 2 378 comètes.

Le plus gros télescope spatial détecteur de planètes

Le télescope *Kepler* de la NASA a été lancé le 7 mars 2009 à l'aide d'une fusée *Delta II* depuis le cap Canaveral (USA). Le vaisseau mesure 2,7 x 4,7 m et sa masse au lancement est de 1052,4 kg. Depuis son lancement, il a suivi la Terre sur une orbite héliocentrique. En janvier 2013, il avait déjà détecté 2 740 planètes potentielles en orbite autour de 2 036 étoiles grâce à son miroir de 1,4 m de diamètre et à sa caméra de 95 mégapixels.

L'exposition la plus forte pour une photo prise par *Hubble*

Le champ profond de *Hubble* correspond à une photographie composite publiée le 25 septembre 2012. La photo réunit les images prises durant une décennie d'une petite portion du ciel dans la constellation du Fourneau, pour un total de plus de 2 millions de secondes d'exposition. On peut y voir près de 5500 galaxies.

Le plus de missions habitées vers un télescope spatial

Le télescope spatial *Hubble* est le seul observatoire spatial conçu pour être récupéré par les astronautes qui l'entretiennent. La première mission, baptisée STS-61, destinée à corriger un défaut du miroir principal, a eu lieu en décembre 1993. Quatre autres missions de la navette américaine à destination d'*Hubble* ont eu lieu en février 1997, décembre 1999, mars 2002 et mai 2009.

Le 1er observatoire lunaire

Apollo 16, l'avant-dernière mission lunaire, a effectué un séjour de trois jours près du cratère Descartes à compter du 21 avril 1972. Parmi les expériences menées, des mesures ont été prises avec une caméra-spectrographe à ultraviolet lointain. Cette caméra équipée d'un télescope de 7,6 cm fournissait des images de la Terre, de nébuleuses et d'amas d'étoiles. Pour éviter une surchauffe, elle se trouvait à l'ombre du module lunaire.

DANS L'HISTOIRE

Télescope spatial *Hubble* : doté d'un miroir de 2,4 m. Lancement : 24 avril 1990 à bord de la navette américaine. Déploiement : 25 avril 1990.

Télescope à rayons X *Chandra X* : il inclut une caméra à haute résolution (HRC) ; un spectromètre imageur à capteurs CCD (ACIS) ; des spectromètres de diffraction basse et haute énergie (LETG et HETG respectivement). Lancement : 23 juillet 1999.

Télescope *XMM-Newton* : équipé de trois télescopes à rayons X. Lancement : 10 décembre 1999 par une fusée *Ariane 5*.

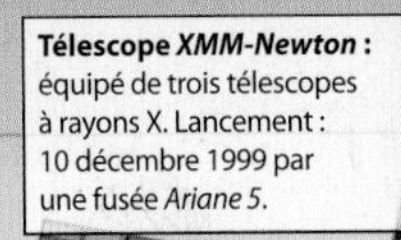

Observatoire de rayons gamma *Integral* : il inclut un détecteur de rayons X, une caméra, un spectromètre de rayons gamma et un imageur à rayons gamma. Lancement : 17 octobre 2002.

Télescope spatial à rayons gamma *Fermi* : il comprend un détecteur de sursauts gamma et un télescope qui scanne le ciel. Lancement : 11 juin 2008.

Le télescope le plus froid

Le satellite *Planck* de l'ESA est un observatoire spatial destiné à étudier le rayonnement micro-onde du fond diffus du cosmos. Pour détecter ce rayonnement infime, écho de la première lumière émise peu après le Big Bang, les instruments du télescope doivent être très froids. Lancé le 14 mai 2009, *Planck* possède un système de refroidissement actif et un bouclier qui le protège du Soleil afin d'atteindre la température de – 273,05 °C, soit un dixième de degré au-dessus du zéro absolu.

INFO

Les 18 segments du miroir du *James Webb* sont faits de béryllium plaqué or ($_4$Be), un élément assez rare. Ces miroirs combinés ont une surface plus de cinq fois et demie supérieure à celle de *Hubble*.

Le corps céleste le plus proche photographié par *Hubble*

Le 16 avril 1999, des astronomes ont retransmis la première image de la Lune prise par *Hubble*. L'image a été prise grâce au spectrographe du télescope qui enregistrait les couleurs de la lumière du Soleil reflétée par la Lune. L'image est un gros plan du cratère de Copernic et montre des détails de 85 m d'envergure. La Lune, corps céleste le plus proche de nous, est située à 384 400 km de la Terre.

Hubble, le **plus gros télescope spatial**, pèse 11 t, mesure 13,1 m de long et possède un réflecteur de 2,4 m de diamètre. Du fait de son coût de 2,1 milliards $, il est aussi le **plus cher des télescopes**.

Le télescope spatial à rayons X le plus puissant

Placé en orbite en juillet 1999, le télescope à rayons X *Chandra* est doté d'une résolution qui lui permettrait de lire un panneau STOP à 19 km. Cette sensibilité s'explique par la dimension et la régularité de ses miroirs. Si l'État du Colorado avait une surface aussi régulière que les miroirs du *Chandra*, le pic Pikes, qui culmine à 4 299 m, n'atteindrait plus que 2,2 cm.

Pesant 22 753 kg, *Chandra* détient aussi le record de **charge utile la plus lourde lancée par la navette spatiale américaine**.

Le plus gros radiotélescope spatial

Le 18 juillet 2011, *Spektr-R* a été lancé depuis le cosmodrome de Baïkonour, au Kazakhstan, par la Russie. Le radiotélescope fonctionne en tandem avec des radiotélescopes au sol grâce à l'interférométrie. Dans l'espace, il a déployé une antenne de 10 m de diamètre faite de 27 « pétales » en carbone.

Le plus gros miroir spatial en construction

Le télescope spatial *James Webb* de la NASA doit succéder à *Hubble*. Son miroir principal sera composé de 18 miroirs hexagonaux offrant un diamètre combiné de 6,5 m et une surface de capture de la lumière de 25 m².

PLUS D'INFOS SUR LES LUNES P. 186

***Granat* (auparavant baptisé *Astron 2*) :** il incluait un télescope à rayons gamma, un télescope à rayons X et un spectroscope. Lancement : 12 janvier 1989. Fin des transmissions : 27 novembre 1998.

Télescope *Herschel* (autrefois appelé *FIRST*) : il est doté d'un miroir de 3,5 m de diamètre. Lancement : 14 mai 2009.

Télescope *Planck* : de 1,5 m de diamètre, il est équipé d'un instrument basse fréquence (LFI) et d'un instrument haute fréquence (HFI). Lancement : 14 mai 2009.

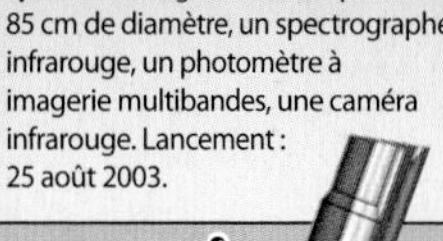

Télescope spatial infrarouge *Spitzer* : il intègre un télescope de 85 cm de diamètre, un spectrographe infrarouge, un photomètre à imagerie multibandes, une caméra infrarouge. Lancement : 25 août 2003.

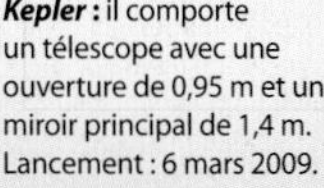

Télescope spatial *Kepler* : il comporte un télescope avec une ouverture de 0,95 m et un miroir principal de 1,4 m. Lancement : 6 mars 2009.

= Taille d'un astronaute par rapport à celle de chaque télescope.

ESPACE ET COMMERCE

LE REP… ÉTERN… DANS L'ES…
La société Ce… (USA) orga… des funérail… dans l'espa… depuis 199…

30 000 000 C'est la récompense en dollars allouée au concours Google Lunar X Prize.

La dotation la plus élevée du X Prize

Le 13 septembre 2007, Google et la fondation X Prize ont annoncé la création du Google Lunar X Prize, un concours destiné à explorer la Lune avec des fonds privés. Parmi les différentes récompenses, la plus importante – 20 millions $ – sera attribuée à la 1re équipe financée à titre privée qui construira un robot capable d'alunir et parcourir 500 m. Les récompenses expirent fin 2015, ou au moment où elles seront remportées.

Le 1er astronaute commercial

Après un 1er vol spatial sur le *SpaceShipOne* de Scaled Composites (USA) le 21 juin 2004, son pilote, Mike Melvill (USA), s'est vu remettre le 1er badge d'astronaute commercial de l'US Federal Aviation Administration.

En février 2013, la seule autre personne à avoir reçu le badge d'astronaute commercial était Brian Binnie (USA), qui a volé sur le *SpaceShipOne* le 4 octobre 2004. (*Voir « Tourisme spatial » ci-dessous.*)

La 1re publicité filmée dans l'espace

Une publicité pour le lait Tnuva montrait le cosmonaute Vasily Tsibliyev (Russie) en train de boire du lait à bord de la station *Mir*. La publicité a été diffusée le 22 août 1997. C'est à cette occasion que du lait sous forme liquide a été pour la 1re fois envoyé dans l'espace.

Le satellite commercial le plus lourd

Le *TerreStar-1*, doté d'une masse au lancement de 6 903,8 kg, en incluant le propulseur, est le satellite commercial le plus lourd. Construit par Space Systems/Loral (USA), il est exploité par Dish Network Corporation (USA). Il a été lancé le 1er juillet 2009 par Arianespace avec le lanceur Ariane 5 ECA et il est resté en service environ 15 ans.

Le satellite de communication à la plus forte capacité

Le satellite de communication *ViaSat-1* a un débit (quantité d'informations qu'un système peut traiter sur une période donnée) de 134 Gbit/s (gigabits par seconde). Lancé du cosmodrome de Baïkonour (Kazakhstan), le 19 octobre 2011, à bord de l'étage Breeze d'un lanceur Proton M, le satellite se trouve en orbite géostationnaire au-dessus de l'Amérique du Nord, à une longitude de 115,1° O.

Le plus gros système de positionnement par satellite

Les systèmes de positionnement par satellite se composent d'un ensemble

Le plus gros habitat spatial gonflable

Genesis I et *Genesis II* (*à droite, en orbite*) sont des structures gonflables non habitées destinées à étudier les futurs modules spatiaux habités. Les deux modules mesurent 4,4 m de long, 2,54 m de diamètre et ont un volume intérieur pressurisé de 11,5 m³. *Genesis I* et *II* ont été lancés respectivement les 12 juillet 2006 et 28 juin 2007.

INFO

Fondée en novembre 2010, Arkyd Astronautics est une filiale de Planetary Resources Inc. (USA) présentée le 24 avril 2012 lors d'une conférence de presse au musée de l'Aviation de Seattle (Washington, USA). Planetary Resources Inc. exploite les ressources minérales des astéroïdes. Parmi ses investisseurs figurent le réalisateur James Cameron (Canada), le cofondateur de Google Larry Page (USA) et l'entrepreneur et touriste de l'espace Charles Simonyi (USA, né en Hongrie, *voir ci-dessous*).

Les plus grandes funérailles spatiales

Le 22 mai 2012, la mission Dragon C2 + a débuté par le lancement d'une fusée Falcon 9. Au second étage se trouvait une boîte contenant une partie des restes de la crémation de 308 personnes, notamment de l'astronaute Gordon Cooper (USA) et de l'acteur James Doohan (Canada), interprète de Scotty dans *Star Trek*.

LE TOURISME SPATIAL

La 1re civile dans l'espace : Valentina Tereshkova est aussi devenue la **1re femme dans l'espace** lorsqu'elle a participé à un vol orbital du *Vostok 6* du 16 au 19 juin 1963.

Le 1er civil dans l'espace : Konstantin Feoktistov (Russie) a effectué un vol spatial à bord du *Voskhod 1* du 12 au 13 octobre 1964.

Le 1er touriste spatial : l'homme d'affaires Dennis Tito (USA) a été le 1er touriste spatial. Son voyage a eu lieu du 28 avril au 6 mai 2001.

Le 1er vol spatial habité financé par des fonds privés : le 21 juin 2004, Mike Melvill (USA) a volé à bord du *SpaceShipOne* à une altitude de 100,12 km, décollant et atterrissant à l'aéroport de Mojave (Californie, USA).

L'altitude la plus élevée pour un astronaute commercial : le 4 octobre 2004, Brian Binnie (USA) a volé à 111,99 km d'altitude à bord du *SpaceShipOne* au-dessus du Mojave (Californie, USA). C'était le 3e et dernier vol spatial de l'avion.

La 1re charge utile commerciale lancée sur une navette spatiale

Le 11 novembre 1982, *Columbia* a emporté à son bord deux satellites de télécommunication commerciaux. Les satellites *SBS 3* et *Anik C3* appartenaient respectivement à Satellite Business Systems (USA) et Telesat Canada. La mission, STS-5, a eu lieu lors du 5e vol d'une navette spatiale américaine.

de satellites en orbite terrestre permettant de déterminer une position par triangulation – une méthode facilitant le calcul de la position d'un point par rapport à d'autres points connus. Le GPS américain inclut 31 satellites et le système russe GLONASS en emploie 24 placés sur des orbites, ce qui leur permet de couvrir 100 % de la planète. Le système chinois, BeiDou, compte 14 satellites et couvre l'Asie. À terme, il devrait inclure 35 satellites. Le système européen Galileo sera entièrement opérationnel en 2019, avec 30 satellites. Le GPS et le GLONASS sont devenus entièrement opérationnels en 1994 et 1995.

Le plus de satellites artificiels actifs sur une même orbite

En décembre 2012, 1 046 satellites actifs et opérationnels étaient en orbite autour de la Terre. L'orbite terrestre basse est la région entourant la Terre jusqu'à 1 700 km d'altitude. Avec 503 satellites actifs et opérationnels, elle détient le record de satellites. L'orbite géosynchrone, à une altitude de 35 700 km, regroupe 432 satellites opérationnels et actifs.

La plus grande plate-forme de lancement spatiale en mer

La plate-forme de lancement *Odyssey*, qui appartient à Sea Launch (USA), est une aire de lancement de fusées autopropulsée et semi-submersible de 132,8 m de long et 67 m de large. Cette ancienne plate-forme pétrolière de la mer du Nord peut accueillir un équipage de 68 personnes et fait office d'installation de lancement de vols spatiaux commerciaux depuis son 1er lancement, en mars 1999.

400 C'est le nombre de transmissions (TV, téléphone...) de *Telstar 1* au cours des 6 premiers mois.

Le 1er satellite actif relayant directement les communications

Construit par Bell Telephone Laboratories (USA), *Telstar 1* a été lancé le 10 juillet 1962. Ce satellite sphérique de 87,6 cm de diamètre était équipé de cellules solaires et de batteries afin de relayer activement les communications intercontinentales sur Terre. Il a cessé de fonctionner le 21 février 1963.

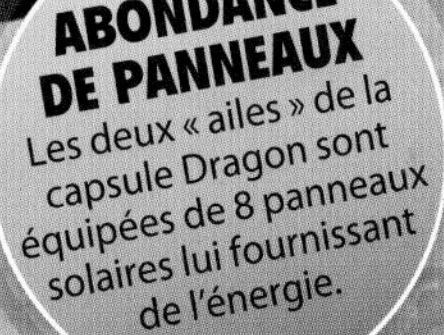

ABONDANCE DE PANNEAUX
Les deux « ailes » de la capsule Dragon sont équipées de 8 panneaux solaires lui fournissant de l'énergie.

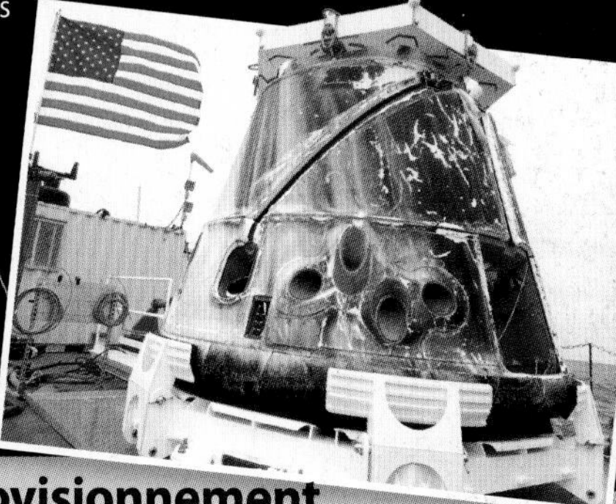

Le 1er approvisionnement de l'ISS par une société privée

Le 22 mai 2012, la société spatiale privée SpaceX (USA) a organisé la mission Dragon C2 + à destination de la Station spatiale internationale (ISS). Une capsule Dragon non habitée a donc été expédiée depuis Cap Canaveral (Floride, USA), à bord d'une fusée Falcon 9 pour rejoindre l'ISS. La capsule Dragon a été saisie par le bras robotisé de la station le 25 mai (*voir à gauche*). L'équipage de l'ISS a récupéré le chargement de la capsule et l'a remplie de matériel destiné à la Terre. Après avoir été amarrée 6 jours à l'ISS, la capsule s'est détachée et a amerri dans le Pacifique (*photo ci-dessus*).

La 1re touriste spatiale : le 18 septembre 2006, Anousheh Ansari (Iran) est partie à bord de la capsule *Soyouz TMA 9* pour un voyage de 10 jours à destination de l'ISS.

Le plus de voyages dans l'espace pour un touriste : Charles Simonyi (USA, né en Hongrie) a fait son 1er voyage spatial le 7 avril 2007. À 60 ans, il a fait un 2e voyage le 26 mars 2009. Il a à chaque fois rejoint l'ISS.

Le voyage touristique le plus cher : depuis 2009, se rendre sur l'ISS coûte de 20 à 35 millions $. Depuis 2001, 7 personnes, dont Guy Laliberté (Canada), le fondateur du Cirque du Soleil (*ci-dessous, 2e à partir de la gauche au 1er rang*), ont fait le voyage.

Le 1er avion spatial commercial : *SpaceShipTwo* a effectué son 1er vol le 23 mars 2010. La société Virgin Galactic de Richard Branson (RU) a l'intention d'utiliser ce type d'appareils pour emmener des touristes aux confins de l'atmosphère terrestre.

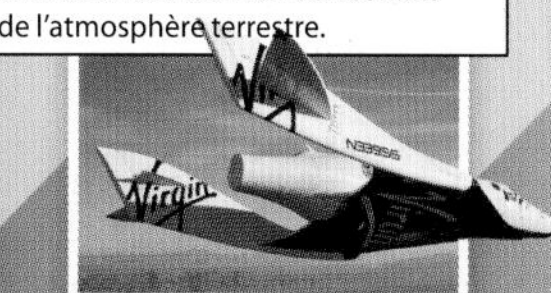

Le 1er spatioport construit à des fins commerciales : situé au Nouveau-Mexique (USA) et inauguré en octobre 2011, Spaceport America a été construit pour faciliter les voyages commerciaux dans l'espace, y compris touristiques. Douze lancements y ont été effectués depuis août 2012.

LUNES

La plus grande lune comparée à sa planète

La Lune mesure 3 474 m de diamètre, ce qui équivaut à 0,27 fois le diamètre de la Terre. Il s'agit de la plus grande des trois lunes du système solaire et du seul astre sur lequel l'Homme s'est rendu. De la Terre, une seule de ses faces est visible : l'autre n'est jamais tournée vers nous.

Planète naine comptant le plus de lunes

Pluton, considérée comme une planète naine et non plus comme une vraie planète depuis 2006, compte 5 lunes. Charon a été découverte en 1978, Nix et Hydra en 2005 et deux autres en 2011 et 2012, baptisées S/2011 P 1 et S/2012 P 1. Charon est souvent considérée comme formant une planète naine double avec Pluton.

Lune la plus proche d'une planète

Le satellite martien Phobos est situé à 9 378 km du centre de Mars, et à 5 981 km de sa surface.

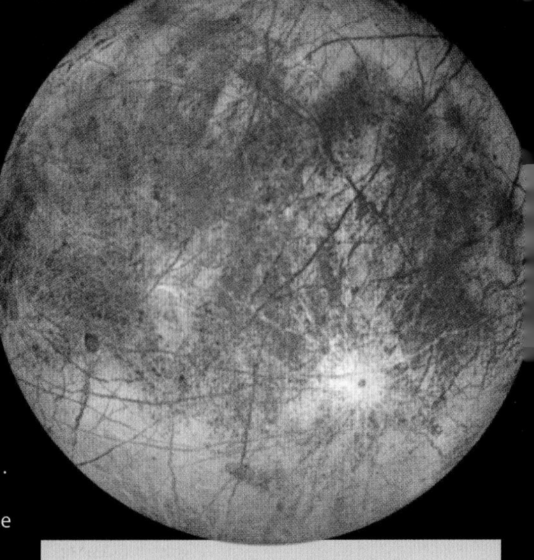

La surface la plus lisse du système solaire

La vaste lune glacée de Jupiter, Europa, est le corps solide du système solaire doté de la surface la plus lisse. Le seul relief notable à sa surface est constitué par des crêtes de quelques centaines de mètres de haut.

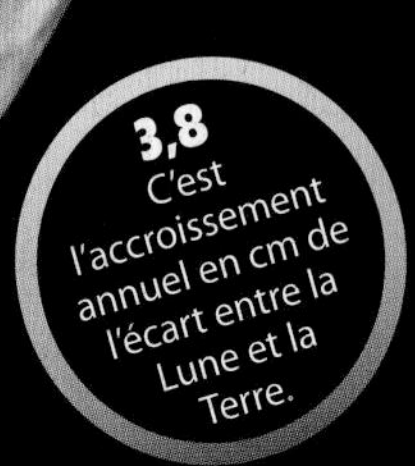

Planète ayant le plus de lunes

En 2013, le nombre de satellites naturels de Jupiter découverts à ce jour est de 67. Saturne est la seconde planète par son nombre de lunes, soit 62. La Terre, Mars, Uranus, Neptune et Pluton (une planète naine) ont respectivement 1, 2, 27, 13 et 5 lunes.

La plupart des lunes jupitériennes et saturniennes sont de petits corps célestes composés de glace et de roche, et sont généralement des astéroïdes capturés.

Premières images de la Lune

Les premières images de la surface de la Lune ont été prises par la sonde soviétique *Luna 9* (*à droite*). Lancée le 31 janvier 1966, la petite sonde a aluni le 3 février et transmis des données jusqu'au 7 février.

Premiers hommes sur la Lune

Neil Alden Armstrong (USA, *ci-dessus*), commandant de la mission Apollo 11, est le premier homme à avoir posé le pied sur la Lune, sur la mer de la Tranquillité, à 02:56:15 GMT (heure moyenne de Greenwich) le 21 juillet 1969 (22:56:15 à l'heure de l'Est (EDT) le 20 juillet 1969). Le colonel Edwin Eugene « Buzz » Aldrin (USA, *à droite*) est sorti après lui du module lunaire *Eagle*. Seules dix autres personnes ont marché sur la Lune : leur liste figure ci-dessous.

Lune la plus éloignée d'une planète

Neso, la treizième lune de Neptune, a été observée le 14 août 2002 et identifiée en tant que lune de Neptune en 2003. Elle tourne autour de la planète à une distance moyenne de 48 370 000 km, et parcourt son orbite en 25,66 ans. Son diamètre est d'environ 60 km.

Le cratère le plus profond du système solaire

Le cratère Aitken, au pôle Sud de la Lune, sur sa face cachée, mesure 2 250 km de diamètre et sa profondeur est en moyenne de 12 000 m. En comparaison, Londres mesure environ 56 km d'est en ouest – soit 40 fois moins – et l'Everest, la **plus haute montagne du monde**, pourrait entrer dans le cratère tout en laissant une marge de 3 000 m.

LES AUTRES HOMMES SUR LA LUNE*

1969

*Dates GMT
Tous de nationalité américaine

3. Pete Conrad : Apollo 12
A marché sur la Lune : 19-20 nov. 1969
Première sortie lunaire à : 39 ans 5 mois 17 jours

4. Alan Bean : Apollo 12
A marché sur la Lune : 19-20 nov. 1969
Première sortie lunaire à : 37 ans 8 mois 4 jours

5. Alan Shepard : Apollo 14
A marché sur la Lune : 5-6 fév. 1971
Première sortie lunaire à : 47 ans 2 mois 18 jours ; Shepard est devenu la personne la **plus âgée ayant marché sur la Lune**

6. Edgar Mitchell : Apollo 14
A marché sur la Lune : 5-6 fév. 1971
Première sortie lunaire à : 40 ans 4 mois 19 jours

7. David Scott : Apollo 15
A marché sur la Lune : 31 juil.-2 août 1971
Première sortie lunaire à : 39 ans 1 mois 25 jours

Les plus grands lacs extraterrestres

En janvier 2004, des images radar de la mission *Cassini* dirigée par la NASA et l'ESA ont révélé la présence d'environ 75 lacs de méthane liquide près du pôle Nord de Titan, la lune de Saturne. Titan abrite aussi **la plus grande mer de méthane**, la Kraken Mare, d'un diamètre de 1 170 m et d'une surface équivalente à celle de la mer Caspienne sur Terre (371 800 km²).

Le volcan le plus puissant du système solaire

Loki, un volcan actif situé sur Io, une lune de Jupiter, émet plus de chaleur que tous les volcans actifs de la Terre réunis. Son immense caldeira (cratère volcanique) mesure plus de 10 000 km² et est remplie de lave en fusion.

L'activité géologique la plus froide jamais observée

Des geysers actifs d'azote glacé s'élèvent à plusieurs kilomètres de haut au sein de la mince atmosphère de Triton, grande lune de Neptune. Les lacs composés d'eau de Triton, atteignant – 235 °C en surface, sont si gelés qu'ils sont durs comme de l'acier.

L'astre du système solaire doté de la plus forte activité volcanique

D'énormes éruptions, ou panaches volcaniques, ont lieu à la surface de Io, l'une des lunes de Jupiter. Cette activité est due aux forces marémotrices internes de Io, résultant d'interactions gravitationnelles entre Jupiter, Io et l'une des autres lunes, Europa.

Seules 6 planètes du système solaire ont des lunes. Voici les plus grosses lunes de chaque planète.

Lune (Terre)
En comparaison avec la Terre :
Rayon moyen : 0,2727
Masse : 0,0123
Volume : 0,020

Phobos (Mars)
En comparaison avec la Terre :
Rayon moyen : 0,0017
Masse : 0,0000000018
Volume : 0,000000005

Ganymède (Jupiter)
Plus grosse lune du Système solaire
En comparaison avec la Terre :
Rayon moyen : 0,413
Masse : 0,025
Volume : 0,0704

Titan (Saturne)
En comparaison avec la Terre :
Rayon moyen : 0,404
Masse : 0,0225
Volume : 0,066

Titania (Uranus)
En comparaison avec la Terre :
Rayon moyen : 0,1235
Masse : 0,00059
Volume : 0,0019

Triton (Neptune)

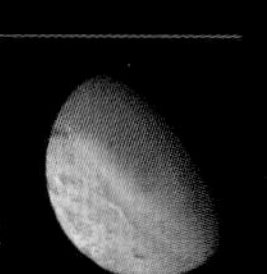

En comparaison avec la Terre :
Rayon moyen : 0,2122
Masse : 0,0036
Volume : 0,0096

La lune comptant le plus de cratères

La lune possédant le plus de cratères est Callisto, la plus éloignée des quatre grandes lunes de Jupiter. La surface de cet astre très ancien est à 100 % recouverte de cratères dus à des impacts. Callisto, dont le diamètre est de 4 800 km, a une dimension proche de celle de Mercure.

Les plus gros panaches de glace

Le cryovolcanisme désigne l'éruption de matières froides telles que l'azote, l'eau ou le méthane. Les deux sondes *Voyager* ont prouvé qu'Encelade, sixième lune de Saturne par la taille, présentait une activité cryovolcanique. En 2005, la sonde *Cassini* y a montré des images d'immenses éruptions d'eau glacée au-dessus de son pôle Sud, atteignant au moins le diamètre de l'astre, soit 505 km.

POUR INFO

Du 16 janvier au 23 juin 1973, le rover soviétique *Lunokhod 2* a parcouru 37 km le long de la rive est de la mer de la Sérénité sur la Lune. Il s'agit de la **plus grande distance parcourue sur un autre corps céleste**.

PREMIÈRES...

Découverte de la lune d'un astéroïde

En 1993, le vaisseau spatial *Galileo* de la NASA, en se dirigeant vers Jupiter, est passé devant l'astéroïde Ida. Les images en ont été examinées par des scientifiques qui ont montré le 17 février 1994 qu'Ida, dont l'axe le plus long mesure 53,6 km, possède un satellite naturel. Cette lune, baptisée Dactyl, nom issu des Dactyles de la mythologie grecque, mesure 1,6 x 1,4 x 1,2 km et parcourt son orbite en 20 h.

Découverte d'un volcan extraterrestre

Peu après le passage de *Voyager 1* près de Jupiter le 5 mars 1979, l'ingénieur Linda Morabito (USA, née au Canada) a découvert un croissant irrégulier dépassant de la lune Io en examinant des images. La protubérance a d'abord été considérée comme une autre lune, puis comme une partie de Io qui était en réalité un volcan. Linda Morabito avait découvert le premier volcan actif présent sur un autre astre que la Terre.

POUR LES RECORDS CONCERNANT LA TERRE, VOIR P. 12

1971

8. James Irwin : Apollo 15
A marché sur la Lune : 31 juil.-2 août 1971
Première sortie lunaire à : 41 ans 4 mois 14 jours

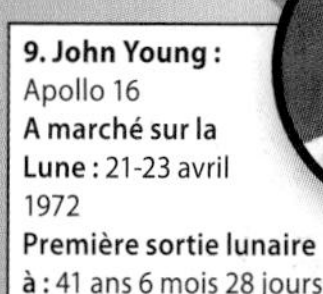

9. John Young : Apollo 16
A marché sur la Lune : 21-23 avril 1972
Première sortie lunaire à : 41 ans 6 mois 28 jours

10. Charles Duke : Apollo 16
A marché sur la Lune : 21-23 avril 1972
Première sortie lunaire à : 36 ans 6 mois 18 jours – c'est l'homme le **plus jeune à avoir marché sur la Lune**

1972

11. Eugene Cernan : Apollo 17
A marché sur la Lune : 11-14 déc. 1972
Première sortie lunaire à : 38 ans 9 mois 7 jours ; quoique 11ᵉ à sortir sur le sol lunaire, Cernan a été le **dernier homme à marcher sur la Lune**

12. Harrison Schmitt : Apollo 17
A marché sur la Lune : 11-14 déc. 1972
Première sortie lunaire à : 37 ans 5 mois 8 jours

ÉLECTRICITÉ

La 1re pile

Les piles parthiennes sont deux jarres d'argile trouvées en 1936 dans une tombe près de Bagdad (Iraq). Datant de 200 av. J.-C., les jarres étaient munies d'un bouchon en asphalte soutenant un tube en cuivre. Une tige de fer était insérée au centre du tube, sans être en contact avec lui. Un courant de 1,5 à 2 volts était produit en remplissant les jarres de liquides acides, tels que du vinaigre ou du jus de fruits, donnant les toutes premières piles.

La 1re centrale électrique

La 1re centrale électrique a été construite en 1878 par Sigmund Schuckert à Ettal, en Bavière (Allemagne). Utilisant 24 dynamos actionnées par un moteur à vapeur, la centrale privée fournissait l'électricité destinée à éclairer les jardins du palais du Linderhof.

La **1re centrale publique** était située au 57 Holborn Viaduct, à Londres (RU). Construite par la Edison Electric Light Station Company, elle avait été mise en service en janvier 1882 et permettait d'éclairer le viaduc de Holborn et des entreprises du quartier.

La plus grande bobine Tesla

Inventée par Nikola Tesla (USA, né en Serbie) vers 1891, la bobine Tesla permet de produire une électricité de faible intensité et à haute tension. Les bobines Tesla sont souvent utilisées dans les musées et les cours de science pour créer des éclairs. La plus grande bobine Tesla fonctionnelle compte deux bobines de 130 kW installées au sommet d'une sculpture de 12 m, dans la ferme Gibbs de Kaipara Harbour (Nouvelle-Zélande).

6 000 C'est le poids en tonnes de chacun des principaux générateurs.

La centrale hydroélectrique la plus puissante

Achevé le 4 juillet 2012, le barrage des Trois-Gorges du district de Yiling (Yichang, province du Hubei, Chine) a une capacité de production de 22 500 mégawatts. La centrale hydroélectrique située sur le Yangzi Jiang compte 32 générateurs principaux, doté chacun d'une capacité de production de 700 MW, et deux générateurs plus petits de 50 MW qui alimentent en électricité la centrale elle-même.

Le plus grand générateur Van de Graaff

Il se trouve au musée de la Science de Boston (USA) et s'est révélé autrefois très utile pour étudier l'atome. Fabriqué par le physicien Robert J. Van de Graaff (USA) dans les années 1930, il se compose de deux sphères soudées en aluminium de 4,5 m de diamètre reposant sur des colonnes de 6,7 m et peut générer 2 millions de volts.

HISTOIRE DE L'ÉLECTRICITÉ

1752

1752 : pour tester les propriétés électriques de l'éclair, Benjamin Franklin (USA) fait voler un cerf-volant pendant un orage. Celui-ci est touché par un éclair et Franklin capte son énergie.

1800

1800 : Alessandro Volta (Italie) invente la pile voltaïque, 1re pile produisant un courant constant et fiable.

1808

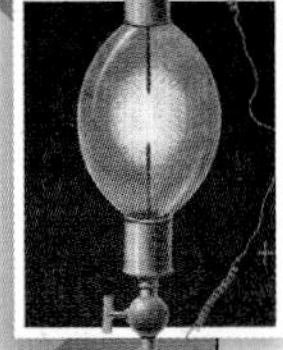

1808 : Humphry Davy (RU) invente la 1re lampe à arc fonctionnelle – un morceau de charbon illuminé en étant relié à une pile par des câbles.

1821

1821 : Michael Faraday (RU) invente le 1er moteur électrique.

1837

1837 : Thomas Davenport (USA) crée le moteur électrique industriel, aujourd'hui très utilisé.

La batterie la plus puissante

Dotée d'une puissance de 36 mégawatts-heure, la batterie la plus puissante est abritée dans un bâtiment spécifique plus vaste qu'un terrain de football. Fabriquée à Zhangbei (province du Hebei, Chine), elle régule et stocke l'énergie produite par des éoliennes locales de 100 MW et des panneaux photovoltaïques solaires de 40 MW pouvant alimenter 12 000 maisons pendant 1 h en cas de panne du réseau.

L'usine marémotrice la plus puissante

L'usine marémotrice du lac Sihwa (Corée du Sud) est entrée en service le 4 août 2011. S'appuyant sur une digue construite en 1994 pour contrôler le courant, le barrage compte 10 turbines submergées générant chacune 25,4 MW – donnant à la centrale une puissance de 254 MW.

Le courant électrique le plus intense de l'Univers

Les jets cosmiques correspondent à l'expulsion de matière ordinaire à une vitesse phénoménale depuis le centre de galaxies actives. Ils seraient alimentés par de vastes trous noirs : la matière serait comprimée en un petit volume jusqu'à emmagasiner assez d'énergie pour être projetée dans l'espace.

Des scientifiques de l'université de Toronto (Canada) ont découvert un courant de 1 000 000 000 000 000 000 ampères produit par un jet cosmique au sein de la galaxie 3C303 il y a plus de 2 milliards d'années. Le jet – qui aurait une longueur de 150 000 années-lumière – est probablement issu de champs magnétiques provenant d'un immense trou noir.

Sur la photo, 3C303 est figurée par une tache rouge à gauche. La flèche rouge indique la direction du jet.

La tension transmise la plus élevée

Pouvant transmettre une tension de 1150 kV, la ligne électrique d'Ekibastuz–Kokshetau (Kazakhstan) détient le plus haut niveau de tension. Construite à l'époque de l'Union soviétique et baptisée ligne 1101, elle mesure 432 km et est montée sur des pylônes d'une hauteur moyenne de 60 m.

LES PLUS LONGS...

Étincelle artificielle

Le générateur de Marx du SIBNIEE (Institut sibérien de recherche sur l'électricité) de Novosibirsk (Russie), délivrant une tension de plusieurs millions de volts, possède 896 condensateurs produisant 1,225 million de joules d'énergie par décharge. Cela donne naissance à un arc électrique franchissant un espace de 70 m et d'une longueur estimée à 150 m.

Circuit électrique humain

Le 2 juin 2010, le personnel et les élèves de l'école de Merrill Middle à Oshkosh (Wisconsin, USA) ont formé le circuit humain le plus long. Composé de 378 personnes, il était alimenté par une powerball basse tension.

Le plus grand pylône

Achevé en 2010, le pylône de Damaoshan soutient des câbles électriques reliant le mont Damaoshan (province du Zhejiang, Chine) aux îles de Zhoushan (Chine). Sa structure en treillis s'élève à 370 m, pèse 5 999 t et permet d'acheminer 600 000 kW par jour.

Le plus d'électricité produite par des vélos en 1 h

La plus grande quantité d'électricité produite par des cyclistes en 1 h est de 4 630 watts. Cette performance a été réalisée par Siemens (Australie et Nouvelle-Zélande), à Melbourne (Victoria, Australie), le 11 décembre 2012.

Ligne électrique

La ligne électrique de courant continu à haute tension la plus longue est celle du rio Madeira (Brésil). Elle s'étend sur 2 500 km entre Porto Velho et São Paulo et transporte de l'énergie hydroélectrique entre le barrage d'Itaipu et São Paulo en traversant de vastes zones de la forêt tropicale amazonienne.

La **plus longue construction d'une ligne électrique** a duré 9 ans. Le projet d'une ligne Inga-Shaba de courant continu à haute tension, qui a coûté près de 1 milliard $, a débuté en 1973 et s'est achevé en 1982. La ligne relie la centrale hydroélectrique d'Inga à la zone d'exploitation minière de Katanga – anciennement Shaba (République démocratique du Congo).

1844

1844 : Samuel Morse (USA) invente le télégraphe électrique qui peut transmettre des messages par câble sur de longues distances.

1878

1878 : Joseph Swan (RU) crée la 1re ampoule à incandescence (baptisée « lampe électrique »), qui brûle rapidement.

1879

1879 : après de nombreuses expériences, Thomas Edison (USA) met au point une ampoule à incandescence qui peut être utilisée 40 h sans brûler.

1948

1948 : le 1er téléphone est conçu par des scientifiques de Bell Telephone dans le New Jersey (USA).

1954

1954 : la centrale nucléaire APS-1 d'Obninsk (URSS, actuelle Russie) produit de l'électricité à usage commercial. C'est la **plus ancienne centrale nucléaire en activité**.

ÉLÉMENTS | POINTS DE FUSION | ISOTOPES | ALLOTROPES

TABLEAU PÉRIODIQUE

C'est élémentaire...

Le 6 mars 1869, le chimiste Dmitri Ivanovitch Mendeleïev (Russie) a présenté à la Société russe de chimie *La Dépendance entre les propriétés des masses atomiques des éléments* (*photo de droite*) : le **premier tableau périodique des éléments**. Celui-ci montrait que les éléments pouvaient être classés selon leur masse atomique (masse combinée des trois types de particules constituant l'atome – protons, neutrons, électrons). Il montrait aussi que les éléments pouvaient être groupés selon des propriétés similaires : les métaux avec les métaux, par exemple.

INFO

Dans ces pages, chaque élément est associé à son numéro atomique (nombre de protons du noyau de chaque atome de l'élément) et à son symbole chimique abrégé.

Radon $_{86}$Rn
Élément le plus dense restant gazeux à l'air libre

Le radon est le plus lourd des gaz nobles d'origine naturelle. Sa densité est d'environ 9,73 kg/m^3, soit environ huit fois celle de l'atmosphère terrestre au niveau de la mer (1,217 kg/m^3).

UNE IDÉE NOBLE
Les gaz dits nobles – néon, argon, xénon, radon, krypton et hélium – sont incolores, inodores et ont une faible réactivité chimique.

Lithium $_3$Li
Le métal le moins dense

À température ambiante, le lithium est le métal le moins dense, avec une masse de 0,5334 g/cm^3 – soit près de la moitié de la densité de l'eau. Associé à de l'aluminium ou du cuivre, il donne des alliages légers et résistants. Il est aussi employé dans la fabrication de piles.

Fer $_{26}$Fe
L'élément le plus présent sur Terre en termes de masse

Le fer représente 32,1 % de la masse de la Terre, le centre de celle-ci étant constitué de 88,8 % de fer (ce qui explique le puissant champ magnétique qu'elle émet).

Hydrogène $_1$H
Le premier élément du corps humain en nombre d'atomes

Combinés à l'oxygène sous forme d'eau (*molécule ci-dessous*), les atomes d'hydrogène constituent 63 % des atomes du corps. L'oxygène ($_8$O) est le **premier élément du corps humain en termes de masse**, car il en compose 65 %.

75 % C'est le taux d'hydrogène composant la masse de l'Univers.

Argent $_{47}$Ag
Élément doté de la meilleure conductivité électrique

À température ambiante, l'argent a une conductivité électrique de 6,29 x 10^7 S·m^{-1} (siemens par mètre – unité de mesure indiquant la facilité de circulation d'une charge électrique dans un matériau). Il permet de réaliser des bijoux, de la vaisselle ou de la monnaie, des contacts électriques ou des miroirs. En électricité, l'usage de fils de cuivre est cependant plus répandu, l'argent étant coûteux.

L'argent a aussi la **meilleure conductivité thermique**, soit 429 W·m^{-1}·K^{-1}. La conductivité thermique, exprimée en watts par mètre-kelvin, est la vitesse de transfert de la chaleur dans un élément.

LES 10 ÉLÉMENTS LES PLUS RÉPANDUS DANS L'UNIVERS

1. Hydrogène : utilisé dans l'industrie pétrolière, chimique et agro-alimentaire. Autrefois employé pour les dirigeables l'hélium est considéré comme plus sûr aujourd'hui.

2. Hélium : employé pour refroidir des réacteurs, pressuriser les réservoirs de fusées et gonfler les ballons.

3. Oxygène : utilisé comme oxydant dans le carburant de fusée, pour la soudure oxyacétylénique et la ventilation des malades.

4. Carbone : utilisé pour la lubrification, comme pigment, dans l'encre ; dans les crayons ; le diamant est un allotrope du carbone.

5. Néon $_{10}$NE : utilisé pour des publicités, dans les télés, les enseignes haute tension et comme réfrigérant.

Berkélium ${}_{97}$Bk
L'élément le plus rare sur Terre

On estime que la quantité de berkélium, élément radioactif, dans la croûte terrestre est de l'ordre de 10 à 50 atomes, ce qui en fait l'élément naturel le plus rare de la planète.

Osmium ${}_{76}$Os
L'élément naturel le plus dense

La densité de l'osmium est de 22,59 g/cm³, soit à peu près le double de celle du plomb (11,34 g/cm³). En raison de la nature toxique de l'osmium, celui-ci est rarement utilisé sous sa forme naturelle, mais plutôt dans des alliages.

Étain ${}_{50}$Sn
Le plus d'isotopes stables

Chaque élément du tableau présente des variations, ou isotopes. Les isotopes diffèrent de leur élément de base par le nombre de neutrons de leur noyau. Ils peuvent être stables ou instables et se désintègrent en émettant un rayonnement. L'étain a le plus d'isotopes stables : 10.

Polonium ${}_{84}$Po
L'élément le plus radioactif

Les échantillons de polonium ont souvent un éclat bleu, en raison du rayonnement ionisant intense des particules de gaz qui les entoure.
Le taux de désintégration du polonium est tel que même un petit échantillon peut atteindre 500 °C et émettre des radiations mortelles pour l'homme.

Hélium ${}_{2}$He
Le point de fusion le plus bas

L'hélium reste liquide au zéro absolu (0 K ou – 273,15 °C) sous pression atmosphérique. L'hélium solide, qui semble proche de l'hélium liquide (*ci-dessus, à droite*), peut être comprimé à 60 % de son volume solide – il est près de 100 fois plus compressible que l'eau.

Carbone ${}_{6}$C
Élément ayant le plus d'allotropes

Certains éléments ont des structures, des couleurs ou des propriétés chimiques variables. Leurs différentes formes sont appelées allotropes. Celles du carbone sont le graphite, le diamant (*à gauche*), le carbone amorphe, la lonsdaléite, le carbyne, les fullerènes et les nanotubes de carbone.

0,0005 C'est le pourcentage de l'hélium dans l'atmosphère terrestre.

Or ${}_{79}$Au
L'élément le plus malléable

La malléabilité d'un métal est sa capacité à être étiré ou finement martelé.
L'or est l'élément le plus malléable : il est possible de créer une feuille d'or d'une épaisseur de 0,0025 mm. L'or est souvent utilisé pour dorer des meubles ou la tranche d'un livre, ou encore en joaillerie.

UN BEL ÉCLAT Les filaments des ampoules sont souvent en tungstène, car celui-ci peut être chauffé sans fondre par un fort courant électrique.

Tungstène ${}_{74}$W
Le point de fusion le plus élevé

Le tungstène passe de l'état solide à l'état liquide à 3 410 °C. Le carbone est souvent décrit comme ayant un point de fusion plus élevé, soit 3 550 °C, mais il ne se liquéfie pas sous pression atmosphérique normale : il y a sublimation (passage direct à l'état gazeux).

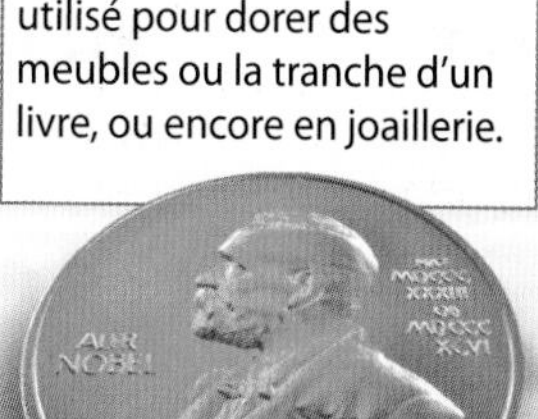

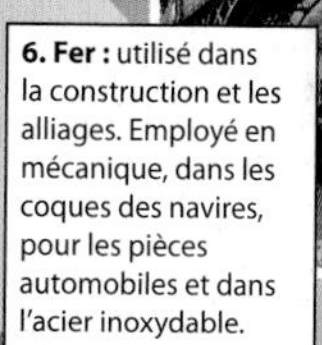

6. Fer : utilisé dans la construction et les alliages. Employé en mécanique, dans les coques des navires, pour les pièces automobiles et dans l'acier inoxydable.

7. Azote ${}_{7}$N : composant chimique de l'ammoniac et réfrigérant utilisé pour la congélation et le transport des aliments. Employé également pour gonfler les pneus des avions.

8. Silicium ${}_{14}$Si : présent dans les puces informatiques, les transistors et les appareils électroniques. Employé dans les briques et le béton.

9. Magnésium ${}_{12}$Mg : utilisé dans les feux d'artifices et les fusées éclairantes. Autrefois employé dans la photographie au flash. Utilisé dans les alliages.

10. Soufre ${}_{16}$S : employé pour la synthèse de l'acide sulfurique et pour produire des engrais ; comme acide pour batteries et pour fabriquer de la poudre à canon.

PHOTOGRAPHIE

Le plus long réseau de rivières extraterrestres photographié

En décembre 2012, le vaisseau spatial *Cassini* de la NASA a photographié un réseau de rivières de plus de 322 km de long sur Titan, la plus grande lune de Saturne. Titan est un univers de glace dépourvu d'eau liquide et sa rivière serait composée d'éthane et de méthane.

Les caméras les plus éloignées de la Terre

En janvier 2013, la sonde *Voyager 1* de la NASA se trouvait à 18,5 milliards de km de notre planète. Lancée en 1977, elle est dotée de deux caméras désignées collectivement sous le nom d'*Imaging Science System*.

Le plus long temps de pose photographique

Le temps de pose d'une photographie est d'une fraction de seconde : l'obturateur de l'appareil s'ouvre et se referme rapidement pour qu'une quantité soigneusement dosée de lumière atteigne la pellicule. Michael Wesely (Allemagne) a obtenu un temps de pose de 34 mois – près de trois ans. La photographie prise de cette manière de 2001 à 2003 montre sur une même image la démolition et la reconstruction du musée d'Art moderne de New York. Wesely emploie des filtres qui réduisent la quantité de lumière qui atteint la pellicule, ce qui permet à l'obturateur de rester ouvert extrêmement longtemps.

Le plus de flashs utilisés pour une photographie

Le 8 mai 2011, Jason Groupp (USA) a utilisé 300 flashs pour prendre une photo à Cincinnati (Ohio, USA).

La 1ère mise en scène photographique

Sur la photographie *La Noyade* (1840), Hippolyte Bayard (France), pionnier de la photographie, est penché sur le côté et semble mort. Or cette photographie est une mise en scène en guise de protestation. Bayard considérait ne pas avoir été reconnu comme l'inventeur de la photographie, titre attribué à Louis Jacques Mandé Daguerre (France) et William Henry Fox Talbot (RU).

La photographie la plus chère vendue aux enchères

Rhein II est une photographie du Rhin sous un ciel gris prise par Andreas Gursky (Allemagne). Elle a été vendue 4 338 500 $, prix incluant la prime de l'acheteur, au cours d'une vente aux enchères chez Christie's à New York (USA), le 8 novembre 2011.

Le plus petit objet photographié

En juillet 2012, des physiciens de la Griffith University (Australie) ont annoncé qu'ils avaient photographié un atome. Ils ont piégé un ion de l'élément ytterbium grâce à un champ électrique, puis éclairé l'ion et utilisé un microscope à très haute résolution pour obtenir une image de l'ombre qu'il projetait. L'image a été enregistrée sur un capteur CCD, sorte de pellicule électronique. Un ion d'ytterbium possède un diamètre d'environ 400 picomètres – soit 0,4 millionnième de millimètre !

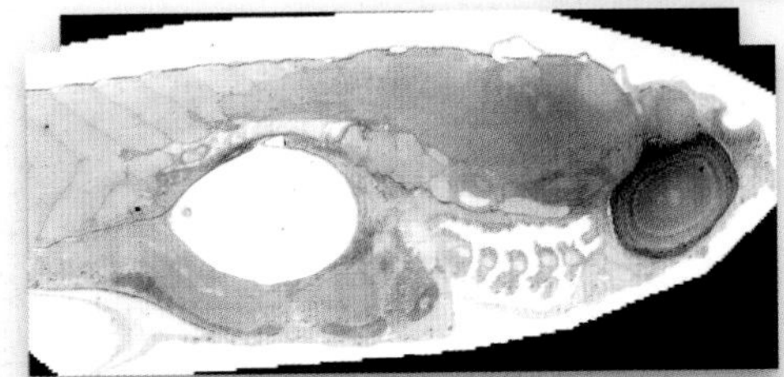

La plus grande image numérique

Une image numérique composite d'un fragment d'embryon de poisson zèbre de 1,5 mm totalisant 921 600 × 380 928 pixels (soit 351 063 244 800 pixels, correspondant à 281 gigapixels de données) a été assemblée à partir de 26 434 images de microscope électronique par Frank G. A. Faas, à l'université de Leyde (Pays-Bas), en décembre 2010.

L'appareil photo instantané le plus populaire

En 1947, Edwin Land (USA), créateur de la Polaroid Corporation, a mis au point un procédé de développement immédiat reposant sur le principe de transfert afin de reproduire l'image enregistrée par l'objectif de l'appareil sur une surface photosensible. Polaroid a cessé de produire les pellicules utilisées pour ce type d'appareils en 2008.

LES PLUS GRANDS...

Photographie

Le 18 décembre 2000, Shinichi Yamamoto (Japon) a imprimé une photographie de 145 m de long et de 35,6 cm de haut. Ce

La plus grande image panoramique

Une photographie de 320 gigapixels prise depuis la BT Tower à Londres (RU) par 360Cities (RU) se compose de 48 640 images individuelles réunies pour former un panorama. Imprimé en résolution normale, le panorama mesurerait 98 m de large et 24 m de haut – et serait proche des dimensions de Buckingham Palace.

LES PREMIÈRES EN PHOTOGRAPHIE

Photographie intacte la plus ancienne connue : prise par Joseph Nicéphore Niépce (France) en 1827, elle montre une vue de la fenêtre de sa maison.

Première photo avec un personnage : *Boulevard du Temple*, Paris, France, prise par Louis Jacques Mandé Daguerre (France) vers 1838.

Première photo couleur durable : prise le 5 mai 1861 grâce à une méthode mise au point par James Clerk Maxwell (RU). Cette photographie présentant les trois couleurs d'un ruban écossais a été prise par Thomas Sutton (RU).

Photo aux rayons X : prise le 22 décembre 1895 par son inventeur Wilhelm Röntgen (Allemagne), à l'université de Wurtzbourg (Allemagne).

Première photographie infrarouge : prise par le professeur Robert Williams Wood (USA), elle a été publiée en octobre 1910 dans le *Photographic Journal* de la Royal Photographic Society (RPS) et représentait un paysage en infrarouge.

0,588 TRILLION
C'est le nombre d'images par seconde que cet appareil peut prendre.

Exposition photographique simultanée

Le 1er avril 1999, une exposition du travail de Martin Parr (RU) intitulée *Common Sense* pouvait être admirée dans 41 galeries du monde entier.

Concours de photographie

Le concours "Wiki Loves Monuments 2011", organisé par Vereniging Wikimedia Nederland, s'est déroulé du 1er juillet au 31 septembre 2011 et a fait l'objet de 168 208 photos.

L'appareil photo le plus rapide

En décembre 2011, le Massachussets Institute of Technology (USA) a créé un appareil photo qui prend des images avec un temps de pose de 1,7 trillionième de seconde. La technologie peut être utilisée pour créer des films qui montrent le déplacement de la lumière.

La plus grande collection d'appareils photo instantanés

En mai 2011, Wong Ting Man (Hong Kong) possédait 1 042 de ces appareils permettant d'obtenir une photo achevée et rigide sans impression ni traitement supplémentaire. Il a commencé sa collection en 1992.

panoramique a été pris à partir d'un négatif de 30,5 m de long et 7 cm de haut.

Appareil à sténopé

En juin 2006, un hangar d'avion de 13,71 x 48,76 x 24,38 m a servi d'appareil à sténopé pour prendre une photographie qui mesurait 9,62 x 33,83 m. L'expérience a été organisée par The Legacy Project à El Toro en Californie (USA). Le temps de pose a duré 35 min.

Caméra de vidéosurveillance

Une caméra CCTV de 4,56 m de long, 1,7 m de large et 1,6 m de haut a été créée par Darwin Lestari Tan et la société PT TelView Technology (tous deux Indonésie) à Bandung (Indonésie), le 10 juillet 2011.

Daguerréotype

Big Bertha, créé par David Burder (RU) est un appareil à daguerréotype de 2 m² capable de prendre des photographies mesurant jusqu'à 0,6 x 2,12 m. Burder a réalisé un daguerréotype de cette dimension le 18 novembre 2003 pour l'*Industrial Road Show* de la BBC (RU). Le daguerréotype doit son nom à son inventeur, Louis Jacques Mandé Daguerre (France).

5
C'est le nombre d'appareils photo 20 x 24 pouces fabriqués par Polaroid.

Le plus gros Polaroid®

En 1976, la société Polaroid a fabriqué le prototype du plus gros appareil Polaroid® encore utilisé aujourd'hui : le 20 x 24 pouces. L'appareil, qui prend des photos instantanées de 20 x 24 pouces (50,8 x 70 cm), pèse 107 kg et peut être déplacé grâce à des roulettes.

Première image numérique : Russell A. Kirsch (USA) en 1957 au National Bureau of Standards (Washington DC, USA), prit la photo de son fils encore bébé, Walden.

Première photo intégrale de la Terre : prise par le satellite de la NASA ATS-3 le 10 novembre 1967 lorsqu'il était en orbite à 37 000 km au-dessus du Brésil.

Premiers JPEG : « JPEG » ou *Joint Photographic Experts Group* est l'un des formats les plus répandus en photo numérique. C'était au départ un ensemble de quatre photos d'essai créées le 18 juin 1987 à Copenhague (Danemark).

Première photo d'un farfadet : cet éclair électrique qui se forme de la surface des orages à des altitudes de 100 km au-dessus de la Terre a été pour la première fois photographié accidentellement en 1989 par une caméra TV ultra-sensible.

Premier appareil photographiant un objet qu'il ne peut voir : sur cet appareil, un flash spécifique produit une paire de photons. L'un éclaire l'objet, l'autre pénètre dans l'objectif. Une image de l'objet se forme dans l'appareil, même si la lumière n'a jamais été en contact direct avec celui-ci. Présenté pour la première fois en mai 2008.

CONFINS DE LA SCIENCE

Le dispositif d'écoute le plus sensible

En janvier 2012, des scientifiques de l'université Ludwig Maximilian de Munich (Allemagne) ont publié les détails du dispositif d'écoute le plus sensible connu. Ils ont suspendu des nanoparticules d'or de 60 nanomètres de diamètre dans une goutte d'eau et en ont piégé une à l'intérieur d'un faisceau laser. Ils ont observé comment ont été chauffées par un faisceau laser différent les particules proches dans la goutte d'eau. La pression résultante a été captée par la première nanoparticule, ce qui correspond à une sensibilité de -60 décibels, soit un millionième de ce que l'oreille humaine peut détecter.

6
C'est le diamètre en mètres du trou qu'un fragment de météore a creusé dans la glace du lac.

Le plus grand impact mesuré sur Terre

Le 15 février 2013, une météorite de 7 m de large a pénétré dans l'atmosphère à environ 65 000 km/h et a explosé à quelque 30-50 km au-dessus de Chelyabinsk (Russie centrale). Des ondes infrasoniques de la boule de feu ont été enregistrées à 17 stations du Système de contrôle international de l'Organisation du traité d'interdiction complète des essais nucléaires. L'impact, équivalent à environ 500 kilotonnes de TNT, a été le plus important enregistré sur Terre depuis l'impact de Toungouska, en 1908, et le plus grand impact mesuré avec des instruments modernes.

La 1re télécommunication utilisant des neutrinos

Les neutrinos, particules subatomiques, traversent facilement la matière, car ils interagissent peu avec elle. Les scientifiques de Fermilab à Batavia (Illinois, USA) ont utilisé pour la première fois et avec succès un faisceau de neutrinos pour envoyer un message à un détecteur. Le message, qui disait « neutrino », a été envoyé à 1 km, y compris à travers 240 m de roche compacte, à un débit de données de 0,1 bit/s. L'équipe a annoncé sa réalisation le 13 mars 2012.

Le verre le plus fin

En janvier 2012, une équipe internationale de scientifiques a annoncé la création accidentelle de verre de silice de trois atomes d'épaisseur. Le verre de silice est composé de dioxyde de silicium (SiO_2), c'est-à-dire deux atomes d'oxygène et un de silicium. Cette découverte peut être considérée comme du verre 2D, car trois atomes est l'épaisseur minimum de SiO_2.

Le plus grand nombre premier connu

Un nombre premier – nombre naturel qui ne peut être divisé que par 1 et lui-même – a été découvert le 25 janvier 2013 par Curtis Cooper (USA), professeur d'informatique à l'université de Central Missouri (Missouri, USA). Il s'agit de $2^{57\,885\,161} - 1$ et contient 17 425 170 de chiffres.

La plus puissante mâchoire d'un animal terrestre

En février 2012, des scientifiques des universités de Liverpool et Manchester (RU) ont publié leur découverte sur la puissance des mâchoires de *Tyrannosaurus rex*. Ils ont réalisé un modèle informatique en 3D d'un crâne de *T. rex* à l'aide d'un scanner laser, puis ils ont numériquement ajouté la géographie des muscles. En obligeant ensuite les muscles numériques à refermer la mâchoire, l'équipe a estimé que la force maximum générée (aux dents arrière) était de 57 000 N – l'équivalent de la pression d'un éléphant de taille moyenne s'asseyant sur le sol.

La plus haute température produite par l'homme

Des scientifiques travaillant au grand collisionneur de hadrons du CERN, à Genève (Suisse), ont annoncé le 13 août 2012 qu'ils avaient atteint des températures de plus de 5 billions de K et atteignant peut-être 5,5 billions de K (plus de 800 millions de fois supérieure à la surface du Soleil). L'équipe a utilisé l'expérience ALICE pour écraser des ions de plomb à 99 % de la vitesse de la lumière et créer un plasma de quarks-gluons – état exotique de la matière qui aurait rempli l'Univers après le Big Bang.

INFO

Le Kelvin (K), unité SI de température, est une échelle absolue en fonction de la température en dessous de laquelle il est impossible d'aller (0 K est égal à -273,15 °C). Elle a été proposée par William Thomson, 1er baron Kelvin (RU, 1824-1907), et porte son nom.

LES SUPERORDINATEURS LES PLUS RAPIDES

1. *Titan* (Cray)
FLOPS : 17 590,0
Cores : 560 640
Puissance (kW) : 8 209,00

2. *Sequioa* (IBM)
FLOPS : 16 324,8
Cores : 1 572 864
Puissance (kW) : 7 890,00

3. K computer (Fujitsu)
FLOPS : 10 510,0
Cores : 705 024
Puissance (kW) : 12 659,89

4. *Mira* (IBM)
FLOPS : 8 162,4
Cores : 786 432
Puissance (kW) : 3 945,00

5. *JUQUEEN* (IBM)
FLOPS : 4 141,2
Cores : 393 216
Puissance (kW) : 1 970

Le kilogramme le plus précis

Le kilogramme est la seule unité SI de base des mesures dont la définition est toujours fondée sur un prototype physique : un cylindre de 1889 en platine et iridium conservé au Bureau international des Poids et Mesures à Sèvres près de Paris (France). Les scientifiques tentent actuellement de changer la définition du kilogramme, en l'associant à des mesures précises d'une constante physique connue, ou constante de Planck.

La plus proche planète extrasolaire

En octobre 2012, des astronomes utilisant l'observatoire de La Silla (Chili) de l'Observatoire européen austral ont annoncé leur découverte d'une planète dans le système stellaire le plus proche du nôtre. Alpha Centauri B, à 4,37 années-lumière du Soleil, est l'une des trois étoiles composant le système d'Alpha Centauri. En orbite autour de cette étoile à une distance de 6 millions km, Alpha Centauri Bb est une petite planète avec une masse légèrement plus grande que celle de la Terre. Elle ne met que 3 jours, 5 h et 39 min à effectuer une orbite de son étoile parente et a une température en surface estimée à 1 200 °C.

Le plus grand astéroïde visité par un engin spacial

L'engin spacial *Dawn* de la NASA est une sonde automatique, dont la mission est d'explorer les deux plus grands astéroïdes dans la principale ceinture d'astéroïdes entre Mars et Jupiter. Le 11 août 2011, *Dawn* est arrivé à l'astéroïde (4) Vesta. D'un diamètre moyen de 525,4 km, il est aussi classé comme planète naine. Il a passé un peu plus d'un an en orbite autour de l'astéroïde avant de partir le 4 septembre 2012 sur une trajectoire qui lui permettra de rencontrer et rester en orbite autour d'un astéroïde encore plus grand (1) Cérès, au début de 2015.

Le satellite d'observation de la Terre en activité depuis le plus longtemps

Landsat 5 est un satellite d'observation de la Terre développé par la NASA et lancé le 1er mars 1984 de la base Vandenberg Air Force (Californie, USA). Sous la responsabilité de la National Oceanic & Atmospheric Administration (1984-2000), puis de l'US Geological Survey (USGS, depuis 2001), comme faisant partie du programme Landsat, il a accompli plus de 150 000 révolutions autour de la Terre et envoyé plus de 2,5 millions d'images de la surface de la Terre. Le 21 décembre 2012, l'USGS a annoncé que *Landsat 5* allait être mis hors service après la panne d'un gyroscope.

Le plus grand robot mecha commandé par smartphone

Kuratas, un robot mecha (qui marche) à mécanisme diesel, mesurant 4 m et pesant 3,62 t, peut être commandé par un « pilote de robot » à l'intérieur du « cockpit » ou commmandé à distance avec un smartphone 3G. Le robot a été dévoilé par l'inventeur Kōgorō Kurata (Japon), au Festival des Merveilles à Tokyo (Japon), le 29 juillet 2012. Il est disponible pour 100 millions ¥ (1,3 million $) chez Suidobashi Heavy Industry (Japon).

L'ordinateur le plus rapide

Titan, un Cray XK7 du Laboratoire National Oak Ridge (Tennessee, USA), peut réaliser 17 590 FLOPS (billions d'opérations en virgule flottante par seconde) sur le Linpack Benchmark en utilisant 560 640 cores. Titan a décroché la 1re place dans la liste des TOP500 superordinateurs les plus puissants ; la 40e liste des classements a été publiée le 12 novembre 2012 (*voir ci-dessous*).

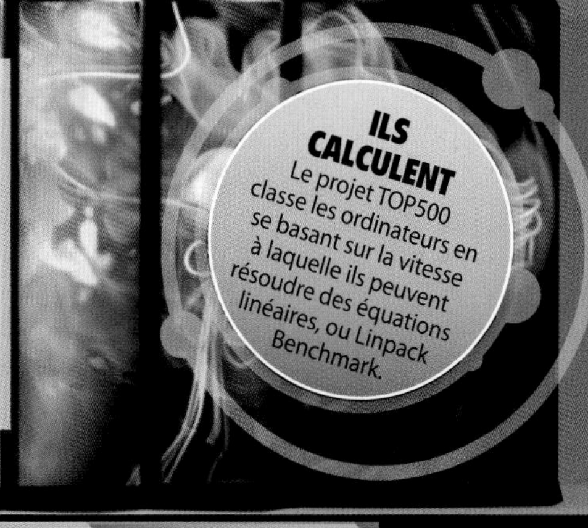

ILS CALCULENT Le projet TOP500 classe les ordinateurs en se basant sur la vitesse à laquelle ils peuvent résoudre des équations linéaires, ou Linpack Benchmark.

6. *SuperMUC* (IBM)
FLOPS : 2 897,0
Cores : 147 456
Puissance (kW) : 3 422,67

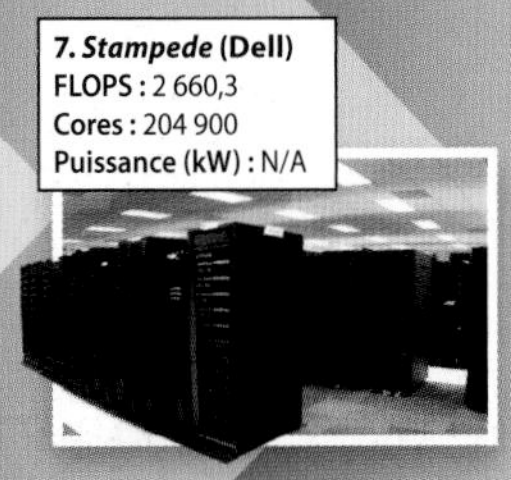

7. *Stampede* (Dell)
FLOPS : 2 660,3
Cores : 204 900
Puissance (kW) : N/A

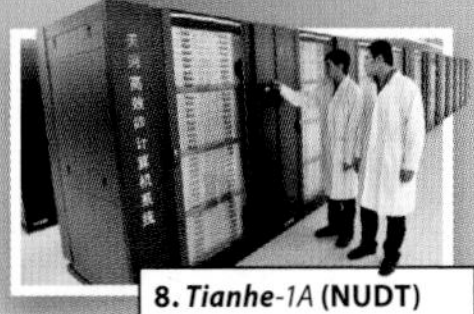

8. *Tianhe-1A* (NUDT)
FLOPS : 2 566,0
Cores : 186 368
Puissance (kW) : 4 040,00

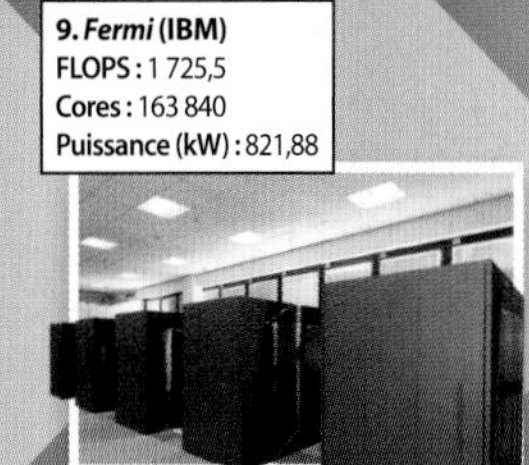

9. *Fermi* (IBM)
FLOPS : 1 725,5
Cores : 163 840
Puissance (kW) : 821,88

10. *DARPA Trial Subset* (IBM)
FLOPS : 1 515,0
Cores : 63 360
Puissance (kW) : 3 575,63

SOUTHERN OUTPOST
STAR WARS
RETURN OF THE JEDI
TOY CENTER
STAR WARS
MEMBERS TOY SHOP
STAR WARS
RETURN OF THE JEDI
IMPERIAL SHUTTLE
VEHICLE
GEORGE LUCAS'
Produced by KENNETH FELD
STAR WARS
501ST LEGION

GUINNESS WORLD RECORDS 2014

Dossier :

La plus grande collection d'objets *Star Wars*

Steve Sansweet (USA) a accumulé quelque 300 000 objets différents à Rancho Obi-Wan (Californie, USA). Au 15 mai 2013, 90 546 articles ont été correctement identifiés et répertoriés – nombre trois fois supérieur au précédent record Guinness World Records et donc plus que suffisant pour décrocher le titre. D'après Sansweet, le référencement de ses objets prendra plusieurs années, d'autant que sa collection ne cesse de s'agrandir.

FAN DE FORCE

Steve a été directeur de la gestion de contenus et responsable des relations avec les fans chez Lucasfilm pendant 15 ans. Il conseille toujours l'entreprise sur ses échanges avec les fans.

VIDÉOS VIRALES

À la conquête du monde, vue par vue

Les vidéos « virales » portent bien leur nom. Elles se propagent sur le Net plus vite qu'il ne faut pour écrire « Cours vite voir ces chatons, ils sont trop mignons ! » Devant un tel engouement, la mise en ligne de vidéo s'est professionnalisée, et d'ailleurs seule la vidéo artisanale « Charlie bit my finger – again ! » se retrouve dans le Top 10 YouTube. Ce Top 10 est largement dominé par les clips musicaux et, pour la première fois, la pop music se taille la part du lion à l'échelle mondiale. Aujourd'hui, tout ne vient plus seulement d'Occident, ni des États-Unis en particulier. En matière de vidéos en ligne, certaines vedettes, à l'image d'un charismatique Sud-Coréen, peuvent totaliser plus de 1 milliard de vues en moins de 6 mois.

Les vidéos mises en ligne jouent les hybrides entre technologie du XXIe siècle et expériences personnelles, et sont capables de renverser un gouvernement… ou simplement de faire rougir une grand-mère.

TOP 10 DES CHAÎNES YOUTUBE EN NOMBRE D'ABONNÉS

CHAÎNE	QUEL EST LE THÈME ?	ABONNÉS	VUES
Smosh	Sketchs comiques créés par Ian Hecox et Anthony Padilla (tous deux USA)	9 781 472	2 323 432 710
Jenna Marbles	Alter ego comique de Jenna Mourey (USA)	8 780 770	1 103 995 980
NEW VIDEO EVERY TUESDAY	Commentaires et sketchs comiques de Ray William Johnson (USA)	8 704 762	2 293 529 143
nigahiga	Comédie observationnelle de Ryan Higa (USA)	8 252 930	1 436 187 701
Rihanna	Clips musicaux et autres making-of de la chanteuse de La Barbade	8 104 461	3 630 912 069
BECOME A BRO TODAY !	Commentaires de jeux vidéo de PewDiePie, alias Felix Kjellberg (Suède)	7 701 817	1 598 921 599
Machinima	Réseau de jeux vidéo US avec infos, bandes annonces et démos	7 580 450	4 217 963 856
Hola Soy German (video todos los viernes)	Commentaires déjantés et sketchs comiques de Germán Alejandro Garmendia Aranís (Chili)	6 780 904	482 609 012
OneDirectionVEVO's channel	Vidéos de pop music et chat avec le plus grand boys band du monde	6 438 005	1 536 384 997
BrandonJLa/ freddiew	Courts métrages riches en effets spéciaux avec une touche de jeu vidéo de Brandon J. Laatsch (USA)	5 453 961	834 061 819

Source : Socialbakers. Chiffres au 14 mai 2013

1. ***Gangnam Style***
PSY
1 598 585 367 vues
Clip vidéo officiel, mis en ligne le 15 juillet 2012

10 MILLIONS
C'est le nombre de vues quotidiennes de *Gangnam Style* à son apogée.

3. ***On the Floor***
Jennifer Lopez featuring Pitbull
668 860 098 vues
Clip vidéo officiel, mis en ligne le 3 mars 2011

4. ***Love the Way You Lie***
Eminem featuring Rihanna
560 292 597 vues
Clip vidéo officiel, mis en ligne le 5 août 2010

5. ***Party Rock Anthem***
LMFAO featuring Lauren Bennett and GoonRock
540 403 117 vues
Clip vidéo officiel, mis en ligne le 8 mars 2011

6. « Charlie bit my finger – again ! »
525 007 126 vues
Clip amateur mis en ligne le 22 mai 2007

TOP 10 DES VIDÉOS YOUTUBE LES PLUS VUES EN 2012			
TITRE DE LA VIDÉO	**UTILISATEUR**	**MISE EN LIGNE**	**VUES**
PSY – GANGNAM STYLE	officialpsy	15 juillet 2012	971,5 millions
Somebody That I Used to Know – Walk off the Earth (Gotye – Cover)	walkofftheearth	14 février 2012	140,2 millions
KONY 2012	invisiblechildreninc	7 mars 2012	94,5 millions
Call Me Maybe de Carly Rae Jepsen – avec Justin Bieber, Selena, Ashley Tisdale & MORE !	CarlosPenaTV	18 février 2012	54,9 millions
Barack Obama vs Mitt Romney. Epic Rap Battles Of History Season 2	ERB	15 octobre 2012	45,4 millions
A DRAMATIC SURPRISE ON A QUIET SQUARE	turnerbenelux	11 avril 2012	39,6 millions
WHY YOU ASKING ALL THEM QUESTIONS? .. #FCHW	SpokenReasons	21 janvier 2012	39,5 millions
Crystallize – Lindsey Stirling (Dubstep Violin Original Song)	lindseystomp	23 février 2012	38,5 millions
Facebook Parenting: For the troubled teen	Tommy Jordan	8 février 2012	35,5 millions
Chute libre de 39 014 m de Felix Baumgartner – Mission Highlights	redbull	14 octobre 2012	30,6 millions

Source : YouTube

15 MB DE GLOIRE
En 2012, le nombre d'internautes ayant mis en ligne au moins un clip sur un site de partage de vidéos est passé de 21 à 27 %.

38 114 277
C'est le nombre de partages de *On the Floor* de Jennifer Lopez, la **vidéo la plus partagée**, selon viralvideochart. unrulymedia.com, au 14 mai 2013.

2. ***Baby***
Justin Bieber featuring Ludacris
857 398 511 vues
Clip vidéo officiel, mis en ligne le 19 février 2010

LE SUCCÈS EN CHIFFRES
En 2013, le Billboard Hot 100 US a pris en compte les vues de vidéos en ligne pour établir son palmarès.

INFO
Statistiques YouTube
23 avril 2005 : « Me at the Zoo » (1re vidéo, mise en ligne par le co-fondateur, Jawed Karim)
2013 : 1 milliard d'utilisateurs et 4 milliards d'heures de visionnage par mois
Vues hors USA : 70 %
99 % des vues : pour 30 % des vidéos
2 milliards de vues : Obama et Romney pendant l'année électorale 2012

7. ***Waka Waka (This Time for Africa)***
Shakira
524 443 371 vues
Chanson de la Coupe du Monde FIFA 2010, mise en ligne le 4 juin 2010

8. ***Bad Romance***
Lady Gaga
518 440 711 vues
Clip vidéo officiel, mis en ligne le 23 novembre 2009

9. ***Ai Se Eu Te Pego***
Michel Teló
501 025 764 vues
Clip vidéo officiel, mis en ligne le 25 juillet 2011

10. ***Call Me Maybe***
Carly Rae Jepsen
455 334 605 vues
Clip vidéo officiel, mis en ligne le 1er mars 2012

Source : YouTube au 14 mai 2013

PUBLICITÉ

Le panneau publicitaire le plus cher

C'est à l'entrée de la Burj Khalifa de Dubaï (EAU) que l'on a trouvé le panneau publicitaire le plus cher du monde. En juin 2012, l'entreprise de boissons énergétiques Go Fast s'est alliée à Skydive Dubai pour vanter leurs produits, avec l'aide d'un homme ceint d'un Jetpack. Pendant 30 s, l'homme au Jetpack a volé autour du panneau – le coût de l'opération est estimé à 15 000 $.

Les 1res petites annonces

Le *Publick Adviser* (Londres, RU, 19 mai-28 septembre 1657) de Thomas Newcomb a été le 1er journal entièrement consacré aux petites annonces. Il s'adressait à « toute personne cherchant à acheter ou vendre quelque chose de quelque manière que ce soit ».

Le 1er directeur de marque

Thomas J. Barratt (RU) est devenu le 1er directeur de marque en rejoignant la compagnie A & F Pears (marque de savon) en 1865. Considéré comme le « père de la publicité moderne », il a adopté une approche systématique, tout en exploitant de jolies illustrations créées par les artistes les plus prisés de l'époque – tels que le peintre pré-raphaélique John Everett Millais (RU) –, associées à des slogans efficaces.

L'audimat le plus élevé pour une publicité en streaming live

Le 14 octobre 2012, quelque 8 millions d'internautes se sont connectés sur YouTube pour assister au saut en parachute légendaire (voir p. 68) de Felix Baumgartner (Autriche), conclusion naturelle du projet initié sur 7 ans par Red Bull Stratos pour 20 millions $. L'événement diffusé en direct a servi de plate-forme publicitaire pour la marque et aurait attiré encore plus d'internautes si la capacité des serveurs du site avait été plus élevée.

La plus ancienne publicité physique

On a retrouvé une publicité pour un marchand de livres dans les décombres de Pompéi (Italie) ensevelie sous les cendres après une éruption du Vésuve (79 apr. J.-C.). Des inscriptions réalisées par des marchands babyloniens en 3000 avant notre ère peuvent être considérées comme les premières publicités « imprimées ».

La 1re publicité sur une chaîne de télé publique

La 1re publicité diffusée à la télévision remonte au 1er juillet 1941 sur la chaîne NBC, WNBT, à New York (USA). Le spot vantait les mérites d'une montre Bulova. L'encart publicitaire coûtait 9 $ – l'équivalent actuel de 141 $!

La 1re bannière publicitaire

Les bannières publicitaires – publicités envoyées par un serveur et incrustées sur les pages de sites Internet – ont vu le jour

Le plus gros salaire versé à un acteur pour une publicité

Le 15 octobre 2012, Brad Pitt (USA, ci-dessus à droite) est devenu le 1er homme à prêter son image au parfum Chanel N° 5, empochant 7 millions $.

Nicole Kidman (Australie, ci-dessus), également ambassadrice de Chanel N° 5, avait reçu 3,71 millions $ en 2004, la **plus importante rémunération publicitaire pour une actrice.**

La plus longue campagne publicitaire

Le personnage de Smokey Bear, mascotte américaine de la campagne de prévention des incendies, a fait son apparition le 9 août 1944 avec le fameux slogan : « Vous seuls pouvez prévenir les feux de forêt. » À quelques variations près, la campagne continue jusqu'à présent.

La 1re publicité journalistique

Publié à Londres (RU) au XVIIe siècle, le *Perfect Diurnall* de Samuel Pecke a été le premier à proposer des publicités dès novembre 1646, au prix de 6 pences l'insertion. Les premières publicités vantaient les mérites de livres, avant de cibler des produits pharmaceutiques et de dératisation.

La 1re publicité télévisée

La télévision a entamé sa lune de miel avec la publicité durant la Hairdressing Fair of Fashion, en novembre 1930, à Londres (RU). Les coiffeurs Messrs Eugene Ltd de Dover Street (RU) avaient utilisé des télévisions internes pour promouvoir leur technique de permanente.

« LES MEILLEURES MARQUES DU MONDE 2012 »

1. COCA-COLA : 77 839 millions $
« La marque la plus connue à travers le monde. »

2. APPLE : 76 568 millions $
« Peu d'entreprises ont autant captivé notre imagination et inspiré une telle dévotion… »

IBM

3. IBM : 75 532 millions $
« Comme chaque année, IBM reste l'une des marques les plus innovantes, profitables et fiables du monde… »

4. GOOGLE : 69 726 millions $
« Si les avis sont partagés sur Google + et autres innovations de Google, d'un point de vue général, le géant des moteurs de recherche a connu une année fructueuse."

Google

Microsoft

5. MICROSOFT : 57 853 millions $
« Toujours l'une des marques technologiques les plus populaires… malgré une présence en léger retrait en 2012… »

L'encart publicitaire le plus cher

Un encart publicitaire de 30 s durant le Super Bowl XLVII 2013 a coûté 3,8 millions $, soit la seconde la plus chère de l'histoire de la télévision. Le prix était 300 000 $ plus élevé que l'année précédente et ne cesse d'augmenter au fil des années – en dépit de la récession. Parmi les annonceurs, on retrouvait cette année Taco Bell, Samsung et Doritos (*photographie*).

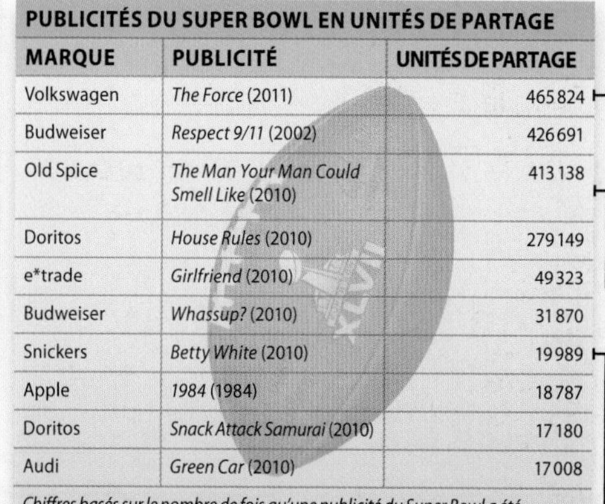

PUBLICITÉS DU SUPER BOWL EN UNITÉS DE PARTAGE

MARQUE	PUBLICITÉ	UNITÉS DE PARTAGE
Volkswagen	*The Force* (2011)	465 824
Budweiser	*Respect 9/11* (2002)	426 691
Old Spice	*The Man Your Man Could Smell Like* (2010)	413 138
Doritos	*House Rules* (2010)	279 149
e*trade	*Girlfriend* (2010)	49 323
Budweiser	*Whassup?* (2010)	31 870
Snickers	*Betty White* (2010)	19 989
Apple	*1984* (1984)	18 787
Doritos	*Snack Attack Samurai* (2010)	17 180
Audi	*Green Car* (2010)	17 008

Chiffres basés sur le nombre de fois qu'une publicité du Super Bowl a été partagée sur YouTube – le plus gros site de partage de vidéos – au 3 février 2013

le 27 octobre 1994 sur le site HotWired, une version Web précoce du magazine *Wired*. 14 bannières cliquables de 468 x 60 pixels sponsorisées par différentes sociétés se partageaient l'espace. La bannière d'AT & T – « Avez-vous déjà cliqué ici ? Non ? Alors allez-y ! » – est considérée comme la 1re jamais postée en ligne.

Les plus grosses recettes publicitaires pour des JO

Le 25 juillet 2012, NBC Universal (USA) est devenue la 1re chaîne de télévision à gagner plus de 1 milliard $ en recettes publicitaires pour sa couverture des JO de Londres. NBC Universal avait empoché 850 millions $ pour les JO de Pékin en 2008. Ce chiffre record s'entend pour les 5 535 h de retransmissions diffusées sur NBC, Telemundo, et autres chaînes câblées du groupe.

DÉPEN$ES PUBLICITAIRES GLOBALES
En 2012, 495 milliards ont été dépensés en publicités dans le monde : soit 70 $ par personne à l'échelle planétaire !

La plus grosse amende pour un tracking cookie

En août 2012, la Federal Trade Commission américaine a infligé au géant d'Internet, Google, une amende de 22,5 millions $ pour avoir « tracké » illégalement les utilisateurs d'iPhone, iPad et Mac d'Apple afin de leur proposer des publicités personnalisées.

Google a été accusé d'avoir délibérément contourné les protections de vie privée intégrées au navigateur d'Apple, Safari, conçues pour empêcher les « cookies » de repérer les sites Internet fréquentés par l'utilisateur. Google a rejeté toute responsabilité, arguant que les cookies avaient été déployés « par erreur ».

Le plus de publicités pour une campagne électorale

Dans le cadre de l'élection présidentielle du 6 novembre 2012, les Américains ont été bombardés de plus d'un million de publicités politiques télévisées. Selon une étude de Wesleyan Media Project, les publicités des deux candidats à la course présidentielle, Mitt Romney et Barack Obama (tous deux USA, photographie), ont dépassé en nombre toutes les publicités des campagnes politiques précédentes – et de loin !

28 m

2,7
C'est le temps en secondes qui serait nécessaire à Usain Bolt pour courir de bout en bout du panneau !

Le plus grand panneau publicitaire intérieur éclairé

Un panneau publicitaire de 174,17 m² éclairé de 183 024 ampoules LED a été installé par Nissan Motor Co., à l'aéroport international de Dubaï (EAU), le 4 février 2013.

6. GE : 43 682 millions $
« … GE a joué son joker. En 2012, la marque a lancé GE Works, une plate-forme de communications intégrée… »

7. McDONALDS : 40 062 millions $
« … management de la marque exceptionnel, présence significative… et conception admirable de l'engagement auprès des consommateurs. »

8. INTEL : 39 385 millions $
« … l'an dernier, l'entreprise a opéré de nombreux changements et engagé de gros paris pour rester au premier plan de l'incessante révolution informatique… »

9. SAMSUNG : 32 893 millions $
« … un des plus gros succès de 2012, marqué par une hausse de 40 % sur la valeur de la marque… »

0. TOYOTA : 30 280 millions $
« … la résilience de la marque semble avoir… aidé le constructeur à reprendre sa position de leader sur le marché mondial. »

Chiffres basés sur l'estimation Interbrand de la valeur de chaque marque

CINÉMA

Le plus d'oscars dans la catégorie Meilleur acteur

Aux Oscars du 24 février 2013, Daniel Day-Lewis (RU) est devenu le 1er artiste à remporter trois oscars du Meilleur acteur dans un rôle principal. Il a reçu la statuette pour son portrait d'Abraham Lincoln dans *Lincoln* (USA, 2012 ; *ci-dessus, en bas*). Il avait déjà été lauréat pour le rôle de Christy Brown (*ci-dessus, en haut*) dans *My Left Foot* (Irlande, 1989) et celui de Daniel Plainview (*ci-dessus, au centre*) dans *There Will Be Blood* (USA, 2007).

INFO

The Master (*à droite*) est le 1er film depuis 16 ans à avoir été tourné en 65 mm (avec des caméras Panavision System 65). Peu d'écrans étant équipés pour projeter ce format, 4 salles l'ont projeté en 70 mm, et une salle en 35 mm. *The Master* détient le record pour un film en prises de vue réelles, mais le record des **plus fortes recettes par écran** revient au dessin animé de Disney, *Le Roi Lion* (USA, 1994), qui a rapporté 793 376 $ avec seulement 2 salles !

Le 1er week-end le plus rentable pour un film en prises de vue réelles par écran

The Master (USA, 2012) est sorti dans 5 salles, mais il a rapporté en moyenne 145 949 $ par écran. Écrit, réalisé et produit par Paul Thomas Anderson (USA), le film met en scène Joaquin Phoenix dans le rôle d'un vétéran à la dérive qui rejoint une secte dirigée par « The Master », joué par Philip Seymour Hoffman.

Les recettes les plus élevées – 1er week-end d'exploitation

Avengers (USA, 2012) de Marvel a rapporté 207 438 708 $ dans les cinémas américains le week-end de sa sortie, les 4-6 mai 2012, battant ainsi le record de *Harry Potter et les reliques de la mort : 2e partie* (RU/USA, 2011).

Le film détient d'autres records : **plus fortes recettes moyennes par écran**, avec 47 698 $ pour chacune de ses 4 349 salles le 1er week-end d'exploitation aux États-Unis ; **plus fortes recettes pour une semaine d'exploitation** (et **plus fortes recettes hebdomadaires**), avec 803,3 millions $ dans le monde ; **plus fortes recettes sur 10 jours d'exploitation**, avec 1,07 milliard $ au 13 mai 2012 ; **plus rapide à rapporter 500 millions $** (2 jours) ; et **œuvre de divertissement à atteindre le plus vite 1 milliard $ de recettes** (voir *p. 208*).

Le plus gros rapport budget/recettes

Avec un budget d'à peine 15 000 $ et des recettes de 196 681 656 $, *Paranormal Activity* (2009), le film d'Oren Peli (Israël/USA), affiche un rapport budget/recettes phénoménal de 1:13 112 – il a rapporté 13 112 $ pour chaque dollar dépensé.

Le plus de spectateurs à une projection

28 442 spectateurs ont assisté à la première du documentaire *Honor Flight* (USA, 2012). La projection du film réalisé par Freethink Media pour l'association caritative Stars and Stripes Honor Flight (tous deux USA) a eu lieu au stade Miller Park de Milwaukee (Wisconsin, USA), le 11 août 2012.

Les plus fortes recettes pour un film en 2D le 1er week-end d'exploitation

Batman : The Dark Knight Rises (USA/RU, 2012) – avec Tom Hardy (RU, *ci-dessus*) dans le rôle de Bane et Christian Bale (RU) dans celui du super-héros – a généré 160 887 295 $ le 1er week-end de sa sortie, les 20-22 juillet 2012.

LES PLUS GROS SALAIRES D'HOLLYWOOD

Source : Forbes, chiffres basés sur une estimation des recettes entre mai 2011 et mai 2012

1. Tom Cruise (USA) 75 millions $

=2. Leonardo DiCaprio (USA) 37 millions $

=2. Adam Sandler (USA) 37 millions $

4. Dwayne Johnson (USA) 36 millions $

5. Kristen Stewart (USA) 34,5 millions $

LA PLUS JEUNE NOMINÉE : MEILLEURE ACTRICE

Âgée de 9 ans, Quvenzhané Wallis (USA, née le 28 août 2003) est devenue la plus jeune actrice nominée aux Oscars. Elle concourait dans la catégorie de la Meilleure actrice dans un rôle principal pour sa prestation dans *Les Bêtes du sud sauvage* (USA, 2012).

LA NOMINÉE LA PLUS ÂGÉE : MEILLEURE ACTRICE

Emmanuelle Riva (France, née le 24 février 1927) a été nominée pour l'oscar de la Meilleure actrice dans un rôle principal en 2012 pour *Amour* (France/Allemagne/Autriche, 2012). Riva avait 84 ans lorsqu'elle a joué le rôle, et 86 lors de la cérémonie des Oscars.

Le plus de réalisateurs sur un film

Le film indépendant multilingue *The Owner* (2012) est l'œuvre de 25 réalisateurs originaires de 13 pays. Le film suit les traces d'un sac à dos dans son périple autour du monde et incorpore dans un même récit des cultures, langues et styles cinématographiques différents. La première internationale a eu lieu le 25 mai 2012.

INFO

Jackie a aussi réalisé le **plus de cascades par un acteur vivant**. Il a fait ses débuts en 1962, à l'âge de 8 ans, et a joué dans plus de 110 films depuis 1972. Il exécute ses propres cascades et s'est, jusqu'à présent, fracturé le nez (3 fois), les deux pommettes, la plupart des doigts et le crâne.

Les plus fortes recettes au box-office pour un acteur

En mai 2012, l'acteur Samuel L. Jackson (USA) avait joué dans 75 films commercialisés, rapportant au moins 9,5 milliards $ à travers le monde. Grâce à ses films de 2013, son record devrait dépasser 10 milliards $.

Le plus de pays candidats à l'oscar du Meilleur film étranger

Avant de dévoiler les nominations aux Oscars 2012, l'Academy of Motion Picture Arts and Sciences (AMPAS) a annoncé avoir reçu des candidatures pour l'oscar du Meilleur film étranger de 71 pays, dont le Burkina Faso, l'Islande, l'Albanie et l'Afghanistan, et pour la première fois, le Groenland, la Malaisie et le Kenya.

Le plus long film sans aucune coupure

Agadam (Inde 2012) dure en version originale 2 h, 3 min et 30 s (hors génériques de début et de fin). Produit par Last Bench Boys Productions (Inde), sa première a eu lieu le 7 avril 2013.

La 1re chanson d'un James Bond à remporter un oscar

La chanson phare du James Bond éponyme, *Skyfall* – composée par Adele, alias Adele Adkins, et Paul Epworth (tous deux RU) – a été la 1re chanson d'un film de Bond à remporter l'oscar de la Meilleure chanson originale.

Le James Bond le moins rentable

Casino Royale (1967) de Charles Feldman (USA), une parodie surréaliste des films de James Bond, a rapporté 277 841 894 $ (dollars d'aujourd'hui), ce qui en fait le James Bond le moins rentable.

Le plus de citations au générique d'un film

Jackie Chan (Chine) est cité 15 fois au générique de *Chinese Zodiac* (Chine, 2012) : scénariste, réalisateur, producteur, producteur exécutif, directeur de la photo, artistique et de production, coordinateur de restauration et des cascades, chef électricien, compositeur, accessoiriste, cascadeur et interprète de la chanson du film.

Le James Bond le plus rentable

Même en s'alignant sur l'inflation, *Skyfall* (RU/USA, 2012), avec Daniel Craig dans le rôle de James Bond, reste le plus gros succès de tous les James Bond. Avec des recettes globales de 1,108 milliard $, il surpasse *Opération Tonnerre* (RU, 1965), qui aurait rapporté 1,047 milliard $ d'aujourd'hui.

SKYFALL EN APESANTEUR

Skyfall est le 7e film le plus rentable, le film britannique le plus rentable et le film le plus rentable projeté au Royaume-Uni.

6. Cameron Diaz (USA)
34 millions $

7. Ben Stiller (USA)
33 millions $

=8. Sacha Baron Cohen (RU)
30 millions $

=8. Johnny Depp (USA)
30 millions $

=8. Will Smith (USA)
30 millions $

EFFETS SPÉCIAUX

Le 1er film tourné en 48 fps

Le 1er long-métrage d'envergure tourné et projeté en 48 fps (frames per second ou images par seconde) – et non en 24 fps habituels – est *Le Hobbit : Un voyage inattendu* (USA/Nouvelle-Zélande, 2012) de Peter Jackson. Ce mode de tournage permet une image plus lisse, plus nette, et « une expérience plus réelle et plus confortable » selon les termes de Jackson.

FILMS EN 3D

Le 1er film en 3D d'un grand studio

Columbia Pictures est le 1er grand studio à s'être aventuré sur le marché de la 3D, avec *J'ai vécu deux fois* (*Man in the Dark*, USA, 1953), le 9 avril 1953. Le film, un remake du film noir de 1936 *L'homme qui vécut deux fois* (USA), avait été tourné à la hâte afin de capitaliser sur l'engouement du public pour la nouvelle 3D. Le studio comptait séduire les spectateurs à renfort d'araignées, de bagarres et de cadavres qui semblaient littéralement sortir de l'écran !

Les plus fortes recettes pour le 1er week-end de sortie d'un film en 3D

Avengers (USA, 2012) a rapporté 207 438 708 $ aux États-Unis durant le week-end de sa sortie, les 4-6 mai 2012. Il s'agit des **plus fortes recettes pour le 1er week-end d'exploitation** d'un film.

Le plus de spectateurs pour la projection d'un film en 3D

6 819 cinéphiles se sont précipités à la première allemande de *Men in Black 3* (USA, 2012) dans le cadre d'un événement organisé par Sony Pictures et o2, à l'o2 World de Berlin (Allemagne), le 14 mai 2012.

Le plus de salles pour la sortie d'un film en 3D

Le week-end de sa sortie, les 15-17 juillet 2011, *Harry Potter et les reliques de la mort : 2e partie* (USA, 2011) s'est retrouvé sur 4 375 écrans américains et 17 000 autres à travers le monde. Le film a aussi enregistré les **plus fortes recettes pour un 1er jour d'exploitation**, avec 91 071 119 $ rien qu'aux États-Unis.

Les plus grosses recettes d'un film en 3D

Avatar (USA, 2009) – filmé et présenté en 3D numérique – est le **film le plus rentable de tous les temps**. Il a rapporté à travers le monde 2 782 275 172 $. Réalisé par James Cameron (Canada, *ci-dessous*), *Avatar* est le fruit du **plus gros projet de capture de mouvement**, avec 3 ans de tournage en prises de vue réelles confiées aux Giant Studios (USA). Grâce au succès du film, Cameron est devenu, techniquement, le **réalisateur de 3D le plus rentable** (*voir ci-dessous*).

Le film en 3D le plus cher du monde

Même si *Avatar* (*voir ci-dessus*) est considéré comme le film le plus onéreux de tous les temps, son budget officiel n'était « que » de 237 millions $. Le budget initial le plus élevé pour un film en 3D est de 260 millions $ – pour le dessin animé de Disney, *Raiponce* (USA, 2010). (*Voir aussi p. 206.*)

Le réalisateur de 3D le plus rentable

Même s'il n'a réalisé qu'un film en 3D, James Cameron (Canada) est le réalisateur 3D le plus rentable en termes de recettes au box-office international – *Avatar* (2009) restant le **film le plus rentable** (*voir ci-dessus*). Il détient aussi le record du **nombre de films à rapporter 1 milliard $**, soit 2 (*Avatar* et *Titanic*), titre qu'il partage avec Christopher Nolan (USA) et Peter Jackson (Nouvelle-Zélande).

Si l'on considère les réalisateurs qui ont tourné au moins 3 films en 3D, Robert Zemeckis (USA) devient alors le **plus rentable** avec *La Légende de Beowulf* (USA, 2007), *Le Pôle Express* (USA, 2004) et *Le Drôle de Noël de Scrooge* (USA, 2009), totalisant plus de 829 millions $. Zemeckis, pionnier du cinéma 3D moderne, a révolutionné l'industrie cinématographique en développant une technologie de capture de mouvement inédite. Il est également le 2e réalisateur le plus rentable.

LES PREMIERS EFFETS SPÉCIAUX

Film avec des effets spéciaux : *L'Exécution de Mary, reine d'Écosse* (USA, 1895), film muet de 1 min, a été la 1re œuvre cinématographique à utiliser un effet spécial pour mettre en scène la décapitation.

Studio d'effets spéciaux : construit en 1896 à Montreuil-sous-Bois (France) par le réalisateur et illusionniste Georges Méliès, le studio était à la fois un atelier de photographie et une scène dotée d'ingénieux mécanismes.

Première double exposition dans un film : dans *Santa Claus* (RU, 1898) de George Albert Smith (RU), une scène montrait deux enfants endormis et en superposition dans le même plan, on voyait également l'arrivée du Père Noël.

Utilisation du procédé Schüfftan dans un film : inventé par Eugen Schüfftan (Allemagne) en 1923, *Die Nibelungen* (Allemagne, 1924) a été le 1er film à en bénéficier, tout comme plus tard *Metropolis* (Allemagne, 1927 ; *photographie*). Il s'agissait de réaliser des maquettes de paysages urbains puis de placer un miroir devant la caméra afin de les réfléchir.

Oscar pour les effets spéciaux : *La Mousson* (USA, 1939) a remporté un oscar pour ses scènes d'inondation. L'écran avait été divisé en deux et sous la houlette de Fred Sersen (ex-Tchécoslovaquie), de la 20th Century Fox, on avait associé images réelles et maquettes.

Le film en 3D le plus cher

Basé sur *La Princesse de Mars* (1917) d'Edgar Rice Burroughs (USA), le film de science-fiction et d'aventure *John Carter* (USA, 2012) – réalisé par Andrew Stanton (USA) – disposait d'un budget de 250 millions $, grevé notamment par son large casting de créatures fantastiques et extraterrestres.

Le personnage le plus numérisé

Créé par Industrial Light & Magic (ILM) pour *Transformers 3 : La Face cachée de la lune* (USA, 2011), le serpent Decepticon Colossus est le personnage numérique le plus grand et le plus complexe qui soit apparu dans un film : 86 000 pièces de géométrie et 30 millions de polygones. Cette perceuse géante et tentaculaire apparaît dans une scène complexe dans laquelle elle détruit un gratte-ciel de Chicago.

L'objet le plus numérisé

L'« Orrery », carte interactive de l'univers en trois dimensions, a été créée pour le film de Ridley Scott, *Prometheus* (USA/RU, 2012), en utilisant entre 80 et 100 millions de polygones. La scène a nécessité 7 mois de conception et une équipe de 80 artistes et techniciens d'effets spéciaux de la société australienne Fuel VFX.

Le 1er film en 3D ayant une suite

Les premiers films en 3D étaient pour la plupart des productions isolées destinées à exploiter le nouveau format, mais *L'Étrange Créature du lac noir* d'Universal (USA, 1954), avec en vedette le « terrifiant » homme-poisson, avait rencontré assez de succès pour bénéficier d'une suite – *La Revanche de la créature* (USA, 1955), également tourné et présenté en 3D.

IMAGES DE SYNTHÈSE

Le 1er personnage CGI doté d'une fourrure réaliste

L'entreprise d'effets visuels Industrial Light & Magic (ILM, USA) a créé numériquement une fourrure pour le personnage de Kitty, le machairodus (tigre préhistorique) des *Flintstones* (USA, 1994).

Le 1er film à inclure de l'eau numérique

Fourmiz (DreamWorks, USA, 1998), a été le 1er film à intégrer de l'eau générée par un logiciel. Des simulations basées sur les lois de la physique ont permis d'obtenir des effets très réalistes. Auparavant, les effets de fluides devaient être dessinés, image par image, avec des programmes graphiques.

Le plus d'oscars pour le maquillage

Rick Baker (USA) a remporté 7 oscars au cours de sa carrière : le premier pour *Le Loup-Garou de Londres* (1981) – 54e édition des oscars, le 29 mars 1982 – et le plus récent pour *Wolfman* (2010) – 83e édition, le 27 février 2011.

12 C'est le nombre de nominations aux Oscars de Rick (à ce jour).

MAQUILLAGE

Le plus d'oscars techniques pluridisciplinaires

Richard Taylor (Nouvelle-Zélande), responsable des effets techniques chez Weta Workshop (Wellington, Nouvelle-Zélande), a remporté 5 oscars techniques sur trois disciplines : Effets spéciaux pour *King Kong* (Nouvelle-Zélande/USA/Allemagne, 2005) et Costumes et Maquillage pour *Le Retour du roi* (USA/Nouvelle-Zélande/Allemagne, 2003).

Le plus de personnages de science-fiction tenus par un acteur

Comptant à son actif une multitude de films et de séries de science-fiction depuis 1989 – *Star Trek*, *Babylon 5*, *Sliders* et *Alien Nation* –, Bill Blair (USA) est un habitué des effets spéciaux. Au 6 mai 2011, il avait joué 202 personnages.

Film en 3D et en couleurs : les spectateurs devaient porter des lunettes colorées pour visionner *Bwana le Diable* (USA, 1952), l'histoire de deux lions mangeurs d'hommes, écrit et réalisé par Arch Oboler (USA).

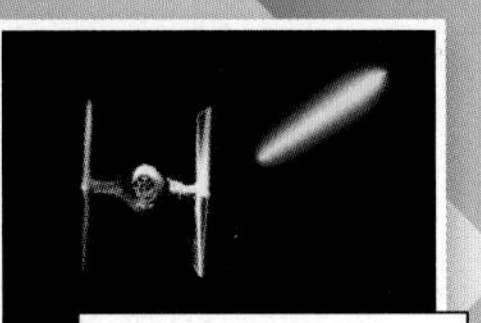

Caméra à mouvements contrôlés, contrôlée par ordinateur : utilisé pour *La Guerre des étoiles* (USA, 1977), cet appareil pouvait mémoriser et répéter des mouvements sophistiqués de caméra.

Personnage généré par ordinateur pour un blockbuster : Terminator T-1000, l'ennemi mortel du personnage d'Arnold Schwarzenegger dans *Terminator 2 : Le Jugement dernier* (1991), a été créé par ILM (USA) à partir d'ordinateurs Silicon Graphics.

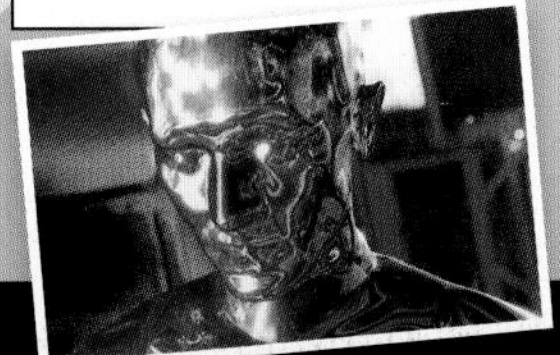

Film entièrement produit sur des plateaux générés par ordinateur : *Able Edwards* (USA, 2004) a été produit par Graham Robertson (USA) et présenté au South by Southwest Film Festival d'Austin (Texas, USA), le 15 mars 2004. Le film mettait en scène de vrais acteurs filmés sur un écran vert en toile de fond.

Film en 3D numérique : *Chicken Little* (USA, 2005) a été la 1re œuvre cinématographique grand public distribuée en 3D numérique et stéréographique. Ce film pouvait se visionner avec ou sans lunettes polarisantes.

ANIMATION

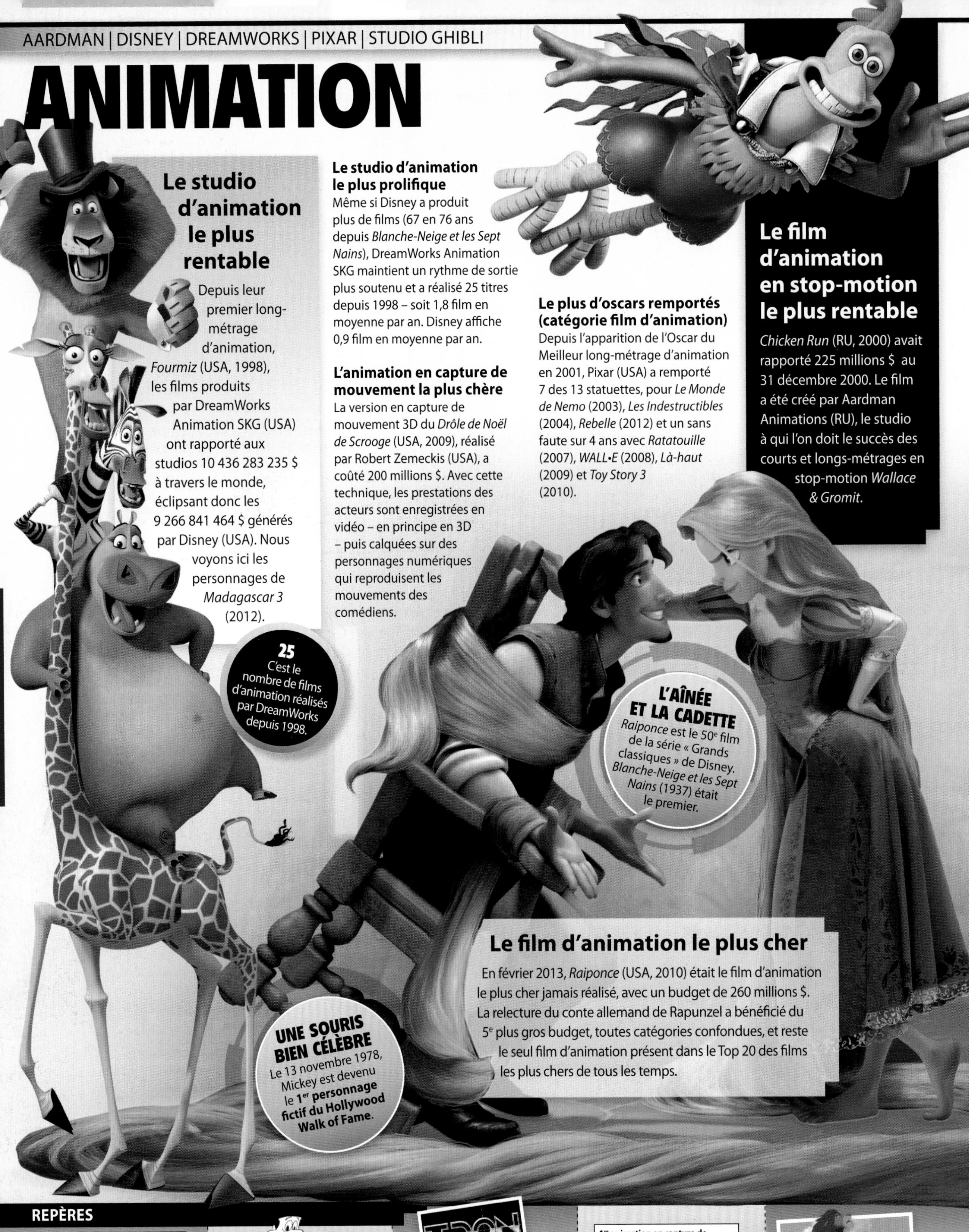

Le studio d'animation le plus rentable

Depuis leur premier long-métrage d'animation, *Fourmiz* (USA, 1998), les films produits par DreamWorks Animation SKG (USA) ont rapporté aux studios 10 436 283 235 $ à travers le monde, éclipsant donc les 9 266 841 464 $ générés par Disney (USA). Nous voyons ici les personnages de *Madagascar 3* (2012).

25
C'est le nombre de films d'animation réalisés par DreamWorks depuis 1998.

Le studio d'animation le plus prolifique

Même si Disney a produit plus de films (67 en 76 ans depuis *Blanche-Neige et les Sept Nains*), DreamWorks Animation SKG maintient un rythme de sortie plus soutenu et a réalisé 25 titres depuis 1998 – soit 1,8 film en moyenne par an. Disney affiche 0,9 film en moyenne par an.

L'animation en capture de mouvement la plus chère

La version en capture de mouvement 3D du *Drôle de Noël de Scrooge* (USA, 2009), réalisé par Robert Zemeckis (USA), a coûté 200 millions $. Avec cette technique, les prestations des acteurs sont enregistrées en vidéo – en principe en 3D – puis calquées sur des personnages numériques qui reproduisent les mouvements des comédiens.

Le plus d'oscars remportés (catégorie film d'animation)

Depuis l'apparition de l'Oscar du Meilleur long-métrage d'animation en 2001, Pixar (USA) a remporté 7 des 13 statuettes, pour *Le Monde de Nemo* (2003), *Les Indestructibles* (2004), *Rebelle* (2012) et un sans faute sur 4 ans avec *Ratatouille* (2007), *WALL•E* (2008), *Là-haut* (2009) et *Toy Story 3* (2010).

Le film d'animation en stop-motion le plus rentable

Chicken Run (RU, 2000) avait rapporté 225 millions $ au 31 décembre 2000. Le film a été créé par Aardman Animations (RU), le studio à qui l'on doit le succès des courts et longs-métrages en stop-motion *Wallace & Gromit*.

L'AÎNÉE ET LA CADETTE
Raiponce est le 50e film de la série « Grands classiques » de Disney. *Blanche-Neige et les Sept Nains* (1937) était le premier.

UNE SOURIS BIEN CÉLÈBRE
Le 13 novembre 1978, Mickey est devenu le **1er personnage fictif du Hollywood Walk of Fame**.

Le film d'animation le plus cher

En février 2013, *Raiponce* (USA, 2010) était le film d'animation le plus cher jamais réalisé, avec un budget de 260 millions $. La relecture du conte allemand de Rapunzel a bénéficié du 5e plus gros budget, toutes catégories confondues, et reste le seul film d'animation présent dans le Top 20 des films les plus chers de tous les temps.

REPÈRES

1re animation en 2D : *Humorous Phases of Funny Faces* (USA, 1906), de J. Stuart Blackton (USA, né au RU), une série de caricatures dessinées à la craie blanche sur un tableau noir, tournées image par image, puis effacées et redessinées.

1re série d'animation diffusée en prime-time : *Les Pierrafeu*, série créée par William Hanna et Joseph Barbera ; débuts sur ABC Television (USA) en septembre 1960.

1re animation générée par ordinateur dans un long-métrage d'envergure : *Tron* (USA, 1982).

1re animation en capture de mouvement dans un jeu vidéo : *Prince of Persia*, créé en 1989 par le développeur et le programmateur Jordan Mechner (USA).

Bande son de film d'animation la plus rentable : *Le Roi Lion* (USA, 1994), avec 7,84 millions d'exemplaires vendus aux États-Unis et plus de 10 millions dans le monde.

2 C'est le nombre de jours qu'il a fallu à Danny Elfman pour écrire la chanson des *Simpson* en 1989.

Le plus d'oscars consécutifs remportés
L'oscar du Meilleur court-métrage d'animation existe depuis 1932. Walt Disney Productions a remporté ce trophée les 8 premières années.

AU BOX-OFFICE

Les 100 millions $ générés le plus vite par un film d'animation
Seuls 2 films d'animation ont rapporté 100 millions $ les 3 premiers jours de leur sortie : *Shrek le troisième* (USA, 2007) et *Toy Story 3* (USA, 2010) qui ont chacun atteint les 100 millions $ de recettes, respectivement le 18 mai 2007 et le 18 juin 2010.

Le film d'animation en 3D le plus rentable
Toy Story 3 (USA, 2010) a rapporté 1,06 milliard $ à travers le monde depuis sa sortie le 18 juin 2010. Le film est aussi le **long-métrage d'animation 3D le plus rentable un 1er week-end d'exploitation**, empochant 110 307 189 $ pour son 1er week-end. 12 longs-métrages animés 3D ont été produits en 2010, soit le **plus de films d'animation 3D jamais produits en une année**.

Toy Story 3 est aussi le **1er film animé à engranger 1 milliard $** au box-office international – record atteint le 30 août 2010. Il en profite pour décrocher le titre du **long-métrage d'animation généré par ordinateur le plus rentable**.

Le studio d'animation non-anglophone le plus rentable
Fondé à Koganei (Tokyo, Japon) en 1985, le Studio Ghibli est le studio d'animation basé hors des États-Unis le plus rentable. Il a produit 18 longs-métrages. Les 9 titres sortis après *Princesse Mononoké* (1997) ont bénéficié d'un nouveau contrat de distribution avec Disney/Buena Vista (USA), générant ainsi plus de 1 milliard $ dans le monde.

La moyenne des recettes la plus forte pour un studio
Pixar a produit 13 longs-métrages depuis 1995, qui ont rapporté 7,8 milliards $ à travers le monde, soit 601 707 296 $ en moyenne par titre.

Le 1er japanime à remporter un oscar

Le Voyage de Chihiro (2001) du Studio Ghibli a remporté l'oscar du Meilleur film d'animation lors de la 75e cérémonie. C'est le **dessin animé le plus rentable**, avec 274,9 millions $ de recettes, et le **film d'animation en langue étrangère le plus rentable**. C'est aussi le film japonais le plus rentable, toutes catégories confondues.

La sitcom animée la plus pérenne

Les Simpson (FOX) est la sitcom actuelle la plus pérenne à la télévision américaine – sa 23e saison a été diffusée au printemps 2012. Le 500e épisode de la série a été diffusé le 19 février 2012. En 2011, la série a été renouvelée pour deux saisons, ce qui marquera un record historique en 2013-2014 avec 25 saisons.

Le plus de nominations aux Oscars pour un film d'animation

WALL•E (USA, 2008) a reçu 6 nominations aux Oscars : Meilleurs film d'animation, scénario original, bande son, chanson, mixage du son et montage du son. Il a remporté l'oscar du Meilleur film d'animation.

Le **1er dessin animé oscarisé**, lors de la 5e cérémonie en 1932, *Des arbres et des fleurs* (*ci-contre*), était un court-métrage de 8 min de la série « Silly Symphony ». Il a valu à Disney un oscar pour le Meilleur court-métrage d'animation.

En **6** semaines *WALL•E* a engrangé 200 millions $ aux États-Unis.

1er film d'animation entièrement généré par ordinateur : *Toy Story* (USA, 1995).

1er film avec une animation CARI : *Cœur de dragon* (USA, 1996) compte une animation CARI d'Industrial Light & Magic's (USA) chargée de reproduire les tissus et les muscles sur des personnages animés.

1er film d'animation généré par ordinateur avec des personnages photo-réalistes : *Final Fantasy : Les créatures de l'esprit* (USA, 2001).

1er film d'animation nominé aux Oscars dans la catégorie Meilleur film étranger : *Valse avec Bachir* (Israël/Allemagne/France/USA, 2008), réalisé par Ari Folman (Israël).

1er long-métrage d'animation créé en 3D stéréoscopique : *Monstres contre Aliens* (USA, 2009), film créé en format stéréoscopique et non converti en 3D une fois terminé.

SUPER-HĒROS

Record de ventes pour un jeu vidéo tiré d'une BD

Superman est le **premier super-héros à avoir eu son jeu vidéo** (*Superman* sorti sur Atari 2600 en 1979). Le jeu vidéo inspiré d'une BD le plus vendu reste *Batman : Arkham City* (Rocksteady, 2011). En septembre 2012, il s'était écoulé à 7,19 millions d'exemplaires.

INFO

Detective Comics est le **mensuel de BD le plus pérenne**. Édité par DC Comics aux États-Unis, il n'a cessé de paraître depuis mars 1937. Batman y a fait sa première apparition dans le numéro 27, en mai 1939.

Le premier super-héros

The Phantom a vu le jour en 1936 sous le crayon de Lee Falk (USA), soit deux ans avant la naissance de Superman. Les BD du Phantom narraient les aventures de Kit Walker, un personnage masqué portant un costume moulant violet.

Le **premier super-héros à trouver la mort** s'appelait The Comet, alias John Dickering, un personnage imaginé par Jack Cole (USA) pour *Pep Comics* en janvier 1940. L'auteur le fait mourir 17 numéros plus tard, en juillet 1941, sous les coups des hommes de main de son ennemi juré, Big Boy Malone.

La première super-héroïne

Elle s'appelait Fantomah, une princesse polymorphe de l'Égypte antique créée par Barclay Flagg (alias Fletcher Hanks, USA) pour le 2e numéro de *Jungle Comics*, paru en février 1940.

La première super-héroïne masquée costumée (et de naissance « naturelle ») a été The Woman in Red, imaginée par Richard Hughes et George Mandel (tous deux USA) pour le 2e numéro de *Thrilling Comics*, sorti en mars 1940.

La BD la plus chère

Un exemplaire quasi neuf du 1er numéro d'*Action Comics*, paru en 1938 et présentant Superman pour la première fois, a été adjugé sur le site Internet d'enchères ComicConnect.com à un fan anonyme pour 2,16 millions $, commission incluse, le 30 novembre 2011.

La plus large diffusion d'un film de super-héros (dans un pays)

The Dark Knight Rises (USA, 2012) est sorti sur 4 404 écrans aux États-Unis le 20 juillet 2012 – record battu seulement par *Twilight-chapitre 3 : Hésitation* (USA, 2010) avec 4 468 cinémas, et *Harry Potter et le prince de sang-mêlé* (RU/USA, 2009) avec 4 455.

Le reboot le plus rentable

D'après une étude de Box Office Mojo sur les films « rebootés » les plus rentable, *The Amazing Spider-Man* (USA, 2012) est en tête du peloton, avec des recettes évaluées à 262 030 663 $. *Star Trek* (USA, 2009), *Batman Begins* (USA, 2005) et *Casino Royale* (RU, 2006) n'ont qu'à bien se tenir !

RECORD D'ADAPTATIONS

Fort de ses 8 longs-métrages, Batman restait en 2012 le **personnage de BD le plus souvent adapté sur grand écran.**

Le film de super-héros le plus rentable

Avengers (USA, 2012), de Marvel, a rapporté 1 511 757 910 $ au box-office international en 22 semaines d'exploitation, comprises entre le 4 mai et le 4 octobre 2012.

L'opus au casting éblouissant est aussi le **film qui a rapporté le plus rapidement 1 milliard $** – 10 jours lui auront suffi.

62
C'est le nombre de longs-métrages inspirés des BD Marvel (chiffre 2012).

TOP 10 DES SUPER-HÉROS AU BOX-OFFICE

1. Batman : 3 718 millions $

Source : Box Office Mojo. Chiffres combinés de tous les films (1978-2013) dans lesquels ces personnages tenaient le premier rôle. Chiffres arrêtés en janvier 2013.

2. Spiderman : 3 248 millions $

3. X-Men : 1 890 millions $

4. Avengers : 1 511 millions $

5. Iron Man : 1 209 millions $

Catwoman (USA, 2004), avec Halle Berry (USA), a rapporté les **plus grosses recettes pour un film de super-héroïne**, avec 82 102 379 $ au box-office. Le film a toutefois été un flop critique et commercial, incapable de rembourser son budget, estimé à 100 millions $.

L'objet de collection Batman vendu le plus cher aux enchères

Une Batmobile utilisée dans *Batman Forever* (USA 1995) a été adjugée à John O'Quinn (USA) en septembre 2006 pour 335 000 $, lors de la vente aux enchères de voitures de collection Kruse International de Las Vegas (Nevada, USA).

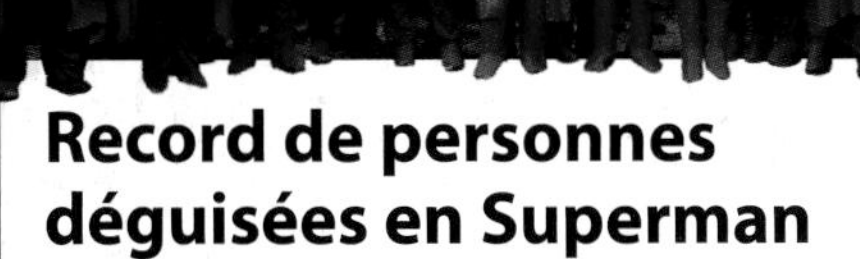

Record de personnes déguisées en Superman

437 personnes se sont déguisées en Superman lors d'un événement organisé par Nexen Inc. (Canada) au siège de Nexen Inc. à Calgary (Alberta, Canada), le 28 septembre 2011. Nexen a profité du record pour lancer sa campagne de levée de fonds (judicieusement intitulée « Soyez un super-héros »).

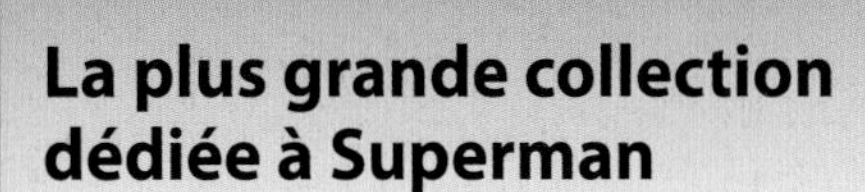

La plus grande collection dédiée à Superman

Au 22 février 2012, Herbert Chavez (Philippines) possédait une immense collection d'objets Superman comptant quelque 1 253 articles. Il a même subi de lourdes opérations chirurgicales pour ressembler à son super-héros favori.

INFO

Stan Lee (USA) – né Stanley Lieber en 1922 – a co-créé Spiderman avec l'artiste Steve Ditko (USA) en 1962. Parmi ses nombreuses récompenses, Lee possède son étoile sur le Walk of Fame d'Hollywood.

Record de films inspirés des œuvres d'un créateur de BD

En février 2013, l'œuvre de Stan Lee (USA) avait fait l'objet de 18 adaptations hollywoodiennes. La photo montre les vedettes de *X-Men : Le commencement* (USA, 2011) – le volet le plus rentable de la saga *X-Men*.

La BD la plus vendue

Créée par Chris Claremont (RU) et Jim Lee (USA), *X-Men 1* (Marvel Comics, 1991) s'est vendue à 8,1 millions d'exemplaires. Lee avait conçu quatre couvertures, publiées simultanément en date d'octobre 1991. Un mois plus tard, une autre édition associait les quatre visuels sur une couverture dépliable.

492 937,50 $
Le prix déboursé pour le n° 1 de *X-Men* de 1963, vendu par Heritage Auctions (USA), le 26 juillet 2012.

Le premier super-héros de télévision

Superman est le premier super-héros de BD à avoir sa propre série télévisée, *Les Aventures de Superman*, avec George Reeves (USA), diffusée en 1952.

Le costume de Superman porté par Reeves a été adjugé 129 800 $ à la vente aux enchères Profiles in History de Los Angeles (Californie, USA), le 31 juillet 2003. C'est le **costume de série télévisée le plus cher jamais vendu aux enchères**.

Le film le plus cher inspiré d'un personnage de BD

Avec un budget estimé à plus de 270 millions $, l'opus de Bryan Singer (USA) *Superman Returns* (USA, 2006) est le film inspiré d'un personnage de BD le plus onéreux du monde.

X-CEPTIONNEL
Au 28 juin 2012, Eric Jaskolka (USA) possédait la **plus grande collection dédiée à X-Men**, avec 15 400 objets.

6. Hulk : 1 133 millions $

7. Les Indestructibles : 631 millions $

8. Hancock : 624 millions $

9. Les 4 Fantastiques : 619 millions $

10. Superman : 484 millions $

POP MUSIC

Le plus jeune juré de *X Factor*

Demi Lovato (USA, née le 20 août 1992, *ci-dessus à gauche*) n'avait que 19 ans et 278 jours à ses débuts dans la 2e saison de *The X Factor USA* aux côtés de Simon Cowell, L A Reid et Britney Spears, le 24 mai 2012. Lovato coachait la catégorie des jeunes adultes, mais aucun de ses protégés n'est arrivé en finale.

Le 1er album à dominer les charts 2 ans de suite

L'album *21* d'Adele (RU, née Adele Adkins) s'est écoulé à 18,1 millions d'exemplaires en 2011 et 8,3 millions en 2012. Les ventes globales s'élevant à 26,4 millions de disques fin 2012, l'album se place parmi les 50 albums les plus vendus de tous les temps.

Le plus de victoires aux BRIT Awards

Robbie Williams (RU) en a remporté 17, en incluant ses trophées en solo et avec son groupe Take That.

Le **plus de BRIT Awards pour un groupe** s'élève à 8 – Coldplay et Take That (tous deux RU) se partagent le titre. Coldplay a égalé le record établi par Take That de 1993 à 2011 grâce au Meilleur concert en 2013. Il détient aussi 3 trophées dans la catégorie du Meilleur groupe britannique.

Le plus de clips pour un album

Kono Hi no Chime wo Wasurenai (Je n'oublie pas le carillon d'aujourd'hui), le 1er album des SKE48 (Japon), est sorti au Japon en septembre 2012. Le DVD en bonus contenait 63 clips, chargés de présenter les talents vocaux de chacun des 63 membres du groupe.

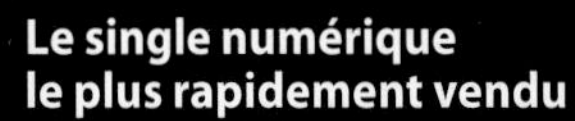

Le single numérique le plus rapidement vendu

Le single de Taylor Swift, *We Are Never Ever Getting Back Together*, tiré de *Red* (2012), s'est hissé à la 1re place des ventes de singles sur iTunes 50 min après sa sortie, le 14 août 2012. Il s'est écoulé à 623 000 exemplaires dès la 1re semaine.

La 1re chanteuse solo à vendre 2 millions d'albums en 1 semaine aux charts USA

Les 3e et 4e albums studio de Taylor Swift (USA) – *Speak Now* en novembre 2010 et *Red* en novembre 2012 – se sont écoulés chacun à plus de 1 million d'exemplaires la semaine de leur sortie, avec respectivement 1,04 million et 1,20 million de disques vendus.

Le plus de titres numériques vendus dans un pays en 1 semaine

55,74 millions de titres numériques se sont vendus aux États-Unis du 24 au 30 décembre 2012, avec en tête des ventes, *I Knew You Were Trouble* de Taylor Swift (582 000 exemplaires vendus). Grâce à cette semaine, les ventes de musique numérique aux États-Unis ont atteint 1,336 milliard en 2012.

1,31 MILLION
C'est le nombre de copies de *Oops !... I Did it Again* vendues par Britney Spears en mars 2000 : la seule à battre Swift sur un single.

Le plus de semaines de suite dans les charts singles anglais (singles multiples)

Au 6 avril 2013, le 1er single n° 1, *Run This Town*, de Rihanna (Barbade, née Robyn Rihanna Fenty) comptait 187 semaines consécutives de présence au Top 75 anglais (depuis le 12 septembre 2009).

La star a vendu plus de 100 millions de disques et a placé 29 titres dans les charts depuis septembre 2009, dont 22 en tant que chanteuse solo ou vocaliste principale.

FAN DE TWITTER
Rihanna comptait 29 437 398 « followers » sur Twitter au 2 mai 2013.

MUSICIENS LES MIEUX PAYÉS (2011-2012)

1. Dr Dre, alias Andre Young (USA), 110 millions $

2. Roger Waters (RU), 88 millions $

3. Elton John (RU), 80 millions $

4. U2 (Irlande), 78 millions $

5. Take That (RU), 69 millions $

341 000 C'est le nombre de singles numériques vendus la 1re semaine de *Live While We're Young.*

GUINNESS WORLD RECORDS 2014

La meilleure entrée dans les charts singles US pour un groupe anglais

Les One Direction – en partant de la gauche : Harry Styles, Zayn Malik, Liam Payne, Louis Tomlinson (tous RU) et Niall Horan (Irlande) – ont débuté à la 3e place des charts singles US le 20 octobre 2012 avec *Live While We're Young*, le meilleur début pour un groupe entièrement ou en majeure partie britannique au cours des 55 ans d'histoire du Billboard Hot 100.

.e clip le plus visionné
.e clip *Gangnam Style* de la pop ;tar sud-coréenne PSY (né Park Jae-;ang) est le plus visionné sur le Net, ;t même le **clip le plus visionné, outes catégories confondues** (*voir* *). 198*). Au 2 mai 2013, il totalisait 573 485 358 vues sur YouTube.

.'application musicale ;acebook la plus populaire
En mars 2013, on estimait ı 25,94 millions le nombre l'utilisateurs actifs mensuels du service de streaming Spotify (Suède) ;ur Facebook et à 9,05 millions :elui d'utilisateurs quotidiens. En novembre 2012, *Music Week* a déclaré que 62,6 millions de chansons avaient été jouées 22 milliards de fois sur les applications de musique Facebook, ;oit 210 000 années de musique.

LE PLUS DE VUES SUR YOUTUBE POUR UN MUSICIEN INDÉPENDANT

Les vidéos de numéros de guitare de "jwcfree", alias Sungha Jung (Corée du Sud) avaient été vues 670 705 977 fois au 2 mai 2013. Le **plus de vues sur YouTube pour une musicienne anonyme** est détenu par Venetian Princess, alias Jodie Rivera (USA), qui totalisait 385 278 784 vues au 2 mai 2013.

Le plus grand Harlem Shake

Le duo de rock indépendant Matt & Kim (alias Matt Johnson et Kim Schifino, USA) a déclenché un Harlem Shake – basé sur le single de Baauer (USA, né Harry Rodrigues) sorti en 2012, *Harlem Shake* – 3 344 personnes s'y sont essayées au stade de la Houston Field House de l'institut polytechnique Rensselaer, à Troy (New York, USA), le 11 février 2013.

Le plus de semaines de suite au Top 10 anglais pour un 1er album
Au 4 mai 2013, *Our Version of Events* de Emeli Sandé (RU) entamait sa 63e semaine consécutive au Top 10 anglais – dont 10 semaines à la 1re place. Elle a ainsi battu le record détenu pendant 50 ans par l'album des Beatles *Please Please Me*, resté 62 semaines consécutives dans les charts après sa sortie en mars 1963.

THE X FACTOR

Le juge le plus pérenne
Deux juges ont participé à 9 saisons de *The X Factor*. Simon Cowell (RU) a pris part aux 7 premières saisons

version RU (2004-2010) et aux deux premières saisons version USA (2011-2012). Louis Walsh (Irlande) a participé aux 9 saisons anglaises (2004-2012). Depuis ses débuts à la télé anglaise en 2004, cette émission de concours de talents a été diffusée ou adaptée dans 39 pays.

Le plus de vainqueurs pour un coach
Morgan, alias Marco Castoldi (Italie), a coaché 4 vainqueurs de la version italienne de *The X Factor* : Aram Quartet, Matteo Becucci, Marco Mengoni et Chiara Galiazzo, cru 2012.

Le plus jeune coach gagnant
Charice (Philippines, née Charmaine Pempengco, 10 mai 1992) avait 20 ans et 150 jours lorsqu'elle a coaché K Z Tandingan (née Kristine Tandingan), la menant à la victoire dans la 1re saison de *The X Factor Philippines*, le 7 octobre 2012.

La meilleure place dans les charts singles anglais pour un musicien indépendant

Forever Yours interprété par Alex Day (RU) a démarré à la 4e place le 31 décembre 2011. Alex, 24 ans, est un blogueur vidéo qui utilise les réseaux sociaux pour promouvoir sa musique. Il est entré dans les charts en solo avec les singles de 2012 *Lady Godiva* et *Stupid Stupid* après une collaboration avec les Chartjackers (*I've Got Nothing*, 2009) et les Sons of Admirals (*Here Comes My Baby*, 2010). Au 27 mars 2013, la chaîne YouTube d'Alex, *nerimon*, avait attiré 109 779 806 internautes.

Le plus jeune artiste à placer 5 albums au top des charts US

Justin Bieber (Canada, né le 1er mars 1994) est devenu n° 1 avec *My World 2.0* (2010), *Never Say Never : The Remixes* (2011), *Under the Mistletoe* (2011), *Believe* (2012) et *Believe Acoustic* (2013) avant ses 19 ans. Le 22 octobre 2012, il est devenu le **1er musicien ayant une chaîne musicale vue 3 milliards de fois**. Au 27 mars 2013, il totalisait 3 542 692 835 vues sur YouTube.

6. Bon Jovi (USA), 60 millions $

7. Britney Spears (USA), 58 millions $

=8. Paul McCartney (RU)
= 8. Taylor Swift (USA), 57 millions $

=10. Justin Bieber (Canada)
=10. Toby Keith (USA), 55 millions $

Source : Forbes.com
Chiffres basés sur les recettes totales de mai 2011 à mc

CONCERTS LIVE

Le plus de concerts live en 24 h (villes multiples)

Les Flaming Lips (USA) ont donné 8 concerts dans plusieurs villes des États-Unis en 24 h d'affilée, dans le cadre des O Music Awards, les 27-28 juin 2012. Le groupe a joué pendant 15 min au moins dans chaque ville, se rendant d'un lieu à l'autre à bord d'un autobus.

Le plus de spectateurs

Rod Stewart (RU) a attiré 4,2 millions de fans sur la plage de Copacabana à Rio (Brésil), pour la Saint-Sylvestre 1994, soit le plus de spectateurs pour un concert gratuit – même si certains ne seraient venus que pour admirer le feu d'artifice de minuit. Au même endroit, le 18 février 2006, les Rolling Stones (RU) ont joué devant environ 2 millions de fans.

Toujours à Rio, au Maracanã Stadium, Paul McCartney (RU) et Tina Turner (USA) ont donné un concert devant 180 000 à 184 000 personnes, la **plus plus forte affluence à un concert payant pour un artiste solo**. L'ex-Beatle s'est produit le 21 avril 1990, et Turner le 16 janvier 1988.

Le concert Molson Canadian Rocks for Toronto qui a eu lieu le 30 juillet 2003 au Downsview Park de Toronto (Ontario, Canada) a séduit 489 176 personnes, soit le **plus de spectateurs pour un concert unique et payant**. Les Flaming Lips (USA), AC/DC (Australie) ou encore Justin Timberlake (USA) étaient à l'affiche.

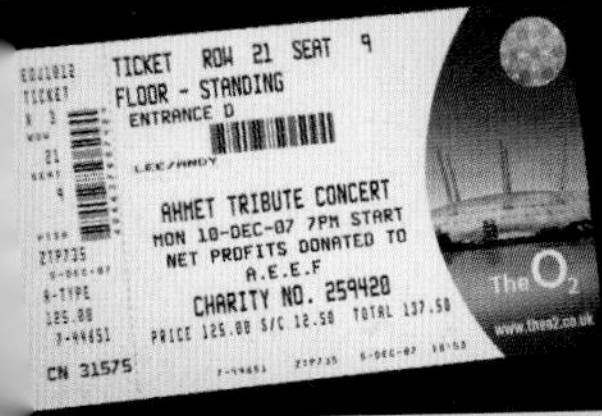

INFO

Le concert Réunion unique de Led Zeppelin (RU) à l'O2 de Londres (RU), le 10 décembre 2007, a généré plus de 20 millions de demandes de billets. À tel point que les 18 000 billets disponibles se négociaient jusqu'à 1 800 £ sur eBay – soit, plus de 14 fois leur prix original, fixé à 125 £.

La plus grande plate-forme scénique

Entre 2009 et 2011, pour leur 360° Tour, U2 (Irlande) a joué sous The Claw (« La griffe »), une structure à quatre « pieds » de 50 m de haut et 2 694 m^2. La scène métallique aux allures de soucoupe volante a nécessité 120 camions pour son transport et a coûté de 15 à 20 millions £. Chaque phalange de la Claw intégrait une sono assez puissante pour un stade, 72 subwoofers autonomes et un système d'éclairage. Trois mastodontes du même genre ont été construits.

Le 1er plongeon de scène fatal à un musicien

Le chanteur des Bad Beat Revue, Patrick Sherry (RU), est décédé des suites de blessures crâniennes subies après un plongeon dans la foule de la boîte de nuit Warehouse de Leeds (RU), le 20 juillet 2005. Le charismatique interprète de 29 ans s'est en effet fracturé le crâne en plongeant tête la première depuis un portique d'éclairage pendant la chanson qui clôturait le spectacle au Club NME.

4 C'est le nombre de jours nécessaires à Simpson pour relier Londres (RU) à Oymyakon.

Le concert le plus froid

Charlie Simpson (RU) s'est produit à une température de – 30 °C, à Oymyakon (Russie), le 24 novembre 2012. Simpson a joué pour les habitants de ce village reculé de Sibérie – célèbre pour être le **lieu le plus froid de la Terre en permanence habité**.

La plus forte récompense pour la restitution d'un accessoire scénique

Lors d'un concert donné le 27 avril 2008 par Roger Waters (RU, *voir ci-dessous*), au Coachella Valley Music and Arts Festival d'Indio (Californie, USA), un cochon gonflable géant s'est détaché de ses fixations. Les organisateurs ont alors offert 10 000 $ et 4 pass à vie au festival Coachella (d'une valeur potentielle de 36 900 $) pour la restitution de l'accessoire scénique, véritable symbole des concerts de l'ancien bassiste des Pink Floyd. Le « cochon capitaliste » de 12 m a été retrouvé 2 jours plus tard à environ 14 km de là, à La Quinta (Californie, USA), mais ne ressemblai plus qu'à « un tas de lambeaux de pastique peints au spray ».

Le plus de spectateurs pour une tournée de 12 mois

En se basant sur le nombre de spectateurs aux 122 premiers concerts de la tournée des Rolling Stones (RU) « Voodoo Lounge Tour », qui comptait 134 dates, 5 769 258 personnes – soit 47 289 personnes par concert – ont assisté à leur spectacle donné à travers le monde entre le 1er août 1994 et le 1er août 1995.

TOURNÉES 2012 LES PLUS RENTABLES

1. Madonna
Villes/concerts : 67/88
Recettes : 296,1 millions $

2. Bruce Springsteen & The E Street Band
Villes/concerts : 66/81
Recettes : 210,2 millions $

3. Roger Waters
Villes/concerts : 48/72
Recettes : 186,4 millions $

4. Coldplay
Villes/concerts : 49/67
Recettes : 171,3 millions $

5. Lady Gaga
Villes/concerts : 50/80
Recettes : 161,4 millions $

Source : www.pollstarpro.com

Le 1er concert de rock

Le Moondog Coronation Ball qui s'est tenu à la Cleveland Arena (Ohio, USA), le 21 mars 1952, est considéré comme le « Big Bang du rock'n'roll ». Le concert était organisé par le DJ Alan Freed et le propriétaire d'un magasin de musique Leo Mintz ; on retrouvait à l'affiche le saxophoniste Paul Williams et ses Hucklebuckers (tous USA). Le concert s'est interrompu au bout de 30 min, en raison d'émeutes provoquées par les 20 000 noctambules qui avaient envahi la salle de 9 950 places.

MOONDOG
CORONATION BALL
CLEVELAND ARENA
FRIDAY NITE, MAR. 21
10 P.M. to 2 A.M.
PAUL WILLIAMS ★ TINY GRIMES
HUCKLEBUCKERS
ROCKIN' HIGHLANDERS
THE DOMINOES ★ DANNY COBB
MANY OTHERS! • VARETTA DILLARD • MANY OTHERS!
THE MOONDOG RADIO SHOW
WITH ALAN FREED IN PERSON
Adv. Sale Tickets $1.50 Adm. at Door $1.75

Le plus ancien festival annuel de musique pop

Le festival anglais de Reading a débuté en tant que « festival nomade de jazz et de blues national », avant de s'établir de façon permanente à Reading en 1971. L'événement de 3 jours existe depuis 1961, même si en 1984 et 1985, le conseil régional avait réquisitionné le site à des fins immobilières, conduisant à l'annulation du festival car aucun autre lieu n'avait été trouvé en remplacement.

Le **plus ancien festival de musique pop annuel sans interruption** est le Pinkpop Festival, qui se tient depuis 43 ans à Limburg (Pays-Bas). Pinkpop a attiré plus de 2 millions de spectateurs et présenté 644 artistes différents depuis 1970, avec en moyenne 50 000 festivaliers par an.

Le plus long contrat

En 1982-1983, Van Halen (USA) a fait une tournée américaine de 98 dates, présentant aux organisateurs une liste de demandes de 53 pages tapée à la machine. Le groupe exigeait, entre autres, 5 chambres avec une « température agréable », des harengs à la crème, 44 sandwichs, des M&M's (sans les marrons). Plus que de simples caprices, l'avenant permettait surtout de vérifier que leur contrat avait été lu.

Munchies
Potato chips with assorted dips
Nuts
Pretzels
M & M's (WARNING: ABSOLUTELY NO BROWN ONES)
Twelve (12) Reese's peanut butter cups
Twelve (12) assorted Dannon yogurt (on ice)

Le plus de naissances à un concert

Quatre naissances – ainsi que quatre décès ultra-médiatisés – ont été recensées par la Croix-Rouge américaine au concert débridé des Rolling Stones d'Altamont Speedway (aujourd'hui Altamont Raceway Park), auquel 300 000 fêtards avaient assisté à Tracy (Californie, USA), le 6 décembre 1969.

INFO

Elvis Presley (USA, 1935-1977) a lancé la mode des concerts de stade avec 5 dates sur la côte nord-ouest Pacifique (USA) en août et septembre 1957. Le premier de ces spectacles est considéré comme le 1er concert de rock dans un stade.

INFO

Lors d'une prestation au Railway Hotel de Harrow (Londres, RU), en 1964, le guitariste Pete Townshend des Who (RU) a « achevé » sa Rickenbacker après avoir accidentellement brisé le manche de celle-ci sur le plafond bas de la salle.

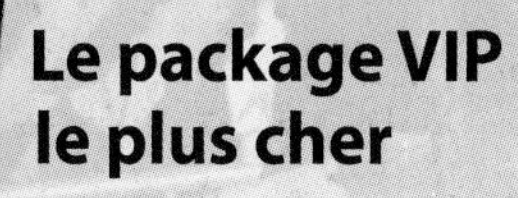

Le package VIP le plus cher

Les tickets du premier rang « Diamond VIP Experience » de la tournée « Circle » 2010 de Bon Jovi (USA) valaient 1 212 £ la pièce. Le « package » comprenait une chaise de concert collector (« Vous vous asseyez dessus. Vous regardez le spectacle. Vous l'emportez chez vous. »), un accueil avant-spectacle et un programme entièrement autographié.

Le plus d'albums live

Les Grateful Dead (USA) ont sorti 121 albums live officiels depuis 1969, dont 105 commercialisés après la séparation du groupe en 1995.

6. Cirque du Soleil – « Michael Jackson : The Immortal »
Villes/concerts : 74/172
Recettes : 140,2 millions $

7. Kenny Chesney & Tim McGraw
Villes/concerts : 22/23
Recettes : 96,5 millions $

8. Metallica
Villes/concerts : 21/30
Recettes : 86,1 millions $

9. Elton John
Villes/concerts : 78/95
Recettes : 69,9 millions $

10. Red Hot Chili Peppers
Villes/concerts : 72/77
Recettes : 57,8 millions $

TÉLÉ

La 1re diffusion en 3D des vœux de Noël d'Elizabeth II

Le 25 décembre 2012, les vœux de Noël de la reine Elizabeth II (RU) ont été diffusés pour la 1re fois en 3D. « Nous souhaitions faire quelque chose d'un peu différent pour l'année du jubilée, a expliqué un porte-parole du palais de Buckingham, et proposer les vœux en 3D pour la première fois paraissait une bonne idée, et bien dans l'air du temps du point de vue technique. »

Les revenus annuels les plus élevés pour une personnalité de la télé

Femme : Même si ses revenus accusent une baisse de 125 millions $ par rapport à l'an passé, Oprah Winfrey (USA) a toutefois empoché 165 millions $ entre mai 2011 et mai 2012 selon *Forbes*. Elle reste donc la femme de télévision la mieux payée. Les principaux revenus d'Oprah proviennent de sa maison de production Harpo – derrière *Dr Phil*, *Rachael Ray*, *The Dr Oz Show* et Discovery de la chaîne OWN (Oprah Winfrey Network) – de son magazine *O*, et de sa station de radio *Oprah Radio* diffusée sur XM Satellite Radio.

Homme : Pour l'année clôturée au 1er mai 2012, Simon Cowell (RU) est la personnalité masculine de télévision la mieux payée – et même l'homme de télévision le mieux payé, toutes catégories confondues, acteurs compris. Fondateur de SYCO Entertainment (RU/USA), Cowell a gagné 90 millions $ grâce à son rôle de juré dans *The X Factor USA* et de manager pour des artistes musicaux comme les One Direction (RU), groupe devenu célèbre grâce à la version anglaise de l'émission.

La série télé pratique la plus suivie

Diffusée dans 212 pays, la série anglaise *Top Gear* (BBC) est la série télé pratique la plus suivie. L'émission consacrée aux voitures et au sport auto a débuté en 1977 avant d'être relancée en 2002. Elle est présentée par Jeremy Clarkson (*ci-dessus*), Richard Hammond et James May (tous RU).

Le présentateur le plus pérenne

L'astronome amateur sir Patrick Moore (RU, 1923-2012) a présenté la série documentaire dédiée à l'astronomie et l'**émission la plus pérenne présentée par un même présentateur**, *The Sky at Night* (BBC), depuis le 1er volet diffusé en 1957 jusqu'au 722e, « Reaching for the Stars », diffusé le 7 janvier 2013.

Le plus long baiser dans une émission télé

Malik Anthony et Merilee Rhoden (tous deux USA) ont échangé un baiser de 3 min et 28 s sur le plateau de *The Jeff Probst Show*, à Los Angeles (California, USA). Cet épisode a été diffusé le jour de la Saint-Valentin, le 14 février 2013.

Les plus grands téléphages (par pays)

En 2011, le téléspectateur américain a passé en moyenne 293 min par jour devant sa télévision, selon une étude Ofcom, régulateur anglais de l'industrie des communications. Le téléspectateur italien le talonne avec 253 min, suivi de l'Anglais, avec 242 min.

Le plus fort essor de la TV sur Internet

Le Royaume-Uni mène le jeu de la télévision sur Internet, que ce soit pour voir un programme en direct ou en VOD. D'après le

La série télé la mieux notée

D'après les critiques publiées, *Breaking Bad* (AMC, 2008-2013) a obtenu en 2013 un score quasi parfait de 99 sur 100 sur Metacritic.com. Dans la série, Bryan Cranston (USA) tient le rôle de Walter White, un professeur de chimie atteint d'un cancer des poumons et qui, à la suite d'une crise de la cinquantaine, se transforme en dealer. Créée par Vince Gilligan (USA), cette série produite par Sony Pictures est diffusée aux États-Unis sur la chaîne câblée AMC.

PAS SI BAD
Breaking Bad a aussi la distinction d'être la **série télé la mieux notée de tous les temps**, grâce à son score sans précédent sur Metacritic.com.

PRÉSENTATEURS PROLIFIQUES

L'émission présentée à la télévision à la plus basse altitude : Alastair Fothergill (RU) a présenté *Abyss Live* (BBC, RU) le 29 septembre 2002, à 2,4 km sous l'eau.

Le 1er speaker télé (homme) : en 1936, le commentateur radio Leslie Mitchell (1905-1985) est devenu le 1er des trois présentateurs choisis pour présenter les programmes de la BBC.

Le présentateur de bêtisiers le plus pérenne : Denis Norden CBE (RU, né le 6 février 1922) a présenté des bêtisiers pendant 29 ans. Il a présenté sa 1re émission, *It'll be Alright on the Night*, le 18 septembre 1977 et sa dernière, *All the Best from Denis Norden*, en septembre 2006.

Le plus d'épisodes de Qui veut gagner des millions ? : le présentateur Gerry Scotti, alias Virginio Scotti (Italie), a présenté 1 593 épisodes – chiffre certifié sur le *Lo Show dei Record* à Milan (Italie), le 5 mai 2011.

Le plus jeune présentateur TV : Luis Tanner (Australie, né le 9 mai 1998) a présenté *Cooking for kids with Luis* (Nickelodeon) le 25 octobre 2004, à l'âge de 6 ans et 168 jours.

L'ACTRICE TÉLÉ LA MIEUX PAYÉE PAR ÉPISODE

La 14e saison de *New-York, unité spéciale* (NBC) est revenue sur les écrans américains en septembre 2012, permettant à Mariska Hargitay (USA) de retrouver son titre d'actrice la mieux payée par épisode, avec un salaire estimé à 500 000 $ par épisode.

L'ACTEUR TÉLÉ LE MIEUX PAYÉ PAR ÉPISODE

Ashton Kutcher (USA) a empoché au moins 700 000 $ par épisode pour la sitcom *Mon oncle Charlie* (CBS). Kutcher avait remplacé Charlie Sheen (USA), le précédent tenant du titre. Sheen gagnait à l'époque 1,2 million $ par épisode.

7th International Communications Market Report d'Ofcom (RU), 23 % des internautes britanniques profitent chaque semaine des services TV du Net. La facilité d'accès aux services de vidéos en replay (BBC iPlayer, Sky Go et 4OD) a joué un rôle déterminant.

La série de science-fiction la plus pérenne
Au 18 mai 2013, 798 épisodes de *Doctor Who* (BBC, RU) avaient été diffusés. Ce chiffre englobe les 239 arcs narratifs et le téléfilm, mais pas les parodies, ni les spin-offs, ni les webisodes. Le tournage de la 8e saison (nouvelle version) est prévu pour septembre 2013, avec toujours Matt Smith (RU) dans le rôle du 11e « Doctor ».

La couverture des JO la plus complète
La couverture multiplate-forme numérique des JO de Londres 2012 a été la plus complète de tous les temps. 5 535 h de retransmission ont été mises à disposition par NBC (USA) via NBC Sports Network, MSNBC, CNBC, Bravo, Telemundo et NBCOlympics.com, tandis que la BBC Sport (RU) diffusait, elle, 2 500 h à la télévision et sur Internet – avec du streaming en HD, et des pages Web consacrées à chaque athlète, pays, discipline et lieu des épreuves. En Chine, CCTV a proposé 610 millions de flux de streaming pour iPads, Smartphones, et autres appareils connectés.

En juin 2011, la chaîne américaine NBC a conclu un accord de 4,38 milliards $ avec le Comité international olympique qui lui donne les droits de diffusion télé aux États-Unis de 2014 à 2020 – le **contrat de droits de diffusion des JO le plus lucratif.** NBC a ainsi déboursé 1,2 milliard $ rien que pour les droits de diffusion des JO de Londres 2012.

La série télé la plus piratée
D'après le blog de partage de fichiers TorrentFreak, la série télévisée la plus piratée est l'épopée fantastique médiévale de HBO, *Game of Thrones*, l'épisode le plus populaire ayant été téléchargé illégalement 4 280 000 fois en 2012. En moyenne, chaque épisode de la saison 2 a été téléchargé 3,9 millions de fois.

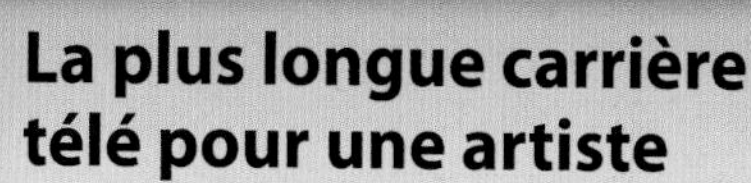

La plus longue carrière télé pour une artiste

L'actrice Betty Marion White Ludden (USA, née le 17 janvier 1922), plus connue sous le nom de Betty White, a fait ses débuts à la télévision en 1939. Au 25 février 2013, elle apparaissait encore à l'écran à l'âge de 91 ans et 39 jours, soit une carrière de 74 ans.

74
C'est le nombre d'années de présence de Bruce Forsyth à la télévision.

La plus longue carrière télé pour un artiste

Sir Bruce Forsyth (RU) a fait ses débuts en 1939 – il interprétait un garçon de 11 ans dans *Come and Be Televised* de la BBC (RU). Il a présenté sa 1re émission, *Sunday Night at the London Palladium* (ATV/ITV), en 1958. Sa plus récente prestation date de 2012 : il a co-présenté un *Strictly Come Dancing Christmas Special* (BBC).

Le plus long téléshopping
Le présentateur Steve Macdonald (RU) est resté en direct pendant 25 h et 2 min sur le plateau de l'émission de téléshopping *Price Drop* à Londres (RU), le 28 octobre 2012.

Le personnage de littérature le plus porté à l'écran
Sherlock Holmes a été porté à l'écran (grand et petit) plus qu'aucun autre personnage de littérature. En avril 2012, Holmes était apparu au moins 254 fois dans différents films et téléfilms. Le **personnage le plus porté à l'écran** toutes catégories confondues reste le Diable, référencé dans 849 films et téléfilms à la même date.

Les plus fortes enchères pour un objet Batman

Une Batmobile utilisée dans la série télé des années 1960 *Batman* (ABC, USA, 1966-1968) s'est vendue 4 620 000 $, primes incluses, aux enchères de voitures Barrett-Jackson de Scottsdale (Arizona, USA), le 19 janvier 2013.

1 $
C'est le prix payé par le customizer de voitures George Barris pour une Lincoln Futura de 1965. 15 jours et 15 000 $ plus tard, il l'avait transformée en Batmobile !

Le plus d'heures de présence à la télé US : avec une carrière de 52 ans à la télé au 15 septembre 2011, le présentateur Regis Philbin (USA) a cumulé 16 746 h d'antenne.

La personnalité télé la plus influente : selon *Forbes*, Oprah Winfrey (USA, née en 1954) est la personne la plus influente de la télé, en grande partie grâce à son propre réseau.

Le présentateur de télé-réalité le plus riche : Richard Branson (RU), vedette de l'émission de télé-réalité diffusée en 2004, *The Rebel Billionaire : Branson's Quest for the Best* (FOX, USA), pèse environ 3 milliards £.

Le plus d'émissions présentées par un même présentateur : Tetsuko Kuroyanagi (Japon) a présenté 9 486 épisodes de son émission quotidienne *Tetsuko no Heya* (« La chambre de Tetsuko ») depuis sa 1re diffusion par la chaîne Asahi (Japon), le 2 février 1976.

La plus longue carrière comme naturaliste télé : sir David Attenborough (RU) a célébré ses 60 ans d'antenne en 2012. Il a rejoint la BBC (RU) en 1952 et présenté sa 1re émission, *Zoo Quest*, en 1954.

JEUX VIDÉO

12 ANS C'est la durée de la collection de Brett. Il a débuté son musée du jeu vidéo en 2005.

La plus grande collection dédiée au jeu vidéo

En 1989, les parents de Brett Martin (USA), alors âgé de 8 ans, lui ont offert une figurine de Mario tenant un champignon de 4 cm. En octobre 2012, Brett possédait 8 030 objets relatifs au jeu vidéo, qu'il entrepose dans son Video Game Memorabilia Museum (videogamemm.com). Mario gonflable (*à gauche*) provient de l'opération promotionnelle d'un magasin et reste l'un des objets promo Mario les plus anciens et les plus rares. Mario a bénéficié de plus de merchandising qu'aucun autre personnage de jeu vidéo, mais Brett a quand même un faible pour Link.

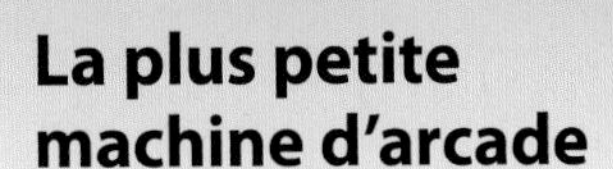

La plus petite machine d'arcade

Mark Slevinsky (Canada) a créé une mini-machine d'arcade entièrement opérationnelle de 124 x 52 x 60 mm. L'ingénieur en informatique l'a construite de A à Z en 2009 et a même conçu son propre système d'exploitation, FunkOS, capable de programmer des clones de *Tetris*, *Space Invaders* et *Breakout*.

Le jeu qui a le plus vite généré 1 milliard $

Call of Duty : Modern Warfare 3 (Infinity Ward/Sledgehammer Games, 2011) avait rapporté 1 milliard $ 16 jours après sa sortie.

La série de jeux vidéo la plus pérenne

32 ans et 3 mois se sont écoulés entre les premier et dernier jeux vidéo *Flight Simulator* qui est donc devenue en septembre 2012 la plus longue série de jeux vidéo de l'histoire. Développé par subLOGIC pour Apple II, le jeu est sorti en octobre 1979. La licence a ensuite été rachetée par Microsoft et distribuée pour PC sous le titre de *Flight Simulator 1.00* en 1982. La série compte aujourd'hui 16 titres majeurs.

Le plus de records mondiaux sur *Super Mario Kart*

Leyla Hasso (RU), 13 ans, n'était pas encore née à la sortie de *Super Mario Kart* (Nintendo EAD), en 1992. Pourtant, au 19 septembre 2012, elle détenait 30 des 40 records de temps possibles sur la version PAL, soit 26 fois plus que sa rivale la plus proche, Tanja Brönnecke (Allemagne).

Le jeu vidéo pour PC le plus rapidement vendu

Diablo III (Blizzard, 2012) s'est écoulé à 3,5 millions d'exemplaires dans les 24 h de son lancement. Le premier jour, il a attiré 4,7 millions de gamers. Et ces chiffres ne prennent pas en compte les 1,2 million de joueurs qui ont reçu le jeu en cadeau pour l'achat d'un pass annuel *World of Warcraft*.

Le jeu de sport le plus rapidement vendu

FIFA 13 (EA Canada, 2012) s'est écoulé à 4,5 millions d'exemplaires en l'espace d'une semaine.

Le plus long home-run sur *Wii Sports*

Brandon Christof (Canada) a réussi un home-run de 201,7 m sur *Wii Sports* (Nintendo, 2006),

La plus grande marge de victoire contre un ordinateur sur *FIFA 12*

Sur *FIFA 12* (EA Canada, 2011), Jacob Gaby (RU) est ballon d'or ! Le 20 août 2012, il a réalisé la plus grande marge de victoire contre un ordinateur, en gagnant 189-0. Il jouait pour le FC Barcelone contre le Fulham FC, à Bushey (Hertfordshire, RU).

LES JEUX VIDÉO LES PLUS VENDUS (PAR GENRE)

Sport : *Wii Sports* (Nintendo, 2006) – 80,91 millions

Plate-forme : *Super Mario Bros.* (Nintendo, 1985) – 40,24 millions

Course automobile : *Mario Kart Wii* (Nintendo, 2008) – 33,33 millions

Jeu de rôle : *Pokémon Red/Green/Blue Version* (Game Freak, 1996) – 31,37 millions

Tir : *Call of Duty : Modern Warfare 3* (Infinity Ward/Sledgehammer Games, 2011) – 29,67 millions

Chiffres fournis par VGChartz.com au 15 janvier 2013

à Shakespeare (Ontario, Canada), le 4 novembre 2012, pulvérisant son propre record de 197,8 m.

Le plus grand jeu de *Pong*
Atari, Inc. (USA) a conçu un jeu de *Pong* déployé sur 3 878 m², à l'hôtel Marriott de Kansas City (Missouri, USA), le 16 novembre 2012.

Le premier championnat du monde de jeu vidéo
Co-sponsorisé par Twin Galaxies et *That's Incredible* (USA, ABC), les jeux vidéo Olympiques d'Amérique du Nord ont eu lieu à Ottumwa (Iowa, USA), les 8-9 janvier 1983. Le concours s'articulait autour de 5 titres (*Frogger, Millipede, Joust, Super PAC-Man* et *Donkey Kong Jr.*) et 19 gamers. Le vainqueur et **premier champion du monde de jeu vidéo** est Ben Gold (USA).

Le plus de polygones par voiture dans un jeu de F1
À la recherche d'une réalité de plus en plus frappante, les concepteurs de jeux multiplient le nombre des polygones (formes en 2D utilisées pour construire voitures et autres objets). Le jeu pour PS3, *Gran Turismo 5* (Polyphony Digital, 2010) détenait le record, avec 400 000 polygones par véhicule. *Forza Motorsport 4* lui a ravi le titre haut la main, avec 800 000 polygones par voiture.

LES JEUX LES MIEUX NOTÉS PAR LA CRITIQUE

La liste des records suivante s'appuie sur les notes données par Metacritic au 19 mars 2013. En cas d'ex-aequo, le record a été décerné au jeu possédant le plus d'évaluations.

N64 : *The Legend of Zelda : Ocarina of Time*............................ 99 % (Nintendo)
XBox 360 : *Grand Theft Auto IV*... 98 % (Rockstar Games, 2008)
PS3 : *Grand Theft Auto IV*.......... 98 % (Rockstar Games, 2008)
PS1 : *Tony Hawk's Pro Skater 2*.......... 98 % (Activision, 2000)

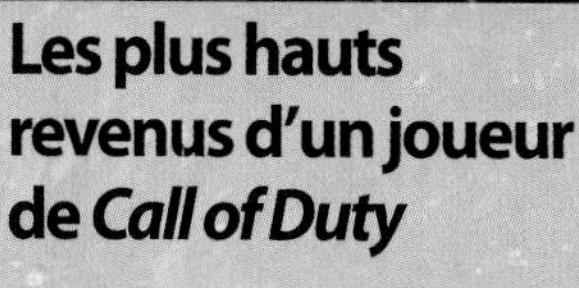

Les plus hauts revenus d'un joueur de *Call of Duty*

L'expert sur FPS Will "BigTymer" Johnson (USA) est le joueur *Call of Duty* qui a empoché les plus hauts revenus. Entre 2009 et 2012, Will a récolté135 000 $ grâce à quatre victoires sur *Call of Duty*, dans le cadre du Major League Gaming Pro Circuit. Will participe aux compétitions depuis 2009. Dans son jeu, il utilise son index et non son pouce pour appuyer sur les boutons, il reste ainsi en alerte permanente.

DEVOIR DE CHARITÉ
Activision, l'éditeur de *Call of Duty*, a créé une fondation caritative pour aider les vétérans américains à trouver un emploi.

GAMER AU VOLANT
Jann possède à présent une licence de Formule 1 et court pour Nissan dans les Blancpain Endurance Series.

Le plus jeune lauréat de la GT Academy à passer pro

Jann Mardenborough (RU) a remporté la GT Academy 2011, un concours imaginé par Nissan et PlayStation, qui rassemble les meilleurs gamers de *Gran Turismo* et leur offre la possibilité de piloter une voiture de F1. À 19 ans lors de sa victoire, Jann est le plus jeune lauréat de la GT Academy.

Wii : *Super Mario Galaxy 2*....... 97 % (Nintendo, 2010)
Xbox : *Halo : Combat Evolved*. 97 % (Microsoft Game Studios, 2001)
PS2 : *Grand Theft Auto III*.......... 97 % (Rockstar Games, 2001)
PC : *Half-Life 2*............................... 96 % (VU Games, 2004)
Wii U : *Runner2 : Future Legend of Rhythm Alien*............................ 96 % (Gaijin Games, 2013)
iOS : *World of Goo HD*................ 96 % (2D Boy, 2010)
3DS : *The Legend of Zelda : Ocarina of Time 3D*...................... 94 % (Nintendo, 2011)
PS Vita : *Persona 4 Golden*....... 93 % (Atlus Co., 2012)
DS : *Grand Theft Auto : Chinatown Wars*........................... 93 % (Rockstar Games, 2009)
PSP : *God of War : Chains of Olympus*....................... 91 % (SCEA, 2008)
Wii U : *Runner2 : Future Legend of Rhythm Alien*............................ 91 % (Gaijin Games, 2013)

Action-aventure : *Grand Theft Auto : San Andreas* (Rockstar, 2004-2008) – 23,59 millions

Simulation : *The Sims* (Maxis, 2000-2003) – 14,91 millions

Casual games : *Just Dance 3* (Ubisoft, 2011) – 12,06 millions

Combat : *Super Smash Bros. Brawl* (Nintendo, 2008) – 11,49 millions

MMORPG : *World of Warcraft* (Blizzard Entertainment, 2004) – 6,25 millions

LES DÉBUTS DE MESSI

Le coach du FC Barcelone était si déterminé à recruter le jeune Messi qu'il a établi un contrat sur le seul papier qu'il avait : une serviette !

Dossier :

Le plus de Ballons d'Or

Le Ballon d'Or de la Fédération internationale de football (FIFA) est décerné par les entraîneurs, les capitaines des sélections et les journalistes sportifs au meilleur joueur de football de l'année passée. Le 7 janvier 2013, Lionel Messi (Argentine) a reçu le prestigieux trophée pour la 4e fois consécutive. On le voit ci-dessus lors des cérémonies des quatre dernières années, depuis 2009. L'incroyable Messi a également battu le record de buts marqués au cours d'une année calendaire : 91 pour son club et son pays, sans compter les matchs amicaux. La barre a été franchie lors de son but face à Valladolid (victoire 3-1) en championnat d'Espagne, le 22 décembre 2012.

LES SPORTS LES PLUS FOUS

Petit tour du monde des autres exploits sportifs

Pourquoi certains sports, comme la natation synchronisée ou le lancer de disque, bénéficient d'une visibilité internationale lors des jeux Olympiques tandis que d'autres restent dans une relative intimité régionale ? Pourquoi la gymnastique rythmique est-elle plus « sportive » que le lancer de haggis ? Qu'a le triple saut de plus que le saut de canal ? Chez Guinness Worlds Records, tous les exploits se valent. C'est pourquoi nous rendons hommage aux compétitions les plus insolites et décalées. Vous ne les trouverez pas dans *L'Équipe*, mais elles méritent bien une ligne ou deux.

La plus longue régate en citrouille : La Pumpkin Regatta and Parade est organisée tous les ans depuis 1999 à Windsor (Nouvelle-Écosse, Canada). Les légumes flottants, des citrouilles géantes évidées, sont présentés lors d'une parade avant la course. Celle-ci s'étend sur 800 m sur le lac Pesaquid et peut être parcourue à moteur ou à la rame.

Le plus long lancer de bouse de vache : La question de savoir si la bouse sèche modelée en balle a une influence sur les records de la discipline. Le lancer le plus long suivant la règle « non modelée et 100 % bio » de 1970 est de 81,1 m, par Steve Urner (USA), lors du Mountain Festival de Tehachapi (Californie, USA), le 14 août 1981.

Le meilleur temps en Championnat du monde de porter de femme : Margo Uusorg et Sandra Kullas (toutes deux Estonie) ont complété la course d'obstacles de 253,5 m à Sonkajärvi (Finlande) en 56,9 s, le 1er juillet 2006. C'est le meilleur temps depuis l'introduction d'un poids minimal pour la femme en 2002.

Le lancer de haggis le plus long : Lorne Coltart (RU), de Perthshire (Écosse), a jeté son haggis à 66 m lors des Bearsden & Milngavie Highland Games (Écosse), le 11 juin 2011. Son lancer était si long que la bande de mesure était trop courte.

La lutte aux doigts la plus ancienne : Le *Fingerhakeln* a lieu en Bavière (Allemagne) depuis le XIVe siècle. Les combattants se disputaient alors les faveurs des dames. Aujourd'hui, les lutteurs s'affrontent au sein d'un championnat organisé dans différentes villes. Les concurrents tentent de tirer leur adversaire, assis de l'autre côté d'une table, à la force de leur majeur passé dans une sorte de bracelet.

INFO
Une fosse de 6 x 3 m de large et de plus de 30 cm de profondeur est remplie de purée de pommes de terre pour l'occasion. Des épluchures de patates sont utilisées pour éviter le gâchis.

Le plus de victoires au Championnat de lutte dans la purée : Steve Barone, dit Steve-O Gratin (USA), a créé la Fédération de lutte dans la purée. Steve, à gauche avec Rowdy Roddy Potato Head, a remporté le Championnat à 4 reprises de 2006 à 2008, à Barnesville (Minnesota, USA) et Clark (Dakota du Sud, USA).

Le plus de championnats du monde consécutifs de tirs de petits pois : Ces championnats ont lieu tous les ans à Witcham (Cambridgeshire, RU). Trois personnes les ont remportés 3 fois, le dernier étant David Hollis (RU), de 1999 à 2001.

La plus grande partie de kingyo sukui : L'art de pêcher des poissons rouges avec une épuisette fragile en papier – appelée *poi* – a été exercé à grande échelle le 4 août 2002, avec 60 000 poissons rouges, 15 000 médakas et 10 000 l d'eau. L'événement était organisé par Masaaki Tanaka, de la guilde de Fujisawa-Ginza-Doyokai, à Kanagawa (Japon).

RECORD	LIEU ET DATE	DÉTAILS	TITULAIRE
La plus grande bataille de nourriture	Festival de la tomate à Buñol (Valence, Espagne) ; 2009.	125 t de tomates	La Tomatina (Espagne)
Le plus grand championnat de Conker	RU tous les ans ; 9 octobre 2011.	395 casseurs de marrons	Hampstead Heath Education Centre (RU)
La plus grande bataille de ballons d'eau	Université du Kentucky (USA), 175 141 ballons ; 27 août 2011.	8 957 participants	Christian Student Fellowship (USA)
Le 1er championnat de comptage de moutons	Les moutons courent devant les participants ; Nouvelle-Galles du Sud (Australie), 2002	277 comptés	Peter Desailly (Australie)
La plus grande bataille de mousse à raser	Dallas (Texas, USA), le 31 juillet 2012	714 personnes	Ringling Bros et Barnum & Bailey (USA)
Le plus long lancer de téléphone portable (homme)	Championnat de lancer de téléphones portables 2007 (RU)	95,83 m	Chris Hughff (RU)
Le plus long lancer de téléphone portable (femme)	Championnat de lancer de téléphones portables 2006 (RU)	53,52 m	Jan Singleton (RU)
Le plus de vers de terre charmés	Championnat du monde des charmeurs de vers de terre 2009 (RU)	567 vers	Sophie Smith (RU)
La plus grande bataille au pistolet à eau	Fête du saint patron de Valladolid 2007 (Espagne)	2 671 tireurs	Coordinadora de Peñas de Valladolid (Espagne)
Le plus long cracher de noyaux de cerise	Championnat international de cracher de noyaux de cerises (USA), 2004	28,51 m	Brian Krause (USA)

La communication en morse la plus rapide : En juin 2005, Andrei Bindasov (Biélorussie) a tapé 230 signes en morse lors du 6e Championnat du monde de télégraphie rapide de l'Union internationale des radioamateurs, à Primorsko (Bulgarie).

Les bras de kiiking les plus longs : Le kiiking consiste à faire un tour à 360° sur une balançoire aux bras rigides les plus longs. Andrus Aasamäe (Estonie) a utilisé des bras de 7,02 m, à Haapsalu (Estonie), le 21 août 2004.

28 C'est le nombre de médailles d'or gagnées – sur 34 – par les robots américains aux RoboGames 2005.

Le plus long cracher de bigorneau : Alain Jourden (France) a conservé son titre au Championnat du monde de cracher de bigorneau avec 10,4 m, à Moguériec (France), le 16 juillet 2006.

Le plus grand tournoi de robots : 646 ingénieurs, 466 robots et 13 pays ont participé aux RoboGames 2005 à la San Francisco State University (Californie, USA). Au programme : du foot avec des robots chiens Aibo reprogrammés, du robot sumo, de la course de bipèdes, des robots pompiers et de la musique.

Le plus long saut de canal : Bart Helmholt (Pays-Bas) a franchi 21,51 m d'eau à l'aide d'une perche en aluminium le 27 août 2011, à Linschoten (Pays-Bas), lors des championnats néerlandais. Ce sport est connu localement sous le nom de *fierljeppen* (« long saut »).

La plus ancienne course homme-cheval : Le marathon Man vs Horse se tient tous les ans depuis 1980 à Llanwrtyd Wells (pays de Galles, RU), sur un parcours de 35,4 km de terrain accidenté. Elle a été créée pour mettre un terme à un débat de pub cherchant à savoir qui est le plus rapide. Au fil des ans, la course a été adaptée pour être plus équilibrée entre les cavaliers et les coureurs. Ces derniers l'ont emporté 2 fois, en 2004 et 2007.

RETROUVEZ LES AUTRES SPORTS P. 262

La plus ancienne course de cafards : Ces courses se déroulent le 26 janvier au Story Bridge Hotel de Brisbane (Australie) depuis 1980. Les blattes sont libérées au milieu d'une piste sphérique et doivent rejoindre le bord en premier.

AÉRIENS

EN BREF En matière de sports aériens, 2012 a marqué une évolution plus qu'une révolution : les progrès technologiques et individuels ont en effet permis d'établir plus de 200 records. Le parachutisme, le deltaplane et le vol en wingsuit ont connu les percées les plus remarquables : les pilotes ont accompli des exploits qui n'étaient jusqu'alors réalisables que sur des appareils conventionnels.

Réussir 568 infinity tumbles en parapente témoigne non seulement du raffinement de la conception des voiles, mais aussi de la maîtrise de la voltige. La **plus longue distance parcourue en deltaplane** est tout aussi impressionnante : avec 764 km, on s'approche des limites établies par des planeurs dans les années 1960 ! De plus en plus accessibles et en progrès constants, ces sports promettent de nous faire vivre de grands frissons à l'avenir.

CITATION
« Le quart d'heure est interminable. C'est un combat de haut vol : encore un, encore un, encore un… »

VOL À VOILE

La plus haute altitude

Hommes : Steve Fossett (USA) a plané à 15 460 m au-dessus d'El Calafate (Argentine), le 29 août 2006.
Femmes : Sabrina Jackintell (USA) a volé en planeur monoplace à 12 637 m, à Black Forest Gliderport (Colorado Springs, USA), le 14 février 1979.

La plus longue distance en triangle libre

Hommes : Klaus Ohlmann (Allemagne) a volé 1 756,1 km sur un planeur classe libre, à Chapelco (Argentine), le 12 janvier 2011. Ohlmann (*ci-dessous*) détient actuellement 18 records du monde certifiés FAI en classe libre. Il en a établi 36 au cours de sa carrière.
Femmes : Susanne Schödel (Allemagne) a couvert une distance triangulaire de 1 062,5 km, à Bitterwasser (Namibie), le 20 décembre 2011.

La plus longue distance sur un parcours triangulaire

Hommes : Klaus Ohlmann a volé 1 750,6 km au-dessus de Chapelco (Argentine), le 12 janvier 2011.
Femmes : Pamela Hawkins (RU) a plané sur 1 036,56 km à partir de Tocumwal (Nouvelle-Galles-du-Sud, Australie), le 25 décembre 1998. Elle a aussi réalisé le **plus long vol en distance libre**, sur 1 078,2 km, le 5 janvier 2003.

L'aller-retour le plus long

Hommes : Klaus Ohlmann a fait un aller-retour de 2 245,6 km depuis Chapelco (Argentine), le 2 décembre 2003.
Femmes : Reiko Morinaka (Japon) a parcouru 1 187 km, au départ de Chapelco, le 30 décembre 2004.

VOL RAPIDE
Le 22 décembre 2006, Ohlmann a atteint la **vitesse la plus rapide en planeur** – 306,8 km –, au-dessus de Zapala (Argentine).

La plus longue distance libre en planeur

Le 12 janvier 2010, Klaus Ohlmann (Allemagne) a parcouru 2 256,9 km à bord de son Schempp-Hirth Nimbus-4DM, à El Calafate (Argentine). Le terme « distance libre » désigne un parcours en ligne droite, avec des points de départ et d'arrivée définis et sans virage.

PARAPENTE

Le vol le plus long

Hommes : La distance en ligne droite la plus grande en parapente est de 502,9 km, par Nevil Hulett (Afrique du Sud), à Copperton (Afrique du Sud), le 14 décembre 2008.
Femmes : Seiko Fukuoka-Naville (Japon) a piloté son parapente Niviuk Icepeak 6 sur 336 km pendant 10 h, au départ de Quixadá (Brésil), le 20 novembre 2012.

L'aller-retour le plus long

Hommes : Arduino Persello (Italie) a traversé 282,4 km aller-retour entre Sorica (Slovénie) et Longarone (Italie), le 27 juin 2012.
Femmes : Nicole Fedele (Italie) a volé 164,6 km aller-retour entre Sorica (Slovénie) et Piombada (Italie), le 19 août 2009.

Le plus d'infinity tumbles consécutifs

L'infinity tumble est une manœuvre proche du looping où le pilote et sa voile décrivent un cercle vertical. Cet exercice particulièrement difficile fait appel à un balancement et aux forces aérodynamiques. Horacio Llorens (Espagne), quadruple champion du monde de parapente, a exécuté 568 tours consécutifs le 21 décembre 2012, après avoir sauté d'un hélicoptère à 6 000 m d'altitude. Il a déployé son aile depuis un sac attaché au sol de l'hélicoptère, dans le ciel du site archéologique de Tak'alik Ab'aj (Guatemala).

INFO

À chaque tour et demi, Horacio Llorens (*ci-dessus*) perdait 10 m d'altitude. Il était soumis à une force de 6 G à chaque rotation et devait garder sa tête près du torse pour protéger son cou. Par conséquent, il devait « sentir » – plus que voir – sa position et sa progression.

L'avion de 1 750-3 000 kg à moteur à pistons le plus rapide sur 15 km

Le 23 avril 2012, Will Whiteside (USA) a parcouru 15 km au-dessus de l'autoroute 505 à l'ouest de Sacramento (Californie, USA), dans son chasseur russe Yakovlev YAK-3 de la Seconde Guerre mondiale à une vitesse moyenne de 614,02 km/h. Aucun autre avion équipé d'un moteur à pistons dans la catégorie 1 750-3 000 kg n'est allé plus vite.

La plus longue ligne droite vers un objectif annoncé

Hommes : Tous les membres de l'équipe brésilienne Sol – Frank Brown, Donizete Lemos, Samuel Nascimento et Marcelo Prieto – ont parcouru 420,3 km chacun en ligne droite de Quixadá à Ceará (Brésil), le 26 octobre 2012.
Femmes : Kamira Pereira Rodrigues (Brésil) a volé sur 285,3 km de Quixadá à Castelo do Piauí (Brésil), le 14 novembre 2009.

DELTAPLANE

La plus longue distance

Hommes : Dustin Martin (USA), avec sa Wills Wing T2C, et Jon Durand (Australie), avec une Moyes Delta Litespeed RX 3.5, ont décollé de Zapata (Texas, USA), le 4 juillet 2012. Tous deux ont battu le record précédent de 700,6 km, mais c'est Martin qui a terminé en tête en devançant Durand de 3 km, lors de l'arrivée à Lubbock (Texas), à 764 km du point de départ.
Femmes : Le record FAI en ligne droite est de 403,5 km, par Kari Castle (USA), partie de Zapata (Texas, USA), le 28 juillet 2011.

Le plus rapide sur un triangle de 100 km

Hommes : Dustin Martin a parcouru un trajet triangulaire de 100 km au départ de Zapata (Texas, USA), le 26 juillet 2009, à une vitesse moyenne de 49 km/h.
Femmes : Le 31 décembre 1998, Tascha McLellan (Nouvelle-Zélande) a atteint une vitesse moyenne de 30,81 km/h sur un triangle au départ de Forbes (Nouvelle-Galles-du-Sud, Australie).

PARACHUTISME

Le pilotage sous voile le plus long

Le pilotage sous voile (ou *swoop*) est une épreuve où le parachutiste déploie sa voile à 1 524 m (5 000 pieds) d'altitude, gagne de la vitesse en descendant puis réalise un parcours près du sol.

Nick Batsch (USA) a piloté sa voile sur 151,95 m le 15 juin 2012 au-dessus de Rockmart (Géorgie, USA), la plus longue distance parcourue en compétition (sous-classe G1). Il a aussi réalisé le **pilotage sous voile (G2) le plus long en absolu**, avec 222,45 m au-dessus de Longmont (Colorado, USA), le 29 juillet 2011.
Femmes : La veille de l'exploit de Batsch, le 14 juin 2012, Jessica Edgeington (USA) avait battu le record féminin de distance en atteignant 120,18 m, à Rockmart (Géorgie, USA). Comme Batsch, elle détient aussi le **record absolu de distance en pilotage sous voile** (G2), réalisé au lendemain de celui de son compatriote (30 juillet 2011), à Longmont, avec 168,32 m.

La plus grande formation tête en bas

Général : La plus grande formation tête en bas en chute libre (sous-classe G2 de la FAI) a été réalisée par une équipe mixte de 138 parachutistes, tombant en flocon de neige, le 3 août 2012, lors d'un festival de parachutisme près de Chicago (Illinois, USA).
Femmes : Le record féminin est de 41 parachutistes en vertical au-dessus d'Eloy (Arizona, USA), le 26 novembre 2010.

La plus longue distance en parapente motorisé

Miroslav Oros (République tchèque) a traversé 9 132 km en parapente motorisé dans le ciel de son pays. Il a décollé de Sazená le 1er avril 2011 pour atterrir à Lipová-lázně le 30 juin.

La plus longue distance annoncée en deltaplane

Cette discipline exige que le pilote annonce la distance qu'il compte parcourir avant de décoller (au lieu de voler selon un itinéraire aléatoire en fonction des courants aériens). Jon Durand (Australie) a accompli un vol de 557 km depuis Zapata jusqu'à Sterling City (Texas, USA), le 17 juillet 2012.

NÉ POUR VOLER
Jon a débuté en deltaplane en tandem avec son père à 9 ans, puis s'est envolé seul à 14 ans. Il a passé plus de 10 000 h dans les airs.

LE PLUS DE CHAMPIONNATS DU MONDE

Catégorie	Nb	Détenteur
Voltige (hommes)	2	Petr Jirmus (ex-Tchécoslovaquie) : 1984, 1986
		Sergei Rakhmanin (Russie) : 2003, 2005
Voltige (femmes)	6	Svetlana Kapanina (Russie) : 1996, 1998, 2001, 2003, 2005, 2007
Voltige en planeur (équipe)	9	Pologne : 1985, 1987, 1989, 1991, 1993, 1999, 2001, 2003, 2011
Voltige en planeur (individuel)	7	Jerzy Makula (Pologne) : 1985, 1987, 1989, 1991, 1993, 1999, 2011
Vol à voile	3	George Lee (RU) : 1976, 1978, 1981
		Ingo Renner (Australie) : 1983, 1985, 1987
Deltaplane (hommes)	4	Manfred Ruhmer (Autriche) : 1999, 2001, 2003, 2013
Deltaplane (femmes)	5	Corinna Schwiegershausen (Allemagne) : 1998, 2004, 2006, 2008, 2013
Parapente (hommes)	1	Sept pilotes ont remporté un titre chacun
Parapente (femmes)	3	Petra Krausova-Slívová (Slovénie) : 2003, 2007, 2011
Parapente (équipe)	7	Suisse : 1991, 1993, 1995, 1997, 2001, 2003, 2005
Parapente de précision (hommes)	2	Matjaž Feraríč (Slovénie) : 2003, 2007
Parapente de précision (femmes)	2	Markéta Tomášková (République tchèque) : 2005, 2011
Parapente de précision (équipe)	4	Slovénie : 2003, 2005, 2007, 2011

Statistiques au 27 mars 2013

FOOTBALL AMÉRICAIN

EN BREF La 93e saison de NFL a été marquée par le retour de blessure des superstars Peyton Manning et Adrian Peterson, ainsi que par l'arrivée de la classe 2012 des quarterback Andrew Luck, Russell Wilson et Robert Griffin III. Lui aussi quarterback, mais bien plus expérimenté, Drew Brees des New Orleans Saints a prolongé sa série de 54 rencontres consécutives à délivrer au moins une passe de touchdown, un record dans l'histoire de la ligue américaine.

En février 2013, les Ravens de Baltimore entraînés par John Harbaugh ont battu 34-31 les 49ers de San Francisco de Jim Harbaugh dans le premier match de l'histoire du Super Bowl opposant deux frères sur le banc de touche. La rencontre a été arrêtée pendant 34 min en raison d'une coupure de courant dans le Superdome de La Nouvelle-Orléans. Les projecteurs se sont éteints juste après un touchdown de 108 yards de Jacoby Jones (Baltimore) sur retour de kickoff, un record en Super Bowl. Ray Lewis, le leader des Ravens, a remporté son 2e titre 12 ans après le premier, aucun joueur n'a attendu aussi longtemps.

Le plus de yards lancés pour une 1re saison

Andrew Luck (USA) a lancé 4 374 yards pour sa première saison aux Colts d'Indianapolis en 2012. Il a aussi battu le **record de yards lancés en un match par un quarterback rookie**, avec 433, lors de la victoire contre les Dolphins de Miami, le 4 novembre 2012.

Le plus de réceptions par un tight end

En 2012 avec les Cowboys de Dallas, Jason Witten (USA) a réalisé 110 réceptions. Le 28 octobre 2012, il a assuré le **plus de réceptions par un tight end en un match** (18).

132 MILLIONS $ c'est la valeur maximale du contrat de 7 ans de Johnson avec les Lions de Detroit.

SAISONS NFL

Le moins de turnovers

Les New England Patriots (USA) ont subi le moins de turnovers en une saison, avec 10 pertes de balle en 2010. Les San Francisco 49ers (USA) ont fait aussi bien en 2011 pour leur première saison avec Jim Harbaugh et Trent Baalke.

Le moins de fumbles

Les Saints de La Nouvelle-Orléans (USA) n'ont subi que 6 fumbles en 2011 et ont battu le **record de yards offensifs**, avec 7 474 yards.

Le plus de matchs avec 100 yards à la réception

Le 22 décembre 2012, Calvin Johnson (*en haut à droite*) a égalé le record de 1995 de Michael Irvin des Cowboys de Dallas (tous deux USA) grâce à son 11e match avec 100 yards à la réception.

Le plus de field goals d'au moins 50 yards

Blair Walsh (USA) a converti 10 fields goals pour les Vikings du Minnesota en 2012. Lorsqu'il jouait pour l'université de Géorgie, à Athens (USA), ses nombreux points marqués sur des tirs lointains lui ont valu le surnom d'« Assassin d'Athènes ».

Le plus de passes tentées

Matthew Stafford (USA) a tenté 727 passes en tant que quarterback des Lions de Détroit en 2012.

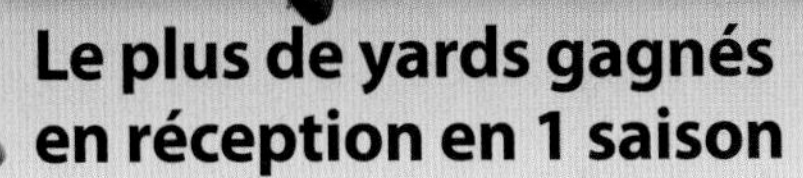

Le plus de yards gagnés en réception en 1 saison

Calvin Johnson (USA) a gagné 1 964 yards en réception avec les Lions de Detroit en 2012. C'est aussi le **1er joueur de NFL à gagner au moins 1 600 yards en réception sur 2 saisons consécutives**, en 2011 et 2012. Cette année-là, il a disputé le **plus de matchs consécutifs avec 10 réceptions ou plus** (4 matchs).

Le plus de saisons consécutives avec 40 passes de touchdown au moins

En 2011-2012, Drew Brees (USA) des Saints de La Nouvelle-Orléans est devenu le premier joueur de NFL à délivrer au moins 40 passes de touchdown sur deux saisons de rang. Seul Dan Marino a réalisé plus de 40 passes de touchdown sur deux saisons non consécutives. Ils ne sont que cinq à avoir dépassé les 40 sur une saison : Tom Brady, Peyton Manning, Aaron Rodgers, Kurt Warner et Matthew Stafford.

Le plus de yards gagnés pour les deux équipes en play-off

Le plus de yards gagnés pour les deux équipes en un match est de 1 038, le plus récemment entre les New Orleans Saints (626, soit le **plus de yards gagnés par une équipe en play-offs NFL**) et les Detroit Lions (412), le 7 janvier 2012 (ci-dessous), égalant le record du 30 décembre 1995 entre les Buffalo Bills (536) et les Miami Dolphins (502).

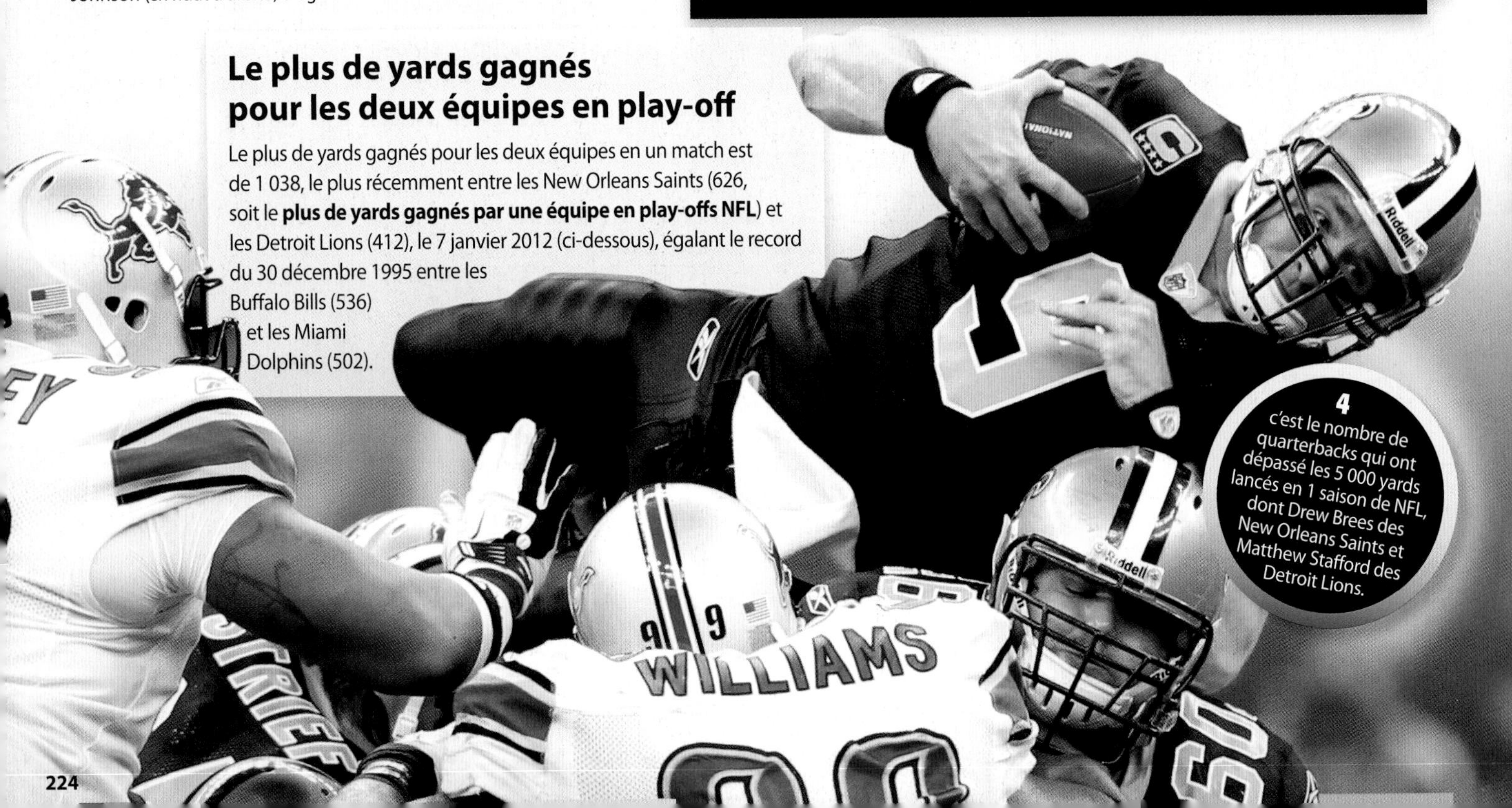

4 c'est le nombre de quarterbacks qui ont dépassé les 5 000 yards lancés en 1 saison de NFL, dont Drew Brees des New Orleans Saints et Matthew Stafford des Detroit Lions.

LES RECORDS DU SUPER BOWL

Le plus de Super Bowls gagnés	6	Pittsburgh Steelers	**L'entraîneur le plus âgé à gagner**	65 ans et 159 jours	Tom Coughlin (USA, né le 31 août 1946), New York Giants
Le plus long touchdown	108	Jacoby Jones (USA), Baltimore Ravens, 3 février 2013	**Le joueur le plus âgé à marquer**	42 ans et 11 jours	Matt Stover (USA, né le 27 janvier 1968), Indianapolis Colts
Le public le plus nombreux	103 985	XIV, 20 janvier 1980, Pittsburgh Steelers c. LA Rams	**Le joueur le plus jeune**	21 ans et 155 jours	Jamal Lewis (USA, né le 26 août 1979), Baltimore Ravens
Le plus de premières passes complétées	9	Eli Manning (USA), New York Giants, 5 février 2012	**Le plus de yards gagnés en réception en carrière**	589	Jerry Rice (USA), San Francisco 49ers et Oakland Raiders
Le plus de field goals en carrière	7	Adam Vinatieri (USA), New England Patriots et Indianapolis Colts	**Le plus de yards gagnés à la passe**	414	Kurt Warner (USA), St Louis Rams
Le plus de passes complétées	127	Tom Brady (USA), New England Patriots	**Le plus de passes de touchdown en carrière**	11	Joe Montana (USA), San Francisco 49ers

Le plus de passes complétées consécutives en Super Bowl

Tom Brady (USA) a réussi 16 passes de suite pour les Patriots de Nouvelle-Angleterre contre les Giants de New York, le 5 février 2012, lors du Super Bowl XLVI. Il partage avec Drew Brees le **record de passes complétées en Super Bowl** (32).

Le plus de fumbles forcés par un joueur en 1 saison

Osi Umenyiora (Angleterre) des New York Giants a forcé la perte du ballon à 10 reprises en 2010. Ce record a été égalé par Charles Tillman (USA) des Chicago Bears en 2012. Ce dernier compte aussi le **plus de fumbles forcés par un joueur en un match** (4) contre les Tennessee Titans, le 4 novembre 2012.

Le plus long field goal de NFL

Quatre joueurs ont placé un tir de 63 yards entre les poteaux, le dernier en date étant David Akers (USA, *ci-dessus*) des San Francisco 49ers, le 9 septembre 2012. Il a rejoint Sebastian Janikowski (Pologne) des Oakland Raiders, Jason Elam (USA) des Denver Broncos et Tom Dempsey (USA) des New Orleans Saints.

CARRIÈRES NFL

Le plus de field goals d'au moins 50 yards

Depuis 1992, Jason Hanson (USA) a réussi 52 tirs d'au moins 50 yards en tant que botteur des Lions de Detroit. En mars 2013, il était le **joueur le plus âgé de la NFL en activité**.

Le plus de points

Morten Andersen (Danemark), surnommé « Le Grand Danois », a accumulé 2 544 points en 25 ans d'une carrière commencée aux New Orleans Saints en 1982.

Le plus de touchdowns

Homme aux multiples records, Jerry Rice (USA) a réalisé 208 touchdowns entre 1985 et 2004 pour les 49ers de San Francisco, les Raiders d'Oakland et les Seahawks de Seattle.

Le plus long touchdown sur retour de kickoff

Jacoby Jones (USA) a remonté 108 yards pour inscrire un touchdown avec les Baltimore Ravens, le 14 octobre 2012, et une seconde fois lors du Super Bowl XLVII, le 3 février 2013 (*voir aussi ci-dessus*). Ellis Hobbs (USA), le 9 septembre 2007, et Randall Cobb (USA), le 8 septembre 2011, en avaient fait autant.

POUR LE FOOTBALL, VOIR P. 254

Le plus de touchdowns en une carrière par un tight end

Tony Gonzalez (USA) a réussi 103 touchdowns en réception avec les Chiefs de Kansas City et les Falcons d'Atlanta entre 1997 et la fin de la saison 2012.

ATHLÉTISME

EN BREF Conserver un titre olympique en athlétisme est ce qui distingue les légendes des champions. En 2012, deux sportifs ont rejoint ce club exclusif : Usain Bolt (Jamaïque) a encore survolé les 100 et 200 m, devenant le premier homme dans l'histoire des Jeux à remporter 2 médailles d'or en 200 m. Tirunesh Dibaba (Éthiopie) entre dans l'histoire en défendant à Londres son titre sur 10 000 m avec succès, à 2 olympiades consécutives. Elle avait aussi emporté l'or sur 5 000 m à Pékin.

Jessica Ennis a répondu aux attentes de tout un pays en heptathlon, à l'issue d'une des performances les plus marquantes de ces Jeux. N'oublions pas David Rudisha (Kenya) qui a épaté sur 800 m : il a fait chauffer la piste de Londres en s'imposant sur l'une des courses de demi-fond les plus électriques de l'histoire.

JEUX OLYMPIQUES ET PARALYMPIQUES

Le 1er à remporter le 100 m et le 200 m à deux JO successifs

Usain Bolt (Jamaïque) a réussi le fabuleux « double double » lors des Jeux de Londres 2012, en courant le 100 m en 9,63 s, le 5 août, avant de remporter le 200 m en 19,32 s, le 9 août. Quatre ans avant, à Pékin (Chine), il avait gagné le 100 m en 9,69 s, le 16 août, et le 200 m en 19,30 s, le 20 août. Comme Carl Lewis (USA), Bolt détient le **plus de titres sur 100 m aux jeux Olympiques**. Lewis avait gagné en 1984 et 1988 en 9,92 s.

Le plus de titres au 10 000 m (femmes)

Détentrice de plusieurs records, Tirunesh Dibaba (Éthiopie) a conservé son titre sur 10 000 m à Londres 2012 en 30 min et 20,75 s. Quatre ans avant, elle avait enregistré un temps de 29 min et 54,66 s à Pékin.

En novembre 2009, Dibaba avait mis 46 min et 28 s pour réaliser le **15 km sur route le plus rapide**.

Le plus jeune médaillé au 800 m

Timothy Kitum (Kenya, né le 20 novembre 1994) a pris le bronze en finale du 800 m hommes à Londres (RU), le 9 août 2012, à 17 ans et 263 jours.

Le plus de titres européens au 5 000 m

Mo Farah (RU) est le seul athlète à avoir gagné plus d'un titre sur 5 000 m aux championnats d'Europe : à Barcelone en 2010 puis Helsinki (*ci-dessus*) en 2012.

ÉPREUVES MASCULINES DE COURSE SUR PISTE			
Épreuve	**Temps**	**Nom (Nationalité)**	**Date**
100 m	9"58	Usain Bolt (Jamaïque)	16 août 2009
200 m	19"19	Usain Bolt (Jamaïque)	20 août 2009
400 m	43"18	Michael Johnson (USA)	26 août 1999
800 m	1'40"91	David Rudisha (Kenya)	9 août 2012
1 000 m	2'11"96	Noah Ngeny (Kenya)	5 sept 1999
1 500 m	3'26"00	Hicham El Guerrouj (Maroc)	14 juill. 1998
1 mile	3'43"13	Hicham El Guerrouj (Maroc)	7 juill. 1999
2 000 m	4'44"79	Hicham El Guerrouj (Maroc)	7 sept. 1999
3 000 m	7'20"67	Daniel Komen (Kenya)	1 sept. 1996
5 000 m	12'37"35	Kenenisa Bekele (Éthiopie)	31 mai 2004
10 000 m	26'17"53	Kenenisa Bekele (Éthiopie)	26 août 2005
20 000 m	56'26"00	Haile Gebrselassie (Éthiopie)	26 juin 2007
25 000 m	1 h 12'25"4	Moses Cheruiyot Mosop (Kenya)	3 juin 2011
30 000 m	1 h 26'47"4	Moses Cheruiyot Mosop (Kenya)	3 juin 2011
3 000 m steeplechase	7'53"63	Saif Saaeed Shaheen (Qatar)	3 sept. 2004
110 m haies	12"80	Aries Merritt (USA)	7 sept. 2012
400 m haies	46"78	Kevin Young (USA)	6 août 1992
Relais 4 x 100 m	36"84	Jamaïque (Yohan Blake, Nesta Carter, Michael Frater, Usain Bolt)	11 août 2012
Relais 4 x 200 m	1'18"68	Santa Monica Track Club, USA (Michael Marsh, Leroy Burrell, Floyd Heard, Carl Lewis)	17 avril 1994
Relais 4 x 400 m	2'54"29	USA (Andrew Valmon, Quincy Watts, Harry Reynolds, Michael Johnson)	22 août 1993
Relais 4 x 800 m	7'02"43	Kenya (Joseph Mutua, William Yiampoy, Ismael Kombich, Wilfred Bungei)	25 août 2006
Relais 4 x 1 500 m	14'36"23	Kenya (Geoffrey Rono, Augustine Choge, William Tanui, Gideon Gathimba)	4 sept. 2009

ÉPREUVES MASCULINES SUR PISTE			
Épreuve	**Distance/Points**	**Nom (Nationalité)**	**Date**
Saut en hauteur	2,45 m	Javier Sotomayor (Cuba)	27 juill. 1993
Saut à la perche	6,14 m	Sergei Bubka (Ukraine)	31 juill. 1994
Saut en longueur	8,95 m	Mike Powell (USA)	30 août 1991
Triple saut	18,29 m	Jonathan Edwards (RU)	7 août 1995
Poids	23,12 m	Randy Barnes (USA)	20 mai 1990
Disque	74,08 m	Jürgen Schult (Allemagne)	6 juin 1986
Marteau	86,74 m	Yuriy Sedykh (Russie)	30 août 1986
Javelot	98,48 m	Jan Železný (République tchèque)	25 mai 1996
Décathlon	9 039 points	Ashton Eaton (USA)	23 juin 2012

Statistiques au 9 avril 2013

POUR LE MARATHON, RENDEZ-VOUS P. 246

Le 100 m le plus rapide (T44)

Hommes : Jonnie Peacock (RU) a couru le 100 m T44 masculin (amputation tibiale) en 10,85 s à Indianapolis (USA), le 1er juillet 2012. Il a également battu le record aux jeux Paralympiques en 10,90 s, lors de la finale à Londres (RU), le 6 septembre 2012.
Femmes : April Holmes (USA) a mis 12,98 s sur le 100 m féminin à Atlanta (USA), le 1er juillet 2006. Elle aussi a battu un record paralympique, avec 13,13 s, à Athènes (Grèce), le 22 septembre 2004.

Le 200 m le plus rapide (T42)

Hommes : Richard Whitehead (RU) a réalisé un temps de 24,38 s au 200 m T42 (amputation tibiale simple ou amputation bras/jambe) à Londres (RU), le 1er septembre 2012.

Le relais 4 x 100 m le plus rapide (femmes)

Le relais sur 4 x 100 m (*de gauche*, Carmelita Jeter, Bianca Knight, Allyson Felix et Tianna Madison, toutes USA) a fait tomber un record vieux de 27 ans en réalisant un temps de 40,82 s, à Londres (RU), le 10 août 2012. Le record précédent sur la distance (41,37 s) avait été établi par l'Allemagne de l'Est, à Canberra (Australie), le 6 octobre 1985.

ÉPREUVES FÉMININES DE COURSE SUR PISTE			
Épreuve	**Temps**	**Nom (Nationalité)**	**Date**
100 m	10"49	Florence Griffith-Joyner (USA)	16 juill. 1988
200 m	21"34	Florence Griffith-Joyner (USA)	29 sept. 1988
400 m	47"60	Marita Koch (ex-RDA)	6 oct. 1985
800 m	1'53"28	Jarmila Kratochvílová (République tchèque)	26 juill. 1983
1 000 m	2'28"98	Svetlana Masterkova (Russie)	23 août 1996
1 500 m	3'50"46	Qu Yunxia (Chine)	11 sept. 1993
1 mile	4'12"56	Svetlana Masterkova (Russie)	14 août 1996
2 000 m	5'25"36	Sonia O'Sullivan (Irlande)	8 juill. 1994
3 000 m	8'06"11	Wang Junxia (Chine)	13 sept. 1993
5 000 m	14'11"15	Tirunesh Dibaba (Éthiopie)	6 juin 2008
10 000 m	29'31"78	Wang Junxia (Chine)	8 sept. 1993
20 000 m	1 h 05'26"60	Tegla Loroupe (Kenya)	3 sept. 2000
25 000 m	1 h 27'05"90	Tegla Loroupe (Kenya)	21 sept. 2002
30 000 m	1 h 45'50"00	Tegla Loroupe (Kenya)	6 juin 2003
3 000 m steeplechase	8'58"81	Gulnara Samitova-Galkina (Russie)	17 août 2008
110 m haies	12"21	Yordanka Donkova (Bulgarie)	20 août 1988
400 m haies	52"34	Yuliya Pechonkina (Russie)	8 août 2003
Relais 4 x 100 m	40"82	USA (Allyson Felix, Carmelita Jeter, Bianca Knight, Tianna Madison)	10 août 2012
Relais 4 x 200 m	1'27"46	United States "Blue" (LaTasha Jenkins, LaTasha Colander-Richardson, Nanceen Perry, Marion Jones)	29 avril 2000
Relais 4 x 400 m	3'15"17	ex-URSS (Tatyana Ledovskaya, Olga Nazarova, Maria Pinigina, Olga Bryzgina)	1er oct. 1988
Relais 4 x 800 m	7'50"17	ex-URSS (Nadezhda Olizarenko, Lyubov Gurina, Lyudmila Borisova, Irina Podyalovskaya)	5 août 1984

ÉPREUVES FÉMININES SUR PISTE			
Épreuve	**Distance/Points**	**Nom (Nationalité)**	**Date**
Saut en hauteur	2,09 m	Stefka Kostadinova (Bulgarie)	30 août 1987
Saut à la perche	5,06 m	Yelena Isinbayeva (Russie)	28 août 2009
Saut en longueur	7,52 m	Galina Chistyakova (ex-URSS)	11 juin 1988
Triple saut	15,50 m	Inessa Kravets (Ukraine)	10 août 1995
Poids	22,63 m	Natalya Lisovskaya (ex-URSS)	7 juin 1987
Disque	76,80 m	Gabriele Reinsch (ex-RDA)	9 juill. 1988
Marteau	79,42 m	Betty Heidler (Allemagne)	25 mai 2011
Javelot	72,28 m	Barbora Špotáková (République tchèque)	13 sept. 2008
Heptathlon	7 291 points	Jackie Joyner-Kersee (USA)	24 sept. 1988
Décathlon	8 358 points	Austra Skujytė (Lituanie)	15 avril 2005

Statistiques au 9 avril 2013

Femmes : Kelly Cartwright (Australie) a mis 35,98 s lors de l'Adelaide Track Classic (Australie), le 28 janvier 2012.

Le 100 m le plus rapide (T34)

Hommes : Le champion olympique Walid Ktila (Tunisie) a battu le record du monde en 100 m T34 (infirmité motrice cérébrale, fauteuil roulant) avec un temps de 15,69 s, à Koweït, le 17 janvier 2012.
Femmes : Hannah Cockroft (RU) a repoussé le record du monde à 17,60 s, le 20 mai 2012, à Nottwil (Suisse), ainsi que le record paralympique à 18,06 s, le 31 août 2012, à Londres (RU).

Le lancer de massue le plus lointain (F51)

Hommes : Željko Dimitrijević (Serbie) a réussi un lancer de 26,88 m en F51, à Londres (RU), le 31 août 2012. Cette discipline consiste à lancer une massue en bois ; c'est l'équivalent paralympique du lancer de marteau pour les athlètes en fauteuil roulant (F51) et souffrant d'infirmité motrice cérébrale (F31, F32), qui lancent en position assise.
Femmes : Catherine O'Neill (Irlande) a lancé sa massue à 15,83 m, à Nové Město nad Metují (République tchèque), le 18 août 2001.

CHAMPIONNATS DU MONDE IAAF

Le plus de médailles (équipe)

Les États-Unis totalisent 275 médailles aux championnats du monde IAAF (créés en 1983) : 132 en or, 74 en argent et 69 en bronze.

Le plus de médailles

Hommes : Carl Lewis (USA) a décroché 10 médailles entre 1983 et 1991 : 8 en or (record partagé avec Michael Johnson, 1991-1999), 1 en argent et 1 en bronze.

Femmes : Merlene Ottey (Jamaïque) compte 14 médailles dans la compétition : 3 en or, 4 en argent et 7 en bronze.

Le plus de titres au javelot

Hommes : Jan Železný (République tchèque) s'est imposé au javelot en 1993, 1995 et 2001. Il a aussi gagné le **plus de médailles d'or olympiques en javelot (hommes)** en 1992, 1996 et 2000.
Femmes : Trine Hattestad (Norvège) et Mirela Manjani (Grèce) ont remporté l'épreuve 2 fois : en 1993 et 1997 pour la Norvégienne, et 1999 et 2003 pour la Grecque.

Le plus de titres en cross-country

Hommes : Le Kenya a obtenu 24 victoires dans l'épreuve de cross-country des Mondiaux (créée en 1973) entre 1986 et 2011.
Femmes : Le Kenya détient aussi le record féminin : 10 victoires entre 1991 et 2011.

Le saut à la perche indoor le plus haut (femmes)

Jenn Suhr (USA) a sauté à 5,02 m, à Albuquerque (Nouveau-Mexique, USA), le 2 mars 2013. La championne olympique à Londres 2012 a battu le record de 5,01 m réalisé par Yelena Isinbayeva (Russie) en février 2012. Le **saut à la perche indoor le plus haut (hommes)** est de 6,15 m, par Sergei Bubka (Ukraine), le 21 février 1993.

Le plus de points en heptathlon indoor (hommes)

Ashton Eaton (USA) a totalisé 6 645 points à Istanbul (Turquie), le 10 mars 2012. Eaton, l'un des meilleurs athlètes polyvalents, a obtenu les résultats suivants :
60 m : 6,79 s ;
saut en longueur : 8,16 m ;
lancer de poids : 14,56 m ;
saut en hauteur : 2,03 m ;
60 m haies : 7,68 s ;
saut à la perche : 5,20 m ;
1 000 m : 2 min et 32,77 s.

1968 C'est l'année où Daniel, le père de David, a obtenu l'argent olympique au relais 4 x 100 m.

Le 800 m le plus rapide

David Rudisha (Kenya) a terminé sa finale olympique de 800 m en 1 min et 40,91 s, à Londres (RU), le 9 août 2012. Il a battu son propre record de 1 min et 41,01 s, établi à Rieti (Italie), le 29 août 2010.

SPORTS DE BALLE

EN BREF À Londres 2012, les Allemands se sont imposés en hockey sur gazon, comme les Néerlandaises qui ont ainsi égalé le record de 3 médailles d'or de l'Australie lors de leur succès au Riverbank Arena. L'Allemagne s'est aussi emparée de l'or en beach-volley masculin, tandis que le tableau féminin a été dominé par les États-Unis, avec une Misty May-Treanor des grands jours aux côtés de Kerri Walsh Jennings.

Dans les autres disciplines, Irene van Dyk a joué son 212e match avec l'équipe nationale de Nouvelle-Zélande en netball et les Pays-Bas continuent de dominer le korfball en Europe et dans le monde. L'Iran a échoué dans sa quête d'une 6e médaille d'or record en volley paralympique, s'inclinant face à la Bosnie-Herzégovine, tandis que les Chinoises enchaînent avec un troisième titre consécutif.

INFO
La crosse est un sport d'origine amérindienne. Il y a plusieurs siècles déjà, ce jeu opposait différentes tribus, réunissant parfois des centaines de joueurs, pendant plusieurs jours.

FOOTBALL AUSTRALIEN

Le plus de victoires de suite en AFL Grand Final

Les Brisbane Lions ont remporté l'AFL Grand Final 3 fois, en 2001-2003.

Le public le plus important en AFL Grand Final est de 121 696 spectateurs au Melbourne Cricket Ground (Australie), le 26 septembre 1970.

La plus longue série gagnante

Le Geelong FC a remporté 23 matchs d'affilée en championnat AFL entre 1952 et 1953.

Le plus de buts dans une carrière AFL

Tony Lockett (Australie) a inscrit 1 360 buts en 281 matchs de 1983 à 2002.

LIGUE CANADIENNE DE FOOTBALL

Le but le plus lointain en saison régulière

Paul McCallum (Canada) a marqué de 62 yards pour les Saskatchewan Roughriders face aux Edmonton Eskimos, le 27 octobre 2001.

Le plus de passes tentées par un quarterback

Anthony Calvillo (USA) a tenté 9 241 passes avec les Posse de Las Vegas, les Tiger-Cats d'Hamilton et les Alouettes de Montréal de 1994 à 2012. Cavillo a battu de nombreux records en 18 ans de carrière : avec ses trois clubs, il a réalisé le **plus de passes complétées dans une carrière** (5 777), le **plus de passes de touchdown dans une carrière** (449) et le **plus de yards à la passe dans une carrière** (78 494), toujours en 1994-2012.

Calvillo compte aussi le **plus de passes complétées en un match** (44), pour les Alouettes contre Hamilton, le 4 octobre 2008, et le **plus de passes complétées en Coupe Grey** (179), avec les Alouettes.

Le plus de yards à la réception dans une carrière est 15 787, par Geroy Simon (USA) avec les Winnipeg Blue Bombers et BC Lions depuis 1999.

Le plus de titres en Champions Trophy de hockey

Hommes : L'Australie affiche un bilan inégalé de 13 titres en Champions Trophy (créé en 1978) de hockey sur gazon : 1983-1985, 1989-1990, 1993, 1999, 2005 et 2008-2012.
Femmes : Le plus de succès en Champions Trophy féminin (créé en 1987) est de 6, par deux équipes. L'Australie s'est imposée en 1991, 1993, 1995, 1997, 1999 et 2003, et les Pays-Bas en 1987, 2000, 2004-2005, 2007 et 2011.

HOCKEY SUR GAZON

Le plus de victoires en Championnat d'Europe

Hommes : Le Championnat d'Europe est la principale compétition de hockey sur gazon en Europe. Le plus de titres est de 7, en faveur de l'Allemagne (ex-RFA) de 1970 à 2011.
Femmes : Les Pays-Bas ont triomphé lors de 8 éditions de 1984 à 2011.

Le plus de sélections internationales dans une carrière

Hommes : Le double champion olympique Teun de Nooijer (Pays-Bas) a disputé 431 matchs pour son pays de 1994 au 25 janvier 2011.
Femmes : Natascha Keller (Allemagne) compte 425 sélections de 1994 à 2012.

La plus large victoire aux JO

Hommes : Le 3e match des Jeux de 1932 s'est conclu par la victoire de l'Inde 24-1 contre les États-Unis.
Femmes : L'Afrique du Sud a battu les États-Unis 7-0, le 6 août 2012 au Riverbank Arena de Londres (RU).

CROSSE

Le plus de matchs internationaux (femmes)

Vivien Jones (RU) a joué 97 matchs (85 pour le pays de Galles, 9 pour les Celtes, 3 pour la Grande-Bretagne) de 1977 à 2011.

Le plus de titres en Major League de crosse (MLL)

Les Chesapeake Bayhawks (USA) ont remporté 4 fois la Major League Lacrosse, en 2001, 2003, 2010 et 2012. Les deux premiers titres ont été acquis sous la franchise des Baltimore Bayhawks avant de partir pour Washington DC et de devenir les Washington Bayhawks en 2007-2009, puis les Chesapeake Bayhawks en 2010.

SANS BAVURE
Drew Westervelt (*à gauche*) des Chesapeake Bayhawks et Chris O'Dougherty des Denver Outlaws, le 26 août 2012, à Boston (Massachusetts, USA).

CHAMPIONNATS, COUPES ET TITRES		
Championnats de football australien (Victorian Football League de 1897 à 1990, puis Australian Football League)	16	Carlton
		Essendon
Championnats du monde de beach-volley (hommes)	5	Brésil
Championnats du monde de beach-volley (femmes)	4	USA
		Brésil
Coupes Sam Maguire de football gaélique	36	Kerry
Championnats du monde de handball (hommes)	4	Suède
		Roumanie
		France
Championnats du monde de handball (femmes)	4	Russie
Championnats du monde de crosse en salle	3	Canada
Championnats du monde de korfball	8	Pays-Bas

Statistiques au 25 mars 2013

Le plus de titres olympiques en hockey

Femmes : Les hockeyeuses sur gazon des Pays-Bas (*ci-dessus*) ont décroché leur 3e titre à Londres 2012, après 1984 et 2008. Record partagé avec l'Australie, qui a gagné en 1988, 1996 et 2000.
Hommes : L'Inde a décroché 8 médailles d'or entre 1928 et 1980.

Le score le plus large en match de championnat MLL

Les Baltimore Bayhawks ont battu les Long Island Lizards 21-12, à Columbus (Ohio, USA), en 2001.

Le plus de buts dans une carrière MLL

Mark Millon (USA) a inscrit 206 buts en MLL avec les Baltimore Bayhawks et les Boston Cannons de 2001 à 2005.

NETBALL

Le plus de titres en Jeux du Commonwealth

Le netball a été une épreuve des jeux du Commonwealth à 4 reprises : à Kuala Lumpur (Malaisie), en 1998 ; à Manchester (RU), en 2002 ; à Melbourne (Australie), en 2006 ; et à New Delhi (Inde), en 2010. Deux pays se partagent les titres : l'Australie en 1998 et 2002 et la Nouvelle-Zélande en 2006 et 2010.

Le plus de titres en World Series

La Nouvelle-Zélande a été sacrée aux World Series en 2009 et 2010. Cette compétition mondiale régie par des règles modifiées est disputée tous les ans par les six meilleures équipes.

Le plus de points inscrits par une équipe en finale de World Series est 33, par l'Angleterre qui a battu 33-26 la Nouvelle-Zélande championne en titre, à Liverpool (RU), le 27 novembre 2011.

Le plus de titres en Championnat du monde

L'Australie totalise 10 victoires en Championnat du monde de netball : 1963, 1971, 1975, 1979, 1983, 1991, 1995, 1999, 2007 et 2011. La compétition a été instaurée en 1963.

Le plus de titres en Championnat d'Afrique de handball

Homme : La Tunisie compte 9 succès en Championnat d'Afrique des nations de handball de 1974 à 2012. Ci-dessus, le Danois Lasse Svan (*à g.*) face à Kamel Alouini, le 20 janvier 2013.

Femmes : L'Angola compte 11 titres de 1989 à 2012.

VOLLEY

Le plus grand tournoi

Le 39e championnat de volley junior féminin de l'Amateur Athletic Union (AAU) a été organisé à l'Orange County Convention Center et à l'ESPN Wide World of Sports à Orlando (Floride, USA), du 19 au 27 juin 2012. Les 16 catégories regroupaient 2 631 joueuses dans 192 clubs.

Le plus de titres en Coupe des grands champions

Le Brésil a remporté la Coupe des grands champions de la Fédération internationale de volley (FIVB) 3 fois, en 1997, 2005 et 2009.

Le plus de Championnats du monde de beach-volley

Le Championnat du monde de beach-volley se tient tous les deux ans. Cinq duos brésiliens masculins se sont imposés en 1997, 1999, 2003, 2005 et 2011.

Chez les femmes, deux nations comptent 4 titres : les États-Unis en 2003, 2005, 2007 et 2009, et le Brésil en 1997, 1999, 2001 et 2011.

Le plus de titres en volley assis paralympique

Hommes : L'Iran a gagné 5 médailles d'or en volley assis paralympique, en 1988, 1992, 1996, 2000 et 2008.
Femmes : Le record de médailles d'or en volley assis aux Jeux paralympiques est de 3 pour la Chine, en 2004, 2008 et 2012.

Le plus de matchs internationaux en netball

Irene van Dyk (Afrique du Sud) a disputé 211 matchs internationaux de netball entre 1994 et 2012. Elle a joué 72 rencontres pour son pays natal (1994-1999) et 139 pour son pays adoptif, la Nouvelle-Zélande, depuis 2000.

SOUS LA CARAPACE
Surnommée « la Tortue », Misty détient le record de gains dans une carrière de beach-volley avec 2 132 733 $.

Le plus de titres en tournois féminins de beach-volley

Misty May-Treanor (USA) a annoncé sa retraite en juillet 2012 après avoir pris l'or aux JO de Londres (*ci-dessus*). Elle a gagné plus de tournois que toute autre joueuse : 112 depuis avril 2000.

BASEBALL

EN BREF La Major League Baseball (MLB) a connu une année exceptionnelle. Les San Francisco Giants ont remporté les Worlds Series en octobre 2012 grâce à Pablo Sandoval (Venezuela), auteur de 3 home runs en un match, un exploit réalisé par seulement quatre joueurs jusque-là. En saison régulière, Josh Hamilton (USA) a été le plus impressionnant en frappant 4 home runs en un match pour les Texas Rangers en mai.

Jamie Moyer (USA), lanceur des Colorado Rockies en avril 2012, est devenu le vainqueur le plus âgé à 49 ans et 151 jours, dépassant le record détenu par Jack Quinn (USA, 49 ans et 70 jours) depuis 80 ans. Moyer a encore gagné en mai pour repousser sa prouesse à 49 ans et 180 jours. Ce jour-là, il a aussi réussi un coup sûr à 2 points, devenant ainsi le joueur le plus âgé à produire un point.

La saison 2012 s'est également démarquée par un match sans point ni frappe : les Seattle Mariners ont accompli cet exploit en juin avec six lanceurs différents. C'était la première fois qu'un si grand nombre de lanceurs permettait de réaliser un « no-hitter » depuis juin 2003.

Le plus de walk-off home runs dans une carrière

Un walk-off home run est un home run réalisé dans la dernière manche et qui offre la victoire à l'équipe à domicile. Jim Thome (USA) en a réussi 13 depuis 1991 avec les Cleveland Indians, Philadelphia Phillies, Chicago White Sox, Los Angeles Dodgers, Minnesota Twins et Baltimore Orioles. Son dernier en date remonte au 23 juin 2012 avec les Phillies.

Le plus de home runs en un match

Le plus de home runs frappés en un match de MLB est de 4. Cet exploit a été accompli par 16 joueurs, le dernier en date étant Josh Hamilton (USA) pour les Texas Rangers contre les Baltimore Orioles, le 8 mai 2012.

Le joueur ayant représenté le plus de clubs

Octavio Dotel (Rép. dominicaine) a porté l'uniforme de 13 franchises de Ligue majeure depuis ses débuts en 1999 : New York Mets, Houston Astros, Oakland Athletics, New York Yankees, Kansas City Royals, Atlanta Braves, Chicago White Sox, Pittsburgh Pirates, Los Angeles Dodgers, Colorado Rockies, Toronto Blue Jays, St Louis Cardinals et Detroit Tigers.

FRAPPEURS

La plus longue série sans frappe en après-saison

En 2012, Robinson Canó (Rép. dominicaine) a fait 26 apparitions sur le marbre sans une seule frappe avec les New York Yankees, où il a fait ses débuts en Ligue majeure en 2005. Sa moyenne de frappe est tombée à 0,075.

Le plus de points dans une carrière par un frappeur désigné

David Ortiz (Rép. dominicaine) a frappé 1 147 points dans sa carrière avec les Minnesota Twins et les Boston Red Sox depuis 1997. Surnommé « Big Papi », il compte aussi le **plus de home runs dans une carrière par un frappeur désigné** (353) avec ces deux équipes.

Le plus de home runs dans une carrière

Le plus de home runs frappés dans une carrière MLB – et le **plus de home runs dans une carrière pour un gaucher** – est de 762 pour Barry Bonds (USA, né le 24 juillet 1964) avec les Pittsburgh Pirates et les San Francisco Giants (1986-2007). Le 10 juillet 2007, il est devenu le **plus âgé à débuter un match des All-Star** à 42 ans et 351 jours.

Bonds détient aussi le record du **plus de home runs frappés en un match d'après-saison** (8) pour les San Francisco Giants en 2002. Il a été rejoint par Carlos Beltrán (Porto Rico) avec les Houston Astros en 2004 et Nelson Cruz (Rép. dominicaine) avec les Texas Rangers en match d'après-saison en 2011.

Le plus de home runs frappés à droite et à gauche en un match

Mark Teixeira (USA) a réalisé des switch-hit home runs (en frappant des deux mains) à 13 reprises pour les Texas Rangers, Atlanta Braves, Los Angeles Angels et New York Yankees depuis 2003.

Le plus de saisons consécutives avec 30 home runs ou plus en début de carrière

Albert Pujols (Rép. dominicaine) a enchaîné 12 saisons avec au moins 30 home runs pour les St Louis Cardinals et les Anaheim Angels de Los Angeles de 2001 à 2012.

NAISSANCE DES WORLDS SERIES

Les Boston Americans battaient les Pittsburgh Pirates 5 à 3 pour le premier « classique de l'automne » en 1903.

Le plus de home runs en un match des World Series

Quatre joueurs ont frappé 3 home runs en un match des World Series : Pablo Sandoval (Venezuela, *ci-contre*) pour les San Francisco Giants en 2012 ; Albert Pujols (Rép. dominicaine) pour les St Louis Cardinals en 2011 ; Reggie Jackson (USA) pour les New York Yankees en 1977 ; et "Babe" Ruth (USA) pour les New York Yankees en 1926 et 1928.

RECORDS DE LA MAJOR LEAGUE BASEBALL (MLB)		
Équipes		
Le plus de titres (premier en 1903)	27	New York Yankees
Le plus de victoires consécutives	5	New York Yankees, 1949-1953
Le public total le plus nombreux	420 784	Six matchs entre les Los Angeles Dodgers et les Chicago White Sox, 1er-8 octobre 1959 ; victoire des Dodgers 4-2
Joueurs		
Le plus de home runs	5	Chase Utley (USA) des Philadelphia Phillies, World Series 2009 face aux New York Yankees ; Reggie Jackson (USA) des New York Yankees, World Series 1977 face aux Los Angeles Dodgers
Le plus de matchs comme lanceur	24	Mariano Rivera (Panama) des New York Yankees en 1996, 1998, 1999, 2000, 2001, 2003 et 2009
Le plus de titres de Meilleur joueur	2	Sanford "Sandy" Koufax, 1963, 1965 ; Robert "Bob" Gibson, 1964, 1967 ; Reginald Martinez "Reggie" Jackson (tous USA), 1973, 1977

Statistiques à la fin de la saison 2012

Pujols a également réalisé le **plus de points produits au cours d'un match des World Series**, avec 6 points marqués pour les St Louis Cardinals lors du Match 3 des World Series, le 22 octobre 2011. Auparavant, Bobby Richardson (USA) en avait fait de même pour les New York Yankees au Match 1, le 5 octobre 1960, tout comme Hideki Matsui (Japon), également pour les New York Yankees, au Match 6, le 4 novembre 2009.

LANCEURS

Le 1er lanceur à préserver 600 victoires
Trevor Hoffman (USA) a sauvé 601 matchs pour les Florida Marlins, San Diego Padres et Milwaukee Brewers de 1993 à 2010.

Le moins d'erreurs en 2e base

Le record MLB du **plus de matchs consécutifs sans erreur par un joueur de deuxième base** est de 141, par Darwin Barney (USA, *ci-dessus*), avec les Chicago Cubs en 2012, et Plácido Polanco (Rép. dominicaine) avec les Detroit Tigers en 2007.

Le plus long match d'ouverture

Les Toronto Blue Jays (Canada) ont battu les Cleveland Indians (USA) 7 à 4 en 16 manches (*à dr.*) lors du plus long match d'ouverture de la Ligue majeure, le 5 avril 2012.

La moyenne de points mérités (ERA) la plus basse
Avec les Tampa Bay Rays en 2012, Fernando Rodney (Rép. dominicaine) a obtenu une ERA de 0,60, un record pour des lancers dans 50 manches ou plus au cours d'une saison.

Le plus de home runs concédés par un lanceur
Jamie Moyer (USA) a concédé 522 home runs de 1986 à 2012, avec les Chicago Cubs, Texas Rangers, St Louis Cardinals, Baltimore Orioles, Seattle Mariners, Boston Red Sox, Philadelphia Phillies et Colorado Rockies.

150 C'est la vitesse moyenne en km/h des balles rapides de Kimbrell en 2012.

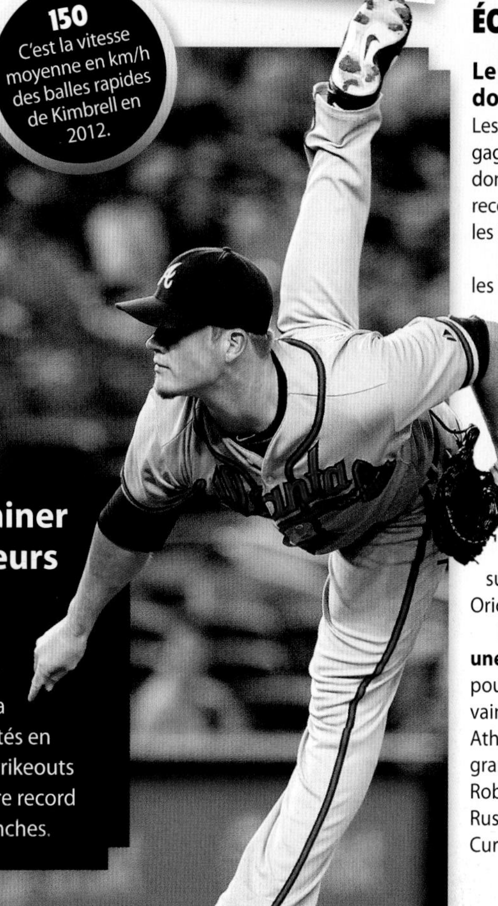

Le 1er lanceur à éliminer la moitié des frappeurs en une saison

Craig Kimbrel (USA) des Atlanta Braves est à ce jour le seul lanceur de MLB à avoir éliminé au moins la moitié des frappeurs qu'il a affrontés en une saison. Kimbrel a réussi 116 strikeouts face à 231 frappeurs en 2012. Autre record MLB : ses 16,7 strikeouts sur 9 manches.

Le plus de matchs comme dernier lanceur
Mariano Rivera (Panama) a terminé 892 matchs avec les New York Yankees depuis 1995.

Les 1 051 matchs de Rivera avec les Yankees représentent le **plus de matchs comme lanceur avec une même équipe**.

Le lanceur prolifique a aussi réalisé le **plus de sauvetages dans une carrière** (608), toujours avec les Yankees, depuis 1995.

Le plus de grands chelems dans une carrière

Deux joueurs ont réalisé 23 grands chelems : Lou Gehrig (USA, *encart*) pour les New York Yankees de 1923 à 1939 et Alex Rodriguez (USA, *ci-dessus*) pour les Seattle Mariners, Texas Rangers et New York Yankees depuis 1994.

Le plus de lanceurs dans un match sans frappe
Deux équipes ont utilisé 6 lanceurs dans un « no-hitter » : les Houston Astros contre les New York Yankees le 11 juin 2003 et les Seattle Mariners contre les Los Angeles Dodgers (tous USA), le 8 juin 2012.

ÉQUIPES

Le plus de victoires à domicile en début de saison
Les Los Angeles Dodgers (USA) ont gagné leurs 13 premiers matchs à domicile en 2009 et dépassent le record précédent de 12 succès par les Detroit Tigers en 1911.

À l'inverse, entre 1993 et 2012, les Pittsburgh Pirates (USA) ont vécu le **plus de saisons perdues consécutives**, soit 20.

Le plus de points en un match
Les Texas Rangers (USA) ont établi un record moderne (depuis 1900) avec 30 points en un match lors du succès 30-3 contre les Baltimore Orioles, le 22 août 2007.

Le **plus de grands chelems par une équipe en un match** est de 3, pour les New York Yankees (USA), vainqueurs 22 à 9 des Oakland Athletics, le 25 août 2011. Les grands chelems ont été frappés par Robinson Canó (Rép. dominicaine), Russell Martin (Canada) et Curtis Granderson (USA).

BASKET-BALL

EN BREF Les États-Unis continuent de dominer le basket-ball olympique : les hommes ont décroché une 14e médaille d'or record et les femmes leur 7e titre (le 5e d'affilée, deux records) à Londres 2012.

La FIBA a fêté ses 80 ans et annoncé que le 17e championnat du monde, à Madrid (Espagne) en 2014, sera le dernier sur le cycle actuel de 4 ans pour éviter les chevauchements avec la Coupe du monde de football. Nouveau cycle à partir de 2019.

En NBA, la 67e saison a commencé de manière spectaculaire : les LA Lakers ont limogé leur coach Mike Brown après cinq matchs et LeBron James est devenu le plus jeune joueur à 20 000 points en carrière. En basket féminin, Notre Dame a battu Ohio State 57 à 51 en novembre 2012 lors du premier match féminin sur un porte-avions !

Le plus jeune à marquer 30 000 points

Kobe Bryant (USA, né le 23 août 1978) avait 34 ans et 104 jours quand il a inscrit son 30 000e point lors du succès des Lakers 103 à 87 contre les New Orleans Hornets, le 5 décembre 2012. C'est le plus jeune des cinq joueurs à avoir atteint ce total : Wilt Chamberlain (35 ans), Kareem Abdul-Jabbar et Karl Malone (36 ans) et Michael Jordan (38 ans).

25,5 C'est la moyenne de points par match inscrits par Kobe Bryant en carrière.

Le plus de tirs contrés lors d'un play-off de NBA

Trois joueurs ont contré 10 tirs lors d'un play-off : Hakeem Olajuwon (Nigeria/USA), Mark Eaton (USA) et, plus récemment, Andrew Bynum (USA, *ci-dessus*) avec les Los Angeles Lakers face aux Denver Nuggets, le 29 avril 2012.

Le plus de médailles d'or aux JO (hommes)
Les États-Unis ont remporté 14 des 18 tournois olympiques masculins de basket-ball entre 1936 et 2012. Ils ont remporté sept finales de suite entre 1936 et 1968 avant de renouer avec la victoire à Montréal en 1976. En 2012, ils ont battu l'Espagne 107 à 100 à Londres (RU), le 12 août. L'URSS (1972 et 1988), la Yougoslavie (1980) et l'Argentine (2004) sont les seules autres équipes masculines à avoir remporté l'or aux JO.

Le succès le plus large en finale olympique (femmes)
Les basketteuses américaines ont remporté leur 5e médaille d'or consécutive aux JO de Londres en 2012 en balayant la France 86 à 50, le 11 août. Les 36 points d'écart constituent un record depuis 36 ans que le tournoi olympique féminin existe. C'était le septième titre pour les États-Unis, **l'équipe féminine la plus titrée aux JO.** C'est toutefois une Australienne qui a inscrit **le plus de points en matchs olympiques dans une carrière.** Lauren Jackson a marqué 550 points depuis ses débuts olympiques aux JO de Sydney (Australie) en 2000.

NBA

Le coach le plus rapide à remporter 100 victoires
Tom Thibodeau (USA) a obtenu 100 victoires en 130 matchs, soit un de moins que le record détenu depuis 2006 par Avery Johnson (USA). La 100e de Thibodeau a été obtenue lors de la victoire des Chicago Bulls 85 à 59 contre le Magic d'Orlando le 19 mars 2012.

Le plus de saisons consécutives à 50 victoires
Avec 50 victoires et 16 défaites en 2011-12, les Spurs de San Antonio (USA) ont enchaîné une 13e saison avec au moins 50 victoires.

Le plus de minutes jouées sans convertir un lancer franc en une saison
Pendant la saison 2011-12, Josh Childress (USA) a disputé 34 matchs pour 491 minutes avec les Suns de Phoenix sans marquer un seul lancer franc. Il en a raté deux.

La plus longue série de défaites en play-offs
La série de 13 défaites en play-offs des Knicks de New York (USA) a commencé en 2000-01 et s'est achevée en 2011-12 avec une victoire 89-87 contre le Miami Heat.

Le taux de victoires le plus faible en une saison
Les Bobcats de Charlotte (USA) ont gagné 7 fois et perdu 59 en 2011-12, soit à peine 10,6 % de victoires.

Le premier à 20 000 points, 8 000 passes décisives et 2 000 interceptions
Gary Payton (USA), évoluant aux Celtics de Boston, a inscrit son 20 000e point en carrière contre les Portland Trailblazers le 10 novembre 2004, brisant la barrière du triplé.

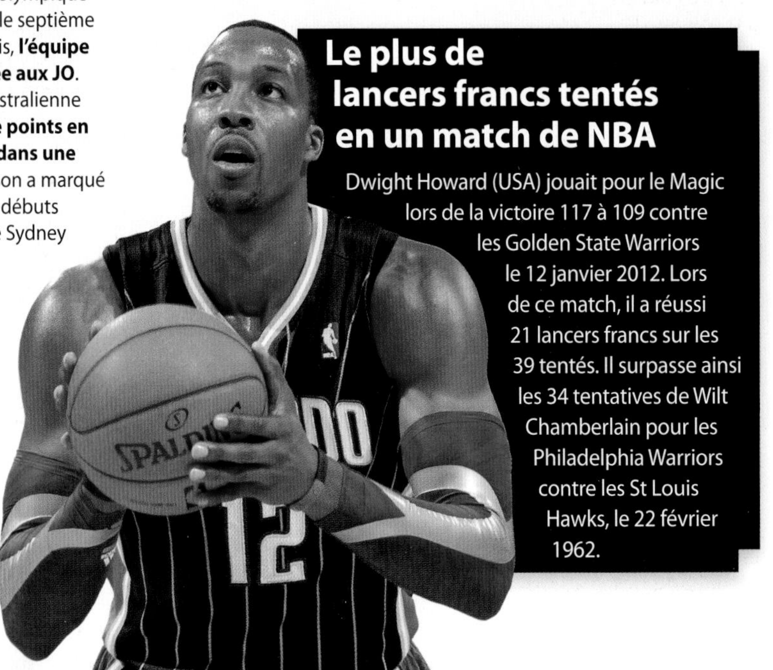

Le plus de lancers francs tentés en un match de NBA

Dwight Howard (USA) jouait pour le Magic lors de la victoire 117 à 109 contre les Golden State Warriors le 12 janvier 2012. Lors de ce match, il a réussi 21 lancers francs sur les 39 tentés. Il surpasse ainsi les 34 tentatives de Wilt Chamberlain pour les Philadelphia Warriors contre les St Louis Hawks, le 22 février 1962.

14 821 minutes de jeu en carrière de Katie Smith depuis 1998.

Le plus de minutes jouées en une carrière WNBA

Tina Thompson (USA, *à gauche*) avait joué 15 112 min au 20 février 2013. Sa coéquipière au Seattle Storm, Katie Smith (USA, *à droite*), détient le record de **minutes par match en carrière WNBA**, avec 33,1 min.

WNBA

Le moins de matchs pour atteindre 1 000 rebonds en carrière

Tina Charles (USA) a atteint 1 000 rebonds en 89 matchs, devançant les 92 rencontres de Yolanda Griffith (USA).

Le plus grand écart à la mi-temps

Le Connecticut Sun (USA) menait 61 à 27 face au New York Liberty le 15 juin 2012 (victoire 97-55). Mieux que les 33 points d'avance à mi-match du Seattle Storm (60-27) contre le Tulsa Shock le 7 août 2010.

Le plus de passes décisives en carrière

Ticha Penicheiro (Portugal) a réalisé 2 599 passes en 454 matchs avec les Sacramento Monarchs, Los Angeles Sparks et Chicago Sky depuis 1998. Elle détient aussi le record de **passes décisives par match** (5,7).

Le plus de victoires consécutives en entame de saison

Les Minnesota Lynx (USA) ont débuté 2012 en beauté avec 10 victoires, mieux que les Los Angeles Sparks (9) en 2001 et 2003. En 2012, les Lynx ont aussi réalisé **le meilleur taux de panier en un match** avec 69,5 % face au Tulsa Shock (107 à 86) le 10 juillet 2012. Les Lynx ont réussi 41 de leurs 59 tirs.

Le plus de lancers francs en carrière

Depuis que Tamika Catchings (USA) a rejoint l'Indiana Fever en 2002, elle a réalisé 1 573 lancers francs. Elle a contribué au sacre olympique des États-Unis en 2012 et a enregistré **le plus d'interceptions en carrière** : 845. En 1997, au lycée, elle était la première des deux seules joueuses à inscrire un quintuple double (soit cinq statistiques à 2 chiffres en points, rebonds, passes décisives, interceptions et contres), un exploit encore jamais réalisé au niveau universitaire ou professionnel.

Le plus de matchs joués en carrière

Tangela Smith (USA) a disputé 463 matchs pour les Sacramento Monarchs, Charlotte Sting, Phoenix Mercury, Indiana Fever et San Antonio Silver Stars depuis 1998. Elle a débuté 400 rencontres.

Le plus de paniers à 3 points tentés par un joueur (en carrière NBA)

Ray Allen (USA) avait tenté 6 980 paniers à 3 points au 19 février 2013. À cette même date, il en avait inscrit 2 797, **le plus de 3 points en une carrière NBA**. Allen a joué pour les Milwaukee Bucks, les Seattle SuperSonics, les Boston Celtics et le Miami Heat.

SOUVENEZ-VOUS

Ray Allen a également été acteur. Il a été acclamé pour son interprétation d'un jeune joueur dans *He Got Game* de Spike Lee (USA, 1998).

FIBA, NBA ET WNBA

FIBA (Fédération internationale de basket-ball)		
Le plus de titres en championnats du monde FIBA (1er championnat en 1950)	5	Yougoslavie/Serbie
	4	USA
	3	Union soviétique
Le plus de titres en championnats du monde FIBA féminins (1er championnat en 1953)	8	USA
	6	Union soviétique
	1	Australie
NBA (National Basketball Association)		
Le plus de titres NBA (1er titre en 1946-47)	17	Boston Celtics (USA)
	16	Minneapolis/Los Angeles Lakers (USA)
	6	Chicago Bulls (USA)
Le plus de minutes jouées en NBA	57 446	Kareem Abdul-Jabbar (USA)
	54 852	Karl Malone (USA)
	50 000	Elvin Hayes (USA)
Le plus de lancers francs tentés en NBA	9 787	Karl Malone (USA)
	8 531	Moses Malone (USA)
	7 737	Kobe Bryant (USA)
WNBA (Women's National Basketball Association)		
Le plus de titres WNBA (1er championnat en 1997)	4	Houston Comets (USA)
	3	Detroit Shock (USA)
	2	Los Angeles Sparks (USA)
		Phoenix Mercury (USA)
		Seattle Storm (USA)
Le plus de minutes jouées en WNBA	15 112	Tina Thompson (USA)
	14 821	Katie Smith (USA)
	13 546	Taj McWilliams-Franklin (USA)
Le plus de lancers francs tentés en WNBA	1 573	Tamika Catchings (USA)
	1 477	Lisa Leslie (USA)
	1 412	Katie Smith (USA)

Statistiques au 20 février 2013

D'AUTRES SPORTS AMÉRICAINS, VOIR P. 224

BOXE

EN BREF Les jeux Olympiques de Londres 2012 ont permis de faire redécouvrir la boxe au grand public grâce notamment à l'introduction d'une épreuve féminine, faisant « tomber l'un des derniers bastions olympiques », selon le Comité d'organisation londonien. Chez les professionnels, les frères Klitschko, Wladimir et Vitali (Ukraine) continuent de dominer de main ferme la catégorie des poids lourds. De son côté, Floyd Mayweather Jr (USA), champion dans cinq catégories, a préservé son invincibilité.

Dans le même temps, une nouvelle étoile monte à l'horizon : Andre Ward (USA) est invaincu en 26 combats et a décroché les titres en championnats du monde des poids super-moyens WBA et WBC. Le jeune champion est sans nul doute un recordman en puissance.

24 C'est le nombre de combats professionnels sans défaite pour Tavoris Cloud.

Le champion du monde le plus âgé

Le 9 mars 2013, Bernard Hopkins (USA, né le 15 janvier 1965, *à gauche*) est devenu le boxeur le plus âgé à remporter un titre mondial majeur, à 48 ans et 53 jours. Il a gagné aux points contre le champion en titre Tavoris Cloud (USA, *à droite*) pour s'emparer de la ceinture IBF des mi-lourds en 12 rounds, au Barclays Center de Brooklyn (New York, USA).

Le moins de combats pour gagner la ceinture poids lourds

Le 15 février 1978, Leon Spinks (USA) terrassait le champion en titre Mohamed Ali (USA, né Cassius Marcellus Clay Jr) en 15 rounds, au Hilton Sports Pavilion de Las Vegas (USA), pour s'emparer du titre mondial dès son 8e combat professionnel.

La plus longue attente entre 2 titres poids lourds

George Foreman (USA) a remporté la couronne mondiale en lourds le 22 janvier 1973 contre Joe Frazier (USA) en 2 rounds, à Kingston (Jamaïque). Il a ensuite perdu son titre par K.-O. au 8e round, le 30 octobre 1974, à Kinshasa (Rép. dém. du Congo), s'inclinant devant Mohamed Ali (USA). Foreman a récupéré les titres WBA et IBF 20 ans plus tard, le 5 novembre 1994, en mettant au tapis à la 10e reprise Michael Moorer (USA), alors champion en titre, à Las Vegas (USA). (*Voir en face pour plus d'informations sur Foreman.*)

Le moins de coups pour le titre en 12 rounds

Randall Bailey (USA, *à gauche*) a perdu sa ceinture IBF des welters face à Devon Alexander (USA, *à droite*) aux points après 12 rounds, au Barclays Center de Brooklyn (New York, USA), le 20 octobre 2012. Durant le combat, CompuBox n'a enregistré que 45 coups pour Bailey. Le combat, initialement prévu le 8 septembre, avait été repoussé en raison d'une blessure de Bailey à l'entraînement.

Les 1ers frères champions du monde des poids lourds en même temps

Vitali Klitschko a récupéré son titre WBC le 11 octobre 2008, alors que son frère Wladimir (Ukraine) était champion en WBO, IBF et IBO.

Le 1er champion du monde poids lourds invaincu

Avec 49 victoires, Rocky Marciano (USA, né Rocco Francis Marchegiano, 1923-1969) est le seul champion du monde des poids lourds à n'avoir perdu aucun combat dans sa carrière professionnelle, entre le 17 mars 1947 et le 21 septembre 1955.

Le plus petit champion des poids lourds

Du haut de ses 170,18 cm, Tommy Burns (Canada) est devenu le plus petit champion du monde des poids lourds en battant aux points Marvin Hart (USA) en 20 rounds, le 23 février 1906.

Le 1er boxeur à une main

Michael Costantino (USA) est né sans main droite et a fait ses débuts professionnels en lourds-légers le 27 octobre 2012, à Brooklyn (New York, USA), achevant son adversaire

INFO

Avec 27 combats, Joe Louis (USA, 13 mai 1914-12 avril 1981) a disputé le **plus de finales mondiales des poids lourds**. Louis a remporté son premier titre le 22 juin 1937 et l'a conservé à 25 reprises, avant de signer son retour (et son 27e combat pour le titre) le 27 septembre 1950. Il s'est alors incliné aux points face au tenant du titre, Ezzard Charles, en 15 rounds.

Le plus jeune champion du monde poids lourds

Mike Tyson (USA, né le 30 juin 1966, *à gauche*) est devenu le plus jeune boxeur à remporter un titre en poids lourds à 20 ans et 145 jours. Il a mis fin au règne de Trevor Berbick (Canada, *ci-dessous*) en 2 rounds pour s'emparer de la ceinture WBC, le 22 novembre 1986, au Hilton Hotel de Las Vegas (USA).

18 ANS
C'est la différence d'âge entre Foreman et Moorer lors de leur combat au MGM Grand en 1994.

Le plus vieux champion du monde poids lourds

À 45 ans et 299 jours, « Big George » Foreman (USA, né le 10 janvier 1949, *à droite*) est devenu le boxeur le plus âgé à enfiler la ceinture des poids lourds en mettant K.-O. le champion Michael Moorer (USA). Il a mis « Double M » au tapis à la 10e reprise, au MGM Grand de Las Vegas (USA), le 5 novembre 1994, récupérant le titre que Mohamed Ali lui avait ravi lors du « Rumble in the Jungle » 20 ans plus tôt.

Nathan Ortiz (USA) en 2 rounds. Bien que Costantino soit enregistré comme mi-lourd, ce combat s'est déroulé dans la catégorie supérieure.

Le champion poids moyen le plus âgé
Javier Castillejo (Espagne, né le 22 mars 1968) – souvent considéré comme le meilleur boxeur espagnol de l'histoire – a volé la ceinture WBA à Felix Sturm (Allemagne), le 15 juillet 2006, à 38 ans et 115 jours. Sturm a jeté l'éponge à la 10e reprise au Color Line Arena de Hambourg (Allemagne).

Le plus de titres mondiaux consécutifs en super-moyens
Joe Calzaghe (RU) et Sven Ottke (Allemagne) ont défendu leur titre 21 fois chacun. L'Anglais a atteint cet exploit en battant Mikkel Kessler (Danemark) à Cardiff (RU), le 3 novembre 2007 ; Ottke y est parvenu face à Armand Krajnc (Suède), le 27 mars 2004 en Allemagne.

Le plus de coups portés en championnat
Mexicain d'origine américaine, Antonio Margarito a porté 1 675 coups à son adversaire Joshua Clottey (Ghana) en 12 reprises pour prendre le titre des mi-moyens WBO, à Atlantic City (New Jersey, USA), le 2 décembre 2006.

LE ROI DU RING
En mai 2013, Mayweather était invaincu avec 44 victoires en autant de combats.

CITATION
« J'ai eu des gants de boxe avant de savoir marcher. J'ai passé ma vie dans les gymnases. »

INFO
Le 21 septembre 1985, Michael Spinks (*ci-dessus à droite*) battait Larry Holmes (tous deux USA) aux points en 15 rounds pour s'emparer de la ceinture IBF au Casino Riviera de Las Vegas (USA). Il devenait ainsi le **1er champion du monde des mi-lourds à s'emparer d'un titre en poids lourds**.

Le 1er boxeur à gagner tous les titres en super-moyens

Joe Calzaghe (RU), à la retraite depuis le 5 février 2009, fut le 1er boxeur à remporter les quatre principaux titres mondiaux en super-moyens durant sa carrière. Les titres en question sont les WBO, IBF, WBC et WBA.

Le plus de rounds consécutifs
Gerry Cronnelly (Irlande) a combattu 123 rounds contre 42 adversaires, au Raheen Woods Hotel d'Athenry (County Galway, Irlande), le 20 octobre 2012.

La 1re championne olympique
La poids mouche Nicola Adams (RU) a battu Ren Cancan (Chine) 16-7 en 4 rounds de 2 min, lors de la première finale olympique de boxe féminine, sur le ring d'ExCeL, à Londres (RU), le 9 août 2012.

La **plus jeune médaillée en boxe féminine** est Claressa Shields (USA, née le 17 mars 1995), qui avait 17 ans et 145 jours lors de sa victoire face à Nadezhda Torlopova (Russie) en finale des poids moyens (– de 75 kg), le 9 août 2012.

Les gains annuels les plus importants

Floyd Mayweather Jr (USA) est non seulement le boxeur le mieux payé, mais surtout le **sportif le mieux payé** tous sports confondus. Selon le classement 2012 de *Forbes*, Mayweather a empoché 85 millions $ en deux combats. Le premier était la finale mondiale WBC des mi-moyens, le 17 septembre 2011, contre Victor Ortiz (USA), lui rapportant 40 millions $. Le second était le match pour la ceinture WBA des super-welters, le 5 mai 2012, face à Miguel Cotto (Porto Rico).

SPORTS DE COMBAT

EN BREF À Londres 2012, trois lutteurs ont décroché une troisième médaille d'or olympique consécutive. Saori Yoshida et Kaori Icho (toutes deux Japon) se sont imposées chez les femmes en lutte libre respectivement en poids légers et moyens. Artur Taymazov (Ouzbékistan) a pris l'or après ses titres à Athènes et Pékin.

En taekwondo, la Corée du Sud domine toujours avec des médailles olympiques pour les hommes comme pour les femmes.

L'Ultimate Fighting Championship (UFC) a décerné son 1er titre féminin à « Rowdy » Ronda Rousey (USA). La légende de l'UFC, Anderson « L'Araignée » Silva (Brésil) possède les records **de titres en poids moyens**, **de combats consécutifs remportés** et **de K.-O.** Faut pas le chercher !

ESCRIME

Le 1er médaillé olympique et paralympique

Un seul sportif a remporté des médailles à la fois aux jeux Olympiques et Paralympiques d'été. L'escrimeur Pál Szekeres (Hongrie) a pris le bronze au fleuret par équipe à Séoul 1988 (Corée du Sud). Blessé dans un accident de bus en 1991, il a gagné l'or en fauteuil roulant au fleuret individuel à Barcelone 1992 (Espagne) puis au fleuret et au sabre individuels à Atlanta 1996 (USA). Il compte également 3 médailles de bronze en tant que paralympien au fleuret individuel à Sydney 2000 (Australie) et à Pékin 2008 (Chine), ainsi qu'au sabre individuel à Athènes 2004 (Grèce).

Le plus de médailles olympiques

Edoardo Mangiarotti (Italie) a cumulé 13 médailles olympiques (6 en or, 5 en argent, 2 en bronze) au fleuret et à l'épée de 1936 à 1960.

Valentina Vezzali (Italie) est l'**escrimeuse la plus médaillée aux JO** avec 9 récompenses : 6 en or, 1 en argent et 2 en bronze. Elle a décroché l'or au fleuret par équipe et l'argent en individuel à Atlanta 1996 ; l'or au fleuret individuel et par équipe à Sydney 2000 ; l'or au fleuret individuel à Athènes 2004 ; l'or au fleuret individuel et le bronze par équipe à Pékin 2008. Enfin, elle est repartie de Londres 2012 avec l'or au fleuret par équipe et le bronze en individuel. Ses trois titres en fleuret individuel (en 2000, 2004 et 2008) constituent le **record de médailles d'or olympiques au fleuret individuel (femmes)**.

Le plus de titres olympiques en judo

Le seul homme à compter 3 médailles d'or olympiques en judo est Tadahiro Nomura (Japon), vainqueur chez les – de 60 kg (super-légers) en 1996, 2000 et 2004. L'épreuve féminine a été inscrite aux JO en 1992. Aucun autre judoka n'a décroché plus d'un titre olympique.

Le plus de titres olympiques en lutte libre (femmes)

Saori Yoshida (Japon, *ci-dessus*) a décroché 3 fois l'or chez les poids légers, à Athènes 2004, Pékin 2008 et Londres 2012. En poids moyens, la lutteuse Kaori Icho (Japon) compte également 3 titres aux mêmes Jeux.

UFC

Le plus de titres consécutifs

L'Ultimate Fighting Championship (UFC) est une compétition mêlant différents styles d'arts martiaux dans 8 catégories de poids.

Le plus de titres consécutifs est de 17, par Anderson Silva (Brésil), dit « L'Araignée », entre 2006 et 2012. Silva détient aussi le plus de victoires UFC remportées par K.-O., avec 20 succès entre 2000 et 2012.

Le **plus de titres UFC remportés en poids moyens** est de 11, toujours par le redoutable Silva, entre 2006 et 2012. Silva avait remporté la toute première édition et a su conserver son titre à 10 reprises.

Le **plus de titres UFC en poids mi-moyens** remportés par un même combattant est de 10, par Georges St-Pierre (Canada) entre 2006 et 2012.

Le plus d'or olympique en poids mouches de taekwondo (femmes)

Wu Jingyu (Chine) est montée 2 fois sur la plus haute marche olympique en poids mouches (– de 49 kg) de taekwondo, à Pékin 2008 et à Londres 2012.

INFO
La première référence à un sport de combat dans les Jeux antiques remonte à 648 av. J.-C., avec l'épreuve du pancrace, un art martial brutal mêlant lutte et boxe.

RACINES MILLÉNAIRES
Le taekwondo (qui signifie « l'art du pied et de la main ») est un art martial coréen vieux de 2 000 ans.

LES PLUS ENDURANTS SONT EN P. 102 ET 104

Le plus de championnats UFC poids plumes

Le plus de championnats UFC remportés par un combattant en poids plumes est de 4, par José Aldo (Brésil) entre 2011 et 2013. Ce record inclut le titre initial et les 3 combats pour défendre son titre.

JUDO

Le plus de championnats du monde (femmes)

Le Japon a remporté les championnats du monde de judo par équipe 3 fois : 2002, 2008, 2012.

Le champion olympique le plus âgé

À 33 ans et 118 jours, Dae-Nam Song (Corée du Sud, né le 5 avril 1979) a remporté la médaille d'or chez les – de 90 kg sur les tatamis de l'ExCeL de Londres (RU), le 1er août 2012. Song dominait Asley González (Cuba) en finale grâce à un *waza-ari* au « golden score », à la suite d'une projection en prolongations.

Le match de catch le plus long

Le Shockwave Impact Wrestling (USA) a instauré l'Ultimate Iron Man Match – un match de catch de 12 h –, au Shelby County Fairgrounds de Sidney (Ohio, USA), le 6 novembre 2010. Six lutteurs y ont participé. *Ci-dessus*, Mike White (dit Dark Angel) affronte Brandon Overholser (dit American Kickboxer II, tous deux USA), sous son masque.

LE PLUS DE MÉDAILLES D'OR OLYMPIQUES EN COMBAT

Escrime (femmes)	6	Valentina Vezzali (Italie) : 2000, 2004 et 2008 (individuel) ; 1996, 2000 et 2012 (par équipe)
Escrime (hommes)	7	Aladár Gerevich (Hongrie) : 1948 (individuel) ; 1932, 1936, 1948, 1952, 1956, 1960 (par équipe)
Judo (femmes)	1	(*Voir p. 236.*)
Judo (hommes)	3	(*Voir p. 236.*)
Taekwondo (femmes)	2	Chen Yi-an (Taiwan) : 1988 et 1992
		Hwang Kyung-seon (Corée du Sud) : 2008 et 2012
Taekwondo (hommes)	2	Ha Tae-kyung (Corée du Sud) : 1988 et 1992
Lutte libre (femmes)	3	Kaori Icho (Japon), 63 kg : 2004, 2008 et 2012
		Saori Yoshida (Japon), 55 kg : 2004, 2008 et 2012 (*voir p. 236*)
Lutte libre (hommes)	3	Aleksandr Vasilyevich Medved (Biélorussie) : 1964, 1968 et 1972
		Buvaysa Saytiev (Russie) : 1996, 2004 et 2008
		Artur Taymazov (Ouzbékistan) : 2004, 2008 et 2012
Lutte gréco-romaine (hommes)	3	Carl Westergren (Suède) : 1920, 1924 et 1932
		Aleksandr Karelin (Russie) : 1988, 1992 et 1996

Statistiques au 15 avril 2013

La 1re championne UFC

Ronda Rousey (USA) a été déclarée première championne UFC en poids coq lors d'une conférence de presse, à Seattle (Washington, USA), le 6 décembre 2012. Elle a conservé son titre contre Liz Carmouche (USA) à l'UFC 157 d'Anaheim (Californie, USA), le 23 février 2013.

TAEKWONDO

L'art martial le plus populaire

Selon Taekwondo Chungdokwan, la branche britannique de la Fédération mondiale de taekwondo, cet art martial – sport national en Corée du Sud – regroupe près de 50 millions d'adeptes dans le monde.

Le plus de titres mondiaux (hommes)

L'équipe masculine de Corée du Sud totalise 19 titres entre 1973 et 2009.

Le **plus de titres en championnats du monde de taekwondo (femmes)** est de 12, toujours pour la Corée du Sud, entre 1997 et 2011.

Le plus de médailles d'or olympiques en poids moyens (femmes)

Hwang Kyung-seon (Corée du Sud) a triomphé dans la catégorie olympique des poids moyens (– de 67 kg) à deux occasions : Pékin 2008 et Londres 2012.

Le plus jeune médaillé olympique (hommes)

Alexey Denisenko (Russie, né le 30 août 1993) s'est emparé du bronze chez les – de 58 kg, à Londres, le 8 août 2012, à 18 ans et 344 jours.

LUTTE

Le plus de titres olympiques en lutte libre chez les super-lourds (hommes)

Le plus de médailles d'or par un lutteur aux JO en catégorie super-lourds est de 3, par Artur Taymazov (Ouzbékistan), à Athènes 2004, Pékin 2008 et Londres 2012.

Le plus de championnats du monde de lutte libre (hommes)

Deux lutteurs ont remporté cette compétition 7 fois chacun : Aleksandr Medved (Biélorussie) chez les + de 100 kg entre 1962 et 1971, et Valentin Jordanov (Bulgarie) chez les – de 55 kg entre 1983 et 1995.

15 ANS
C'est l'âge de Lisa lorsqu'elle a établi ce record, qui était auparavant de 2,15 m.

Le plus haut coup de pied sans assistance (femmes)

Lisa Coolen (Pays-Bas) a lancé un coup de pied sans assistance à 2,35 m, au Sportcomplex de Bandert à Echt (Pays-Bas), le 12 mai 2012. Elle a réalisé un coup de pied sauté de face, un geste de taekwondo dénommé *twimyo-ap-chagi*.

CRICKET

EN BREF Cette année, le capitaine Alastair Cook (RU) et Michael Clarke (Australie) ont mené les débats avec une patience et une endurance hors du commun. Shikhar Dhawan (Inde) a quant à lui réalisé le **century le plus rapide pour un batteur à ses débuts en Test** (85 balles).

Rahul Dravid (Inde), Ricky Ponting (Australie) et Andrew Strauss (RU) ont tous annoncé leur retraite en 2012. Le joueur de cricket le plus talentueux de sa génération – le « petit maître » Sachin Tendulkar (Inde) – quitte les ODI avec un record de 18 426 courses (moyenne de 44,83), 49 centuries et 96 demi-centuries en 452 manches.

Les Indes occidentales ont remporté le World T20 (1er trophée majeur depuis 2004) et l'Afrique du Sud est devenue l'équipe à battre dans les trois formes du jeu. En cricket féminin, l'Australie reste nº 1 en ajoutant la Coupe du monde en février après le World T20 d'octobre 2012.

Le plus de guichets en Twenty20 internationaux

Le tricoteur Ajantha Mendis (Sri Lanka) est le seul joueur à avoir pris 6 guichets en match de Twenty20 international, et ce à deux reprises. Le 8 août 2011, il a pris 6 guichets pour 16 courses en 4 séries contre l'Australie au stade international de cricket Pallekele (Sri Lanka). Le 18 septembre 2012, au World Twenty20 de l'ICC, toujours au Sri Lanka, il a pris 6 guichets pour 8 courses en 4 séries.

COURSES, GUICHETS ET PRISES		
Test		
Le plus de courses	15 837	Sachin Tendulkar (Inde), 1989-2013
Le plus de guichets	800	Muttiah Muralitharan (Sri Lanka), 1992-2010
Le plus de prises (chasseur)	210	Rahul Dravid (Inde), 1996-2012
One-Day Internationals		
Le plus de courses	18 426	Sachin Tendulkar (Inde), 1989-2012
Le plus de guichets	534	Muttiah Muralitharan (Sri Lanka), 1993-2011
Le plus de prises (chasseur)	195	Mahela Jayawardene (Sri Lanka), 1998-2013
Twenty20 international		
Le plus de courses	1 814	Brendon McCullum (Nouvelle-Zélande), 2005-2013
Le plus de guichets	74	Umar Gul (Pakistan), 2007-2013
Le plus de prises (chasseur)	33	Ross Taylor (Nouvelle-Zélande), 2006-2013

Statistiques au 22 mars 2013

Le 1er capitaine à marquer 5 centuries dans ses 5 premiers test-matchs

Dès ses 5 premiers test-matchs comme capitaine de l'Angleterre, Alastair Cook a enregistré des scores de 173, 109 non éliminé, 176, 122 et 190. Ce dernier score, inscrit en 1re manche du 3e test contre l'Inde à Calcutta, les 6-7 décembre 2012, a fait de lui le plus jeune joueur à atteindre 7 000 courses en Test (à 27 ans et 347 jours) et le meilleur marqueur anglais de centuries (23).

CITATION
« Sans performance, on ne mérite pas la moindre victoire. »

31
C'est le classement de Dhoni en juin 2012 parmi les plus grandes fortunes, selon *Forbes*.

Le joueur le mieux payé

Mahendra Singh Dhoni, capitaine de l'Inde, a gagné 26,5 millions $ dans l'année en juin 2012, selon le magazine *Forbes*. À son salaire de joueur de cricket s'ajoutent d'impressionnants revenus publicitaires à hauteur de 23 millions $, avec des sponsors tels que Reebok et Sony.

LES PREMIERS À...

Frapper un six sur première balle en Test (joueur)

Chris Gayle (Jamaïque) a frappé la balle de Sohag Gazi (Bangladesh) par-delà les cordes lors du premier service du 2 051e test-match, qui a débuté à Mirpur (Bangladesh), le 13 novembre 2012.

Conserver son titre en World T20 (équipe)

L'Australie a défendu avec succès sa couronne mondiale en Twenty20 féminin du Conseil international du cricket (ICC) en battant l'Angleterre de 4 courses, à Colombo (Sri Lanka), le 7 octobre 2012.

Déclarer sa 1re manche et perdre d'une manche en Test (équipe)

En fin de première journée du 2e Test contre l'Inde au stade Rajiv Gandhi d'Hyderabad (Inde), le 2 mars 2013, l'Australie a mis fin à sa première manche à 237 pour 9. L'Inde a répliqué avec 503 tous éliminés dans sa 1re manche pour mener de 266. Au 4e jour, les Australiens étaient tous éliminés à 131, perdant d'une manche et 135 courses.

LE PLUS DE...

« Canards » en cricket Twenty20

Au 22 mars 2013, le plus grand nombre de 0 par un batteur

individuel en matchs de Twenty20 international est 7, par Luke Wright (RU). Le batteur a eu besoin de 36 manches pour compléter ses sept canards.

Demi-centuries dans une carrière Twenty20
Brendon McCullum (Nouvelle-Zélande) a réussi 12 demi-centuries en T20 international (dont deux convertis en centuries) lorsqu'il a frappé 74 courses en 38 balles contre l'Angleterre au Seddon Park, Hamilton (Nouvelle-Zélande), le 12 février 2013.

Centuries en cricket international
Sachin Tendulkar (Inde) a marqué 100 centuries en Test et ODI entre le 14 août 1990 et le 16 mars 2012.

Test-matchs comme capitaine
Graeme Smith (Afrique du Sud) est devenu le 1er joueur de cricket à disputer 100 matchs de Test comme capitaine lors du 1er test de l'Afrique du Sud contre le Pakistan à domicile, à Johannesburg, le 1er février 2013, jour de ses 32 ans. Au 4 février, Smith avait remporté 48 de ses 100 test-matchs en tant que capitaine et inscrit 26 centuries.

Lancers reçus en test-match
Rahul Dravid (Inde) a fait face à 31 258 balles dans sa carrière en Test. Le batteur droitier a disputé le dernier de ses 164 test-matchs contre l'Australie à Adélaïde, en janvier 2012.

La 1re nation à dominer dans toutes les formes

Quand l'Afrique du Sud a battu l'Angleterre en One-Day Internationals (ODI), à l'Ageas Bowl de Southampton (RU), le 28 août 2012, elle est devenue la 1re nation de l'histoire à dominer le classement de l'ICC en Test, ODI et T20 simultanément.

Le plus de doubles centuries en 1 an

Le capitaine de Test, Michael Clarke (Australie), est le seul à avoir réussi un double century au 1er jour du 2e test contre l'Afrique du Sud, à Adélaïde (Australie), le 22 novembre 2012, dépassant ainsi les 200 pour la quatrième fois en 2012. Dans l'année, Clarke a réussi 1 595 courses en Test, soit 106,33 par manche en moyenne.

Le plus d'éliminations par un gardien de guichet

A B de Villiers (Afrique du Sud, *ci-dessus*) et Jack Russell (RU) ont tous deux réalisé 11 prises en Test. Russell y est parvenu contre l'Afrique du Sud au New Wanderers Stadium de Johannesburg, les 30 novembre et 2-3 décembre 1995. Villiers l'a rejoint face au Pakistan, dans la même enceinte, les 2-4 février 2013.

CRICKET FÉMININ

Le plus de victoires en Coupe de monde ICC
Dix éditions de la Coupe du monde féminine se sont tenues depuis 1973. L'Australie l'a remportée à 6 reprises : 1978, 1982, 1988, 1997, 2005 et 2013.

Le plus de courses en ODI
La capitaine Charlotte Edwards (RU) a marqué sa 4 845e course en One-Day Internationals féminins quand l'Angleterre, championne en titre, a battu l'Inde à la Coupe du monde 2013 à Mumbai (Inde), le 3 février.

Le plus de courses à un ODI
L'Australie (289 pour 6) a rattrapé la Nouvelle-Zélande (288 pour 6) avec 20 balles restantes au North Sydney Oval (Australie), le 14 décembre 2012, pour réaliser un total de 577 courses en ODI féminins.

Le plus de courses en World T20

Brendon McCullum a frappé 123 courses pour la Nouvelle-Zélande contre le Bangladesh durant le World Twenty20 de l'ICC à Pallekele (Sri Lanka), le 21 septembre 2012. Il a inscrit 7 six et 11 quatre en 58 balles.

Le plus de courses en carrière World T20

Mahela Jayawardene (Sri Lanka) a marqué 858 courses en 25 manches, pour une moyenne de 40,85 par manche, dans les quatre tournois World Twenty20 (2007, 2009, 2010 et 2012). On le voit ici lancer une nouvelle balle vers les cordes, sous les yeux du gardien de guichet des Indes occidentales, Denesh Ramdin, lors de la finale du World T20 de l'ICC 2012 à Colombo (Sri Lanka).

VIVE MAHELA !
En 2006, Jayawardene a réalisé le plus haut score en Test pour un Sri-Lankais : 374 contre l'Afrique du Sud.

CYCLISME

EN BREF L'univers du cyclisme a fait la une des journaux en 2012 – et pas toujours pour de bonnes raisons. À l'automne, l'un des plus grands noms du sport, Lance Armstrong (USA), a fait des révélations « stupéfiantes » sur la manière dont il a amélioré ses performances en course. Cela n'a pas empêché de voir des records tomber durant l'été, grâce notamment aux exploits de Bradley Wiggins (RU). Le Britannique est devenu le premier cycliste à remporter le Tour de France et la médaille d'or olympique la même année, ce qui lui a valu d'être anobli par la reine d'Angleterre en 2013.

Sir Chris Hoy (RU) a annoncé sa retraite le 18 avril 2013 après un 5e titre à Londres 2012, record olympique en cyclisme sur piste. Avec 12 médailles, dont 8 en or, sur 18 épreuves, la « Team GB » a dominé le cyclisme, aucun autre pays n'obtenant plus d'un titre.

Le tour du monde le plus rapide à vélo

Alan Bate (RU) n'a mis que 127 jours pour faire le tour du monde, soit 29 467,91 km, lors de son périple de 42 608,76 km, transferts inclus. Son voyage s'est déroulé du 31 mars au 4 août 2010. Bate est parti du Palais royal de Bangkok (Thaïlande), avant d'y revenir 4 mois plus tard.

La course la plus élevée

Longue de 500 km, la Ruta Internacional de la Alpaca atteint 4 873 m au-dessus du niveau de la mer, entre Juliaca et Ayaviri (Pérou). La première édition s'est tenue du 25 au 28 novembre 2010.

Le meilleur score en cyclisme artistique en salle

En cyclisme artistique, les sportifs réalisent des figures durant 5 min sur des vélos à pignon fixe devant des juges et reçoivent des points selon la qualité de leur programme. **Hommes :** Le score le plus élevé pour un cycliste en épreuve individuelle est 208,91, par David Schnabel (Allemagne), à Kagoshima (Japon), le 6 novembre 2011. **Femmes :** Sandra Beck (Allemagne) a obtenu 181 points durant la compétition qui s'est déroulée à Erlenbach (Allemagne), le 17 novembre 2012. Beck a été 5 fois vice-championne du monde de cyclisme artistique (2005, 2008-2009, 2011-2012).

La médaillée olympique la plus âgée en VTT cross-country

Sabine Spitz (Allemagne, née le 27 décembre 1971) a gagné la médaille d'argent lors de la course de VTT cross-country courue à Hadleigh Farm (Essex, RU), le 11 août 2012, à 40 ans et 228 jours. Ce sport est une épreuve olympique depuis Atlanta 1996.

JEUX OLYMPIQUES

Le 500 m le plus rapide, départ arrêté (dames)

Gong Jinjie et Guo Shuang (Chine) ont réalisé un temps de 32,422 s au 500 m départ arrêté au vélodrome de Londres (RU), le 2 août 2012.

La poursuite par équipe messieurs la plus rapide (4 km)

La Grande-Bretagne (Steven Burke, Ed Clancy, Peter Kennaugh et Geraint Thomas) a enregistré un temps de 3 min et 51,659 s en poursuite par équipes sur 4 km pour prendre l'or à Londres (RU), le 3 août 2012.

29 C'est le nombre de médailles d'or de la Grande-Bretagne à Londres 2012. Les États-Unis en ont eu 46.

Le plus de titres olympiques sur piste

Sir Chris Hoy (RU) totalise 5 médailles d'or olympiques sur piste : en contre-la-montre 1 km à Athènes 2004 ; en sprint individuel, par équipes et keirin à Pékin 2008 ; et en sprint par équipes à Londres 2012.

Le 750 m le plus rapide, départ arrêté (messieurs)

La Grande-Bretagne (Philip Hindes, Jason Kenny et sir Chris Hoy) a battu le record du monde avec 42,6 s pour décrocher l'or olympique au vélodrome de Londres (RU), le 2 août 2012.

Le plus de médailles sur route (messieurs)

Alexander Vinokourov (Kazakhstan) a décroché sa seconde médaille olympique en cyclisme sur route en remportant l'épreuve d'endurance sur 250 km aux Jeux de Londres 2012. Sa première médaille, en argent, remonte à Sydney 2000.

Le plus de titres sur route

Kristin Armstrong (USA) est devenue la première personne à conserver son titre olympique en cyclisme sur route (course ou contre-la-montre) lors du contre-la-montre des jeux Olympiques de Londres 2012, le 1er août, 4 ans après avoir pris l'or dans la même épreuve à Pékin (Chine), le 13 août 2008.

Armstrong (USA, née le 11 août 1973) est également la **championne olympique de cyclisme sur route la plus âgée**. Elle avait 38 ans et 356 jours à Londres 2012, lorsqu'elle a couvert les 29 km en 37 min et 34,82 s pour conserver son titre.

Le plus de mètres verticaux en 48 h

Jacob Zurl (Autriche) a grimpé l'équivalent de 28 789 m en 48 h, à Oberschöcklweg (Weinitzen, Autriche), les 20-22 avril 2012. Il a réalisé 164 tours du circuit de 1,8 km avec un dénivelé de 1 753,2 m sur une pente moyenne de 9,8 %.

La plus jeune médaillée en VTT cross-country

Julie Bresset (France, née le 9 juin 1989) est devenue la plus jeune médaillée olympique en VTT cross-country en remportant la course féminine longue de 4,8 km à 23 ans et 63 jours, à Hadleigh Farm (Essex, RU), le 11 août 2012.

La poursuite dames la plus rapide (3 km)

L'équipe de Grande-Bretagne (Dani King, Laura Trott et Joanna Rowsell) a mis 3 min et 14,051 s pour s'imposer en poursuite par équipes au vélodrome de Londres (RU), le 4 août 2012. Le trio a écrasé son propre record de 3 min et 15,669 s établi la veille en qualifications.

La plus jeune médaillée d'or sur piste

Laura Trott (RU, née le 24 avril 1992) n'avait que 20 ans et 102 jours quand elle a gagné l'or en poursuite par équipes à Londres 2012 (*voir encadré ci-dessus*).

UCI (UNION CYCLISTE INTERNATIONALE)

Le 500 m le plus rapide, départ arrêté (dames)

Anna Meares (Australie) a couvert 500 m en 33,010 s, au Championnat du monde UCI de cyclisme sur piste, le 8 avril 2012, à Melbourne (Australie).

Le 200 m le plus rapide, départ lancé (dames)

Le 19 janvier 2013, en Coupe du monde UCI de cyclisme sur piste à Aguascalientes (Mexique), Tianshi Zhong (Chine) a mis 10,573 s pour parcourir 200 m.

Le plus de participants au Championnat du monde UCI de BMX

Le Championnat du monde UCI de BMX, du 29 au 31 juillet 2005 à Paris-Bercy (France), a attiré 2 560 concurrents de 39 pays.

Le plus de titres au Championnat du monde UCI de BMX

Hommes : Kyle Bennett (USA) a remporté 3 fois le championnat, en 2002-2003 et 2007.

Femmes : Gabriela Diaz (Argentine) compte 3 titres au Mondial de BMX en 2001-2002 et 2004. Shanaze Reade (RU) en a fait autant en 2007-2008 et 2010.

TOUR DE FRANCE

Le plus de victoires (1er Tour en 1903. Maillot jaune pour le vainqueur attribué officiellement depuis 1919)	5	Jacques Anquetil (France) : 1957, 1961-1964
		Bernard Hinault (France) : 1978–79, 1981-1982, 1985
		Miguel Indurain (Espagne) : 1991-1995
		Eddy Merckx (Belgique) : 1969-1972, 1974
	3	Louison Bobet (France) : 1953-1955
		Greg LeMond (USA) : 1986, 1989-1990
		Philippe Thys (Belgique) : 1913-1914, 1920

Statistiques au 15 avril 2013

Le pays le plus titré en Championnat du monde UCI sur piste

Au 22 mars 2013, la France avait remporté 353 médailles en Championnat du monde UCI de cyclisme sur piste, dont 129 en or, 107 en argent et 117 en bronze. Elle est suivie par la Grande-Bretagne avec 218 médailles. La première édition, pour amateurs, remonte à 1893 à Chicago (USA).

Le 1er à remporter le Tour de France et l'or olympique la même année

Bradley Wiggins (RU) a offert un été mémorable au cyclisme britannique lorsqu'il a filé vers la victoire dans le contre-la-montre masculin aux jeux Olympiques de Londres 2012 (*à droite*), tout juste 10 jours après être devenu le 1er maillot jaune britannique du Tour de France (*ci-dessous*). Son temps de 50 min et 39 s lui a valu une 7e médaille olympique.

CITATION

« C'est comme dans un rêve. Enfant, je n'aurais jamais imaginé en arriver là un jour. »

INFO

Victorieux à Londres 2012, Bradley Wiggins et Chris Hoy sont devenus les sportifs britanniques les plus décorés de l'histoire des jeux Olympiques, avec 7 médailles chacun. Wiggins en compte 4 en or, 1 en argent et 2 en bronze. Hoy détient 6 médailles d'or et 1 d'argent. Tous deux ont été anoblis pour leurs exploits.

GOLF

EN BREF Cette année, Rory McIlroy a enchaîné les records en remportant des tournois de l'USPGA Tour et en cumulant le plus de gains. Il fait partie des nouveaux talents aux côtés de Guan Tianlang et Andy Zhang (tous deux Chine) et de Lydia Ko (Nouvelle-Zélande). Ils ont tous commencé à faire des vagues sur le circuit à 15 ans. La vieille garde est toujours emmenée par Tiger Woods, de retour au sommet, ainsi qu'Ernie Els et Phil Mickelson.

La Ryder Cup qui s'est déroulée au Medinah Country Club (USA) fut inoubliable. Sous l'impulsion d'Ian Poulter (RU), l'Europe a réalisé l'un des plus beaux renversements de situation en 85 ans : menée 10-4, elle s'est imposée 14,5 à 13,5 au terme d'un match surnommé le « Miracle de Medinah ».

Le score le plus bas sur 18 trous

Rhein Gibson (Australie) a réalisé un score de 55 sur un par de 71, au River Oaks Golf Club d'Edmond (Oklahoma, USA), le 12 mai 2012. Il a rentré deux eagles et 12 birdies, tous les autres trous du parcours ayant été inscrits dans le par.

Le plus rapide à jouer des 18 trous sur chaque continent

Heinrich du Preez (Afrique du Sud) a disputé des parcours 18 trous sur tous les continents (sauf l'Antarctique) en 119 h et 48 min, entre les 22 et 27 mai 2007. Il avait débuté à midi à Pretoria (Afrique du Sud), puis s'est rendu en Allemagne, en Argentine, aux États-Unis et en Australie avant de finir son marathon à 11 h 48, à Bangkok (Thaïlande).

68 877 458 $ Ce sont les gains totaux de Phil Mickelson au cours de sa carrière PGA.

Le plus de victoires PGA pour un gaucher

Phil Mickelson (USA) est droitier, sauf en golf. Il a remporté 41 tournois en jouant comme gaucher entre 1998 et 2013. Surnommé « Lefty » (le gaucher), il détient aussi le **plus de victoires en Majeurs pour un gaucher**. Il s'est imposé à l'US Masters en 2004, 2006 et 2010, et au Championnat PGA en 2005.

Les gains les plus élevés sur le PGA Tour

Au 8 mars 2013, Tiger Woods (USA) avait cumulé 102 122 300 $ sur le PGA Tour. Selon *Forbes*, en juin 2012, il totalisait les **gains annuels les plus élevés pour un golfeur** avec 59,4 millions $ entre ses prix et les contrats publicitaires. Le magazine plaçait Woods à la troisième place des sportifs les mieux payés en 2012.

OBJECTIF JACK

Tiger Woods avait 37 ans en décembre 2012. Au même âge, en 1977, Jack Nicklaus (USA) avait aussi gagné 14 Majeurs et en a ensuite remporté 4 de plus. « Le Tigre » pourra-t-il le dépasser ?

La plus grande leçon

Golf PARa Todos (« Golf PAR tous ») a réuni 1 073 participants sur le parcours El Camaleón de Playa del Carmen, à Quintana Roo (Mexique), le 23 janvier 2011.

Le plus grand terrain sur un aéroport

L'aéroport international Don Mueang de Bangkok (Thaïlande) dispose d'un parcours 18 trous entre ses deux pistes principales. Il appartient à l'Armée de l'air thaïlandaise et n'est pas clôturé.

Le plus grand green

Le Spring Lake Golf Resort de Sebring (Floride, USA) possède un green de 3 908 m², soit la superficie de plus de 15 courts de tennis. Le green est situé au 9e trou du parcours d'Osprey.

La plus jeune vainqueur LPGA

Lydia Ko (Nouvelle-Zélande, née le 24 avril 1997) avait 15 ans et 122 jours quand elle a remporté le CN Women's Open, au Vancouver Golf Club (Canada), en août 2012.

RYDER CUP

Le plus de titres consécutifs en Ryder Cup (équipe)

À deux reprises, les États-Unis ont remporté la Ryder Cup 7 fois de suite. La première série a été réalisée entre 1935 et 1955 (pas de compétition durant la Seconde Guerre), la seconde en 1971-1983.

Le plus jeune capitaine de Ryder Cup

Le célèbre joueur Arnold Palmer (USA) avait 34 ans et 31 jours quand il est devenu capitaine des États-Unis au East Lake Country Club d'Atlanta (Géorgie, USA) en 1963.

PGA

Les gains les plus élevés sur l'European Tour

Au 12 mars 2013, Carl Mason (RU) avait acquis 2 403 565 € au cours de sa carrière commencée en 2003.

Le putt le plus long (tournoi)

Jack Nicklaus (USA) a réalisé un putt de 33,5 m au tournoi des Champions de 1964. Au Championnat PGA 1992, cette prouesse a été rééditée par Nick Price (Zimbabwe).

LE PLUS DE TITRES ET LES SCORES LES PLUS BAS		
British Open		
Le plus de titres	6	Harry Vardon (RU)
Le score total le plus bas (72 trous)	267 (66, 68, 69, 64)	Greg Norman (Australie), Royal St George's, 15-18 juillet 1993
US Open		
Le plus de titres	4	Willie Anderson (RU)
		Bobby Jones, Jr (USA)
		Ben Hogan (USA)
		Jack Nicklaus (USA)
Le score total le plus bas (72 trous)	268 (65, 66, 68, 69)	Rory McIlroy (RU), Congressional Country Club, Bethesda, USA, 16-19 juin 2011
US Masters		
Le plus de titres	6	Jack Nicklaus (USA)
Le score total le plus bas (72 trous)	270 (70, 66, 65, 69)	Tiger Woods (USA), August National Golf Club, 10-13 avril 1997

Le vainqueur de l'European Tour le plus âgé

Le 18 novembre 2012, Miguel Ángel Jiménez (Espagne, né le 5 janvier 1964) a remporté l'UBS Hong Kong Open – comptant pour l'European Tour depuis 2001 –, à 48 ans et 318 jours. C'était sa 3e victoire sur ce parcours après 2005 et 2008, lui permettant d'améliorer son record du **plus de victoires sur l'European Tour par un joueur de plus de 40 ans** (12).

Le plus de titres en US Open féminin

Elizabeth "Betsy" Rawls et Mary "Mickey" Wright (USA) ont gagné chacune 4 titres sur l'US Open Féminin. Betsy s'est imposée en 1951, 1953, 1957 et 1960, et Mickey, qui a empoché 13 Majeurs, a triomphé lors des éditions 1958, 1959, 1961 et 1964.

1 710 000 $ C'est la prime offerte au vainqueur.

Le gain le plus élevé pour un tournoi de golf

Le Players Championship organisé par l'Association professionnelle des golfeurs à Sawgrass (Floride, USA) offre des prix en numéraire pour un total de 9 500 000 $. Matt Kuchar (USA, *ci-dessus*) a touché le gros lot en 2012.

Les gains les plus élevés pour une 1re saison sur le Ladies European Tour

Carlota Ciganda (Espagne) a gagné 251 289,95 € en 2012. Après un début de saison phénoménal, elle a reçu les titres de Meilleure golfeuse et Meilleure débutante, ainsi que l'ordre du Mérite, décerné à celle qui cumule le plus de gains sur le tour.

Le plus jeune joueur à l'US Masters

Guan Tianlang (Chine, né le 25 octobre 1998) avait 14 ans et 169 jours quand il a planté son tee à l'US Masters d'Augusta (Géorgie, USA), le 11 avril 2013. Il a aussi été le **plus jeune joueur en qualifications de l'US Masters**, à 14 ans et 12 jours, et le **plus jeune golfeur sur l'European Tour**, lorsqu'il a disputé le Volvo China Open à 13 ans et 177 jours, le 19 avril 2012.

Le plus de titres sur l'Asian Tour

Thongchai Jaidee (Thaïlande) a gagné 13 tournois sur l'Asian Tour entre 2000 et 2010. Créé en 1995, ce circuit est le plus important de la région en dehors du Japon, qui possède sa propre organisation.

Le score le plus bas sous le par en Championnat LPGA

Deux golfeuses ont enregistré un score de 19 sous le par : Cristie Kerr (USA) en 2010 et Yani Tseng (Taiwan) en 2011, à chaque fois au Locust Hill Country Club de Pittsford (New York, USA).

OPEN

Le plus jeune golfeur

Andy Zhang (Chine, né le 14 décembre 1997) avait 14 ans et 183 jours quand il a participé à l'US Open 2012, à l'Olympic Club de San Francisco (Californie, USA), le 14 juin.

La victoire la plus large en British Open féminin

La jeune golfeuse montante Jiyai Shin (Corée du Sud) a terminé avec des scores de 71, 64, 71 et 73 pour s'imposer de 9 coups au Royal Liverpool Golf Club (RU), du 13 au 16 septembre 2012.

MASTERS

Le plus de birdies en un tour d'US Masters

Anthony Kim (USA) a réussi 11 birdies pour son 2e tour à l'Augusta National de Géorgie (USA), le 10 avril 2009.

Le 1er trou en un Master

Ross Somerville (Canada) a réussi le 16e trou d'un seul coup à l'Augusta National de Géorgie (USA), le 22 mars 1934.

CITATION « Je n'aime pas être mis sur un piédestal... Je suis toujours prêt à briser la glace, à être normal. »

Le plus de gains sur l'European Tour

Au 8 mars 2013, Ernie Els (Afrique du Sud) avait remporté 28 384 297 € sur l'European Tour depuis 1989. Il détient aussi le **score le plus bas sous le par sur un tournoi du PGA Tour après 72 trous**, avec 31 sous le par au Mercedes Championships 2003, au Kapalua Resort de Maui (Hawaï, USA), le 12 janvier.

HOCKEY SUR GLACE

EN BREF La Russie a vaincu ses 10 adversaires pour s'adjuger la médaille d'or aux 76es championnats du monde de hockey sur glace en mai 2012, devenant ainsi le premier champion à ne pas subir la moindre défaite depuis l'Union soviétique en 1989. Les Russes ont décroché leur troisième titre en cinq ans, le 26e au total (en comptant ceux de l'Union soviétique). Le meilleur buteur du tournoi, le Russe Evgeni Malkin (qui évolue en NHL aux Pittsburgh Penguins) a été sacré meilleur joueur de la compétition.

En NHL, un lock-out a écourté la saison régulière 2012-13, avec seulement 48 matchs disputés sur 82. Quand la situation s'est enfin débloquée, les Chicago Blackhawks ont pris un départ tonitruant en établissant le record du meilleur début de saison en NHL avec 24 rencontres sans défaite dans le temps réglementaire (au 6 mars 2013).

L'affluence la plus forte en hockey sur glace

La rencontre entre l'université du Michigan et l'université de Michigan State (toutes deux USA), surnommée *The Big Chill at the Big House* (« le grand frisson dans la grande maison ») a attiré 104 173 spectateurs au Michigan Stadium d'Ann Arbor (Michigan, USA) le 11 décembre 2010.

Le meilleur score en match international

La Slovaquie a battu la Bulgarie 82 à 0 en match féminin de qualification pour les JO, à Liepāja (Lettonie) le 6 septembre 2008.

Le contrat NHL le plus long

Deux joueurs ont signé des contrats de 15 années : Rick DiPietro (USA), avec les New York Islanders le 12 septembre 2006, et Ilya Kovalchuk (Russie), avec les New Jersey Devils le 3 septembre 2010. La valeur du contrat de DiPietro s'élève à 67,5 millions de $ et celui de Kovalchuk à 100 millions de $.

La plus longue série de victoires en NHL

Les Detroit Red Wings (USA) ont établi un record en NHL avec 23 victoires consécutives à domicile en 2011-12. Le record précédent de 20 victoires était détenu par les Boston Bruins en 1929-30 et les Philadelphia Flyers en 1975-76.

LE PLUS DE...

Buts consécutifs en un match

Ralph DeLeo (USA) a inscrit 10 buts de suite pour le Boston Technical contre le Roxbury Memorial (USA) en Greater Boston Senior League, au Boston Tech Arena (Massachusetts, USA), le 10 janvier 1953.

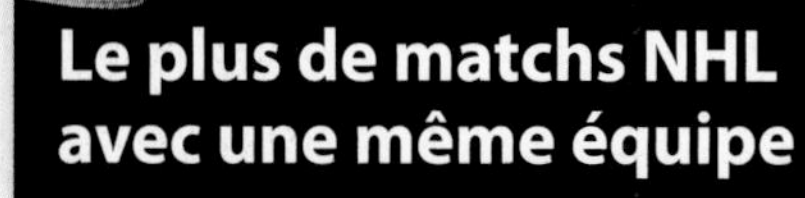

Le plus de matchs NHL avec une même équipe

Nicklas Lidström (Suède) a disputé au total 1 564 rencontres pour les Detroit Red Wings entre 1991 et 2012. Durant cette période, il a remporté quatre Coupes Stanley et a été désigné meilleur défenseur de NHL à sept reprises.

Victoires pour un gardien

Martin Brodeur affiche 656 victoires en saison régulière depuis 1993-94 avec les New Jersey Devils, un record pour un gardien.

En NHL, le Canadien a également enregistré le **plus de matchs disputés par un gardien en saison régulière** (1 191), le **plus de tirs subis par un gardien en saison régulière** (29 915), le **plus de minutes jouées en une saison de NHL** (4 697 min en 2006-07), le

Le plus de tirs au but par une équipe en une saison

Le Minnesota Wild (USA) a participé à 20 séances de tirs au but au cours de la saison 2011-12, égalant le record précédemment détenu par les Phoenix Coyotes (USA) depuis 2009-10.

SOUVENEZ-VOUS

Le Minnesota Wild a rejoint la NHL en 2000 avec Sean O'Donnell comme capitaine. Le premier but a été marqué par Marián Gáborík contre les Mighty Ducks d'Anaheim. En 2007-08, Gáborík a établi le record de buts pour un joueur du Wild en une seule saison : 42.

À LA SOURCE

La Coupe Stanley porte le nom de Lord Stanley, gouverneur général du Canada, qui offrit la coupe (en fait un simple bol) en 1892.

NATIONAL HOCKEY LEAGUE		
Le plus de participations en Coupe Stanley	34	Canadiens de Montréal (Canada), 1916-93
Le plus de victoires en Coupe Stanley	24	Canadiens de Montréal (Canada), 1930-93
Le plus de matchs joués	1 767	Gordie Howe (Canada), Detroit Red Wings et Hartford Whalers, 1946-80
Le plus de buts marqués	894	Wayne Gretzky (Canada), Edmonton Oilers, LA Kings, St Louis Blues et New York Rangers
Le plus d'arrêts	27 312	Martin Brodeur (Canada), New Jersey Devils, 1991-auj.
La plus longue série de victoires	17	Pittsburgh Penguins (USA), du 9 mars au 10 avril 1993
Le plus de buts en un match pour un joueur	7	Joe Malone (Canada), Bulldogs de Québec contre Toronto St Patricks, 31 janvier 1920
Le plus de buts en un match pour une équipe	16	Canadiens de Montréal (Canada), 16-3 contre Bulldogs de Québec, 3 mars 1920

Statistiques au 5 février 2013

plus de jeux blancs en play-offs (24) et le **plus de jeux blancs au total pour un gardien** (119). Tous ces records ont été établis avec les Devils.

Participations consécutives en Coupe Stanley

Deux joueurs ont participé aux séries éliminatoires de NHL 20 saisons de suite. Il s'agit de Larry Robinson (Canada), avec les Canadiens de Montréal puis les Kings de Los Angeles entre les saisons 1972-73 et 1991-92, et de Nicklas Lidström (Suède), qui joue avec les Detroit Red Wings, de la saison 1991-92 à la saison 2011-12.

Buts marqués par une équipe en une saison NHL

Les Oilers d'Edmonton (Canada) ont inscrit 446 buts dans la saison 1983-84.

Wayne Gretzky (Canada) détient le record de **buts marqués en une saison NHL par un joueur** (92) avec les Oilers en 1981-82.

Buts en prolongations

Jaromir Jágr (République tchèque) a établi le record NHL du plus de buts marqués en prolongations (16) en jouant avec les Pittsburgh Penguins, les Washington Capitals, les New York Rangers et les Philadelphia Flyers entre les saisons 1990-91 et 2011-12.

Médailles d'or aux jeux Olympiques d'hiver

Deux équipes ont remporté huit médailles d'or en hockey sur glace aux jeux Olympiques d'hiver. Cet exploit a été réalisé par l'ex-URSS (dernier titre en 1992) avant d'être égalé par le Canada lors des JO 2010 à Vancouver.

Le **record de médailles d'or aux JO d'hiver pour une équipe féminine de hockey sur glace** revient aussi au Canada, avec trois titres en 2002, 2006 et 2010.

17
C'est le numéro de Kovalchuk, en hommage à Valeri Kharlamov, célèbre hockeyeur russe disparu.

Le plus d'arrêts par un gardien lors d'un jeu blanc en saison régulière

Le gardien des Phoenix Coyotes, Mike Smith (Canada), a réalisé pas moins de 54 arrêts lors de la victoire 2-0 contre les Columbus Blue Jackets le 3 avril 2012.

ANECDOTE : Le père d'Ilya a commencé à l'entraîner dès ses 3 ans. À 18 ans, Ilya était le plus jeune hockeyeur sur glace professionnel des Jeux olympiques d'hiver 2002.

Défaites d'une équipe en prolongations

Lors de la saison 2011-12, les Florida Panthers ont perdu 18 matchs en prolongation, égalant le record du Tampa Bay Lightning (USA) en 2008-09.

Matchs consécutifs à marquer le but gagnant

Newsy Lalonde (Canada) a marqué le but de la victoire dans 5 matchs d'affilée pour les Canadiens de Montréal en février 1921. Il est suivi par Daniel Alfredsson (Suède), deuxième joueur de NHL à inscrire le but gagnant dans 4 matchs consécutifs avec les Senators d'Ottawa, entre le 9 et le 16 janvier 2007.

Équipes différentes en une carrière NHL

Mike Sillinger (Canada) a joué avec 12 équipes en 17 ans de carrière, de 1990 à 2009 : Columbus Blue Jackets, Detroit Red Wings, Florida Panthers, Mighty Ducks d'Anaheim, Nashville Predators, New York Islanders, Philadelphia Flyers, Phoenix Coyotes, St Louis Blues, Tampa Bay Lightning, Ottawa Senators et Vancouver Canucks.

RETROUVEZ LES SPORTS D'HIVER EN P. 260.

Le plus de buts gagnants aux tirs au but en une saison NHL

L'ailier et deuxième capitaine des New Jersey Devils, Ilya Kovalchuk (Russie), a inscrit 7 points décisifs aux tirs au but lors de la saison 2011-12. C'est un record absolu pour un même joueur au cours d'une seule saison depuis l'adoption de cette règle en 2005.

MARATHONS

EN BREF Les athlètes africains continuent de dicter l'allure dans les marathons et de remporter des courses dans le monde entier. Patrick Makau et Geoffrey Mutai (tous deux Kenya) ont fait tomber de nouveaux records cette année, tandis que Stephen Kiprotich (Ouganda) s'est emparé de l'or olympique à Londres (RU), seul titre pour son pays aux JO.

La triplette kenyane – Edna Kiplagat, Priscah Jeptoo et Sharon Cherop – a écrit une page d'histoire aux championnats du monde de Daegu, avec le **1er triplé pour un pays en marathon**. Jeptoo a aussi pris l'argent à Londres 2012. N'oublions pas le drame du marathon de Boston 2013 ; les coureurs du marathon de Londres ont observé 30 s de silence et beaucoup portaient des brassards noirs en mémoire des victimes.

Le plus rapide à courir un marathon sur chaque continent

Wendelin Lauxen (Allemagne, *ci-dessus*) a couru un marathon sur chacun des sept continents en 21 jours, 5 h et 33 min, entre le 31 octobre et le 21 novembre 2012. Encore plus fort ? Le **plus rapide à courir un marathon et un ultramarathon sur chaque continent** est Andrei Rosu (Roumanie, *à droite*), en 1 an et 217 jours, du 31 juillet 2010 au 4 mars 2012.

Le 1er marathon de Londres

Souvent considéré comme le plus ancien marathon, sa première édition remonte au 29 mars 1981.

Le **1er marathon de New York** a eu lieu le 13 septembre 1970 à Central Park. 126 hommes et 1 femme étaient au départ. La course a été remportée par Gary Muhrcke (USA) en 2 h, 31 min et 38 s. La coureuse n'a pas terminé.

Le 1er marathon en fauteuil aux jeux Paralympiques

Le 1er marathon en fauteuil roulant a été organisé aux jeux Paralympiques d'été 1984. Il s'est déroulé en même temps à Stoke Mandeville (RU) et New York (USA) avec près de 3 000 sportifs.

Le marathon le plus méridional

Le marathon des glaces, qui se tient sur le continent antarctique, se situe à une latitude de 80° Sud. Il est organisé tous les ans depuis 2006.

Le **marathon le plus septentrional** est celui du Pôle Nord, qui a lieu tous les ans depuis 2002 au pôle géographique.

4 C'est le nombre de victoires par Fearnley au marathon de New York en fauteuil roulant.

Le plus rapide marathon de Londres en fauteuil

Femmes : Amanda McGrory (USA) a franchi l'arrivée en 1 h, 46 min et 31 s, le 22 avril 2011.
Hommes : Kurt Fearnley (Australie) a terminé en 1 h, 28 min et 57 s, le 26 avril 2009.

Le plus de marathons en une année calendaire

R. L. "Larry" Macon (USA) a couru 157 marathons entre le 1er janvier et le 31 décembre 2012.

Le plus de titres au marathon de Londres en fauteuil roulant

Hommes : David Weir (RU) a remporté 6 fois le marathon de Londres en fauteuil roulant : 2002, 2006-2008 et 2011-2012.
Femmes : Le record féminin du plus de victoires à Londres est également de 6, par Tanni Grey-Thompson (RU) en 1992, 1994, 1996, 1998 et 2001-2002.

LE PLUS RAPIDE...

Marathon de Berlin

Hommes : Le temps le plus court au marathon de Berlin par un homme est 2 h, 3 min et 38 s, par Patrick Makau Musyoki (Kenya) le 25 septembre 2011. C'est également le **marathon le plus rapide jamais couru**, à une vitesse moyenne de 20,48 km/h, écrasant le record précédent de 21 s.

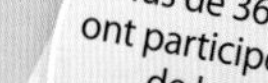

COURIR À LONDRES
Plus de 36 000 coureurs ont participé au marathon de Londres 2013. Ils n'étaient que 7 747 à la toute première édition.

2013 VIRGIN LONDON MARATHON : DE NOUVEAUX RECORDS DU MONDE

Si courir un marathon est une affaire sérieuse pour des athlètes d'exception tels que ceux présentés ci-dessus, pour d'autres, il s'agit plutôt d'un amusement – en particulier dans le cadre d'un des plus grands marathons du monde, celui de Londres. Voici quelques-uns des personnages les plus hauts en couleur qui y ont participé cette année.

Portant un sac de 35 kg – Roscoe Nash (RU) – **5 h, 58 min et 58 s**

Plus longue écharpe tricotée en courant un marathon – Susie Hewer (RU) – **2,05 m (en 5 h, 54 min et 23 s)**

Jonglant un ballon de foot – Alan Simeoni (RU) – **3 h, 10 min et 46 s**

Chaussure – Lucie Barney (RU) – **4 h, 40 min et 56 s**

Organe interne (femme) – Katherine Stephens (RU), en cerveau – **4 h, 28 min et 36 s**

Mascotte (femme) – Wendy Shaw (RU), en Alfie, mascotte des chiens guides d'aveugle – **4 h, 2 min et 56 s**

Médecin (femme) – Fiona Jenkinson (RU) – **3 h, 59 min et 15 s**

Organe interne (homme) – Alan Blair (RU), en cœur – **3 h, 48 min et 34 s**

Infirmière (femme) – Emma Blair (RU) – **3 h, 48 min et 34 s**

Uniforme militaire (homme) – Olivier Hamar (France), en Napoléon – **3 h, 47 min et 14 s**

Costume intégral d'animal (homme) – Bruce Moore (RU), en gorille – **3 h, 31 min et 36 s**

Le plus grand marathon féminin

Le marathon féminin de Nagoya 2013, couru à Nagoya (Aichi, Japon), le 10 mars, a vu 14 554 femmes prendre le départ alors qu'il n'y avait que 13 114 coureuses inscrites en 2012. La gagnante 2013 était Ryoko Kizaki (Japon) avec un temps de 2 h, 23 min et 34 s, soit 17 s de mieux que sa première poursuivante, Berhane Dibaba (Éthiopie), arrivée en 2 h, 23 min et 51 s.

Femmes : Wakako Tsuchida (Japon) a réalisé un temps de 1 h, 38 min et 32 s, à Ōita (Japon), le 11 novembre 2001.

Marathon à reculons

Xu Zhenjun (Chine) a couru le marathon international de Pékin (Chine), à reculons en 3 h, 43 min et 39 s, le 17 octobre 2004.

Marathon par une équipe reliée

Reliés à la taille par des élastiques, les coureurs Les Newell, Aaron Burgess, Darrell Bellinger, Chris Bedford et Julian Richardson (tous RU) ont franchi la ligne d'arrivée du marathon d'Abindgon (Oxfordshire, RU), le 21 octobre 2012, après 2 h, 57 min et 7 s. Les coureurs étaient âgés de 28 à 48 ans et ont levé près de 2 000 £ pour l'association Mates 'n' Dates venant en aide aux adultes souffrant de troubles de l'apprentissage.

Marathon pieds nus

Le 10 septembre 1960, Abebe Bikila (Éthiopie) a parcouru le marathon olympique de Rome (Italie) pieds nus en 2 h, 15 min et 16,2 s. Bikila avait couru sans chaussures car son sponsor, Adidas, ne lui avait pas trouvé de paire assez confortable. Par chance, l'Éthiopien – membre de la garde impériale – s'était entraîné pieds nus et a donc décidé de participer à la course de la même manière.

Le marathon T12 le plus rapide

Alberto Suárez Laso (Espagne, *ci-dessus au milieu*) a gagné la catégorie T12 masculine en 2 h, 24 min et 50 s aux jeux Paralympiques de Londres (RU), le 9 septembre 2012.

Femmes : Mizuki Noguchi (Japon) est la femme la plus rapide au marathon de Berlin, avec un temps de 2 h, 19 min et 12 s, le 25 septembre 2005.

Marathon de Chicago

Hommes : Samuel Kamau Wanjiru (Kenya, 1986-2011) a terminé la course en 2 h, 5 min et 41 s, le 11 octobre 2006. Sept mois plus tard, le 26 avril, il réalisait le **marathon de Londres le plus rapide (hommes)**, en 2 h, 5 min et 10 s.
Femmes : Le 13 octobre 2002, Paula Radcliffe (RU) traversait Chicago en 2 h, 17 min et 18 s. Le 13 avril 2003, elle a couru le **marathon de Londres le plus rapide (femmes)**, qui est aussi le **marathon le plus rapide pour une femme**, en 2 h, 15 min et 25 s.

Marathon de New York

Hommes : Le meilleur temps est 2 h, 5 min et 6 s, par Geoffery Mutai (Kenya), le 6 novembre 2011.
Femmes : Margaret Okayo (Kenya) l'a couru en 2 h, 22 min et 31 s, le 2 novembre 2003.

Marathon en fauteuil roulant (T52)

Thomas Geierspichler (Autriche) a remporté l'or en catégorie T52 (aucune fonction des membres inférieurs) en 1 h, 40 min et 7 s, à Pékin (Chine), le 17 septembre 2008.

Marathon en fauteuil roulant (T54)

Hommes : Heinz Frei (Suisse) a triomphé dans la catégorie T54 (athlètes atteints à la colonne vertébrale), en 1 h, 20 min et 14 s, à Ōita (Japon), le 31 octobre 1999.

Le 1er triplé en Championnat du monde d'athlétisme

Le Kenya a fait main basse sur les trois médailles au Championnat du monde d'athlétisme de Daegu (Corée du Sud), le 27 août 2011 – une première en marathon hommes ou femmes. *De gauche à droite* : Priscah Jeptoo (argent), Edna Kiplagat (or), Sharon Cherop (bronze).

SPORTS MÉCANIQUES

EN BREF Michael Schumacher (Allemagne) a pris son dernier départ lors du Grand Prix du Brésil 2012, mettant fin à la carrière la plus accomplie de l'histoire de la F1.

Le rallye Dakar connaît un succès croissant en Amérique du Sud. Stéphane Peterhansel (France) et son copilote Jean-Paul Cottret dominent toujours la catégorie auto, tandis que les catégories moto, camion et quad ont donné lieu à des courses palpitantes. En Championnat du monde de rallye, Sébastien Loeb (France) est en lice pour un 10e sacre consécutif.

En NASCAR, Brad Keselowski s'est emparé de sa première Sprint Cup grâce à cinq victoires. Audi a une nouvelle fois triomphé aux 24 Heures du Mans, mais a encore de la route avant d'égaler le record de Porsche.

Le plus de meilleurs tours en carrière

Entre le 25 août 1991 et le 22 juillet 2012, Michael Schumacher (Allemagne) a enregistré 77 meilleurs tours.

Le plus de victoires pour une 1re saison

Deux pilotes ont gagné 4 courses de F1 dès leur première saison. En 2007, Lewis Hamilton (RU) a égalé le record de 1996 de Jacques Villeneuve (Canada).

Le plus de points en 1 saison

Sebastian Vettel (Allemagne, *ci-dessus*) a obtenu 392 points dans la saison 2011.

POLE POSITION Ci-contre, la Porsche Action Express Racing qui franchit la ligne d'arrivée du Grand-Am Rolex 24 à Daytona (USA), janvier 2010.

Le plus de victoires aux 24 Heures de Daytona (constructeur)

Porsche (Allemagne) a remporté les 24 Heures de Daytona 22 fois entre 1968 et 2010, dont 11 victoires de suite en 1977-1987.

FORMULE 1 (F1)

Le plus de victoires consécutives en Grand Prix

Alberto Ascari (Italie) a gagné les six dernières courses de la saison 1952 et la première de 1953 pour Ferrari (Italie). Michael Schumacher (Allemagne) a fait aussi bien avec 7 victoires lors de la saison 2004, toujours sur une Ferrari.

Le plus rapide en Grand Prix

Juan Pablo Montoya (Colombie) a atteint 372,6 km/h dans sa McLaren-Mercedes au Grand Prix d'Italie à Monza, le 4 septembre 2005. Montoya est parti en pole position et a mené la course jusqu'à l'arrivée.

Le plus jeune champion de F1

Sebastian Vettel (Allemagne, né le 3 juillet 1987) a remporté le GP d'Abu Dhabi (ÉAU) le 14 novembre 2010 à 23 ans et 134 jours. En 2007, à 19 ans et 349 jours, il était devenu le **plus jeune pilote à prendre 1 point en F1**, puis, en 2008, le **plus jeune à remporter une course** à 21 ans et 72 jours.

Le plus de points sans victoire

Pilote pour Prost, Sauber, Jordan, Williams, BMW Sauber et Renault entre 2000 et 2011, Nick Heidfeld (Allemagne) a cumulé 259 points sans gagner la moindre course.

TOURIST TROPHY DE L'ÎLE DE MAN

Le plus de victoires en 1 an

Le plus de victoires sur le TT de l'île de Man en 1 an est de 5, par Ian Hutchinson (RU) en 2010. Il s'est imposé dans les catégories Senior, Superbike, Superstock et Supersport 1 et 2.

Grâce à ces 5 succès, Hutchinson détient aussi le **plus de victoires consécutives au TT de l'île de Man.**

Le meilleur tour en TT Senior

Sur une Honda CBR1000RR en catégorie Senior, John McGuinness (RU) a parcouru un tour en 17 min et 12,30 s en 2009.

Le **tour le plus rapide en Superbike** est de 17 min et 12,83 s, par Conor Cummins (RU) sur une Kawasaki ZX-10R en 2010.

En 2012, sur sa MotoCzysz E1PC, Michael Rutter (RU) a réalisé le **meilleur tour en catégorie électrique TT Zero**, en 21 min et 45,33 s. Le meilleur tour couru par une femme sur les 60,75 km du Tourist Trophy est de 18 min et 52,42 s, pour une vitesse moyenne de 193,03 km/h, par Jenny Tinmouth (RU), le 11 juin 2010.

128 C'est la vitesse limite en km/h dans les stands de F1.

Le pit-stop le plus rapide

Infinity Red Bull Racing (Autriche) a effectué un arrêt aux stands de 2,05 s pour la F1 de Mark Webber au Grand Prix de Malaisie sur le circuit international de Sepang (Malaisie), le 24 mars 2013.

Le plus de victoires WRC

Sébastien Loeb (France) a gagné 78 courses sur le Championnat du monde de rallye WRC au volant de sa Citroën World Rally, entre 2002 et le 4 mai 2013.

NASCAR

Le plus de victoires en une saison

Le championnat de l'Association américaine de stock-car (NASCAR) compte 4 grandes courses : Daytona 500 (depuis 1959), Winston 500 (1970), Coca-Cola 600 (1960) et Southern 500 (1950). Le meilleur résultat est de 3 succès pour Dave Pearson en 1976, Bill Elliott en 1985 et Jeff Gordon en 1997 (tous USA). En 1969, LeeRoy Yarbrough (USA) a gagné les trois courses disputées cette année-là.

Le plus de victoires consécutives

Richard Petty (USA) compte 10 victoires d'affilée en 1967.

Huit pilotes ont enchaîné 4 succès, soit le **plus de victoires consécutives dans l'ère moderne** (depuis 1972). Le dernier est Jimmie Johnson (USA) en 2007.

Le plus de titres consécutifs

Jimmie Johnson et Cale Yarborough (USA) ont gagné chacun 3 championnats de NASCAR de suite. Johnson a obtenu le 3e titre consécutif en 2008. Yarborough avait accompli cet exploit entre 1976 et 1978.

Le plus jeune à remporter une course

Joey Logano (USA, né le 24 mai 1990) avait 19 ans et 35 jours quand il a gagné le Lenox Industrial Tools 301 sur le New Hampshire Motor Speedway (USA), le 28 juin 2009.

NHRA (NATIONAL HOT ROD ASSOCIATION)

La plus grande vitesse pour un dragster Pro Stock

La vitesse maximale la plus grande pour un moteur à pistons et essence (Pro Stock) est de 341,92 km/h, par Greg Anderson (USA), à Concord (Caroline du Nord, USA), le 27 mars 2010.

La **vitesse la plus élevée pour un dragster moto Pro Stock** est de 318,08 km/h, par Michael Phillips (USA), à Bâton-Rouge (Louisiane, USA), le 18 juillet 2010.

La **vitesse la plus grande pour un dragster Top Fuel** est de 543,16 km/h, par Anthony Schumacher (USA), à Brainerd (Minnesota, USA), le 13 août 2005.

Le plus de championnats Top Fuel

Joe Amato (USA) a gagné 5 championnats NHRA Top Fuel en 1984, 1988 et 1990-1992.

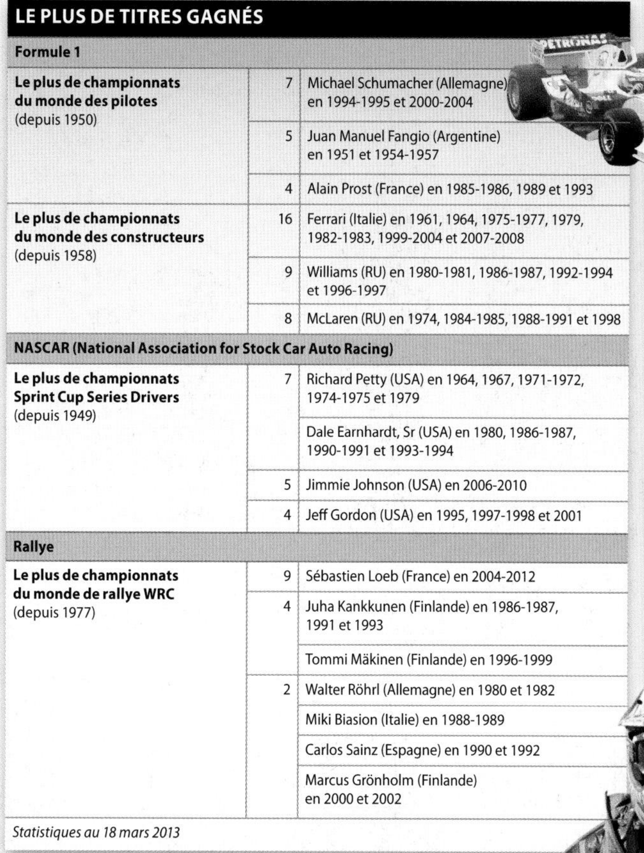

LE PLUS DE TITRES GAGNÉS

Formule 1		
Le plus de championnats du monde des pilotes (depuis 1950)	7	Michael Schumacher (Allemagne) en 1994-1995 et 2000-2004
	5	Juan Manuel Fangio (Argentine) en 1951 et 1954-1957
	4	Alain Prost (France) en 1985-1986, 1989 et 1993
Le plus de championnats du monde des constructeurs (depuis 1958)	16	Ferrari (Italie) en 1961, 1964, 1975-1977, 1979, 1982-1983, 1999-2004 et 2007-2008
	9	Williams (RU) en 1980-1981, 1986-1987, 1992-1994 et 1996-1997
	8	McLaren (RU) en 1974, 1984-1985, 1988-1991 et 1998
NASCAR (National Association for Stock Car Auto Racing)		
Le plus de championnats Sprint Cup Series Drivers (depuis 1949)	7	Richard Petty (USA) en 1964, 1967, 1971-1972, 1974-1975 et 1979
		Dale Earnhardt, Sr (USA) en 1980, 1986-1987, 1990-1991 et 1993-1994
	5	Jimmie Johnson (USA) en 2006-2010
	4	Jeff Gordon (USA) en 1995, 1997-1998 et 2001
Rallye		
Le plus de championnats du monde de rallye WRC (depuis 1977)	9	Sébastien Loeb (France) en 2004-2012
	4	Juha Kankkunen (Finlande) en 1986-1987, 1991 et 1993
		Tommi Mäkinen (Finlande) en 1996-1999
	2	Walter Röhrl (Allemagne) en 1980 et 1982
		Miki Biasion (Italie) en 1988-1989
		Carlos Sainz (Espagne) en 1990 et 1992
		Marcus Grönholm (Finlande) en 2000 et 2002

Statistiques au 18 mars 2013

68 Le **plus de pole positions en une carrière de F1**, par Michael Schumacher.

Le plus de points pour un pilote de F1

Entre le 25 août 1991 et le 25 novembre 2012, Michael Schumacher (Allemagne) a totalisé 1 566 points dans sa carrière de F1. Ses 91 victoires de 1992 à 2006 représentent le **plus de Grands Prix de F1 remportés par un pilote**. Il détient aussi le **plus de victoires pour un pilote en une saison**, avec 13 en 2004.

Le plus de victoires en quad sur le Dakar (constructeur)

Yamaha (Japon) a fourni le véhicule du champion dans les cinq épreuves de quad du Dakar depuis la création de la catégorie en 2009.

LES CHEMINS DE LA VICTOIRE
Ci-contre, Alejandro Patronelli (Argentine) dirige son Yamaha Raptor 700 vers la victoire au Dakar 2012, au Chili.

SPORTS DE RAQUETTE

EN BREF L'âge d'or des simples masculins en tennis ne montre aucun signe d'essoufflement. Les duels entre Roger Federer, Rafael Nadal, Novak Djokovic et Andy Murray se classent souvent parmi les plus grands matchs. Chez les dames, Serena Williams continue de se forger l'une des plus belles carrières sportives en décrochant un Grand Chelem « en or », en simple et en double, grâce à son triomphe aux JO 2012. En finale, à Londres, elle est venue à bout de Maria Sharapova sur un score record.

En squash, Nicol David (Malaisie) a remporté un 7e titre mondial, tandis que la Chine assoit sa domination en badminton et tennis de table en raflant l'or à Londres.

Le plus long match de squash

Guy Fotherby et Darren Withey (tous deux RU) ont disputé un match de 31 h, 35 min et 34 s au Racquets Fitness Centre de Thame (RU), les 13-14 janvier 2012.

Le **plus d'adversaires consécutifs en simples de squash** est de 69, par Ian Charles (RU), au club David Lloyd de Cardiff les 7 et 8 mai 2011. Charles a mis 31 h et 55 min pour les affronter tous.

Le plus de médailles olympiques en badminton (pays)

La Chine a décroché 8 médailles (5 d'or, 2 d'argent, 1 de bronze) à Londres 2012, soit tous les titres en jeu dans les tournois dames et messieurs. Depuis que le badminton est une discipline olympique (1992), la Chine a remporté 38 médailles.

SQUASH

Le plus de Championnats d'Europe par équipe

Entre 1978 et 2012, l'équipe masculine d'Angleterre a remporté 37 Championnats d'Europe, le plus récemment contre la France (3-0), le 5 mai 2012. L'Angleterre a réalisé le doublé en 2012 lors de la victoire des dames contre l'Irlande 2 à 1, devenant l'**équipe féminine la plus titrée en Championnat de squash** avec 34 titres (depuis 1973).

La plus grande raquette de squash

La Fédération de squash du Qatar a dévoilé une raquette de 6,80 m de long et 2,15 m de large à Doha (Qatar), le 7 décembre 2012.

Le plus de titres en Championnats du monde de badminton (dames)

La Chine a remporté l'Uber Cup (créée en 1956) à 12 reprises (1984, 1986, 1988, 1990, 1992, 1998, 2000, 2002, 2004, 2006, 2008 et 2012). Ci-dessus, Wang Xin lors de la finale d'Uber Cup 2012 à Wuhan (Chine).

Le plus de médailles olympiques remportées

Le plus de médailles remportées par une seule personne est de 4 : Gao Ling (Chine) a obtenu l'or en double mixte (2000, 2004), le bronze (2000) et l'argent (2004) en double dames.

TENNIS

Le moins de jeux perdus en finale olympique simple dames

Au cours de la victoire en simple dames la plus expéditive de l'histoire des JO, Serena Williams (USA) a perdu un seul jeu contre Maria Sharapova (Russie) : 6-0, 6-1, le 4 août 2012, à Wimbledon (RU).

En remportant l'or à Londres 2012, Serena a écrit une autre page d'histoire en réalisant le **1er Grand Chelem « en or » en simple et double**, l'un des plus grands exploits du tennis. C'est la première fois qu'un joueur – homme ou femme – réussit des Chelems en or à la fois en simple et en double : elle a remporté les 4 tournois majeurs ainsi que l'or olympique dans les deux catégories (*voir ci-contre pour plus de tennis*).

Les titres mondiaux en squash

Nicol David (Malaisie) détient le **plus de titres consécutifs en Championnat du monde dames** (4), le **plus de prix de Joueuse de l'année de la Fédération de squash féminin (WSA)** (6) et le **plus de titres en World Open féminin** (7).

Le plus de titres olympiques en ping-pong

Ma Lin (Chine), n° 6 au classement de la Fédération internationale de tennis de table (ITTF), a été sacré 3 fois aux JO : en double messieurs 2004 et en simple messieurs et par équipe en 2008. En 2012, il a aidé la Chine à remporter un 18e titre en coupe Swaythling – le **plus de titres en Championnat mondial de ping-pong pour une équipe (masculine)**, battant l'Allemagne 3-0 en finale.

BADMINTON

Le 1er joueur à conserver son titre olympique (simple messieurs)

Lin Dan (Chine) – détenteur du **plus de titres mondiaux en simple messieurs** (4) – est devenu le 1er homme à remporter 2 titres consécutifs en simple aux JO, après sa victoire contre Lee Chong Wei (Malaisie) 15-21, 21-10, 21-19, à Wembley (Londres, Angleterre), le 5 août 2012.

14
C'est l'âge qu'avait Lin quand il a rejoint l'équipe chinoise de tennis de table.

LES CHAMPIONS DES SPORTS DE RAQUETTE		
Tennis		
Le plus de titres ATP* messieurs	53	Jimmy Connors (USA) en 1972-1989
Le plus de titres ATP messieurs en extérieur	56	Jimmy Connors (USA) en 1972-1989, Guillermo Vilas (Argentine) en 1973-1983, et Roger Federer (Suisse) en 2002-2012
Tennis de table (Coupe du monde)		
Le plus de titres (hommes, équipe)	6	Chine en 1991, 1994, 2007, 2009, 2010 et 2011
Le plus de titres (femmes, équipe)	7	Chine en 1990-1991, 1995, 2007 et 2009-2011
Badminton		
Le plus de Championnats du monde	5	Park Joo-bong (Corée du Sud) : double messieurs, 1985 et 1991, et double mixte, 1985, 1989 et 1991
Squash		
Le plus de victoires en Open	8	Jansher Khan (Pakistan) en 1987, 1989-1990, 1992-1996

Statistiques à la fin de la saison 2012 **ATP = Association des joueurs de tennis professionnels*

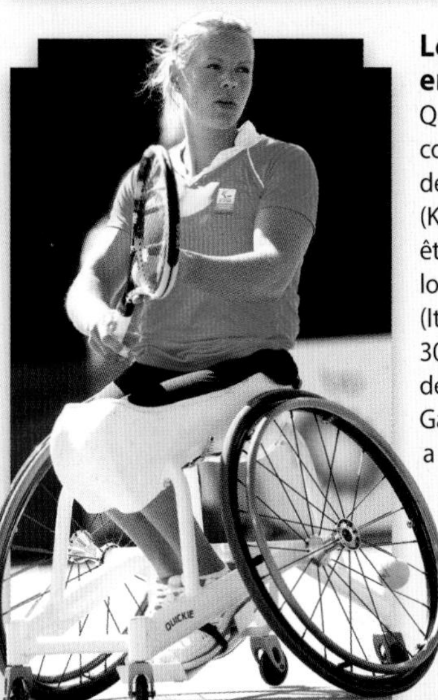

Les victoires en fauteuil roulant

Esther Vergeer (Pays-Bas) a remporté 4 médailles d'or aux Jeux paralympiques, une à chaque édition en 2000, 2004, 2008 et 2012. Vergeer, qui a annoncé sa retraite sportive en février 2013, détient aussi le **plus de victoires consécutives en simple dames en fauteuil roulant** (470) et le **plus de titres en Championnats du monde** (10).

INFO

Serena et Venus Williams (toutes deux USA) ont gagné chacune 4 titres aux JO et se partagent le **record de médailles d'or olympiques.** Elles co-détiennent aussi le **record de titres olympiques en double** avec Reginald Doherty (Angleterre, 1872-1910), avec 3 sacres chacun.

Le 1er « set en or » en Grand Chelem

Quand un joueur gagne un set sans concéder un seul point, on parle de « set en or ». Yaroslava Shvedova (Kazakhstan) est la 1re joueuse à y être parvenue en Grand chelem, lors de son match contre Sara Errani (Italie), au 3e tour de Wimbledon, le 30 juin 2012. Face à l'Italienne, tête de série n° 10 et finaliste de Roland Garros, la Kazakhe, non tête de série, a remporté 24 points consécutifs en entame de match, inscrivant 14 points gagnants. Shvedova s'est imposée 6-0, 6-4 avant d'être éliminée au tour suivant par la future championne, Serena Williams (USA).

Le service le plus rapide

Samuel Groth (Australie) – 189e au classement mondial – a servi un ace à 263 km/h, à Busan (Corée du Sud), le 9 mai 2012, lors d'un match contre Uladzimir Ignatik (Biélorussie).

Le **service le plus rapide à Wimbledon** (Londres, RU) est l'œuvre de Taylor Dent (USA), dont le « missile » a atteint 238 km/h, le 23 juin 2010.

Le public le plus nombreux à l'Open d'Australie

L'Open d'Australie de tennis a réuni 686 006 spectateurs au Melbourne Park (Australie), du 16 au 29 janvier 2012. Cette année-là, le tournoi fêtait également la 100e édition du simple messieurs en Australie.

Le 1er joueur à remporter 3 Opens d'Australie consécutifs

Novak Djokovic (Serbie) – n° 1 mondial à l'ATP – a remporté son 3e titre consécutif à l'Open d'Australie en battant Andy Murray (RU) 6-7, 7-6, 6-3, 6-2 en finale au Melbourne Park (Australie), le 27 janvier 2013.

La n° 1 féminine la plus âgée

La tenniswoman la plus âgée à avoir dominé le classement de l'Association des joueuses de tennis (WTA) est Serena Williams (USA, née le 26 septembre 1981). Elle est redevenue n° 1 le 18 février 2013, à l'âge de 31 ans et 145 jours. Au 18 mars 2013, Serena détenait aussi le **record des gains les plus élevés dans une carrière de tennis** (*voir ci-dessous*).

SMASHE ET GAGNE

Serena Williams – qui a passé 19 ans sur les courts – est la seule sportive à avoir gagné plus de 35 millions $ dans sa carrière.

RUGBY

EN BREF Un nouveau tournoi de rugby à XV est apparu en 2012, le Rugby Championship, avec l'Argentine qui a rejoint les équipes du Tri-Nations, la Nouvelle-Zélande, l'Australie et l'Afrique du Sud. Les Néo-Zélandais ont remporté la première édition, mais l'Argentine a fait un superbe nul 16-16 face à l'Afrique du Sud.

Au tournoi des Six Nations, Ronan O'Gara (Irlande) a amélioré son record de points, et son coéquipier Brian O'Driscoll est devenu le meilleur marqueur d'essais de la compétition. En rugby à VII, la Nouvelle-Zélande domine toujours les World Series de l'International Rugby Board (IRB) avec un 10e titre. Chez les femmes, après le 8e titre de l'Angleterre au tournoi des Six Nations 2012, l'Irlande lui a succédé en 2013 avec son tout premier sacre.

Des records sont tombés aussi en rugby à XIII : l'Angleterre a décroché sa 12e Coupe d'Europe en 2012 et Danny McGuire, des Leeds Rhinos, a inscrit son 200e essai en Super League, devenant le meilleur marqueur du championnat anglais.

RUGBY À XV

Le plus de spectateurs en match international

109 874 spectateurs ont assisté à la victoire de la Nouvelle-Zélande 39-35 face à l'Australie, à Sydney (Australie), le 15 juillet 2000.

La plus grande victoire

Le 17 novembre 1973, en championnat du Danemark, le Comet a battu le Lindo 194-0.

La **plus grande victoire en match international** a vu Hong Kong battre Singapour 164-13 en éliminatoires de la Coupe du monde, à Kuala Lumpur (Malaisie), le 27 octobre 1994.

177 C'est le nombre de points marqués par la Nouvelle-Zélande au 1er Rugby Championship.

Le plus de matchs gagnés en Rugby Championship

Lors de la 1re édition du Rugby Championship en 2012, les All Blacks ont remporté leurs six matchs, à domicile et à l'extérieur, contre l'Australie, l'Afrique du Sud et l'Argentine. Ci-dessus, Liam Messam (Nouvelle-Zélande) gagne une touche face aux Springboks au FNB Stadium de Johannesburg (Afrique du Sud), le 6 octobre 2012.

Le plus de titres en Coupe du monde

Trois équipes ont remporté la Coupe du monde de rugby à 2 reprises : la Nouvelle-Zélande (1987, 2011), l'Australie (1991, 1999) et l'Afrique du Sud (1995, 2007). L'**équipe la plus titrée en rugby féminin** est la Nouvelle-Zélande, avec 4 titres en 1998, 2002, 2006 et 2010.

Le plus de titres consécutifs au tournoi des Tri-Nations

La Nouvelle-Zélande a enchaîné 4 succès au tournoi des Tri-Nations de rugby à XV (Rugby Championship depuis 2012) de 2005 à 2008.

Le plus de trophées Joueur de l'Année IRB

Richie McCaw (Nouvelle-Zélande, *ci-dessus*) a reçu le trophée du Joueur de l'année de l'International Rugby Board à 3 reprises : 2006, 2009 et 2010.

Le **plus de trophées d'Entraîneur de l'année IRB** est de 5, pour Graham Henry (Nouvelle-Zélande) : 2005-2006, 2008 et 2010-2011.

Le plus de titres en tournoi des Quatre/Cinq/Six Nations

L'Angleterre et le pays de Galles comptent chacun 26 victoires au tournoi des Six Nations (autrefois le tournoi des Quatre Nations, puis des Cinq Nations). Les Gallois ont égalé les Anglais en 2013.

Le plus de matchs gagnés au tournoi des Six Nations

L'Angleterre et la France se partagent le record de matchs gagnés par une équipe, 47 chacun, entre 2000 et 2013. La France a marqué 1 798 points et 175 essais, alors que les Anglais comptent 1 923 points et 200 essais.

Le plus de transformations en carrière internationale

Au 16 mai 2013, Dan Carter (Nouvelle-Zélande) avait réussi 245 transformations en 94 matchs pour les All Blacks.

Le succès le plus large en finale de H Cup

Le Leinster (Irlande) a battu l'Ulster (RU) 42-14, à Twickenham (RU), le 19 mai 2012 avec une marge de 28 points, soit le succès le plus large en finale de coupe Heineken. Le match a été vu par 81 774 supporters, le **plus de spectateurs pour une finale de H Cup**.

Le plus de drops en carrière internationale

Jonny Wilkinson (RU) a marqué 36 drops en 97 matchs pour l'Angleterre et les Lions britanniques et irlandais de 1998 à 2011. Jonny a également inscrit le **plus de pénalités en carrière internationale de rugby à XV**, avec 255 tirs sur la même période.

Wilkinson est le **meilleur buteur en Coupe du monde** avec 277 points en 19 rencontres de 1999 à 2011. Il a inscrit 1 essai, 28 transformations, 58 pénalités et 14 drops.

Au 4 décembre 2012, Wilkinson avait passé le **plus de transformations en tournoi des Cinq/Six Nations** : 89 tentatives réussies en 43 matchs entre le 4 avril 1998 et le 13 mars 2011.

Le plus d'essais en Super Ligue anglaise

Le plus d'essais marqués par un joueur en Super Ligue de rugby à XIII est 205, par Danny McGuire (RU) pour les Leeds Rhinos entre 2002 et le 19 avril 2013. Il avait débuté avec les Rhinos le 6 juillet 2001 contre les Salford City Reds.

CAPITAINE CAPÉ
O'Driscoll a été le capitaine de l'Irlande et des Lions 84 fois entre 2002 et 2012, soit le **plus de capitanats internationaux.**

Le plus d'essais en tournoi des Cinq/Six Nations

Le plus d'essais inscrits par un joueur en tournoi des Cinq/Six Nations au cours de sa carrière est de 26, par Brian O'Driscoll (Irlande), entre le 5 février 2000 et le 16 mars 2013.

Le plus de titres en IRB Sevens

Créés en 1999, les Sevens World Series de l'IRB ont été remportés à 10 reprises par la Nouvelle-Zélande : 2000-2005, 2007-2008 et 2011-2012.

Le **plus d'essais marqués par un joueur en IRB Sevens** est 230, par Santiago Gómez Cora (Argentine), de 1999 à 2009.

RUGBY À XIII

Le plus de spectateurs

107 558 personnes ont assisté à la finale de la Ligue australienne de rugby à XIII, au stade de Sydney (Nouvelle-Galles du Sud, Australie), le 26 septembre 1999, quand Melbourne a battu St George Illawarra 20-18.

La plus grande victoire

Le Ngāti Pikiao de Rotorua a battu Tokoroa United 148-0 en championnat des – de 17 ans à Pikiao (Nouvelle-Zélande), le 10 juillet 1994.

La **plus grande victoire en match international de rugby à XIII** est 120-0 pour la France contre la Serbie-et-Monténégro en Coupe de la Méditerranée à Beyrouth (Liban), le 22 octobre 2003.

INFO

Deux équipes ont réalisé 3 fois le Grand chelem au tournoi des Six Nations : la France en 2002, 2004 et 2010, et le pays de Galles en 2005, 2008 et 2012. Ci-dessus, le capitaine gallois Sam Warburton soulève la coupe après la victoire des siens 16-9 contre la France au Millennium Stadium de Cardiff (RU), le 17 mars 2012.

Le plus de titres en Challenge Cup

Wigan a remporté la Coupe d'Angleterre à 18 reprises : 1924, 1929, 1948, 1951, 1958-1959, 1965, 1985, 1988-1995, 2002 et 2011.

Le plus de titres en Super Ligue

Les Leeds Rhinos ont obtenu 6 titres de Super Ligue : 2004, 2007-2009 et 2011-2012.

LE PLUS DE... AU NIVEAU INTERNATIONAL

Rugby à XV		
Capes	139	George Gregan (Australie), 1994-2007
Points	1 342	Dan Carter (Nouvelle-Zélande), 2003-auj.
Essais	69	Daisuke Ohata (Japon), 1996-2006
Rugby à XIII		
Capes	59	Darren Lockyer (Australie), 1998-2011
Points	278	Mal Meninga (Australie), 1982-1994
Essais	41	Mick Sullivan (RU), 1954-1963

Statistiques au 17 avril 2013

Le plus de tournois des Quatre Nations

Le tournoi des Quatre Nations de rugby à XIII (créé en 2009) se dispute entre l'Australie, la Nouvelle-Zélande, l'Angleterre et un invité. L'Australie s'est imposée 2 fois, toujours devant l'Angleterre, en 2009 et 2011.

INFO

Ronan O'Gara (*ci-dessous, à gauche*) est né à San Diego (USA) en 1977, mais est arrivé tout jeune à Cork (Irlande). Il a reçu sa 1re sélection internationale en 2000.

Le plus de State of Origin consécutifs

Johnathan Thurston (*ci-dessus*) et Greg Larson (tous deux Australie) ont disputé 24 rencontres en State of Origin pour le Queensland : Larson entre 1991 et 1998, et Thurston entre 2005 et 2012.

Le plus de titres en séries State of Origin

Les séries du State of Origin se disputent tous les ans depuis 1982 entre le Queensland et la Nouvelle-Galles du Sud. Le Queensland a gagné 17 titres jusqu'en 2012, contre 12 pour la Nouvelle-Galles-du-Sud. En 1999 et 2002, les séries ont débouché sur une égalité, le tenant du titre (le Queensland) conservant son trophée. Le Queensland a remporté les sept dernières éditions, entre 2006 et 2012.

Le plus de matchs au tournoi des Six Nations

Ronan O'Gara (Irlande) cumule plusieurs records au tournoi des Six Nations de rugby à XV depuis 2000. O'Gara compte le **plus de matchs disputés dans la compétition par un joueur**, avec 63 rencontres entre le 19 février 2000 et le 24 février 2013. Son total de 557 points représente le **plus de points marqués par un joueur au tournoi des Six Nations**, entre le 19 février 2000 et le 16 mars 2013. O'Gara compte également le **plus de pénalités pour un joueur au tournoi des Six Nations**, avec 109 tirs réussis entre le 19 février 2000 et le 10 février 2013.

FOOTBALL DE CLUB

EN BREF Lionel Messi fait tomber tous les records à Barcelone, l'un des plus grands clubs du monde qui a raflé 22 titres en championnat d'Espagne depuis 1929. En janvier 2013, l'attaquant argentin a remporté un 4e Ballon d'Or consécutif, un record absolu, devançant deux autres joueurs de Liga, Cristiano Ronaldo du Real Madrid et Andrés Iniesta, lui aussi du Barça. Le trophée est venu récompenser l'incroyable année de Messi, auteur de 91 buts en 2012, dont 79 pour Barcelone, soit plus d'un par match.

N'oublions pas les deux vétérans de Manchester United qui battent des records de longévité. Sir Alex Ferguson – qui a pris sa retraite en mai 2013 – a offert aux Red Devils plus de titres en championnat que tout autre club anglais, tandis que Ryan Giggs évolue à son plus haut niveau à la veille de ses 40 ans.

LIGUE DES CHAMPIONS

Le plus de buts (joueur)

Deux joueurs ont inscrit 14 buts en une saison de Ligue des Champions de l'UEFA (ancienne Coupe des Champions). Le premier à y parvenir a été José Altafini (Brésil) avec l'AC Milan en 1962-1963. Il a été rejoint par Lionel Messi (Argentine) avec Barcelone lors de la saison 2011-2012.

Le plus de matchs entraînés en Ligue des Champions

Sir Alex Ferguson (RU) a supervisé son 190e match de Ligue des Champions de l'UEFA avec Manchester United, lors de la rencontre face au Real Madrid durant la saison 2012-2013, le 5 mars 2013.

Le club le plus riche

Selon *Forbes*, la capitalisation boursière de Manchester United (RU) atteignait 2,2 milliards $, en avril 2012.

Sur le terrain, l'équipe a réalisé la **plus longue invincibilité en Ligue des Champions**, avec 25 victoires entre le 19 septembre 2007 et le 5 mai 2009.

Le plus de buts en 1 saison de Liga

Lors de la saison 2011-2012, Lionel Messi (Argentine) a inscrit 50 buts en 37 matchs pour Barcelone. C'est aussi le **1er joueur à avoir mis plus d'un hat-trick en 1 saison de Ligue des Champions** : d'abord contre le Viktoria Plzeň, le 1er novembre 2011, puis contre le Bayer Leverkusen, le 7 mars 2012.

Le plus de matchs consécutifs en Premier League

Le plus de matchs consécutifs en Premier League est de 341 pour Brad Friedel (USA), au Blackburn Rovers, Aston Villa et Tottenham Hotspur, entre le 14 août 2004 et le 29 septembre 2012.

Le plus de clubs représentés

Zlatan Ibrahimović (Suède) a joué – et marqué – pour six clubs en Ligue des Champions : Ajax, Juventus, Inter Milan, Barcelona, AC Milan et Paris Saint-Germain, de 2002 à 2012 (*voir ci-contre*).

Le plus de finales de Ligue des Champions (stade)

Wembley à Londres (RU) a accueilli la finale de la plus grande compétition européenne de clubs à 7 reprises : 1963, 1968, 1971, 1978, 1992, 2011 et 2013

Le hat-trick le plus rapide

Bafétimbi Gomis (France) a marqué 3 buts en 7 min pour l'Olympique Lyonnais contre le Dinamo Zagreb, au Stadion Maksimir (Croatie), le 7 décembre 2011.

Le plus de buts par un gardien

Rogério Ceni (Brésil) a marqué 93 buts pour le São Paulo FC entre 1997 et 2010. Il est régulièrement chargé des coups francs et penalties.

Le plus de buts en compétitions européennes

Raúl González Blanco (Espagne) a signé 76 buts pour le Real Madrid et Schalke 04 en Ligue des Champions, Super Coupe et Coupe de l'UEFA entre 1995-1996 et 2011-2012.

Entre 1997-1998 et la fin de la saison 2010-2011, Raúl a inscrit au moins 1 but pendant 14 saisons d'affilée, le **plus de saisons consécutives à marquer en Ligue des Champions.**

Le plus grand tournoi

Organisée au Mexique du 2 janvier au 11 décembre 2011, la Copa Telmex 2011 a réuni 181 909 footballeurs et 10 799 équipes. Le **plus grand tournoi de football féminin** était la Copa Telmex 2012 avec 27 768 joueuses et 1 542 équipes.

Le 1er joueur à disputer toutes les saisons de Premier League

Ryan Giggs (Manchester United, RU) a participé aux 21 saisons de Premier League depuis sa création en 1992-1993. C'est aussi le **1er joueur** – et le seul – **à avoir marqué toutes les saisons**, pour un total de 109 buts au 28 février 2013.

CHAMPIONNATS NATIONAUX : LE PLUS DE TITRES

Championnat	Titres	Club
Écosse, première division (Football League, 1890-1891 à 1997-1998 ; Premier League, 1998-1999 à aujourd'hui)	54	Rangers
Égypte, Premier League	36	Al Ahly
Argentine, Primera División	34	River Plate
Portugal, première division (Primeira Liga, 1934-1935 à 1937-1938 et 1999-2000 à aujourd'hui ; Primeira Divisão, 1938-1939 à 1998-1999)	32	Benfica
Espagne, Liga	32	Real Madrid
Pays-Bas, première division (Championnat de football des Pays-Bas, 1888-1889 à 1955-1956 ; Eredivisie 1956 à aujourd'hui)	32	Ajax
Italie, Série A	29	Juventus
Allemagne, Bundesliga	22	Bayern Munich
Angleterre, première division (Football League, 1888-1889 à 1891-1892 ; Football League First Division, 1892-1893 à 1991-1992 ; Premier League, 1992-1993 à aujourd'hui)	20	Manchester United
Japon, première division de J League	7	Kashima Antlers

Statistiques au 18 mars 2013

Le plus de buts en Liga par un joueur étranger

Hugo Sánchez (Mexique, *à gauche*) reste le meilleur buteur de Liga espagnole avec 234 buts pour l'Atlético Madrid, le Real Madrid et le Rayo Vallecano, entre 1981 et 1994.

PREMIER LEAGUE

Le plus de titres pour un entraîneur

Sir Alex Ferguson (*voir à gauche*) a remporté 13 titres de Premier League avec Manchester United, en 1992-1993, 1993-1994, 1995-1996, 1996-1997, 1998-1999, 1999-2000, 2000-2001, 2002-2003, 2006-2007, 2007-2008, 2008-2009, 2010-2011 et 2012-2013. Ferguson a aussi entraîné Manchester au cours des 21 saisons d'existence de la Premier League, ce qui fait de lui l'**entraîneur ayant servi le plus longtemps en Premier League**.

Le plus de saisons comme meilleur buteur

Avec Arsenal, entre 1999 et 2007, Thierry Henry (France) a été meilleur buteur de Premier League pendant 4 saisons. Il a inscrit 21 buts en 2001-2002, 30 en 2003-2004 et 25 en 2004-2005 comme en 2005-2006.

Le plus de hat-tricks

Alan Shearer (Angleterre) a marqué 11 hat-tricks dans sa carrière avec les Blackburn Rovers et Newcastle United entre 1992 et 2006.

Le plus de buts pour une première saison

En 1999-2000, Kevin Phillips (Angleterre) a inscrit 30 buts pour Sunderland. C'était sa troisième saison avec les Black Cats, mais la première du club parmi l'élite d'Angleterre.

Le plus de buts en Premier League par un joueur étranger

Thierry Henry (France) a marqué 175 buts pour Arsenal. Il en a marqué 174 au cours des huit saisons passées avec ce club (1999-2007) et un lorsqu'il était en prêt à Arsenal en 2012.

Le plus de buts en Bundesliga par un joueur étranger

Claudio Pizarro (Pérou) a marqué 160 buts pour le Werder Brême et le Bayern Munich, en Bundesliga allemande, de 1999 à 2012.

Le plus de buts en 1 match

Quatre joueurs ont marqué 5 buts en un match de Premier League : Andy Cole (RU) pour Manchester United face à Ipswich, à Old Trafford (Manchester), le 4 mars 1995 ; Alan Shearer (RU) pour Newcastle United face à Sheffield Wednesday, au St James's Park (Newcastle), le 19 septembre 1999 ; Jermain Defoe (RU) pour Tottenham Hotspur face à Wigan Athletic, à White Hart Lane (Londres), le 22 novembre 2009 ; et Dimitar Berbatov (Bulgarie) pour Manchester United face à Blackburn Rovers, à Old Trafford, le 27 novembre 2010.

La plus longue invincibilité (gardien)

Le gardien David James (Angleterre) a joué 170 matchs sans prendre de but avec Liverpool, Aston Villa, West Ham, Manchester City et Portsmouth, entre le 16 août 1992 et le 1er mars 2010.

261 C'est le nombre de buts signés Ibrahimović en clubs et en sélection (mars 2013).

Le joueur le plus cher (carrière)

En mars 2013, Zlatan Ibrahimović a coûté 173,4 millions $ en transferts. Il est passé de Malmö à l'Ajax (juillet 2001), de l'Ajax à la Juventus (août 2004), de la Juventus à l'Inter Milan (août 2006), de l'Inter Milan à Barcelone (juillet 2009), de Barcelone à l'AC Milan (août 2010) et de l'AC Milan au Paris Saint-Germain (juillet 2012). Il est représenté ci-contre avec les maillots de ses six derniers clubs dans l'ordre, de l'Ajax (*à gauche*) au PSG (*à droite*).

FOOTBALL INTERNATIONAL

EN BREF La sélection espagnole a désormais prouvé qu'elle était l'une des plus grandes équipes de l'histoire. Son objectif sera de conserver sa couronne lors de la Coupe du monde FIFA au Brésil en 2014, ce qu'aucune équipe n'a réussi à faire depuis 1962. Le pays hôte, entre autres, fera tout pour l'en empêcher.

Le capitaine Ahmed Hassan (Égypte) est devenu le joueur à compter le plus grand nombre de sélections internationales en décrochant sa 184e cap, dépassant le record de Mohamed Al-Deayea (Arabie saoudite). Ce n'est d'ailleurs pas une coïncidence si son équipe, l'Égypte, a multiplié les victoires en Coupes d'Afrique des Nations : Hassan a disputé 8 éditions et en a remporté 4, un ratio phénoménal !

Désormais, tous les regards sont tournés vers la 20e Coupe du monde. À domicile, le Brésil pourra-t-il décrocher un 6e titre ?

Le plus de victoires en Championnats d'Europe

L'Allemagne (RFA de 1960 à 1988) a remporté 23 matchs en Championnats d'Europe de l'UEFA entre 1960 et 2012. Durant cette même période, la sélection a battu le **record du nombre de matchs disputés en Championnats d'Europe**, avec 43 rencontres.

La carrière la plus longue pour un arbitre FIFA

Sarkis Demirdjian (Liban) a officié comme arbitre de la Fédération internationale de football (FIFA) pendant 20 ans et 10 mois, entre septembre 1962 et juillet 1983.

La plus longue série d'invincibilité en sélection

Le Brésil est resté invaincu pendant 35 rencontres (16 décembre 1993-18 janvier 1996), de même que l'Espagne (11 octobre 2006-20 juin 2009).

Le plus de penalties ratés par un joueur en un match international

Martín Palermo (Argentine) a raté 3 penalties lors de la défaite contre la Colombie en Copa América, au Paraguay, le 4 juillet 1999.

Le but olympique le plus rapide

Oribe Peralta (Mexique) a inscrit le but le plus rapide en tournoi olympique masculin – même en comptant les phases finales de la FIFA – en marquant dès la 28e s contre le Brésil, à Wembley (Londres, RU), le 11 août 2012.

Le hat-trick le plus rapide en sélection

Masashi "Gon" Nakayama (Japon) a marqué 3 buts en 3 min et 15 s contre Brunei en match de qualification de la Coupe d'Asie, le 16 février 2000.

COUPE D'AFRIQUE DES NATIONS

Le plus de titres

L'Égypte a remporté la CAN à 7 reprises : 1957, 1959, 1986, 1998, 2006, 2008 et 2010.

Le plus de sélections

Le milieu/ailier Ahmed Hassan a disputé pas moins de 184 matchs pour l'équipe nationale d'Égypte entre le 29 décembre 1995 et le 1er juin 2012.

Entre 2006 et 2010, l'Égypte est restée invaincue pendant 18 matchs, la **plus longue série d'invincibilité en Coupe d'Afrique**.

Le plus de buts

Samuel Eto'o (Cameroun) a inscrit 18 buts pour son pays en Coupe d'Afrique des Nations, entre 1996 et 2010.

Le **plus de buts marqués par un joueur en une édition de la CAN** est de 9, par Ndaye Mulamba (Zaïre, devenu la Rép. dém. du Congo) du 3 au 14 mars 1974 en Égypte.

Le plus de buts en sélection (homme)

Ali Daei (Iran) a marqué 109 buts de 1993 à 2006. Le record absolu de **buts internationaux au cours d'une carrière (homme ou femme)** est de 158, pour Mia Hamm (USA), de 1987 à 2004.

Le plus de buts en tournoi olympique féminin

Christine Sinclair (Canada) a inscrit 6 buts à Londres 2012, du 25 juillet au 9 août 2012.

Avec 16 buts à Londres, les États-Unis détiennent le **record de buts par une équipe nationale en tournoi olympique féminin**.

COPA AMÉRICA

La plus ancienne compétition internationale

Le Championnat d'Amérique du Sud (Copa América depuis 1975) est organisé par la Confédération sud-américaine de football, la CONMEBOL. La 1re édition remonte à 1916 en Argentine.

Le **plus de titres en Copa América** est de 15 pour l'Uruguay, entre 1916 et 2011. « La Celeste » a battu le Paraguay 3-0 en finale à l'Estadio Monumental de Buenos Aires (Argentine), le 24 juillet 2011.

Le plus de buts inscrits

Deux joueurs ont marqué 17 buts en Copa América : Norberto Méndez (Argentine) entre 1945 et 1956, et Zizinho (Brésil) entre 1941 et 1953.

Le plus jeune joueur à l'EURO

Jetro Willems (Pays-Bas, né le 30 mars 1994) était âgé de 18 ans et 71 jours lorsqu'il a été aligné contre le Danemark en Championnat d'Europe de l'UEFA, au stade Metalist de Kharkiv (Ukraine), le 9 juin 2012.

BUT ! En inscrivant son 1er but pour le PSV Eindhoven contre le NEC Nijmegen, le 2 avril 2012, Willems est devenu le plus jeune buteur en Eredivisie.

3 C'est le nombre de participations en Coupe du monde de Casillas (2002, 2006 et 2010).

Le plus de matchs sans prendre de but

Iker Casillas est le gardien qui a gardé le plus souvent ses cages inviolées en sélection avec 82 matchs pour l'Espagne championne d'Europe et du monde entre 2000 et 2012.

Le buteur le plus âgé en Championnat d'Europe de l'UEFA est Ivica Vastić (Autriche), qui avait 38 ans et 256 jours lorsqu'il a transformé un penalty contre la Pologne, au stade Ernst-Happel de Vienne (Autriche), le 12 juin 2008.

COUPE DE MONDE FÉMININE DE LA FIFA

Le plus de titres

La sélection féminine allemande a remporté sa 2e Coupe du monde de la FIFA en 2007, à Shanghai (Chine), après sa victoire en 2003. Elle revient à hauteur des 2 succès des États-Unis en 1991 et 1999.

Le plus de matchs

Kristine Lilly (USA), Bente Nordby (Norvège), Miraildes Maciel Mota "Formiga" (Brésil), Birgit Prinz (Allemagne) et Homare Sawa (Japon) ont toutes participé à 5 Coupes du monde.

Le score le plus large en finale de l'EURO

Des buts signés David Silva (*à droite*), Jordi Alba, Fernando Torres et Juan Mata ont permis à l'Espagne de battre l'Italie 4-0 en finale du Championnat d'Europe, au stade olympique de Kiev (Ukraine), le 1er juillet 2012.

CHAMPIONNAT D'EUROPE DE L'UEFA

Le plus de titres

L'Allemagne a remporté 3 fois l'EURO de football : 1972, 1980 et 1996 (les deux premières fois en tant que RFA).

Le but le plus rapide

Dmitri Kirichenko (Russie) a mis à peine 1 min et 7 s pour ouvrir le score contre la Grèce en phase de groupes du Championnat d'Europe de l'UEFA, à l'Estádio do Algarve de Faro-Loulé (Portugal), le 20 juin 2004.

Le meilleur buteur en une édition

Michel Platini (France) a inscrit 9 buts lors de la phase finale de l'EURO 1984, qui s'est joué en France du 12 au 27 juin.

Le public le plus nombreux

La Pologne et l'Ukraine ont attiré 1 440 896 supporters pour l'EURO 2012, du 8 juin au 1er juillet.

Le plus jeune buteur

Johan Vonlanthen (né le 1er février 1986) avait 18 ans et 141 jours quand il a marqué pour la Suisse contre la France, à Coimbra (Portugal), le 21 juin 2004.

INFO

Le Brésil compte le **plus de participations en phase finale de Coupe du monde**. C'est la seule équipe à avoir participé aux 19 éditions depuis la 1re en 1930.

COUPE DU MONDE DE LA FIFA

Records individuels		Joueur	Lieu	Date(s)
Le but le plus rapide	11 s	Hakan Şükür, pour la Turquie face à la Corée du Sud	Daegu (Corée du Sud)	29 juin 2002
Le plus de buts	15	Ronaldo (Brésil)	France (4)	1998
			Japon et Corée du Sud (8)	2002
			Allemagne (3)	2006
Le 1er hat-trick	USA face au Paraguay	Bert Patenaude (USA)	Estadio Gran Parque Central, Montevideo (Uruguay)	17 juillet 1930
Le plus de hat-tricks	2	Sándor Kocsis (Hongrie)	Suisse	1954
		Just Fontaine (France)	Suède	1958
		Gerd Müller (RFA)	Mexique	1970
		Gabriel Batistuta (Argentine)	États-Unis	1994
			France	1998
Records d'équipe		**Équipe**	**Lieu**	**Date(s)**
Le plus longtemps sans prendre de but	559 min	Suisse	Divers	1994-2010 (7 matchs de Coupe du monde)
Le plus de victoires consécutives	11	Brésil	Japon/Corée du Sud et Allemagne	Du 3 juin 2002 (2-1 face à la Turquie) au 27 juin 2006 (3-0 face au Ghana)
Le plus de buts en une édition	27	Hongrie	Suisse	1954
Le plus de buts au total	210	Brésil	Divers	1930-2010

Le plus de buts pour une joueuse

Birgit Prinz (Allemagne) a inscrit 14 buts en Coupe du monde féminine de la FIFA. Son dernier remonte à la finale de l'édition 2007 contre le Brésil, au stade Hongkou (Shanghai, Chine), le 30 septembre

Le but le plus tardif en finale

Homare Sawa a marqué à la 117e min, lors de la victoire du Japon contre les États-Unis, en Coupe du monde 2011, à Francfort (Allemagne). Ce but en prolongations a permis au Japon d'égaliser 2-2, puis de décrocher son 1er titre mondial 3-1 aux tirs au but.

Le plus de titres en Coupe du monde

Le Brésil a remporté 5 fois le Mondial : en 1958, 1962, 1970, 1994 et 2002 (*ci-dessous*). Le match Brésil-Uruguay du 16 juillet 1950 au Maracanã de Rio de Janeiro (Brésil) a attiré 199 854 spectateurs, l'**affluence la plus forte en Coupe du monde**.

SPORTS AQUATIQUES

EN BREF En natation, Ryan Lochte (USA) est l'homme à battre sur 100 m et 200 m 4 nages en petit bassin, après avoir établi de nouveaux records aux Championnats du monde en Turquie. Razzia de médailles aussi pour son équipe, les États-Unis, avec 16 titres sur 31 aux JO 2012.

Le meilleur plongeur du haut d'une falaise reste Gary Hunt (RU), avec son 3e titre consécutif en Cliff Diving World Series. L'événement ne s'étant tenu que 3 fois, il reste également le seul homme à l'avoir remporté.

En voile, sir Ben Ainslie a remporté une 5e médaille d'or aux JO, avant de recevoir un nouveau titre de Marin de l'année. Le Britannique met désormais le cap sur la Coupe de l'America.

Le 100 m combiné de sauvetage le plus rapide

À Adélaïde, le 8 novembre 2012, Samantha Lee (Australie) a réalisé le 100 m combiné de sauvetage de la Fédération internationale de sauvetage (ILSF) le plus rapide, en 1 min et 11,23 s. Les participants parcourent 50 m en nage libre puis plongent en apnée après le virage pour récupérer un mannequin situé à une distance de 15 m (femmes) ou 20 m (hommes). Ils le remontent ensuite en moins de 5 m et le remorquent jusqu'à l'autre bout du bassin.

Le 100 m 4 nages le plus rapide

Ryan Lochte (USA) a nagé le 100 m 4 nages (petit bassin) en 50,71 s, le 15 décembre 2012, aux Championnats du monde FINA, à Istanbul (Turquie). Lors de cette compétition, il a réalisé le **200 m 4 nages le plus rapide** en 1 min et 49,63 s.

Le plus de titres au Red Bull Cliff Diving

Gary Hunt (RU) a remporté les Cliff Diving World Series 3 fois de suite entre 2010 et 2012. Cette compétition a été inaugurée en 2010. Hunt est aussi le **1er plongeur à prendre une course d'élan en compétition de cliff-diving** pour réaliser un quadruple salto avant carpé avec deux vrilles et demie, lors des premiers World Series, à Polignano a Mare (Italie), le 8 août 2010.

NATATION

Le plus de titres olympiques consécutifs en une discipline

Hommes : En prenant l'or sur le 200 m 4 nages à Londres, Michael Phelps (USA) est devenu le premier homme à remporter 3 titres consécutifs dans une même discipline en natation. Phelps est l'**Olympien le plus décoré de tous les temps** : 22 médailles (18 d'or, 2 d'argent, 2 de bronze) à Athènes 2004, Pékin 2008 et Londres 2012.

Femmes : Deux femmes partagent ce record : Dawn Fraser (Australie) en 100 m nage libre en 1956-1964 et Krisztina Egerszegi (Hongrie) en 200 m dos en 1988-1996.

Le plus de médailles olympiques (femmes)

Trois femmes totalisent 12 médailles olympiques en natation : Dara Torres (USA) avec 4 médailles de chaque couleur entre 1984-2008 ; Jenny Thompson (USA) avec 8 en or, 3 en argent et 1 en bronze entre 1992-2004 ; et Natalie Coughlin (USA) avec 3 en or, 4 en argent et 5 en bronze entre 2004-2012.

Apnée en poids variable (femmes)

Le 6 juin 2012, Natalia Molchanova (Russie) a réalisé le plongeon en apnée le plus profond pour une femme, à 127 m, à Sharm el-Sheikh (Égypte). Autre record d'apnée établi en 2012, celui du **plongeon en poids constant** : Alexey Molchanov (Russie) est descendu à 126 m, aux Bahamas, le 20 novembre 2012.

PLONGEON

Le plus de titres olympiques

Hommes : Dmitri Sautin (Russie) a gagné 8 médailles olympiques : 2 en or, 2 en argent et 4 en bronze, de 1992 à 2008. L'année précédant sa 1re Olympiade, il avait été poignardé à plusieurs reprises, mais s'était remis à temps pour prendre le bronze à Barcelone 1992.

Femmes : Deux Chinoises partagent le record avec 6 médailles : Guo Jingjing (2000-2008) et Wu Minxia (2004-2012).

Le plus de titres en World Series FINA, haut vol 10 m

Hommes : Qui Bo (Chine) a pris l'or à 3 reprises en World Series, haut vol 10 m (2009-2011).

Femmes : Chen Ruolin (Chine) compte 4 médailles d'or (2007-2012).

Le plus de titres en World Series FINA, tremplin 3 m

Hommes : Qin Kai (Chine) a remporté les World Series en tremplin 3 m à 4 occasions : en 2007, puis entre 2009-2011.

Femmes : He Zi (Chine) s'est imposée 4 fois dans cette discipline, entre 2009 et 2012.

Le plus de titres olympiques consécutifs dans la même épreuve

Femmes : La plongeuse Wu Minxia (Chine) est devenue la 6e Olympienne à gagner une médaille d'or 3 fois de suite dans la

Le plus de titres mondiaux féminins en water-polo

Les États-Unis ont gagné sept des neuf Championnats du monde de water-polo de la FINA, en 2004, 2006-2007 et 2009-2012. Cette compétition est organisée tous les ans depuis 2004. La Grèce s'est imposée en 2005 et la Russie en 2008.

RECORDS AQUATIQUES ÉTABLIS AUX JO DE LONDRES 2012

Natation		
1 500 m nage libre grand bassin (hommes)	14:31.02	Sun Yang (Chine)
100 m brasse (hommes)	58.46	Cameron van der Burgh (Afrique du Sud)
200 m dos (femmes)	2:04.06	Melissa "Missy" Franklin (USA)
200 m brasse (femmes)	2:19.59	Rebecca Soni (USA)
100 m papillon (femmes)	55.98	Dana Vollmer (USA)
400 m 4 nages individuel (femmes)	4:28.43	Ye Shiwen (Chine)
Relais 4 x 100 m 4 nages (femmes)	3:52.05	USA (Franklin, Soni, Vollmer, Allison Schmitt)
Water-polo		
Le plus de points (hommes, équipe)	21	Serbie face à Grande-Bretagne (21-7) ; et Russie (27 septembre 2000)
Aviron		
Le deux de pointe sans barreur le plus rapide (hommes)	6:08.50	Eric Murray et Hamish Bond (Nouvelle-Zélande)
Le plus de médailles en deux de couple	3	Slovénie (Luka Špik et Iztok Čop, 2000-2012)

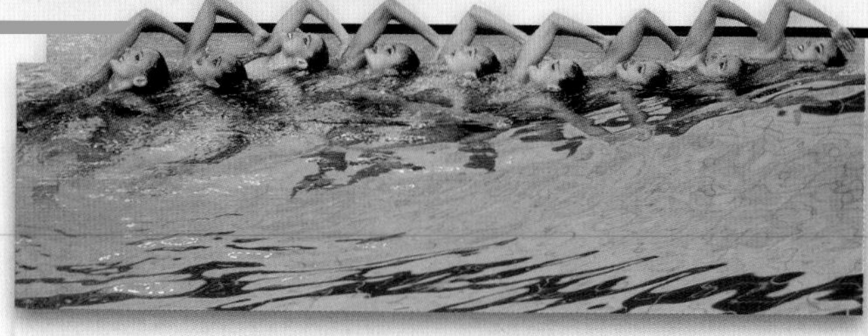

Le plus de titres mondiaux par équipe en natation synchronisée

L'Espagne a engrangé le plus de victoires en Championnat du monde de natation synchronisée (3), en 2008, 2010 et 2011. Organisée par la FINA, cette compétition se dispute tous les ans depuis 2006.

Équipe : La Russie a triomphé à 8 reprises en natation synchronisée entre 2000 et 2012 : elle a remporté toutes les épreuves en duo et par équipe dans cette période. Aux Jeux 2012 de Londres (RU), Natalia Ishchenko et Svetlana Romashina se sont emparées de l'or en duo et faisaient partie de l'équipe russe de 9 nageuses qui a terminé sur la première marche du podium, le 10 août 2012.

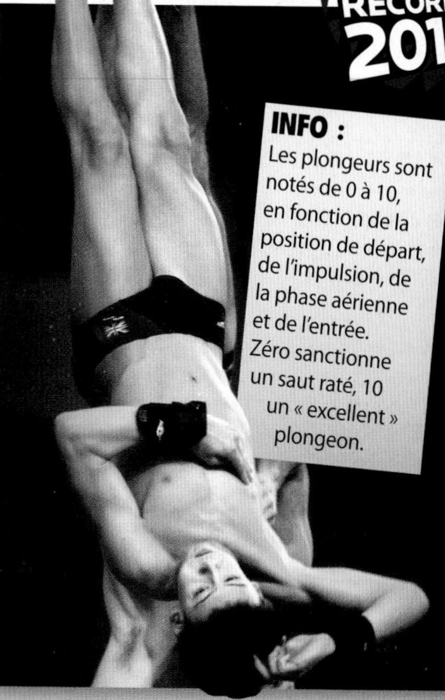

INFO : Les plongeurs sont notés de 0 à 10, en fonction de la position de départ, de l'impulsion, de la phase aérienne et de l'entrée. Zéro sanctionne un saut raté, 10 un « excellent » plongeon.

même épreuve, en décrochant le titre en plongeon synchronisé, tremplin 3 m, en 2012. Les 5 autres femmes sont : la gymnaste Larisa Latynina (ex-URSS), compétition par équipe, 1956-1964 ; la nageuse Dawn Fraser (Australie), 100 m nage libre, 1956-1964 ; la nageuse Krisztina Egerszegi (Hongrie), 200 m dos, 1988-1996 ; la cavalière Anky van Grunsven (Pays-Bas), dressage individuel, 2000-2008 ; et l'escrimeuse Valentina Vezzali (Italie), fleuret, 2000-2008.
Hommes : Le sportif qui a accumulé le plus de titres successifs aux JO est Aladár Gerevich (Hongrie), vainqueur en sabre par équipe 6 fois en 1932-1960.

NATATION SYNCHRONISÉE

Le plus de médailles d'or olympiques

Individuel : Anastasia Davydova (Russie) a remporté 5 médailles d'or olympiques en natation synchronisée. Elle s'est imposée en duo à Athènes 2004 et Pékin 2008, et en équipe à Athènes 2004, Pékin 2008 et Londres 2012. Son dernier succès a été acquis avec ses 8 coéquipières de l'équipe russe qui s'est imposée à l'Aquatics Centre de Londres (RU), le 10 août 2012.

Les huits les plus rapides

Lors de la Coupe du monde d'aviron à Lucerne (Suisse), le 25 mai 2012, deux records ont été battus. Le huit de pointe féminin américain – Esther Lofgren, Zsuzsanna Francia, Jamie Redman, Amanda Polk, Meghan Musnicki, Taylor Ritzel, Caroline Lind, Caryn Davies et la barreuse Mary Whipple, (*ci-dessus*) – a mis 5 min et 54,17 s. Leurs homologues masculins du Canada – Gabriel Bergen, Douglas Csima, Rob Gibson, Conlin McCabe, Malcolm Howard, Andrew Byrnes, Jeremiah Brown, Will Crothers et le barreur Brian Price – ont eu besoin de 5 min et 19,35 s.

Le plus jeune médaillé en Coupe du monde de plongeon

Tom Daley (RU, né le 21 mai 1994) est le plus jeune médaillé en Coupe du monde de plongeon de la FINA. Il avait 13 ans et 277 jours quand il a obtenu le bronze en 10 m synchronisé à Pékin (Chine), le 22 février 2008.

VITESSE À LA VOILE

Record sur 500 m

Hommes : Paul Larsen (Australie) a parcouru 500 m en 14,85 s, soit une vitesse de 65,45 nœuds (121,21 km/h), sur son prao *Vestas Sailrocket 2,* à Walvis Bay (Namibie), le 24 novembre 2012.
Femmes : La wind-surfeuse Zara David (RU) a atteint la vitesse la plus rapide pour une femme, en 500 m sur un engin à voile au-dessus de l'eau, avec 45,83 nœuds (84,87 km/h) – avec une planche Mistral 41 et une voile Simmer 5.5 SCR –, à Lüderitz (Namibie), le 17 novembre 2012.

VOILE OLYMPIQUE
La voile figure aux JO depuis les premiers Jeux en 1896, mais les régates avaient été annulées cette année-là en raison de la météo.

Le plus de distinctions de Marin de l'année de l'ISAF

L'homme qui détient le plus de distinctions de Marin de l'année décernées par la Fédération internationale de voile (ISAF) est Ben Ainslie (RU), avec 4 titres : 1998, 2002, 2008 et 2012. Ben est également le **plus titré en voile olympique**, avec 4 médailles d'or successives aux jeux Olympiques de 2000 à 2012.

POUR PLUS DE VOILE, VOIR P. 72

SPORTS D'HIVER

EN BREF La skieuse Lindsey Vonn (USA) reste au sommet en réalisant la meilleure saison de l'histoire en 2012. En 2013, elle remporte son 6e titre consécutif en descente et se rapproche de la légende Annemarie Moser-Pröll (Autriche) : 1971-1975 ; 1978-1979.

Sur la glace, l'Écosse s'est emparée d'un 4e titre en championnat européen de curling mixte, tandis que les Canadiennes ont triomphé aux Mondiaux. En skeleton, Martins Dukurs (Lettonie) a gagné une 4e couronne européenne, tandis que Elena Nikitina (Russie) a pris l'or chez les femmes. En patinage de vitesse, Lee Sang-hwa et Christine Nesbitt ont battu les records sur 500 m et 1 000 m. Michel Mulder et Heather Richardson ont fait tomber des barrières en sprint.

161 C'est le nombre de podiums obtenus par Vonn dans sa carrière à ce jour.

LUGE

Le plus de victoires au mondial de bobsleigh

L'Allemagne totalise 20 titres en Championnat du monde de bobsleigh à deux. (*Pour le record féminin, voir page suivante.*)

Le plus de titres olympiques en bobsleigh (pays)

L'Allemagne a remporté 16 médailles d'or olympiques en bobsleigh. La dernière a été acquise par Kevin Kuske et André Lange, à Vancouver (Canada), en 2010. Les deux hommes détiennent le **plus de médailles d'or olympiques en bobsleigh** (4 chacun).

Le plus de victoires en mondial de saut à ski en une saison

Gregor Schlierenzauer (Autriche) a décroché 13 victoires individuelles en coupe du monde (sur 27 épreuves) lors de la saison 2008-2009. Il a obtenu 2 083 points, soit le **plus de points inscrits en une saison de coupe du monde de saut à ski**.

Le Cresta Run le plus rapide

Le Cresta Run est une piste de glace de 1 212 m de long et 157 m de dénivelé située à Saint-Moritz (Suisse). Les pilotes descendent tête la première sur des skeletons, à quelques centimètres du sol. Le temps le plus rapide enregistré en compétition est de 50,09 s (87,11 km/h), par James Sunley (RU), le 13 février 1999.

PATIN À GLACE

Le moins de points en patinage de vitesse combiné longue piste

Hommes : Michel Mulder (Pays-Bas) a inscrit 136,790 points en combiné longue piste – sur 500/1 000/500/1 000 m –, à Salt Lake City (USA), les 26-27 janvier 2013. **Femmes :** Heather Richardson (USA) a pris 147 735 points en combiné à Calgary (Canada), les 19 et 20 janvier 2013.

Le plus de victoires à l'International 500 de motoneige

L'International 500 – ou « I -500 » – est organisé à Sault Sainte Marie (Michigan, USA). Il s'agit de la plus grande et longue course de motoneige. Corey Davidson (USA) est la star de ce sport puisqu'il a accumulé 7 titres entre 1998 et 2011.

En 1996, une température de – 35 °C a été enregistrée lors de l'**International 500 le plus froid** de l'histoire.

Le plus de points en Coupe du monde féminine de ski alpin

Lindsey Vonn (USA) a cumulé 1 980 points lors de la saison 2011-2012. Elle détient également le **plus de titres consécutifs en coupe du monde féminine de ski alpin**. En 2013, elle remportait sa 6e couronne d'affilée, surpassant la série de 5 médailles d'or d'Annemarie Moser-Pröll (Autriche) entre 1971 et 1975.

MÉDAILLÉS AUX JEUX OLYMPIQUES D'HIVER

Hommes				
Le plus de médailles	12	Bjørn Dæhlie (Norvège)	Ski de fond	1992-1998
Le plus de médailles d'or	8	Bjørn Dæhlie (Norvège)	Ski de fond	1992-1998
Le plus de titres lors d'une édition des JO	5	Eric Heiden (USA)	Patinage de vitesse	1980
Le plus de médailles individuelles	9	Bjørn Dæhlie (Norvège)	Ski de fond	1992-1998
Femmes				
Le plus de médailles	10	Raisa Smetanina (URSS/Unifiée)	Ski de fond	1976-1992
Le plus de médailles d'or	6	Lidiya Skoblikova (ex-URSS)	Patinage de vitesse	1960-1964
Le plus de titres lors d'une édition des JO	4	Lidiya Skoblikova (ex-URSS)	Patinage de vitesse	1964
Le plus de médailles individuelles	8	Karin Kania (ex-RDA)	Patinage de vitesse	1980-1988
		Claudia Pechstein (Allemagne)	Patinage de vitesse	1992-2006
		Gunda Niemann-Stirnemann (Allemagne)	Patinage de vitesse	1988-1998

Statistiques à janvier 2013

Le 1 000 m le plus rapide en patinage (femmes)

Le 28 janvier 2012, Christine Nesbitt (Canada) a parcouru son 1 000 m sur la piste olympique de Calgary (Canada) en 1 min et 12,68 s, soit 0,43 s de mieux que le record précédent. Avec Kristina Groves et Brittany Schussler, Nesbitt a réalisé la **poursuite par équipe (femmes) la plus rapide**, en 2 min et 55,79 s, le 6 décembre 2009, toujours à Calgary.

Le plus de titres au mondial de bobsleigh (femmes)

Depuis la création des championnats du monde féminins de bobsleigh en 2000, l'Allemagne s'est imposée 7 fois : 2000, 2003-2005, 2007-2008 et 2011. Ci-dessus, le duo Sandra Kiriasis et Berit Wiacker (Allemagne)en 2011.

SKI

Le plus de victoires en Coupe du monde de Super G

Hommes : Hermann Maier (Autriche) a remporté le plus de courses en slalom super géant (ou Super G), avec 23 victoires entre 1996 et 2009.

Femmes : La skieuse la plus prolifique en Super G est Lindsey Vonn (USA), avec 20 victoires en 2006-2013.

Le champion du monde le plus âgé en saut à ski

Takanobu Okabe (Japon, né le 26 octobre 1970) avait 38 ans et 135 jours lors de sa victoire à Kuopio (Finlande), le 10 mars 2009.

Le **plus jeune vainqueur d'une coupe du monde de saut à ski** est Steve Collins (Canada), qui avait 15 ans et 362 jours lors de son succès à Lahti (Finlande), le 9 mars 1980.

Le saut le plus long

Hommes : Le saut à ski le plus long est de 246,5 m, par Johan Remen Evensen (Norvège), à Vikersund (Norvège), le 11 février 2011.

Femmes : Le saut le plus long pour une femme est de 127,5 m, par Anette Sagen (Norvège), qui a accompli son exploit à Oslo (Norvège), le 14 mars 2004.

Les plus brillants en ski nordique

Hommes : En ski nordique, les chaussures ne sont pas fixées aux skis (contrairement à la descente). La première compétition mondiale remonte aux JO d'hiver à Chamonix (France) en 1924. Bjørn Dæhlie (Norvège) est le plus titré (17 victoires, y compris aux JO).

Femmes : La femme la plus titrée compte aussi 17 succès. Yelena Välbe (Russie) en a remporté 10 en individuel et 7 en relais en 1989-1998, ainsi que 7 médailles d'argent et de bronze, soit un total de 24 médailles.

LA PLUS GRANDE DE TOUTES
Karine était considérée comme la meilleure snowboardeuse de l'histoire avant sa mort tragique au Mont-Blanc en 2009.

Le plus de titres au mondial de snowboard

Femmes : Le plus de victoires est de 20, par Karine Ruby (France, *ci-dessus*, 1978-2009), entre 1995 et 2004.

Hommes : Mathieu Bozzetto (France) a triomphé à 6 reprises en championnat du monde de snowboard entre 1999 et 2002.

Le 5 km pieds nus le plus rapide

Le 12 février 2012, Kai Martin (Allemagne) a établi un temps de 23 min et 42,16 s pour remporter une course sur glace de 5 km pieds nus sur une piste enneigée, dans la station Van der Valk Alpincenter de Wittenburg (Allemagne).

Le 500 m longue piste le plus rapide

Hommes : Sur piste longue, deux concurrents sont au départ et doivent obtenir le meilleur temps (ils sont plus nombreux sur piste courte). Jeremy Wotherspoon (Canada) a réalisé 34,03 s sur 500 m à Salt Lake City (Utah, USA), le 9 novembre 2007.

Femmes : Le 20 janvier 2013, à Calgary (Canada), Lee Sang-hwa (Corée du Sud) a complété son 500 m en 36,80 s.

Le 500 m piste courte le plus rapide

Hommes : John Robert « JR » Celski (USA) a enregistré un temps de 39,937 s, à Calgary (Alberta, Canada), le 21 octobre 2012.

Femmes : Meng Wang (Chine) a couvert la distance en 42,60 s, à Pékin (Chine), le 29 novembre 2008.

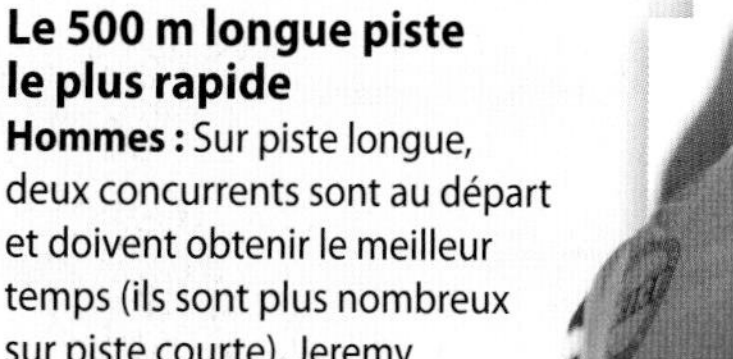

Le plus de victoires consécutives en skeleton

Hommes : Martins Dukurs (Lettonie, *ci-dessus*) a empoché sa 4e coupe du monde de skeleton de suite en 2013.

Femmes : Alex Coomber (RU, née Hamilton) a enchaîné 3 titres consécutifs en championnat du monde de skeleton de 2000 à 2002.

Le plus de titres en championnat du monde de curling (pays)

Le Canada domine les championnats du monde de curling plus que tout autre pays. L'équipe masculine compte 34 victoires (1959-2012), tandis que les femmes ont triomphé à 15 reprises (1980-2008). Ci-contre, Wayne Middaugh (Canada) lors de l'édition 2012.

LES EXPLOITS SUR GLACE SONT EN P. 76

AUTRES SPORTS

EN BREF Alors que notre section sports touche à sa fin, nous avons réservé ces pages pour vous présenter le meilleur des autres sports. Il s'agit d'exploits réalisés dans des disciplines qui ne bénéficient pas d'une page dédiée dans l'édition de cette année, mais qui n'en sont pas moins remarquables. Beaucoup de ces records – notamment en haltérophilie – ont été établis aux jeux Olympiques de Londres 2012, mais beaucoup d'autres sports méritent d'être représentés, comme le kabaddi, le tir à l'arc ou encore les fléchettes.

Le plus de titres en carrière de snooker

Dans sa carrière professionnelle, débutée en 1985 à 16 ans, Stephen Hendry (RU, né le 13 janvier 1969) a remporté 36 titres en snooker, dont 7 championnats du monde et 5 championnats du Royaume-Uni. Le 29 avril 1990, il est devenu le **plus jeune champion du monde de snooker** à 21 ans et 106 jours.

Ce ne sont pas ses seuls exploits : Hendry a réalisé le **plus de centuries dans une carrière professionnelle** (775), la **plus longue série sans défaite** en compétition (36 matchs entre le 17 mars 1990 et le 3 janvier 1991) et le **plus de breaks (147) en compétition** (11, comme Ronnie O'Sullivan, RU). Hendry a annoncé sa retraite le 1er mai 2012 après une défaite 13-2 contre Stephen Maguire (RU) en Championnat du monde à Sheffield (RU).

Fosse olympique

En trap – du nom des appareils qui lancent les plateaux d'argile –, les tireurs ignorent d'où partiront les prochaines cibles et n'ont droit qu'à deux tirs par plateau.
Hommes : Le score maximum de 125 a été atteint 9 fois, le plus récemment par Giovanni Pellielo (Italie), à Al Ain (ÉAU), le 18 avril 2013.
Femmes : Jessica Rossi (Italie) a obtenu 99 points sur 100 pour gagner l'or à Londres 2012, le 4 août.

Tir ISSF, carabine 10 m debout (SH1)

Hommes : Chao Dong (Chine) a inscrit 596 points aux jeux Paralympiques de Londres (RU), le 31 août 2012. Il a égalé le record de Jonas Jakobsson (Suède) aux jeux Paralympiques de Pékin (Chine), le 8 septembre 2008. Les tireurs SH1 peuvent porter le poids de leur arme à feu.
Femmes : Im-Yeon Kim (Corée du Sud) a obtenu 399 points à Séoul (Corée du Sud), le 6 juillet 2002.

Le plus de participants aux Paralympiques d'été

Les jeux Paralympiques de Londres 2012 ont réuni 4 200 sportifs venus de 166 pays, se disputant 503 épreuves dans 20 sports différents. La nageuse Ellie Simmonds (RU) a parcouru le **200 m 4 nages (SM6) le plus rapide**, le 3 septembre 2012, en 3 min et 5,39 s – soit 9 s de mieux que sa première poursuivante.

Le plus de titres olympiques en tir (femmes)

Kim Rhode (USA) a décroché sa 3e médaille d'or olympique à Londres 2012 en skeet, le 29 juillet. Elle détient ainsi le **plus de médailles olympiques en tir (femmes)**, avec 5 podiums entre 1996 et 2012, un exploit qui avait été accompli par Marina Logvinenko (Russie), également 5 médailles, dont 2 en or, entre 1988 et 1996.

Le plus de titres olympiques consécutifs (pays)

Deux pays ont remporté l'or dans une même discipline olympique lors de 8 JO d'été consécutifs. Les États-Unis dominent le relais 4 x 100 m hommes depuis 1984, tandis que les coureurs kenyans restent invaincus au 3 000 m steeple-chase sur la même période.

Le 100 km pieds nus le plus rapide

Wayne Botha (Nouvelle-Zélande) a couru 100 km en 11 h, 14 min et 3 s, le 6 octobre 2012, lors de la 15e édition du 24 h Sri Chinmoy, à Auckland (Nouvelle-Zélande).

Le plus de points en tir à l'arc à poulies féminin

Le 11 août 2010, Danielle Brown (RU) a obtenu 697 points à Vichy (France), dans l'épreuve individuelle féminine d'arc à poulies. En lice dans la catégorie Open en septembre 2012, elle est parvenue à conserver son titre paralympique en battant sa coéquipière, Mel Clarke, en finale. En 2013, Danielle a été faite membre de l'ordre de l'Empire britannique pour services rendus à l'archerie. Chez elle, à Skipton (RU), la Poste a peint une boîte aux lettres en or en son honneur.

5
C'est le nombre de jeunes de 17 ans qualifiés pour le Championnat du monde.

Le plus jeune joueur de snooker qualifié pour le Mondial WPBSA

Luca Brecel (Belgique, né le 8 mars 1995) avait 17 ans et 38 jours quand il s'est qualifié pour le Championnat du monde 2012 de l'Association internationale de billard et snooker (WPBSA), au Crucible Theatre de Sheffield (RU). Brecel devance ainsi Stephen Hendry (*à gauche*), qui avait 2 mois de plus quand il s'est qualifié au Crucible en 1986.

Le plus de médailles olympiques en tir (hommes)

Carl Townsend Osburn (USA) a obtenu 11 médailles en tir aux JO de 1912, 1920 et 1924. Il a décroché 5 fois l'or, 4 fois l'argent et 2 fois le bronze.

La plus jeune médaillée d'or en haltérophilie

Zulfiya Chinshanlo (Kazakhstan, née le 25 juillet 1993) avait 19 ans et 4 jours quand elle a pris l'or aux jeux Olympiques de Londres 2012 avec 95 kg à l'arraché et 131 kg épaulé-jeté pour un total de 226 kg dans la catégorie des 53 kg (*voir ci-dessous*), le 29 juillet. Chinshanlo (53,07 kg) a soulevé 2,5 fois son propre poids.

LE PLUS LONG MARATHON DE FLÉCHETTES

Dave Abbott (*ci-dessus*), Gary Collins, Mark Collins et Stephen Morrison (tous RU) ont disputé une partie de 38 h et 2 min, au Capel St Mary Village Club, près d'Ipswich (Suffolk, RU), les 25-26 mai 2012. Les 4 hommes ont réussi 7 scores maximum de 180 durant leur session.

RECORDS RÉCENTS EN HALTÉROPHILIE

Catégorie	Poids	Nom et nationalité	Date	Lieu
Hommes				
62 kg arraché	153 kg	Kim Un Guk (Corée du Nord) – égale le record de Shi Zhiyong (Chine) de 2002	30 juill. 2012	Londres (RU)
62 kg total	327 kg	Kim Un Guk (Corée du Nord)	30 juill. 2012	Londres (RU)
77 kg arraché	175 kg	Lu Xiaojun (Chine)	1er août 2012	Londres (RU)
77 kg total	379 kg	Lu Xiaojun (Chine)	1er août 2012	Londres (RU)
94 kg épaulé-jeté	233 kg	Ilya Ilyin (Kazakhstan)	4 août 2012	Londres (RU)
94 kg total	418 kg	Ilya Ilyin (Kazakhstan)	4 août 2012	Londres (RU)
Femmes				
53 kg épaulé-jeté	131 kg	Zulfiya Chinshanlo (Kazakhstan)	29 juill. 2012	Londres (RU)
+75 kg arraché	151 kg	Tatiana Kashirina (Russie)	5 août 2012	Londres (RU)
+75 kg épaulé-jeté	188 kg	Meng Suping (Chine)	9 nov. 2012	Eilat (Israël)
+75 kg total	333 kg	Zhou Lulu (Chine)	5 août 2012	Londres (RU)

Statistiques au 16 mai 2013

Le plus de points en tir à l'arc classique individuel (ST)

Hommes : Timur Tuchinov (Russie) a totalisé 659 points à Londres (RU), le 4 mai 2012. Les archers participent à cette compétition paralympique en position debout (ST) ou assise (W1 et W2).
Femmes : Fangxia Gao (Chine) détient le record féminin avec 641 points inscrits à Guangzhou (Chine), le 13 décembre 2010.

Le plus de Coupes du monde de kabaddi (hommes)

Le kabaddi est un sport de contact très populaire en Asie du Sud, où deux équipes envoient tour à tour un « raider » dans l'autre camp. Celui-ci doit marquer ses adversaires et revenir dans son camp sans être mis à terre. Le kabaddi a été créé en Inde, dont l'équipe masculine a remporté les trois Coupes du monde à ce jour, en 2010-2012.

INFO

Il n'y a pas que le sport aux jeux Olympiques. Londres 2012, c'est aussi : la **facture la plus élevée** (8,4 milliards £) ; le **plus de contrôles antidopage** (5 000) ; la **pinte de bière la plus chère** (7,23 £), les **médailles d'or les plus lourdes** (412 g) ; la **première fois que tous les pays présentent des athlètes féminines** ; la **première fois qu'hommes et femmes participent à tous les sports** (26 sports ; 204 nations) ; le **plus de téléspectateurs** pour les Paralympiques (env. 4 milliards).

Le poids total le plus lourd en 94 kg (hommes)

Ilya Ilyin (Kazakhstan) a obtenu un score de 418 kg (233 kg épaulé-jeté, 185 kg arraché) chez les 94 kg à Londres (RU), le 4 août 2012 pour conserver son titre olympique. Son soulevé de 233 kg constitue aussi le **plus lourd poids en épaulé-jeté, catégorie des 94 kg (hommes)**.

Le plus de Jeux d'Asie de kabaddi (hommes)

L'équipe masculine indienne a remporté le plus de titres aux Jeux d'Asie : 1990, 1994, 1998, 2002, 2006 et 2010.

TERRAIN GLISSANT
Le programme court est la première partie de l'épreuve de patinage artistique, c'est aussi la plus technique. La seconde est le programme libre.

Le meilleur score en programme court de patinage (hommes)

Patrick Chan (Canada) a obtenu 98,37 points, le 13 mars, lors du Championnat du monde de patinage artistique 2013 à London (Canada). Il a battu son propre record de 93,02 points du 27 avril 2011.

406
C'est le poids total en kg soulevé par Ilya à Pékin 2008, pour son 1er titre olympique.

D'AUTRES MACHOS EN P. 102

INDEX

Les termes en **gras** dans l'index se rapportent à une entrée principale sur un sujet. Les termes en **CAPITALES** et en **GRAS** se réfèrent à un chapitre. Les noms de personnes ne sont pas indexés.

REMERCIEMENTS

Guinness World Records tient à remercier les personnes physiques et morales suivantes pour leur aide dans l'élaboration de cette édition :

Patrick Abrahart ; Across the Pond (Julie, Rob, Aaron, Esther, Karen, Reese, James, Tom, Beki, Laura, Nicola) ; Carmen Maria Alfonzo Portillo ; Asatsu-DK Inc. (Motonori Iwasaki, Shinsuke Sakuma, Keiichiro Misumi) ; Ash Inc. ; James (Masha) Ashdown ; Charlotte Atkins ; Eric Atkins ; Freya Atkins ; Simon Atkins ; Base79 (Richard, Lucy, Ashley, Jana, Jamie) ; Dr George Beccaloni, Natural History Museum ; Oliver Beatson ; Clark Bernat, Manager, Niagara Falls Museums, Canada ; Bender Helper Impact (Mark Karges, Crystal McCoy, Eric Zuerndorfer, Jerry Griffin) ; Jack Bennetts ; Anisa Bhatti ; Christopher Bingham ; Michelle A Blackley, Communications Manager, Niagara Tourism and Convention Corporation, USA ; Blue Peter ; Luke et Joseph Boatfield ; Alfie Boulton-Fay ; Chiara Bragato ; Patrick Bragato ; Donald J Brightsmith ; British Sumo Association (Steve Pateman) ; Bucks Consultants ; Marcus Butler ; C Squared ; Hayley Jane Campbell ; Caroline Carr ; Charlie Carter Steel ; Rob Cave ; CBBC (Joe, Cheryl, Kez) ; CCTV (Li Xing, Wang Qiao) ; Camille Chambers ; Clara Chambers ; Georgina Charles ; Louise Chisholm ; Finn Chisholm ; Dr Phibul Choompolpaisal ; Scott Christie ; The Chunichi Shimbun (Tadao Sawada) ; Dr L Stephen Coles, Gerontology Research Group ; Mark Collins ; Colo ; Comic Relief ; Paul Conneally, International Telecommunication Union ; Connection Cars (Rob et Tracey Dunkerley) ; Juan Cornejo, PhD ; Jeff Cowton, The Wordsworth Trust ; Dr Kate Crosby ; Charlie Crowe ; Fred Dahlinger, Jr ; Adam "Maldini" Davidson ; Ceri Davies ; Deft Productions (Sophie Davidson) ; Denmaur Independent Papers Limited (Julian Townsend) ; Heather Dennis ; Alfie Deyes ; Mildred Dimery ; Discover Dogs ; Emlyn Dodd ; East London Gymnastics (Jamie Atkinson) ; Dave Eaton ; Europroduzione/Veralia (Marco, Renato, Carlo) ; Amelia Ewen ; Toby Ewen ; Eyeworks Allemagne (Michael, Guido, Kaethe, Martin) ; Helen Fair, Research Associate, International Centre for Prison Studies ; Benjamin Fall ; Rebecca Fall ; The Fells (Tim, Sue, Simon, Joanna, Becca) ; Daniel Fernandez ; FJT Logistics Limited (Ray Harper, Gavin Hennessy) ; James Fleetham ; Esteve Font Canadell ; Formulation Inc. (Sakura, Marcus) ; Denice Fredriksson (The Vegetable Orchestra) ; Sarah Freiermuth, The Coral Reef Alliance ; Sue Frith, Society of Ploughmen ; Frontier International (Satoru Kanda) ; Justin Garvanovic, European Coaster Club ; Arjun Gautam ; Rhea Gautam ; Yash-Raj Gautam ; Jack Geary ; Gerontology Research Group ; Gerosa Group ; Reece Gibbs ; Ferran Gil ; Damien Gildea ; Prof Stephen Gill ; Mike Gilmore ; Annabelle Ginger ; Ryan et Brandon Greenwood ; Victoria Grimsell ; Markus Gusset, PhD, World Association of Zoos and Aquariums ; Gym Media International (Eckhard Herholz) ; Christian Hamel ; Hampshire Sports and Prestige Cars (Richard Johnston) ; Jamie Hannaford, National River Flow Archive, Centre for Ecology & Hydrology ; Sophie Alexia Hannah Alfonzo ; Harlem Globetrotters International, Inc. (Brett Meister) ; Ruby Hayes ; Claire Haywood ; Dr Haze, Circus of Horrors ; Bob Headland ; Mark Heaton, Rapido3D ; Matilda Heaton ; High Noon Entertainment (Jim, Rachel, Stephen, Burt, Paul, Brent, Lauren) ; The Himalayan Database ; Marsha Hoover ; Hoovercat ; Cheryl Howe ; Oliver Howe ; Colin Hughes ; ICM (Michael et Greg) ; IMG (John, Alex, Anna, Lisa) ; Image Science & Analysis Laboratory, NASA Johnson Space Center ; Integrated Colour Editions Europe (Roger Hawkins, Susie Hawkins, Clare Merryfield) ; Margaret Johnson, Nezahat Gökyiğit Botanic Garden (NGBG) ; Res Kahraman, FMG ; Alex Keeler ; Tony Kirkham, Royal Botanic Gardens, Kew ; Granville Kirkup ; Dan Koehl ; Alan Küffer, Australian Bird & Bat Banding Scheme ; Martina Lacey ; Tom et Noodle Langridge ; Orla Langton ; Thea Langton ; Frederick Horace Lazell ; Deborah E Legge, Researcher, Niagara Falls Museums, Canada ; Lion Television (Richard, Jeremy, Simon, Dougie, Sue, Patsy) ; London Gymnastics (Anne McNeill) ; London Pet Show ; London Tattoo Convention ; London Toy Fair ; London Wonderground ; Loose Women ; Sean Macaulay ; Ciara Mackey ; Sarah et Martin Mackey ; Theresa Mackey ; Esperanza Magpantay, International Telecommunication Union ; Mail Online (Steven Lawrence) ; Christian de Marliave ; Missy Matilda ; Dave McAleer ; Trish Medalen ; Miditech India (Nivedith, Niret) ; Scott Mills ; Tamsin Mitchell ; Suzanne Moase, Curator, Niagara Falls Museums, Canada ; Florence Molloy ; Harriet Molloy ; Joshua Molloy ; Sophie Molloy ; Colin Monteath ; Veronica Murrey, Administrator, International Centre for Prison Studies ; Stefano Musacchi, Università di Bologna ; Prof Susan Naquin, Princeton University ; James Ng ; The Nichols Clan (James, Jennifer, Jessica, Jack) ; Dr Lukas Nickel ; Zhu Ning (Cherry) ; NTV Europe (Miki Matsukawa et Chieko Otsuka) ; Official Charts Company ; Phil Olsen ; Roland J Oosterbaan (www.waterlog.info) ; Robert Opie, The Museum of Brands, Packaging and Advertising ; Consetta Parker (Rancho Obi Wan) ; Finlay Paterson ; Louise Paterson ; Andrew Peacock ; Charlotte Peacock ; David Peacock ; Caitlin Penny ; Katharina Pesch ; Steve Pitron ; Joseph Postman, National Clonal Germplasm Repository ; Matt Poulton ; Press Association (Cherry Wilson) ; John Pricci (HorseRaceInsider.com) ; Abigail Prime ; Izzy Prime ; Miriam Randall ; Ross Rattray ; Re :fine Group ; Red Bull ; John Reed, World Speed Sailing Records Council ; Martyn Richards ; Tom Richards ; Jane Robertson, Hawk Conservancy Trust ; Dan "Stork" Roddick PhD, World Flying Disc Federation (WFDF) ; Florian Ruth ; Prof Walter H Sakai ; Nick Seston ; Bill Sharp, Billabong XXL Global Big Wave Awards ; Ang Tshering Sherpa ; Samantha Shutts (et toute l'équipe de Columbus Zoo) ; Lyle Spatz (Chairman, Baseball Records Committee, Society for American Baseball Research) ; Spectratek Technologies, Inc. (Terry Conway, Mike Foster) ; Glenn Speer ; Bill Spindler ; Jack Steel ; Daisy Steel ; Lily Steel ; Chelsie Stegemiller ; Ray Stevenson ; Stora Enso Kabel ; Joe Sugg ; The Sun (Lee Price et David Lowe) ; Prof Kathryn Sutherland ; Lilah Simone Swalsky ; Dale Swan, Anna Swan Museum, Creamery Square Heritage Centre ; Prof Peta Tait ; Charlie Taylor ; Daisy Taylor ; Holly Taylor ; This Morning ; Spencer Thrower ; TNR ; truTV (Marc, Darren, Angel, Stephen, Simmy, Jim, Marissa) ; Prof Diana Twede ; Virgin (Philippa Russ) ; Virgin London Marathon (Nicola Okey, Tiffany Osbourne, Fran Ridler) ; Helmut Wahl ; Charlie Wainwright ; Muhammad Isa Waley, British Library ; Roy Walmsley, World Prison Brief Director, International Centre for Prison Studies ; Thom Walton ; Richard Weigl ; Susan Westermayer ; Westfield shopping centre (Grace Charge, Denise Moore) ; Anna Wharton ; Alex White ; Oli White ; Catherine Wieser, International Canoe Federation (ICF) ; Dr Dave Williams, National Space Science Data Center (NSSDC) ; Emily Williams (et toute l'équipe de Lake Roosevelt High School, Coulee Dam, Washington) ; Rhys Williams, British Horseracing Authority (BHA) ; Elizabeth Wilson, HarperCollinsPublishers ; Nick Wojek ; Dr Elizabeth Wood, Marine Conservation Society ; Dr Frances Wood, British Library ; Lydia Wood ; Patricia Wood ; Worcestershire Farriery Services (Matt Burrows) ; Rueben George Wylie-Deacon ; Tobias Hugh Wylie-Deacon ; Xujing Cai ; YouTube (Billy, Rosie) ; Zippy Productions (Mitsue Matsuoka) ; Zodiak Kids (Karen, Delphine, Gary) ; Zodiak Rights (Matthew, Barnaby, Andreas).

CRÉDITS ICONOGRAPHIQUES

1 : Paul Michael Hughes/GWR **4 :** Science Photo Library **6 :** Alex Livesey/Getty Images ; Philippe Caron/L'Equipe ; Alain Guizard **7 :** Boris Horvat/AFP/Getty Images ; **8 :** Jean-François Monier/AFP/ Getty Images ; **9 :** DeAgostini/Getty Images ; **10 :** Paul Michael Hughes/ GWR **11 :** Mathieu Young ; Gustavo Ferrari/GWR **12 :** Toru Yamanaka/ Getty Images **14 :** Buckminster Fuller Institute ; Getty Images ; David Tipling **15 :** Chris McGrath/ Getty Images ; Getty Images ; Jimin Lai/Getty Images ; Jacky Naegelen/ Reuters **16 :** Getty Images ; Getty Images ; Getty Images ; Getty Images ; Juan Barreto/Getty Images ; Getty Images ; Getty Images ; Getty Images ; Getty Images **17 :** Getty Images ; Getty Images ; Science Photo Library ; William Foley/Getty Images ; Getty Images ; Getty Images ; Getty Images ; Getty Images **18 :** Alamy ; Getty Images ; Getty Images ; Getty Images ; Getty Images ; Getty Images ; Getty Images **19 :** Getty Images ; Arlan Naeg/Getty Images ; Getty Images ; Getty Images ; Getty Images ; Jacky Naegelen/Reuters ; Getty Images **20 :** Christina Dicken/ News-Leader ; Photoshot ; AP/PA ; Florin Iorganda/Reuters ; Getty Images ; NOAA ; Getty Images ; Getty Images ; Getty Images **21 :** Photoshot ; SuperStock ; Mario Tama/Getty Images ; Michael Appleton/Getty Images ; Getty Images ; Getty Images ; Getty Images ; Getty Images ; Getty Images ; Getty Images **22 :** Antony Njuguna/Reuters ; Getty Images ; Reuters ; Alamy ; Getty Images ; Getty Images ; Bryan et Cherry Alexander **23 :** Corbis ; Paul Chiasson/AP/PA ; NASA ; Getty Images ; Montana State University ; Getty Images ; Graham S Jones/AP/ PA ; Getty Images ; Justin Limoges ; David Gubler **24 :** James Ellerker/GWR **28 :** Getty Images ; Kevin Scott Ramos/GWR ; Science Photo Library ; NHPA/Photoshot ; Getty Images ; The Reptile Zoo ; Robert Valentic/Nature PL ; Getty Images ; Getty Images ; Bristow ; Getty Images **29 :** Getty Images ; Chime Tsetan ; Rex Features ; Mark Conlin/ Alamy ; Ho New/Reuters ; Blair Hedges/Penn State ; Getty Images ; Getty Images ; Getty Images ; Mario Lutz **30 :** Lawrence Lawry/Science Photo Library ; Alex Wild ; Dave Pinson/Robert Harding ; Jeff Rotman/NaturePL ; Michael Dunning/Getty Images ; Francesco Tomasinelli / Natural Visions ; Getty Images ; Vincent C Chen ; Getty Images ; Andreas Viklund ; Getty Images ; Getty Images **31 :** Ken Lucas/Ardea ; NHPA/Photoshot ; Mark Moffett/FLPA ; Nick Gordon/ Ardea ; L Kimsey et M Ohl ; Superstock ; Dan Hershman ; Getty Images ; Getty Images ; Getty Images **32 :** Corbis ; Science Photo Library ; Corbis ; Getty Images ; Getty Images ; Piotr Naskrecki/ Getty Images ; Getty Images ; Maurizio Gigli ; Geert-Jan Roebers/ WNF ; Brian V Brown **33 :** John Abbott/NaturePL ; Claus Meyer/ FLPA ; Photoshot ; Getty Images ; Getty Images ; PA ; The Natural History Museum, London / Natural History Museum ; Renzo Mazzaro **34 :** Gerard Lacz/Rex Features ; Anup Shah/Getty Images ; Jonathan Doster/Getty Images ; Sulaiman Salikan ; Getty Images ; Fotolia ; Getty Images ; Getty Images ; Getty Images **35 :** Getty Images ; Sergey Gorshkov/Corbis ; I Shpilenok/Still Pictures ; Edwin Giesbers/NaturePL ; Leon Werdinger/Alamy ; Dave Watts/ Alamy ; Getty Images ; Getty Images ; Getty Images ; Getty Images ; Getty Images **36 :** Alamy ; Rex Features ; Rex Features ; Dr Robert Mitchell ; Getty Images ; MBARI **37 :** Elisa Gudrun/EHF ; A & J Visage/Getty Images ; Black Hills Institute ; JAMSTEC ; Australian Museum ; Gaetan Borgonie/Ghent University **38 :** Roslan Rahman/ Getty Images ; Graham S Jones/AP/ PA ; Getty Images ; Justin Limoges ; **39 :** Getty Images ; Justin Limoges ; Joe Maierhauser ; Alamy ; Alamy ; John MacDougall/Getty Images **40 :** James Ellerker/GWR ; Tom Gannam/AP/PA ; Susan Sternberg ; Getty Images ; Getty Images ; Daniel Munoz/Reuters ; Ronald Grant **41 :** Roy Van Der Vegt/Rex Features ; Paul Michael Hughes/ GWR ; Andy Anderson/K9 Storm ; Si Barber/Eyevine ; Getty Images ; Getty Images **42 :** James Ellerker/ GWR ; Anita Maric/SWNS ; Reuters ; Ranald Mackechnie/GWR **43 :** AA Rabbits ; Ryan Schude/GWR ; Getty Images ; Rex Features **44 :** Paul Michael Hughes/GWR **46 :** Javier Pierini/GWR ; Paul Michael Hughes/ GWR **47 :** Paul Michael Hughes/ GWR ; Paul Michael Hughes/GWR ; Paul Michael Hughes/GWR **48 :** Rob Fraser/GWR ; Paul Michael Hughes/ GWR ; Getty Images ; Getty Images ; Getty Images ; Getty Images **49 :** Sanjib Ghosh/GWR ; Paul Michael Hughes/GWR ; Getty Images ; Getty Images ; Getty Images ; Getty Images ; Getty Images ; Getty Images **50 :** Ryan Schude/GWR ; Ranald Mackechnie/ GWR ; Phil Robertson/GWR ; John Wright/GWR ; Drew Gardner/GWR ; Paul Michael Hughes/GWR ; Drew Gardner/GWR **51 :** Ranald Mackechnie/GWR ; Ryan Schude/ GWR ; Paul Michael Hughes/GWR ; Paul Michael Hughes/GWR ; Drew Gardner/GWR ; Ranald Mackechnie/ GWR ; Paul Michael Hughes/GWR **52 :** Gustavo Ferrari/GWR ; Kevin Scott Ramos/GWR ; Neil Mackenzie ; John Wright/GWR ; **53 :** Getty Images ; Ryan Schude/GWR ; Tim Anderson/GWR **54 :** Richard Bradbury/GWR ; Paul Michael Hughes/GWR **55 :** Paul Michael Hughes/GWR ; Paul Michael Hughes/GWR ; James Ellerker/GWR **56 :** Rex Features ; Wellcome Images ; Photoshot ; Sheng Li/ Reuters **57 :** Splash news ; Gerard Julien/Getty Images ; John Phillips/ Getty Images **58 :** Ettore Loi/Getty Images **59 :** Richard Lautens/ GetStock **60 :** Memoriad ; Caters ; Memoriad ; **61 :** Jens Wolf/EPA ; See Li/Corbis ; Memoriad ; Belfast Telegraph ; **62 :** Paul Michael Hughes/GWR ; James Ellerker/GWR ; Paul Michael Hughes/GWR **63 :** Richard Bradbury/GWR ; Sam Christmas/GWR ; Paul Michael Hughes/GWR **64 :** Jacek Bednarczyk/EPA ; Tony McDaniel ; Paul Michael Hughes/GWR **65 :** Bogdan Cristel/Reuters ; Derek Fett ; WENN ; Paul Michael Hughes/ GWR ; Getty Images ; Getty Images ; Getty Images **66 :** AP/PA **67 :** Brigitte Dusseau/Getty Images **68 :** Red Bull ; Red Bull ; Getty Images ; Andreas Rentz/Getty Images ; Red Bull **69 :** Red Bull ; Red Bull ; Getty Images ; Red Bull ; Robert W Kelley/Getty Images ; AFP **70 :** Lorne Bridgman ; Ho New/ Reuters ; NASA **71 :** Seth Wenig/AP/ PA ; Seth Wenig/AP/PA ; Seth Wenig/AP/PA ; Getty Images ; Getty Images **72 :** Jean-Sebastien Evarard/Getty Images **73 :** Don Emmert/Getty Images ; Jean-Micel Andre/Getty Images ; Getty Images ; Getty Images **74 :** Kenji Kondo/AP/PA ; EPA ; Prakash Mathema/Getty Images ; Getty Images ; Getty Images ; Getty Images ; Getty Images ; Getty Images **75 :** Michele Falzone/Getty Images ; Paul Hara ; AP/PA ; Getty Images ; Getty Images ; Getty Images ; Getty Images ; Getty Images ; Getty Images **76 :** Antarctic ICE ; Getty Images ; Getty Images ; Getty Images ; Getty Images ; Getty Images **77 :** Richard Bradbury/ GWR ; TopFoto **78 :** Getty Images ; Getty Images ; Getty Images ; Getty Images **79 :** Getty Images ; Getty Images ; Getty Images ; Getty Images ; NASA ; NASA ; Getty Images ; Getty Images ; Getty Images **80 :** Paul Michael Hughes/GWR **82 :** The British Library/Getty Images **83 :** Bibliotheque Nationale de France ; Getty Images **84 :** Ranald Mackechnie/GWR **85 :** David Munn/ Getty Images ; Paul Michael Hughes/GWR **86 :** Paul Michael Hughes/GWR ; Paul Michael Hughes/GWR ; Paul Michael Hughes/GWR **87 :** Paul Michael Hughes/GWR ; Paul Michael Hughes/GWR ; Paul Michael Hughes/GWR **89 :** James Ellerker/ GWR **90 :** Richard Faverty/Beckett Studios ; Paul Michael Hughes/ GWR ; Il Mauri ; Eric Evers **91 :** Fabrini Crisci ; Paul Michael Hughes/GWR **92 :** Ryan Schude/GWR **94 :** James Ellerker/GWR ; Sam Christmas/GWR **95 :** Sam Christmas/GWR ; Silvie Lintimerov **96 :** Richard Bradbury/ GWR ; Ranald Mackechnie/GWR ; Mykel Nicolaou/GWR **97 :** Richard Bradbury/GWR ; Robin F Pronk ; Getty Images **99 :** Charlie Mallon ; Ranald Mackechnie/GWR **100 :** Paul Michel Hughes/GWR ; James Ellerker/GWR ; Getty Images ; Getty Images ; 20th Century Fox ; Sony Pictures ; United Artists **101 :** Kent Horner/WENN ; Paul Michael Hughes/GWR ; Emmanuel Aguirre/ Getty Images ; Ranald Mackechnie/ GWR ; Warner Brothers/Getty Images ; Alamy ; Sony Pictures ; Columbia TriStar **102 :** Paul Michael Hughes/GWR ; Paul Michael Hughes/GWR ; John Wright/GWR ; Paul Michael Hughes/GWR **103 :** Ranald Mackechnie/GWR ; Paul Michael Hughes/GWR ; Paul Michael Hughes/GWR ; Vincent Thian/AP/PA ; Paul Michael Hughes/ GWR ; **104 :** Paul Michael Hughes/ GWR ; Paul Michael Hughes/GWR ; Paul Michael Hughes/GWR **105 :** Paul Michael Hughes/GWR ; Ranald Mackechnie/GWR **106 :** Subhash Sharma/GWR ; Brendan Landy **107 :** Frank Rumpenhorst/EPA ; Sukree Sukplang/Reuters ; Diane Bondareff/AP/PA ; Paul Michael Hughes/GWR ; Steve Niedorf ; **108 :** Kimberly Roberts ; Brian Fick ; Paul Michael Hughes/GWR ; Getty Images ; **109 :** Sandy Huffaker/ Eyevine ; Jim Goodrich ; Getty Images ; Getty Images ; Paul Michael Hughes/GWR **110 :** Paul Michael Hughes/GWR ; Paul Michael Hughes/GWR ; Getty Images ; Getty Images ; Getty Images ; Getty Images **111 :** Paul Michael Hughes/ GWR ; Rex Features ; Getty Images ; Getty Images ; Getty Images ; Getty Images ; Getty Images **112 :** Sam Christmas/GWR ; Paul Michael Hughes/GWR ; Paul Michael Hughes/GWR ; Sam Christmas/ GWR ; Getty Images ; Getty Images ; Getty Images ; Getty Images **113 :** Paul Michael Hughes/GWR ; Paul Michael Hughes/GWR ; Paul Michael Hughes/GWR ; Getty Images ; Getty Images ; Getty Images **114 :** Paul Michael Hughes/ GWR ; Richard Bradbury/GWR ; Paul Michael Hughes/GWR ; Getty Images ; Getty Images ; Getty Images ; Getty Images ; Getty Images **115 :** Paul Michael Hughes/ GWR ; David Livingston/Getty Images ; Paul Michael Hughes/ GWR ; Getty Images ; Getty Images ; Getty Images ; Getty Images **117 :** Jewel Samad/Getty Images **118 :** Paul Michael Hughes/GWR **120 :** Getty Images ; Roberto Schmidt/Getty Images ; Daniel Berehulak/Getty Images ; Getty Images ; Getty Images ; Getty Images ; Getty Images **121 :** Mario Tama/Getty Images ; William Andrew/Getty Images ; Getty Images ; Getty Images ; Getty Images ; Getty Images ; Getty Images ; Getty Images **122 :** Francois Durand/Getty Images ; Marcelo A Salinas/Getty Images ; Getty Images ; Alamy ; Getty Images ; Getty Images ; Getty Images **123 :** Arnd Wiegmann/ Reuters ; Richard Levine/Alamy ; Mladen Antonov/Getty Images ; Darren McCollester/Getty Images ; Rex Features ; Getty Images **124 :** Lou Bustamante/Profiles in History ; Getty Images ; Christie's ; Getty Images **125 :** Comic Connect ; Alex Coppel/Rex Features ; EuroPics ; Louisa Gouliamaki/Getty Images ; SCP Auctions ; Getty Images ; Getty Images **126 :** Daniel Acker/Getty Images ; Stu Stretton **127 :** Eddy Risch ; NASA ; BNPS **128 :** Getty Images ; Michael Caulfield/Getty Image ; Getty Images ; Getty Images **129 :** Getty Images ; Getty Images ; Getty Images ; Getty Images ; Getty Images **130 :** PA ; Shaun Curry/Getty Images **131 :** Stan Honda/Getty Images ; Anne Christine Poujoulat/Getty Images ; Erin Lubin/Getty Images ; Dan Callister/Getty Images ; Graham Hughes/PA **132 :** Corbis ; Sophie Elbaz/Corbis ; Lucy Nicholson/Reuters ; Getty Images **133 :** Doug Houghton/Alamy ; Damian Dovarganes/AP/PA ; Lea Suzuki/Corbis ; Jon Super/PA **134 :** PA ; James Ellerker/GWR ; Alamy ; Getty Images ; Tim

Scrivener ; Tim Scrivener/Rex Features **135 :** Getty Images ; SuperStock ; Getty Images ; Eric Isselée/lifeonwhite.com ; Getty Images ; Jonathan Pow ; Grant Brereton **136 :** Ranald Mackechnie/GWR **137 :** Fran Stothard/SWNS ; John Giles/PA ; Yang Chul Won ; Getty Images ; Getty Images **138 :** Rafiquar Rahman/Reuters **140 :** AP/PA ; Alamy **141 :** Ernesto Benavides/Getty Images ; Fayez Nureldine/Getty Images **142 :** Mauricio Ramos/SuperStock ; Getty Images ; Getty Images ; Getty Images ; Getty Images ; Getty Images **143 :** Chad Ehlers/Getty Images ; Dan Istitene/Getty Images ; Corbis ; Ho New/Reuters ; Ahmed Jadallah/Reuters ; Getty Images ; Getty Images ; Getty Images ; Getty Images ; Getty Images **144 :** Getty Images ; Tomasz Górny ; Getty Images ; Getty Images ; Getty Images ; Getty Images ; Getty Images ; Getty Images **145 :** Alisdair Miller ; Michael Snell/Alamy ; Getty Images ; Getty Images ; Getty Images ; Getty Images ; Getty Images **146 :** Matt Cardy/Getty Images ; Sylvain Sonnet/Corbis ; Getty Images ; Getty Images ; Ramon F Velasquez ; Tee Meng ; Mark Fischer **147 :** Jumana El Helouel/Reuters ; Dan Kitwood/Getty Images ; Getty Images ; John Gress/Reuters ; So Hing-Keung/Corbis ; Matthew Staver/Getty Images ; Photo Parsi ; Getty Images **148 :** SuperStock ; Tom Bonaventure/Getty Images ; Getty Images ; Getty Images ; Getty Images ; Getty Images **149 :** Coal Miki ; Mark Evans/Rex Features ; Getty Images ; Exclusive Pics ; Getty Images ; Jean-Marie Hoornaert **150 :** Stephen Frink/Corbis ; Richard Ellis/Alamy **151 :** Simon Gerzina/Alamy **152 :** Rex Features ; Wojtek Radwanski/Getty Images ; Kacper Pempel/Reuters ; Reed Saxon/AP/PA ; AP/PA ; Rafiq Maqboo/AP/PA ; Getty Images **153 :** Carlos Bravo ; Getty Images ; Fernando Caro ; Chad Breece/Getty Images ; Aedas **154 :** Getty Images ; Getty Images ; Getty Images ; Getty Images ; Getty Images ; Getty Images ; Getty Images ; Getty Images **155 :** Fuste Raga/SuperStock ; Reuters ; Getty Images ; Frank Rollitz/Rex Features ; Getty Images ; Getty Images ; Getty Images ; Getty Images ; Getty Images **156 :** Richard Bradbury/GWR **158 :** Vincenzo Pinto/Getty Images ; Getty Images ; Paul Hanna/Reuters ; John Cantlie/Getty Images ; Reuters ; Paul Hanna/Reuters **159 :** Reuters Graphics ; Getty Images ; Paul Hermans ; NASA ; EPA **160 :** Corbis ; Martin Rose/Getty Images ; Getty Images ; Getty Images ; Sergey Krivchikov ; Oleg Belyakov ; Getty Images **161 :** Alamy ; Getty Images **162 :** Eigenes Werk ; J-H Janßen ; Getty Images **163 :** NASA ; Getty Images ; Getty Images **164 :** Richard Bradbury/GWR ; V&A Images **165 :** Rex Features ; Rex Features **166 :** Alamy ; Martin Divisek/Getty Images ; Lego **167 :** Tim Anderson ; PA ; PA ; PA **168 :** Jan Berghuis ; Frank Hurley ; Japanese American Relocation Photograph Collection **169 :** AP/PA ; Alamy ; Getty Images **170 :** Paul Michael Hughes/GWR ; John Wright/GWR ; Ranald Mackechnie/GWR ; Getty Images **171 :** James Ellerker/GWR **172 :** Deutsches Zweirad- und NSU-Museum ; Marco Stepniak **173 :** John Wright/GWR ; Geoffrey Robinson/Rex Features ; Alamy **174 :** Reuters ; Toshihiko Sato/AP/PA ; Rex Features ; Rex Features ; Getty Images ; Getty Images ; Getty Images ; Getty Images ; Getty Images **175 :** PA ; Robert Nickelsberg/Getty Images ; Getty Images ; Getty Images **176 :** Robert Holmes ; Michel Verdure ; Getty Images ; Getty Images **177 :** Reuters ; Getty Images ; Paulo Whitaker/Reuters ; Getty Images **178 :** Richard Bradbury/GWR **179 :** Zollner Elektronik **180 :** NASA ; NASA **181 :** NASA **182 :** ESA ; NASA ; NASA ; NASA ; Historic Spacecraft **183 :** ESA ; NASA **184 :** Robyn Beck/Getty Images ; Robyn Beck/Getty Images ; Stephen Brashear/Getty Images ; NASA ; NASA ; Getty Images ; Getty Images ; Getty Images ; **185 :** NASA ; SpaceX ; NASA ; NASA ; Getty Images **186 :** NASA ; NASA ; NASA ; NASA ; NASA ; Getty Images ; NASA ; NASA **187 :** NASA ; NASA ; NASA ; NASA ; NASA **188 :** TopFoto ; Science Photo Library ; Getty Images ; Getty Images ; Getty Images ; Getty Images ; Getty Images **189 :** Lang Lang/Reuters ; AFP ; Getty Images ; Getty Images ; Getty Images ; Getty Images ; Getty Images **190 :** Don Bayley/Getty Images ; Getty Images ; Heinrich Pniok ; Science Photo Library ; Getty Images ; Heinrich Pniok ; Getty Images ; Getty Images ; Getty Images ; Getty Images ; Getty Images **191 :** Oakridge National Laboratory ; Heinrich Pniok ; Getty Images ; Getty Images ; Getty Images ; Fotolia ; Getty Images ; Getty Images ; Getty Images ; Getty Images ; Getty Images ; Getty Images **192 :** NASA ; Jeff Martin/360cities **193 :** Time Out Hong Kong ; Evan Kafka **194 :** PA ; Getty Images **195 :** BIPM ; Kim Kyung Hoon/Reuters ; Getty Images **196 :** Ryan Schude/GWR **198 :** Paul Michael Hughes/GWR **199 :** Matt Crossick **200 :** Splash News ; Red Bull ; WENN **201 :** Melina Mara/Getty Images **202 :** A.M.P.A.S./Rex Features ; Rex Features ; Miramax Films ; The Weinstein Company ; 20th Century Fox ; Warner Bros ; Warner Bros ; Getty Images ; Getty Images ; Getty Images ; Getty Images ; Getty Images **203 :** Cinereach ; Les Films du Losange ; Rex Features ; Eon Productions ; Eon Productions ; Getty Images ; Getty Images ; Getty Images ; Getty Images ; Getty Images **204 :** 20th Century Fox ; 20th Century Fox ; Warner Bros. ; Getty Images **205 :** Walt Disney Pictures ; Universal/Kobal ; Universal/Kobal ; Ryan Schude/GWR ; Lucasfilm ; TriStar Pictures ; Graphic Films ; Walt Disney Pictures **206 :** DreamWorks Animation ; Aardman Animations ; Walt Disney Pictures ; Kobal ; Walt Disney Pictures **207 :** Studio Ghibli ; Walt Disney Pictures ; Walt Disney Pictures ; Universal Pictures ; Columbia Pictures ; Razor Film Produktion GmbH ; DreamWorks Animation **208 :** Columbia Pictures ; Marvel Studios **209 :** Jay Directo/Getty Images ; 20th Century Fox **210 :** Rex Features ; Ash Newell ; Jason Merritt/Getty Images ; Getty Images ; Getty Images ; Getty Images ; Getty Images ; Getty Images **211 :** John Urbano ; Getty Images ; Getty Images ; Getty Images ; Getty Images ; Getty Images ; Getty Images **212 :** Monica McKlinski/Getty Images ; Monica McKlinski/Getty Images ; Cate Gillon/Getty Images ; Paul Natkin/Getty Images ; Getty Images ; Getty Images ; Getty Images ; Getty Images ; Getty Images **213 :** Getty Images ; Richard E Aaron/Getty Images ; Getty Images ; Kevin Mazur/Getty Images ; Getty Images ; Getty Images ; Getty Images ; Getty Images ; Getty Images **214 :** Paul Michael Hughes/GWR ; Roger Bamber/Rex Features ; Getty Images ; Getty Images ; Getty Images ; Getty Images ; Getty Images **215 :** Rex Features ; Sonja Flemming/Getty Images ; Angela Weiss/Getty Images ; Corbis ; Paul Michael Hughes/GWR ; Jana DeHart ; Getty Images ; Getty Images ; Getty Images ; Getty Images ; Getty Images **216 :** James Ellerker/GWR ; James Ellerker/GWR ; Paul Michael Hughes/GWR **217 :** James Ellerker/GWR ; Richard Bradbury/GWR **218 :** Gustau Nacarino/Reuters **219 :** Getty Images **220 :** Rex Features ; Taina Rissanen/Rex Features ; Andrew Vaughan/AP/PA ; Roberto Cavieres ; Frank Leonhardt/Getty Images ; Geoffrey Robinson/Rex Features **221 :** Jasper Juinen/Getty Images ; Brandon Wade/Invision ; Fred Tanneau/Getty Images ; Kathy deWitt/Alamy ; Thomas Niedermueller/Getty Images ; Jonathan Wood/Getty Images **222 :** Camilo Rozo/Red Bull ; John Stapels/Red Bull **223 :** Mark Watson/Red Bull **224 :** Mike Stone/Reuters ; Jonathan Bachman/Reuters ; Jeff Haynes/Reuters **225 :** Getty Images ; Jim McIsaac/Getty Images ; Andy Lyons/Getty Images ; Michael Zagaris/Getty Images ; Joe Robbins/Getty Images ; Doug Kapustin/Getty Images ; Streeter Lecka/Getty Images **226 :** Getty Images ; Getty Images **227 :** Mike Hewitt/Getty Images ; Ian Walton/Getty Images ; Eric Feferberg/Getty Images **228 :** Michael Dodge/Getty Images ; Jim Rogash/Getty Images **229 :** Mike Hewitt/Getty Images ; Jose Jordan/Getty Images ; Hagen Hopkins/Getty Images ; Nhat V Meyer/AP/PA **230 :** Patrick Semansky/AP/PA ; Getty Images ; Getty Images ; Getty Images ; Getty Images ; Christian Petersen/Getty Images **231 :** Getty Images ; Chris Trotman/Getty Images ; Mark Duncan/AP/PA ; Jason Miller/Getty Images ; Christian Petersen/Getty Images ; Jim McIsaac/Getty Images **232 :** Stacy Revere/Getty Images ; Andrew D Bernstein/Getty Images ; Rocky Widner/Getty Images **233 :** Terrence Vaccaro/Getty Images ; Nathaniel S Butler/Getty Images **234 :** Getty Images ; Al Bello/Getty Images ; Getty Images ; Getty Images **235 :** John Gurzinski/Getty Images ; John Gichigi/Getty Images ; Ethan Miller/Getty Images ; Robert Riger/Getty Images **236 :** Franck Fife/Getty Images ; Getty Images **237 :** Josh Hedges/Getty Images ; Jim Kemper/Getty Images **238 :** Dinuka Liyanawatte/Reuters ; Danish Siddiqui/Reuters ; Matthew Lewis/Getty Images **239 :** Carl Court/Getty Images ; Duif du Toit/Getty Images ; Getty Images ; Graham Crouch/Getty Images ; Matthew Lewis/Getty Images **240 :** Bryn Lennon/Getty Images ; Leon Neal/Getty Images ; Clive Brunskill/Getty Images **241 :** Odd Anderseon/Getty Images ; Alexander Nemenov/Getty Images ; Doug Pensinger/Getty Images ; Carl De Souza/Getty Images **242 :** Lucy Nicholson/Reuters ; Hunter Martin/Getty Images ; Harry How/Getty Images **243 :** Mike Ehrmann/Getty Images ; Chris Keane/Reuters ; Matthew Lewis/Getty Images ; Stuart Franklin/Getty Images **244 :** Frederick Breedon/Getty Images ; David E Klutho/Getty Images **245 :** Norm Hall/Getty Images ; Frederick Breedon/Getty Images **246 :** Ben Stansall/Getty Images ; Steve Bardens/Getty Images **247 :** Bryn Lennon/Getty Images ; Chris McGrath/Getty Images **248 :** Sam Greenwood/Getty Images ; Nelson Almeida/Getty Images ; Ranald Mackechnie/GWR **249 :** Getty Images ; Mark Ralston/Getty Images ; Ruben Sprich/Reuters ; Philippe Desmazes/Getty Images **250 :** Michael Regan/Getty Images ; Liu Jin/Getty Images ; Squashpics.com ; AP/PA **251 :** Michael Dodge/Getty Images ; Helene Wiesenhaan/Getty Images ; Clive Brunskill/Getty Images **252 :** Duif du Toit/Getty Images ; Getty Images ; Hannah Johnston/Getty Images ; Hamish Blair/Getty Images **253 :** Adrian Dennis/Getty Images ; Cameron Spencer/Getty Images ; Stu Forster/Getty Images ; David Rogers/Getty Images **254 :** Andrew Yates/Getty Images ; Ben Stansall/Getty Images ; John Peters/Manchester United FC **255 :** Getty Images ; Getty Images ; Shaun Botterill/Getty Images ; Alex Livesey/Getty Images ; Getty Images ; Getty Images ; Liu Jin/Getty Images ; Giuseppe Cacace/Getty Images ; David Ramos/Getty Images **256 :** Quinn Rooney/Getty Images ; Patrik Stollarz/Getty Images ; Shaun Botterill/Getty Images ; Paul Gilham/Getty Images ; Getty Images **257 :** Pedro Ugarte/Getty Images ; Martin Rose/Getty Images ; Hannah Johnston/Getty Images ; Antonio Scorza/Getty Images **258 :** Getty Images ; Red Bull ; Kimmo Lahtinen ; Lintao Zhang/Getty Images **259 :** Feng Li/Getty Images ; Martin Rose/Getty Images ; Feng Li/Getty Images ; Mark Dadswell/Getty Images **260 :** Alexander Hassenstein/Getty Images ; Alexis Boichard/Getty Images ; Jeff McIntosh/AP/PA **261 :** Frank Augstein/AP/PA ; Jeff J Mitchell/Reuters ; Markus Scholz/EPA ; George Frey/Getty Images ; Arnd Wiegmann/Reuters **262 :** Harry Engels/Getty Images ; Adrian Dennis/Getty Images **263 :** Andrew Yates/Getty Images ; Dave Sandford/Getty Images ; Yuri Cortez/Getty Images **270 :** Frank Quirarte/Billabong XXL **272 :** David Ovenden ; Cyril Almeras.

GARDES

Gardes avant, de gauche à droite

Rangée 1 : Le plus grand cours d'efficacité énergétique ; le plus d'œufs cassés d'une main en 1 h ; le plus grand goûter anglais ; le plus long marathon de barbecue ; la plus grande bataille de bombes serpentins ; le président de club de golf le plus âgé ; la plus grande mosaïque en ballons de foot.
Rangée 2 : Le plus long gâteau roulé ; le plus de capsules de bouteilles ôtées avec la tête en 1 min ; le plus grand looping dans une voiture ; le wheelie sur glace le plus rapide en moto ; le plus de personnes dansant le sampa ; le plus rapide à immobiliser une personne contre un mur avec du ruban adhésif ; projet de record du monde de Jesse Hoagland.
Rangée 3 : Le plus grand défilé en bikini ; la plus grande peinture en empreintes de pieds ; le 100 m le plus rapide sur des échasses à ressorts ; la plus grosse portion de purée ; le plus de baumes pour les lèvres ; le plus de meules de parmesan brisées.
Rangée 4 : Le plus long marathon de basket en fauteuil roulant ; la plus grande collection d'ouvre-bouteilles ; le plus de tours donnés à des clubs en jonglant couché (4 clubs) ; le plus de joueurs dans un match amical de foot en salle ; le 1er "1080" sur un skateboard ; le plus jeune athlète de X-Games ; la plus grande collection de puzzles.
Rangée 5 : La plus grande polenta ; les 10 km parcourus le plus vite en poussant un landau ; le plus grand cours de magie ; le plus de voitures lavées en 8 h (lieux multiples) ; la plus grosse tourte à la citrouille ; le plus grand drapeau déployé par un parachutiste ; le plus grand nœud du diable.

Gardes arrière, de gauche à droite

Rangée 1 : Le plus grand tee de golf ; le plus grand nettoyage de fonds marins ; le plus grand ragoût ; le plus grand biscuit fourré ; le plus long alignement de chaussettes ; le semi-marathon de cross-country le plus rapide en poussant un landau ; le plus de sauts en 1 min ; la plus grande collection d'objets liés à Chevrolet.
Rangée 2 : Le plus de compétitions de toupies Lego® Ninjago en 24 h (lieux multiples) ; le plus grand cours de cuisine ; le plus grand repas de dim sum ; le plus grand smiley humain ; le plus de châteaux de sable construits en 1 h ; le plus d'individus à disparaître lors d'un tour de magie ; le plus de piments coupés en 30 s.
Rangée 3 : Le plus de capsules ôtées avec la tête en 1 min ; le plus de personnes dans un bras de fer ; la prune la plus lourde ; la plus grande mosaïques en sequins ; le plus grand défilé en bikini ; le plus long baiser ; le plus de magiciens dans un spectacle.
Rangée 4 : Le plus de personnes déguisées en vache ; la plus grande part de gâteau à la crème ; l'aboiement le plus fort ; le plus de cliffhanger spins en BMX (avec un pied sur le guidon) en 1 min ; le plus longtemps en position de planche ; la plus longue distance en dribblant avec une balle de hockey.
Rangée 5 : Le chou le plus lourd ; la plus grande exposition de ménorahs allumés ; le plus de personnes déguisées en personnages de Star Trek ; la plus grande étoile formée par des individus ; la plus grande collection de jeux de magie ; le plus grand mixeur ; la plus longue tyrolienne sur corde.

7 346
C'est le nombre d'exemplaires du Guinness World Records qu'il faudrait réunir pour atteindre le poids du plus grand dinosaure carnivore !

DERNIÈRE MINUTE

1 285 C'est le poids en kilos du chocolat utilisé pour cette sculpture.

Le véhicule fonctionnant au café le plus rapide

Martin Bacon (RU) a construit et conduit une voiture fonctionnant au café qui a atteint une vitesse moyenne de105,45 km/h, à Stockport (Grand Manchester, RU), le 19 février 2013. Ce défi était soutenu par la Co-op pour fêter les 10 ans de la vente de café issu du commerce équitable dans leurs magasins.

Le plus long chat domestique

Mymains Stewart Gilligan, dit "Stewie", était un Maine Coon de 123 cm de long. Le 28 août 2010, le chat de Robin Hendrickson et Erik Brandsness (USA) avait été authentifié comme le **plus long chat (domestique) du monde**, puis en 2013 comme le plus long chat de l'histoire. Malheureusement, nous avons appris sa mort en janvier 2013.

Le century le plus rapide en cricket professionnel

Chris Gayle (Jamaïque) a frappé un century avec seulement 30 balles en jouant pour les Royal Challengers Bangalore contre les Pune Warriors en Premier League indienne à Bangalore (Inde), le 23 avril 2013. Grâce à sa frappe destructrice, Gayle a réalisé un score de 175 non éliminé, comprenant 13 quatre et 17 six. Les hôtes ont accumulé 263 pour 5 dans leurs 20 séries et remporté l'épreuve par 130 courses.

Le 1er à photographier chaque espèce d'oiseau de paradis

Les 39 espèces reconnues d'oiseaux de paradis ont été photographiées par le Dr Tim Laman (Japon), lors d'une quête qui a duré 8 ans. *Oiseaux de Paradis : Révélation des oiseaux les plus extraordinaires du monde* a été publié le 23 octobre 2012.

La plus grosse bulle de savon flottant librement (en intérieur)

SamSam BubbleMan, alias Sam Heath (RU), a fait une bulle de savon de 3,3 m^3, le 11 janvier 2013, à l'église méthodiste de Hinde Street à Londres (RU), pour l'émission de la BBC *Officially Amazing*.

Le plus grand puzzle de mots

Mel Crow (USA) a utilisé 51 000 lettres disposées en 204 colonnes et 250 rangées pour former plus de 5 500 mots et expressions dans un puzzle de 3 x 4,7 m, sur le campus de l'Eagle Gate College (Utah, USA), le 18 janvier 2013. La liste des mots et expressions comprend des noms d'acteurs et une liste supplémentaire de 200 mots et expressions secrets à trouver. Le puzzle a été mis à disposition par Tate Publishing & Enterprises sous forme de téléchargement et peut être consulté sur tinyurl. com/melcrow.

La plus grande vague surfée

Le 21 décembre 2012, Shawn Dollar (USA) a chevauché une vague mesurant 18,5 m de haut du creux à la crête, à Cortes Bank, récif situé à 166 km à l'ouest de San Diego (USA). Son exploit a été confirmé en mai 2013 par le comité du Billabong XXL Global Big Wave Awards, qui lui a attribué le Prix Pacifico Paddle et le titre XXL Biggest Wave, accompagnés d'un prix de 30 000 $.

La plus longue sculpture en chocolat

Andrew Farrugia (Malte) a sculpté un train en chocolat mesurant 34,05 m de long. Celui-ci était doté d'un ancien modèle de locomotive à vapeur à un bout, d'une locomotive plus moderne à l'autre, et de wagons individuels. Ce train express comestible a été dévoilé à la gare de Bruxelles-Midi (Belgique), le 19 novembre 2012.

Le plus jeune golfeur du PGA European Tour

Ye Wo-cheng (Chine, né le 2 septembre 2000) avait 12 ans et 242 jours quand il a participé à l'Open Volvo en Chine, au Golf Club du Lac Binhai (Chine), le 2 mai 2013.

Le plus de hits d'un album classés au Top 10 (RU)

Le 27 avril 2013, Calvin Harris (RU) a eu 8 hits classés au Top 10 extraits de son album de 2012 *18 Months* lorsque *I Need Your Love*, avec Ellie Goulding, a été classé n° 7. Parmi

Le plus long baiser

Ekkachai et Laksana Tiranarat (tous deux Thaïlande) sont restés lèvres jointes 58 h, 35 min et 58 s, à Pattaya (Thaïlande), du 12 au 14 février 2013. Ce baiser leur a permis de gagner 100 000 bahts (2 600 €) en espèces et deux bagues ornées de diamants en ce jour de Saint-Valentin.

La plus grande chaussure

Electric sekki (Hong Kong) a créé une chaussure mesurant 6,4 m de long, 2,39 m de large et 1,65 m de haut, le 12 avril 2013. La chaussure a été fabriquée à Hong Kong (Chine), par Peter Solomon et Amiee Squires-Wills de Electric sekki. Ils ont reçu leur certificat de l'arbitre Charlie Wharton (*à gauche*). Marco Boglione, de la fabrique de chaussures Superga, figure à droite.

EXPOSITION DE LA CHAUSSURE
L'immense chaussure a été exposée au centre commercial Harbour City, du 12 avril au 12 mai 2013, à Hong Kong (Chine).

Le plus de prix Laurence Olivier reçus

The Curious Incident of the Dog in the Night-Time, adapté pour la scène par Simon Stephens à partir du livre éponyme de Mark Haddon (tous deux RU), a égalé *Matilda the Musical* (*voir p. 115*), en remportant 7 Oliviers, le 29 avril 2013, dont notamment Meilleure nouvelle pièce, Meilleur acteur et Meilleur metteur en scène.

les autres hits de l'album, il y avait deux n° 1 au Royaume-Uni : *We Found Love*, avec Rihanna, et *Sweet Nothing*, avec Florence Welch de Florence + the Machine. Michael Jackson (USA) détenait le titre avec 7 hits au Top 10 extraits de *Bad* (1987) et *Dangerous* (1991).

Le plus long pèlerinage toujours en cours
Arthur Blessitt (USA) marche depuis le 25 décembre 1969 et considère avoir parcouru la plus longue distance pour un pèlerinage autour du monde : 64 752 km au 24 avril 2013. Il est passé par les sept continents, y compris l'Antarctique, et a traversé 321 nations, groupes d'îles et territoires, en portant une croix de bois haute de 3,7 m et en prêchant la Bible.

Le plus de ollies sur skateboard en 1 min

Gabriel Peña (USA) a accompli 72 ollies en 1 min, à Houston (Texas, USA), le 7 avril 2013. Renseignez-vous sur les ollies – qui les a inventés, en quoi cela consiste et qui en a fait le plus – p. 108.

Le plus rapide à saisir un SMS sur un téléphone portable à écran tactile
Mark Encarnación (USA) a tapé un message de 160 caractères (SMS) en utilisant un téléphone portable à écran tactile, en 20,53 s, à l'extérieur des Studios Microsoft, à Redmond (Washington, USA), le 24 avril 2013.

Le tableau le plus cher vendu aux enchères, signé d'un artiste vivant
Domplatz, Mailand (1968) par Gerhard Richter (Allemagne) a été vendu 37,1 millions $, le 15 mai 2013, chez Christie's, à New York (USA). Il a été acheté par Don Bryant, fondateur du Bryant Family Vineyard, dans la Napa Valley. Le précédent record était détenu par *Benefits Supervisor Sleeping* (1995) de Lucian Freud (RU), vendu 33,64 millions $, le 13 mai 2008.

INFO
Morgan est le 3e chien à détenir ce record depuis que la catégorie a été créée en 2012. Cette femelle domine la plupart de ses congénères – y compris son petit copain Terrier ici – et bat la précédente détentrice du titre Bella (*voir p. 40*) de 3,22 cm.

La plus grande chienne du monde

Morgan – la chienne danoise de Dave et Cathy Payne, de Strathroy-Caradoc (Ontario, Canada) – mesurait 98,15 cm au garrot, le 9 janvier 2013. L'aimable géante de 90,7 kg, âgée de 4 ans, mange 1,5 kg de nourriture séchée (croquettes) et 500 g de nourriture humide chaque jour.

Le plus de cartes de visite collectées en 24 h

James Fleetham de C Squared (RU) a collecté 402 cartes de visite au Festival de Média Global 2013, à Montreux (Suisse), les 29-30 avril 2013. Conformément au règlement, James a dû réseauter avec chacun des titulaires des cartes, sous l'œil vigilant d'un arbitre.

5
C'est le nombre de kilomètres de côtes le long desquelles étaient tirés les feux d'artifice.

Le plus grand feu d'artifice

Le Koweït a marqué le 50e anniversaire de la ratification de sa constitution avec éclat – 77 282 pièces pyrotechniques pour être exact. La capitale, Koweït, a fait tirer le plus grand feu d'artifice jamais vu le 10 novembre 2012, battant tous les records. Débutant à 20 h, ce feu d'artifice a duré 64 min, avec un spectacle son et lumière.

VOS PIEDS SONT-ILS INCROYABLES ?

Battre des records, c'est gratuit et ouvert à tous. Pourquoi ne pas réaliser votre rêve et voir votre nom figurer dans le livre des records ? Découvrez comment procéder sur :

officiallyamazing.tv/feet

ENVIE D'EN SAVOIR PLUS ?

ENCORE PLUS DE RECORDS SONT À VOTRE PORTÉE

RELEVEZ LE DÉFI

Vous voulez tenter un record sans plus attendre ? Rendez-vous sur **guinnessworld records.com/challengers** et choisissez votre défi !

ACCÉDEZ À VOTRE EBOOK GRATUIT

Encore plus d'infos gratuites sur vos records favoris. Participez à notre concours et tentez de décrocher un record. Téléchargez ce chapitre bonus gratuit dès maintenant !

guinnessworldrecords.com/ freebook

ÉDITION JEUX VIDÉO 2014

Fan de jeux vidéo ? Procurez-vous, en anglais, le livre *Gamer's Edition 2014* : vous y trouverez les meilleurs scores et les prouesses techniques.

guinnessworldrecords.com/ gamers

TÉLÉCHARGEZ NOS LIVRES NUMÉRIQUES

Partez à la découverte de vos records préférés sur votre appareil numérique. Rendez-vous sur le site des librairies en ligne.

guinnessworldrecords.com/ ebooks

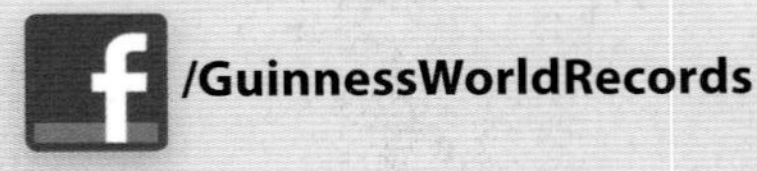

/GuinnessWorldRecords